牧隱研究會研究叢書 8

국역 한주집 제1권

이 도서의 국립중앙도서관 출판예정도서목록(CIP)은 서지정보유통지원시스템 홈페이지(http://seoji.nl.go.kr)와 국가자료공동목록시스템(http://www.nl.go.kr/kolisnet)에서 이용하실 수 있습니다. (CIP제어번호 : CIP2014021311)

牧隱研究會研究叢書

8

구역

한주집 · 第一卷

韓州集

이 집 지음
권오호 옮김
송재소 해제

한울
아카데미

차례

국역 한주집 제1권

국역 한주집 제2권

해제(解題)

1. 한주와 그의 시대

『한주집(韓州集)』은 조선조 숙종(肅宗)대의 문인 학자인 이집(李潗)의 시문집이다. 이집(李潗)의 본관은 한산(韓山), 호(號)는 한주(韓州), 자(字)는 계통(季通)이고, 1670년(현종 11) 부친 이정룡(李廷龍)과 모친 제주(濟州) 양씨(梁氏) 사이의 넷째 아들로 태어났다. 그는 한산 이씨 명문가 출신으로 12대조가 가정(稼亭) 이곡(李穀)이며 목은(牧隱) 이색(李穡)이 그의 11대조가 된다.

현전(現傳)하는 『한주집』에는 그에 관한 자료를 얻을 수 있는 묘지명이나 묘갈명, 행장, 연보 등이 빠져 있기 때문에 그의 생애를 구체적으로 알기 어렵다. 이제 그가 남긴 시문(詩文)들과 한주공 10대 종손 이도성(李度晟) 씨가 쓴 「한주공 약전」에 의거해 한주의 생애를 거칠게나마 재구성해보기로 한다.

그는 30세 되던 1699년에 소과(小科) 생원시(生員試)에 급제하여 첫 벼슬로 목릉(穆陵) 침랑(寢郞)에 제수(除授)되었다. 1709년(40세) 무렵에는 계방(桂坊)의 관원으로 있으면서 지은 시가 보인다. 1710년(41세) 겨울에는 강원도 흡주현감(歙州縣監)으로 부임하여 1712년 가을까지 재직했다. 이 시기에 친구, 친지와 금강산 등지를 유람하며 쓴 시가 있다. 이후 전감사(典監司), 장악원(掌樂院)

등에서 벼슬했으며, 1718년(49세)에 이천부사(利川府使)를 제수받았으나 이듬해 2월에 체직(遞職)되었다는 편지글이 있다(권19, 「答李祭酒書」).

그는 이후에도 청주목사(淸州牧使), 장례원(掌隷院) 판결사(判決事), 병조(兵曹) 참지(參知), 예조(禮曹) 참의(參議) 등을 역임하고 1725년(56세) 10월에 비교적 늦은 나이로 문과(文科)에 급제했다. 이듬해에 황해도(黃海道) 관찰사(觀察使)에 제수되었고, 1727년 4월 4일 대사간(大司諫)에 발탁되었으나, 나흘 후인 4월 8일 임지인 해주(海州)에서 58세를 일기로 서거했다.

한주(韓州)는 길지 않은 생애 동안 끊임없이 병마(病魔)에 시달린 것으로 보인다. 그는 25세 때 쓴 시에서도 "영지(靈芝)는 어느 곳에 자라는가/이 병은 어느 때나 나을는지"라고 하여 영지를 구해 병을 치료하고 싶은 심경을 토로하고 있는 것으로 보아 젊었을 때부터 병약(病弱)했던 듯하다. 흡주현감 시절 지인(知人)에게 보낸 한 편지에서도 "나는 바닷바람에 상하여 팔과 다리가 곯고 마비되는 증상이 심히 가볍지 않은데, 바닷가라서 고칠 약도 없고 치료가 쉽지 않아 근심하고 시름하지만 어찌할 수 없네"(권18, 「與申正甫書」)라고 했으며, 46세 때 참판 이희조에게 보낸 서한에서는 "저는 갑자기 이상한 병을 얻어 반년이나 병에 잠겨 있어 원기가 날이 갈수록 사그라져 마른 뼈만 남았습니다. 그래서 다시 일어나 완전한 사람이 될 기약을 쉽게 할 수 없습니다"(권19, 「與李參判喜朝書」)라고 했다. 주위 사람들에게 보낸 서한에 나타난 바로는 그가 소갈증, 가슴앓이, 풍토병 등을 앓고 있었던 것으로 보인다.

한주가 살았던 시대는 당쟁(黨爭)이 극심한 때였다. 선조(宣祖) 초년에 동인(東人)과 서인(西人)으로 갈린 후 한동안 동인이 득세했는데, 동인은 다시 남인(南人)과 북인(北人)으로 갈라졌다. 1623년 인조반정(仁祖反正)으로 서인이 집권하게 되지만, 1674년 조대비(趙大妃)의 복(服)을 둘러싼 예론(禮論) 싸움에서 남인이 이겨 다시 남인 천하가 된다. 1680년의 경신대출척(庚申大黜陟)으로 서인이 다시 집권하게 되는데, 1683년에는 서인이 노론(老論)과 소론(少論)으로 갈라진다. 이후 1689년의 기사환국(己巳換局)으로 남인이 정국을 주도하다가

1694년의 이른바 갑술환국(甲戌換局)으로 서인이 다시 집권했으나, 이후 노론과 소론의 싸움이 치열했다.

이와 같은 당쟁은 애초에 국리민복(國利民福)과는 거리가 멀었다. 철저하게 자당(自黨)의 정치적 이익을 위한 싸움이었기 때문에 그 폐단이 적지 않았다. 그래서 숙종은 재위 기간에 여러 차례 탕평책(蕩平策)을 유시한 바 있다. 그리고 1709년(숙종 35)에는 첨예하게 대립하고 있던 노론과 소론의 폐단을 직접 언급하기도 했다. 한주가 소과(小科)에 급제하여 정계에 진출한 1699년 이후는 특히 노소(老少) 양당의 대립과 투쟁이 극심했던 시기였다. 한주의 집안은 노론에 속해 있었는데, 노론과 소론 간의 싸움으로 그와 그의 가족은 직접 혹은 간접적으로 크고 작은 피해를 입었다.

2. 『한주집』의 구성과 편차(編次)

『한주집』은 연세대학교 중앙도서관 소장 귀중본으로, 7책 27권으로 구성되어 있으나 이 중 권7에서 권17까지와 권22, 권23이 누락되었다. 권1부터 권6까지에 사(詞) 1편, 부(賦) 2편, 시(詩) 1063수, 잡가(雜歌) 1편이 수록되어 있고, 권18에서 권21까지에는 서(書)와 별폭(別幅), 소지(小紙), 추고(追告) 등 192편이 수록되어 있다. 그리고 권24부터 권26까지에 제문(祭文) 56편을 비롯하여 축문(祝文), 애사(哀辭), 뇌사(誄詞) 등이 수록되어 있고, 권27에는 행장(行狀), 가장(家狀), 선훈(先訓), 가제(家祭), 고사(告辭), 축문 등이 수록되어 있다.

권6에는 1712년까지의 시가, 권18에는 1711년(42세)부터의 서(書)가, 권21에는 한주가 사망한 1727년의 서한(書翰)이 실려 있는 것으로 보아 누락된 권7에서 권17까지에는 1713년부터 1727년까지의 시와 1710년까지의 서(書)가 수록되어 있었을 것으로 추정된다. 마찬가지로 누락된 권22와 권23에는 문집의 일반적인 체제로 보아 서(序), 기(記), 발(拔) 유의 글들이 수록되어 있었을 것으로 추정된다. 이렇게 보면 총 27권 중에서 13권 분량의 글이 빠져 있다.

『한주집』에는 서문(序文)과 발문(跋文)이 없어서 이 책이 어느 시대에 누구에 의하여 간행되었는지 알 수가 없다. 또한 한주의 묘지명이나 행장, 연보 등 그의 생애를 살필 수 있는 자료가 수록되지 않아서 아쉽다.

3. 『한주집』의 내용

한주는 정치가라기보다 문인(文人)의 자질을 타고났다. 그는 특히 시에 능하여 지금 우리가 볼 수 있는 시만 해도 1064수나 되는데, 결본(缺本)에 수록되었을 시까지 합하면 적어도 1500수는 넘을 것이다. 상당한 양이다. 『한주집』에는 시재(詩才)가 있던 한주가 8세에 지었다는 「춘초(春草)」라는 작품이 실려 있다.

春雨來春草芃芃生　　봄비 오니 봄풀이 무성하게 나오고
春雨晴春草漸漸長　　봄비 그치니 봄풀이 점점 크게 자라네

(권1)

이렇게 예민한 감수성으로 어렸을 때부터 시작(詩作)에 몰두한 한주는 부귀공명과 같은 세속적 출세에는 별 뜻이 없었던 것으로 보인다.

永辭兩蠻觸　　만과 촉의 싸움에서 영원히 벗어나
閒閒獨采眞　　나 홀로 한가하게 참[眞]을 캐려네
山中何所好　　산중에 무엇이 그리 좋은가
千柳數家春　　일 천 그루 버들과 두어 집의 봄이라오

(권1, 「謾題」)

15세 무렵의 작품으로 추정되는데 이때 벌써 한주가 추구하는 이상의 윤곽이 드러난다. "만과 촉의 싸움"이란 조그마한 일로 서로 다투는 것을 말한다. 이해관계에 얽힌 세속적인 싸움으로부터 벗어나 산속에서 홀로 "참[眞]을 캐는" 것이 한주의 이상이다. 나물을 캐듯이 참을 캐겠다는 것이다. 그러면 그가 추구하려는 '참'의 실체는 무엇인가? 비슷한 시기에 쓴 「채진당(采眞堂)」이라는 시가 그 답이 될 수 있다.

楊柳梧桐霽月明	버드나무, 오동나무에 달은 밝은데
春山一面石泉鳴	봄 산 한쪽에는 바위 위에 물소리
簞瓢陋巷專吾樂	단표누항이 오로지 내 즐거움
這裡誰知意味淸	이 속의 맑은 뜻을 누가 알리오

(권1, 「采眞堂」)

시끄러운 곳을 떠나 자연을 벗 삼으며 "단표누항"하는 것이 그의 즐거움이라 했다. "단표누항"은 『논어』 「옹야(雍也)」 편에서 공자가 안회(顔回)를 칭찬하면서 한 말이다. 공자는 "어질도다, 안회여. 한 그릇의 밥과 한 표주박의 물을 마시며 누추한 곳에 사는 것을 사람들은 그 근심을 견디지 못하거늘 안회는 그 즐거움을 고치지 않으니, 어질도다 안회여[賢哉回也 一簞食 一瓢飮 在陋巷 人不堪其憂 回也不改其樂 賢哉回也]"라고 말했다. 그러므로 한주가 "단표누항이 오로지 내 즐거움"이라 말한 것은 안빈낙도(安貧樂道)하는 안회의 자세를 본받겠다는 의지의 표현이다. 그것이 그가 추구하는 '참'이라 할 수 있다.

이렇게 젊은 시절의 한주는 정신적으로 세속과 거리를 두고 있었다. 왜 그는 현실로부터 거리를 두려고 했는가? 그가 바라본 당시의 현실이 극도로 어지러웠기 때문이다. 그는 「종남산을 멋대로 읊다[終南謾吟]」(권1)이라는 시에서 "끼었다가 걷히는 남산의 안개는/이리저리 뒤집는 티끌세상 인정이라[或舒或卷南山霧 一覆一翻塵世情]"라고 했다. 반복을 일삼는 세상인심을 남산의 안개에 비유한 것이다. 세상인심은 남산의 안개처럼 이랬다저랬다 반복만 일삼는 것이 아니다.

黨論誤人情	당론이 사람 마음 잘못 이끌어
鬪爭似蝸角	싸움질하는 꼴이 와각과 같네
莫言天地濶	천지가 넓다고 말하지 마라
處處是劍閣	곳곳이 바로 검각이라네

(권2, 「病中」其二)

이 시는 22세경의 작품이다. 이 무렵에 세자 책봉 문제로 노론이 실각하고 남인이 집권한 기사환국(己巳換局)이 있었고, 노론의 영수 송시열(宋時烈)이 사사되었다. 왕비 민씨(閔氏)가 폐서인(廢庶人)이 되고, 희빈 장씨(張氏)가 왕비로 책봉되는 과정에서도 당파 싸움이 계속되었다. 급기야 숙종(肅宗)은 붕당(朋黨)의 폐해를 경계하는 율시(律詩)를 지어 내리기도 했다. 앞의 시는 이러한 정치판을 반영한 작품이다. "와각(蝸角)"이란 앞의 시 「만제(謾題)」에 나온 "만과 촉의 싸움"과 같은 말로, 당파 싸움을 말한다. "검각(劍閣)"은 중국 사천성에 있는 험하기로 이름난 요새이다. 한주 당시의 모든 곳이 검각과 같다고 했으니, 세상살이가 어려울 수밖에 없다. 한주가 현실을 멀리한 이유가 여기에 있다. 소모적인 당파 싸움에 휘말리기 싫었고, 또 스스로 위험을 자초하고 싶지 않았기 때문일 것이다. 그는 「높은 산을 노래하다[高山歌]」(권2)라는 시에서도 험한 산길을 가는 어려움을 다음과 같이 말하면서, 당시의 정치판을 호랑이가 사람을 잡아먹는 형국에 비유했다.

......

莫道此間猛虎惡	이곳에 호랑이가 사납다고 하지 마라
長安道上盡豺虎	장안의 길 위에선 모두가 이리와 범

噛人如齝草   사람 잡아먹기를 풀 씹듯 하니
我已將身得保護   나는 이미 몸을 빼내 보호하였네

그렇지 않아도 권력과 부귀에 흥미가 없었던 그가 혼탁한 현실을 멀리하고, 안회와 같이 고고한 삶을 추구한 것은 당연한 일이었을 것이다. 남들보다 비교적 늦은 시기에 과거에 급제한 것도 애초에 벼슬길에 나아갈 적극적인 의사가 없었기 때문이 아닌가 생각된다. 벼슬살이하면서도 그의 생활 자세는 바뀌지 않았다. 흡주현감으로 있던 43세경의 시에서 "벼슬살이하면서 하는 사업 없으니/좋은 글귀 짓는 것이 내가 하는 일이네[爲官無事業 佳句是經營]"(권6, 「觀鋤亭次唐韻」)라 말한 것을 보면 그가 사또로서의 정무(政務)보다 시 짓는 일에 더 열중했음을 알 수 있다. 그렇다고 해서 그가 음풍농월(吟風弄月)이나 하면서 세월을 보낸 것은 아니다. 글 읽은 사대부(士大夫)로서 응당 기울여야 할 민생(民生) 문제를 그는 외면하지 않았다.

麥熟將可刈   보리가 익었으니 벨 만도 하고
稻生水如油   벼 자라는 물결은 기름같이 맑은데
如何把鋤嫗   어찌하여 호미 잡은 늙은 아낙은
眉攢萬端愁   눈썹에 온갖 시름 모여 있는가

                                        (권1, 「西湖道中」)

21세경의 작품으로 추정된다. 보리도 익었고 벼도 잘 자라는데 "늙은 아낙"의 "눈썹에 온갖 시름이 모여 있는" 이유가 무엇일까? 시의 문면에 드러나지는 않았지만, 아마 관리들의 가렴주구(苛斂誅求) 때문이라 생각된다. 또 다른 시에서도 "지난해엔 팔로에 가뭄이 들어/흩어진 백성들 갈 곳이 없네/동과 서, 남과 북으로/굶주려 달려가나 역질만 만날 뿐[前年八路旱 散民靡所適 東西 與南北 飢走但遘疫]"(권1, 「待雨不來見月得赤字」)이라 하여 가뭄으로 고통 받는

백성에게 애정 어린 시선을 보내고 있다.

그러나 한주는 각종 질병으로 시달리는 데다 당시의 정치적 환경도 좋지 않았고 그 자신이 권력 지향적 인간형이 아니어서, 벼슬살이를 하면서도 적극적으로 정사(政事)에 임하지 않은 듯하다.

吏隱管花事	이은하며 꽃 가꾸는 일 맡아서 하는데
藥塢留晚春	약초 심은 뜰에는 늦은 봄이 남아 있네
此中添一勝	이 가운데 한 가지 좋은 일이 더 있으니
三日伴詩人	사흘 동안 시인들과 짝하는 일이네

(권6, 「觀鋤亭次唐韻」 其三)

흡주현감 시절의 시로 한주의 정신적 지향(志向)을 잘 보여주고 있는 작품이다. "이은(吏隱)"은 부득이 벼슬은 하고 있으나, 본마음은 은거하고자 하는 것을 말한다. 한주는 흡주현감으로 있는 자신의 상황을 '이은'이라 표현했다. 즉 벼슬에 별 뜻이 없다는 말이다. 그래서 꽃 가꾸는 일을 아랫사람에게 시키지 않고 자신이 직접 맡아서 하고 뜰에 약초도 심으며 지낸다. 게다가 시 짓는 친구들이 와서 사흘 동안 같이 지내게 되어 더욱 좋다고 했다. 이것이 한주의 본모습이 아닐까? 흡주현감 이후 그는 계속해서 관직에 있었는데, 그 이후의 작품은 결본(缺本)이 되어 볼 수 없기에 단정할 수는 없지만, 아마 그의 관직 생활은 '이은'의 범위를 크게 벗어나지 않았을 것이라 추측해볼 수 있다.

이 밖에도 한주는 '시벽(詩癖)'이 있다고 할 정도로 시 짓기를 즐겨서 사소한 일상의 일을 마치 일기를 쓰듯이 시로 기록했다. 『한주집』에는 친구들과 만나서 창수(唱酬)한 시, 송별 시, 만시(輓詩), 연구(聯句) 등의 시 작품이 다량 수록되어 있다.

200여 편에 달하는 서간문(書簡文)에는 가까이 지내는 친구들의 안부를 묻고, 혹 귀양길에 오르거나 귀양살이하고 있는 친구들을 위로하는 등의 글이 보인다. 또한 친지(親知)나 자질(子姪)에게 험한 세상에서 살아나가기 위한 지혜를 담은 편지를 보내기도 했다. 한주의 서간문에서 우리는 또 공식적인 문서에서는 볼 수 없는 정치적 이면사(裏面史)를 읽을 수도 있다.

시를 제외한 한주의 글 중에서 눈에 띄는 것은 제문(祭文)이다. 그는 상당한 양의 제문을 지었는데, 공식적이고 규격적인 일반 제문과 달리 망자(亡者)에 대한 자신의 애절한 감정을 곡진하게 표현하고 있다. 특히 지친(至親)에 대한 제문은 더욱 애절하다. 그는 네 형제 중 막내로 세 명의 형이 모두 먼저 사망했는데, 이 세 명의 형과 두 분 형수에 대한 제문은 감동적이다. 그와 가장 가까웠을 셋째 형의 제문은 마치 묘지명이나 행장을 쓰듯이 망자의 행적과 인품을 자세히 묘사하고, 한주 자신과 관계된 생시의 일화 등을 적절하게 삽입하여 지은 명문이다. 일찍 죽은 딸 강임(康任)의 제문은 아름답고 애절한 한 편의 문학 작품이라 할 만하다.

『한주집』에서 누락된 13권 분량의 글이 앞으로 발견되어, 한주의 생애와 문학 세계의 전모가 정리되기를 기대한다.

宋載卲(성균관대학교 명예교수)

한주공(韓州公) 약전(略傳)

1. 한주공의 생애

이 문집의 저자인 한주공의 본관은 한산(韓山), 휘(諱)는 집(潗), 자(字)는 계통(季通), 호(號)는 한주(韓州)이다. 공은 1670년(현종 11) 7월 13일 아버지 김제공(金堤公) 휘 정룡(廷龍)과 어머니 제주(濟州) 양씨(梁氏)의 넷째 아들로 태어났다.

한주공이 당대의 여러 석유(碩儒)들의 문하에서 학문을 익혔음은 기록을 통해 알 수 있는데, 그중에서도 특히 두드러진 분이 현석(玄石) 박세채(朴世采)[1] 선생이다. 한주공은 1695년 현석 선생의 영전(靈前)에 올린 제문에서 "저

---

1) **박세채**(朴世采): 1631~1695. 조선 후기 문신 성리학자. 본관 반남(潘南), 자 화숙(和叔), 호 현석(玄石), 남계(南溪), 시호 문순(文純). 김상헌(金尙憲)의 문인. 주로 송시열(宋時烈), 송준길(宋浚吉) 등 서인과 학문적 교유 관계를 맺음. 1683년 서인이 노론과 소론으로 분립되자 윤증(尹拯), 최석정(崔錫鼎), 남구만(南九萬) 등과 소론의 영수가 되었으며, 1694년 갑술환국(甲戌換局)으로 소론이 정권을 잡자 좌의정에 오름. 소론의 힘으로 좌의정이 되었지만, 이후에는 노론의 정치·학문적 입장을 지지함. 숙종 후반 산림학자를 대표하는 위치에 오르자 붕당 간의 조정에 힘을 기울여 영조·정조대에 이르러 탕평책을 시행할 수 있는 중요한 기반을 제공함.

는 늦게 선생의 학당으로 들어가 …… 어리석고 지지부진하여 충분히 할 수 없는 자질인데도 수레를 돌리고 바퀴를 고치게 하여 한 울타리에 머물게 하셨으니, …… 선생께서는 제가 불가(佛家)와 노자(老子)에 병들었다고 하셨습니다. 제가 과명(科名)에 오를 때에도 이미 불교와 도교의 논리를 말하였다가 여러 시관(試官)들에게 비난을 당한 일이 있었지만, …… 어느 날 이런 일로 나아가서 뵙고 말씀을 드렸는데 허황한 논리에 빠지지 말라고 하시면서 해오던 학문을 오로지 가르쳐주셨으니 ……"라고 했다. 현석 선생은 김제공과는 사돈지간으로 현석 선생의 아들 태정(泰正)이 김제공의 사위이다.

1699년 3월 생원시(生員試)²⁾에서 3등으로 입격(入格)한 한주공은 이듬해 목릉(穆陵)³⁾ 침랑(寢郎)⁴⁾을 지냈으며 계방(桂坊)⁵⁾에서도 근무했다. 1710년 겨울에 흡주(歙州)⁶⁾ 현감(縣監)⁷⁾으로 부임하여 1712년 가을까지 재직했다. 이후 전감사(典監司)⁸⁾, 장악원(掌樂院)⁹⁾ 등에서 관직을 지냈으며 1718년에는 이천부사(利川府使)¹⁰⁾를 제수받았는데, 품계는 통훈대부(通訓大夫)¹¹⁾였다.

---

2) **생원시**(生員試): 조선 시대 사마시(司馬試)의 하나. 여기에 뽑힌 사람을 생원이라 함. 사서오경(四書五經)을 시험했는데, 1차 시험인 초시(初試)와 2차 시험인 복시(覆試)가 있었음.

3) **목릉**(穆陵): 조선 제14대 왕 선조와 원비 의인왕후(懿仁王后) 박씨, 계비 인목왕후(仁穆王后) 김씨 등 세 사람의 무덤임. 경기도 구리시 동구릉(東九陵) 소재.

4) **침랑**(寢郎): 조선 시대에 종묘 능원(園)의 영(令)과 참봉(參奉)을 통틀어 이르는 말.

5) **계방**(桂坊): 조선 시대 세자의 호위를 맡았던 세자익위사(世子翊衛司)의 별칭.

6) **흡주**(歙州): 지금의 강원도 통천군으로 흡현·흡곡현이라고도 함.

7) **현감**(縣監): 조선 시대 동반(東班) 종6품 외관직(外官職).

8) **전감사**(典監司): 조선 시대에 강과 바다의 운항을 담당하던 관아.

9) **장악원**(掌樂院): 조선 시대에 음악에 관한 일을 맡아보던 관아.

10) **부사**(府使): 조선 시대의 지방 장관직. 정3품의 대도호부사(大都護府使)와 종3품의 도호부사(都護府使)를 가리키는 칭호. 대도호부사는 목사(牧使)보다 상위직이었으며, 도호부사는 목사와 군수의 중간에 해당함.

11) **통훈대부**(通訓大夫): 조선 시대 정3품 동반(東班) 문관(文官)에게 주던 품계. 정3품의

한주공은 젊은 시절부터 예순을 못 넘기고 서세(逝世)할 때까지 줄곧 극심한 병마에 시달렸다. 흡주현감 시절, 한주공은 당시의 괴로움을 지인들에게 보낸 편지에서 "나는 바닷바람에 상하여 팔과 다리가 곯고 마비되는 증상이 심히 가볍지 않은데, 바닷가라서 고칠 약도 없고 치료가 쉽지 않아 근심하고 시름하지만 어찌할 수 없네. 오래된 마비 증세가 날마다 더해 고통이 심해지니 바다의 풍기(風氣)가 좋지 못하여 이렇게 된 것 같네. 앞길이 어떻게 될지 근심스럽고 또 근심스럽네"라고 썼다.

1725년 2월에는 한 지인에게 보낸 편지에서 "8년 동안이나 당뇨를 앓은 뒤에 다시 풍토병을 앓았으니 진이 다 빠져 다시는 온전한 사람이 될 희망이 없고 몸이 아파 죽을 듯한 괴로움이 깊어져서 극에 달했습니다. 저는 해묵은 병이 나이가 먹을수록 깊어져서 살이 다 빠진 채 빈 껍질만 남아 있을 뿐이니, 스스로 가련하고 가련합니다"라고 썼다.

공은 이천부사를 지낸 뒤 권간(權奸)들의 핍박을 받으며 한동안 선산 아래에서 은거 생활을 하기도 했다. 한주공은 1725년(영조 1) 문과(文科) 급제 후 선조들의 영전에 드린 고사(告辭)에서 당시 통한(痛恨)의 심경을 "지난여름에는 다른 사람으로부터 대장을 위조해 거짓으로 꾸미고 없는 일을 만드는 거짓 참소(讒訴)12)를 받기에 이르렀습니다. 그 뒤 여러 고을에 임용이 되었으나, 끝내 감히 부임하지 아니하였습니다. 오늘에 와서 과거(科擧)를 빌려 은혜롭게 발탁되어 가난과 굶주림을 구제하라는 명을 받았기에 물러났다가 다시 벼슬로 나아가야 할 것입니다"라고 썼다.

청주목사(淸州牧使), 장례원(掌隸院)13) 판결사(判決事), 병조(兵曹) 참지(參知)14),

하계(下階)로서 통정대부(通政大夫)보다 아래 자리로 당하관(堂下官)의 최상임.
   통정대부(通政大夫): 조선 시대의 관계(官階). 정3품의 상계(上階)임.
12) **참소**(讒訴): 남을 헐뜯어 없는 죄도 있는 것처럼 윗사람에게 고해바침.
13) **장례원**(掌隸院): 조선 시대 노비의 부적(簿籍)과 소송에 관한 일을 관장하던 관청.

예조(禮曹) 참의(參議)[15]를 지내던 한주공은 1725년 10월 20일 통정대부로 승자(陞資)[16]했고, 다음 날인 10월 21일 증광시(增廣試)[17]에서 장원급제했다. 그해 11월 19일 승정원(承政院)[18] 좌부승지(左副承旨) 참찬관(參贊官)[19]으로 임명되었고, 1726년 5월 11일 황해도 관찰사(黃海道觀察使)[20]에 제수된 한주공은 7월 2일 임금에게 하직 인사를 하고 부임했다. 한주공은 황해도 관찰사 재임 중인 1727년 4월 4일 대사간(大司諫)[21]에 발탁되었으나, 나흘 후인 4월 8일 임지 해주(海州)에서 58세를 일기로 서세했다.

『조선왕조실록(朝鮮王朝實錄)』에는 공이 서세하자 "처음에 음사(蔭仕)로 고을의 목사에 이르렀다가 늦게야 비로소 등제(登第)했고 발탁하여 황해도 관찰

판결사(정3품) 1명, 사의(司議: 정5품) 세 명, 사평(司評: 정6품) 네 명의 관원을 둠.

14) **참지**(參知): 조선 시대 병조에 소속된 정3품 벼슬. 정원은 1명.

15) **참의**(參議): 조선 시대 육조(六曹)에 소속된 정3품 당상관직. 지금의 차관보에 해당하며 각 조의 참판과 함께 판서를 보좌하면서도 판서와 대등한 발언권을 지님.

16) **승자**(陞資): 조선 시대 당하관이 당상관(堂上官)의 자급(資級)에 오르던 일.

17) **증광시**(增廣試): 조선 시대 즉위경(卽位慶)이나 30년 등극경(登極慶)과 같은 큰 경사가 있을 때, 또는 작은 경사가 여러 개 겹쳤을 때 임시로 실시한 과거. 소과(小科)·문과(文科)·무과(武科)·잡과(雜科)가 있음.

18) **승정원**(承政院): 조선 시대의 중추적 정치 기구이며 왕명의 출납(出納)을 맡아봄. 도승지는 이조, 좌승지는 호조, 우승지는 예조, 좌부승지는 병조, 우부승지는 형조, 동부승지는 공조를 맡았는데 모두 정3품 당상관으로 임명함.

19) **참찬관**(參贊官): 조선 시대 경연청(經筵廳)에서 국왕에게 경서(經書) 강론 및 경연(經筵)에 참여하였던 정3품 당상관으로, 정원은 홍문관 부제학과 승정원의 여섯 승지 등 일곱 명으로 구성됨.

20) **관찰사**(觀察使): 조선 시대 각 도에 파견된 지방 행정의 최고 책임자. 감사(監司), 도백(道伯), 방백(方伯), 외헌(外憲), 도선생(道先生), 영문선생(營門先生) 등으로도 불림. 종2품 관직.

21) **대사간**(大司諫): 조선 시대 사간원(司諫院)의 으뜸 벼슬로 정3품 당상관이며, 정원은 1원임. 임금에게 간언(諫言)하는 일을 맡아보면서 다른 사람의 상소를 임금에게 올리는 일도 맡아보았으므로, 학식과 경험이 풍부한 사람이 임명됨.

사를 제수했었는데, 이에 이르러 병으로 졸(卒)하므로 애석하게 여기는 사람이 많았다"라고 적혀 있다.

묘는 경기도 성남시(城南市) 분당구(盆唐區) 수내동(藪內洞) 65번지 영장산(靈長山) 중앙공원의 선영 아래 있다. 묘역은 1989년 12월 29일 경기도 문화재 제116호로 지정되었다.

2. 한산 이씨의 선계(先系)

한산 이씨는 지금의 충청남도 서천군(舒川郡) 한산면(韓山面) 지방에 토착세거(土着世居)해온 호족(豪族)[22]의 후예로, 고려 시대 권지(權智)[23] 합문지후(閤門祗侯)[24] 휘 윤우(允佑)를 시조로 하는 백파(伯派)와 동생 권지호장(權知戶長)[25] 휘 윤경(允卿, 호장공)을 시조로 하는 숙파(叔派)가 있는데 한주공의 17대조가 호장공이다.

호장공이 관청 곡식을 맡은 여러 해 동안 출납하는 것이 공정하여 백성들이 큰 혜택을 입었으며, 옛 한산군 내 사람들이 공의 덕을 추모하여 목우상(木偶

---

22) **호족**(豪族): 중앙의 귀족과 대비되는 용어로서 지방의 토착 세력.
23) **권지**(權智): 고려 및 조선 시대에 실직(實職)이 아닌 임시직의 벼슬아치를 말하는 것으로 대개 관직명 앞에 붙여 호칭함.
24) **합문지후**(閤門祗侯): 고려 시대 조회(朝會), 의례(儀禮) 등 국가 의식을 맡아보던 합문 소속의 정7품 관직.
25) **호장**(戶長): 고려 시대 향직(鄕職)의 우두머리. 일반적인 직무는 호구장적(戶口帳籍)의 관장, 전조(田租) 및 공물(貢物)의 징수 상납, 역역(力役)을 동원하는 일 등을 수행함. 군사적 기반과 전투적 성향이 있었기 때문에 궁과(弓科) 시험을 거쳐 주현일품군(州縣一品軍)의 별장(別長)에 임명되어, 지방 군사 조직의 장교로서 주현군을 통솔하기도 함. 호장 신분은 대체로 세습되었기 때문에 그 자손에게는 지방 교육의 기회와 더불어 과거에 응시할 수 있는 자격이 주어졌고, 과거를 통한 중앙 관료로의 진출이 가능했음.

像)을 만들어 성황묘(城隍廟)에 봉안하고 봄, 가을에 제사를 지냈다고 전한다.

공의 묘소는 한산군 지현리(芝峴里) 건지산(乾至山) 밑에 있는데 금계포란형(金鷄抱卵形)의 명당으로 알려져 있다. 묘소는 본래 한산군의 동헌(東軒)이 있던 곳이었는데 관가의 현감이 앉는 널빤지가 지기(地氣) 때문에 자꾸 썩어가는 것을 눈여겨보고 지혈(地穴)이 바로 그 자리임을 익혀두었다가 묘를 썼다고 한다.

호장공의 묘소에 얽힌 전설이 전해 내려오는데, 자손들이 한산 고을에서 여러 대에 걸쳐 호장으로 봉직할 때 하루는 동헌 마룻장이 뒤틀리고, 마루 틈으로 안개 같은 기운이 스며 올랐다고 한다. 이를 수상히 여긴 후손이 마룻장 밑에다 계란을 파묻어 두었다가 얼마 후에 꺼내 보니 상하지 않고 그대로 있었는데, 바로 이곳이 필시 명당일 것 같아 원님 몰래 밤중에 호장공을 평분(平墳)으로 입장(入葬)해 놓았다는 것이다.

묘소를 평분으로 만든 까닭에 세월이 흐르자 실전(失傳)되었다. 호장공의 24세손인 삼은공(三隱公) 휘 승오(承五)26)가 1880년(고종 17) 충청도 관찰사로 부임하여 퇴락한 관부를 수리하다가 발견하여, 현재와 같이 재봉축하고 표석을 세웠다.

호장공의 외아들 휘 인간(仁幹)은 정조호장(正朝戶長)27)을 지냈으며, 첫째 아들 휘 충진(忠進)과 비서랑(秘書郎)28)을 지낸 둘째 아들 휘 효진(孝進, 비서랑공)을 두었는데 비서랑공이 한주공의 15대조이다. 비서랑공은 두 아들을 두

---

26) **이승오**(李承五): 조선 말기 문신(1837~1900). 자 규서(奎瑞). 호 삼은. 이조 판서, 병조 판서 등을 지냄.

27) **정조호장**(正朝戶長): 고려 시대의 지방 향리 가운데 향직 7품에 해당하는 '정조'의 직위를 받은 호장. 매년 정월 초하루에 도성의 궐문에 나아가서 임금에게 문안드리는 예식에 참여하는 향리(鄕吏).

28) **비서랑**(秘書郎): 고려 시대 경적(經籍)과 축문(祝文)에 관한 일을 관장하던 비서성(秘書省)의 종6품 관직.

었는데 첫째 아들 휘 영장(永莊)은 안일호장(安逸戶長)을 지냈고, 한주공의 14대조인 휘 창세(昌世)는 봉익대부(奉翊大夫)29) 판도판서(版圖判書)30)에 추봉(追封)31)되었다.

한주공의 13대조인 감무공(監務公) 휘 자성(自成: ?~1310)은 진사로서 정읍(井邑)의 감무32)를 지냈는데, 셋째 아들 가정공(稼亭公) 휘 곡(穀)의 출세로 광정대부(匡靖大夫)33) 도첨의(都僉議)34) 찬성사(贊成事, 본국) 비서감승(秘書監丞, 원나라)35)에 추증(追贈)되었다. 부인은 흥례(興禮) 이씨로 삼한국대부인(三韓國大夫人)36)(본국) 요양현군(遼陽縣君)37)(원나라)에 추증되었다.

---

29) **봉익대부**(奉翊大夫): 고려 시대 문관 종2품 하(下)의 품계명.
30) **판도판서**(版圖判書): 고려 시대 호구(戶口), 공부(貢賦), 전량(錢糧) 등에 관한 사무를 관장하던 판도사(版圖司) 소속의 정3품 관직.
31) **추봉**(追封): 죽은 뒤에 작위를 봉(封)함.
32) **감무**(監務): 고려 시대에 지방의 군현(郡縣)에 파견한 5·6품의 관직. 설치 목적은 주현(州縣)에 의해 피해를 입은 속군현의 유망민을 안정시켜 조세와 역을 효과적으로 수취하면서 중앙집권책을 실시하기 위한 것임. 감무는 과거 급제자를 파견하는 것을 원칙으로 했으며, 조선 태종 때 군현제를 정비하면서 현감으로 개칭함.
33) **광정대부**(匡靖大夫): 고려 시대 문관 종2품의 품계명.
34) **도첨의**(都僉議): 문하부(門下府). 고려 시대 백규(百揆)의 서무(庶務)를 관장하고, 그 낭사(郎舍)는 간쟁(諫諍)과 봉박(封駁)을 관장하던 관아. 내의성(內議省), 내사문하성(內史門下省), 중서문하성(中書門下省), 첨의부(僉議府), 도첨의사사(都僉議使司), 문하부(門下府) 등으로 이름이 바뀜. 영부사 한 명, 좌시중 한 명, 우시중 한 명 등은 정1품. 시랑(侍郎), 찬성사(贊成事) 이 두 명은 종1품.
  시랑(侍郎): 고려 시대 관직. 상서 6부의 정4품 벼슬.
35) **비서감승**(秘書監丞): 경적(經籍)과 축소(祝疏)에 관한 일을 관장하던 관청에 속한 관원.
36) **대부인**(大夫人): 고려 시대 문무관 3품 관직을 지닌 사람의 어머니에게 내린 작위.
37) **현군**(縣君): 조정 관료의 부인 또는 어머니에게 그의 남편이나 자식의 품계에 따라 내리는 작위.

3. 한주공의 세계(世系)

■ 12대조 가정공 곡(穀)

감무공의 부인은 흥례부(興禮府:지금의 경상남도 울산) 향리(鄕吏) 이춘년(李椿年)의 딸인데 슬하에 휘 배(培), 휘 축(畜), 휘 곡(穀) 등 세 아들과 딸 하나를 두었다. 한산 이씨는 시조 호장공으로부터 감무공에 이르기까지는 한산의 향리 가문이었으나, 가정공대에 이르러 명문(名門)으로서의 기틀을 세웠다.

가정공(稼亭公, 1298~1351)의 자는 중부(仲父), 초명은 운백(雲白), 호는 가정(稼亭)이다. 1298년(충렬왕 23) 한산 북고촌(北古村)에서 태어났으나, 청소년기에는 외가가 있는 흥례부에서 살았는데 외가에 머무는 동안 당시 유명한 유학자인 우탁(禹倬)[38]을 만나 사사(師事)하며 학문적 영향을 받았다. 가정공은 16세 때 흥례부에서 가까운 영해(寧海) 향교(鄕校)의 대현(大賢)[39]인 김택(金澤)의 딸 함창(咸昌) 김씨(金氏)와 혼인했다.

가정공은 1317년 국자감시(國子監試)에 합격했으며 1320년(충숙왕 7) 국시(國試) 수재과(秀才科) 제2명(第二名)으로 급제했는데, 당시 지공거(知貢擧)[40] 익재(益齋) 이제현(李齊賢)[41]은 가정공의 좌주(座主)로서 부자 관계와 같은 긴밀한

---

38) **우탁(禹倬):** 고려의 문신(1262~1342). 본관 단양(丹陽). 자 천장(天章), 탁보(卓甫). 호 백운(白雲), 단암(丹巖). 시호 문희(文僖). '역동(易東) 선생(先生)'이라 불림. 문과에 급제, 영해(寧海) 사록(司錄), 감찰규정(監察糾正) 등을 지냄. 원나라를 통해 들어온 정주학(程朱學) 서적을 처음으로 해득해 후진에게 가르쳤으며, 경사(經史)와 역학(易學)에 통달함.
39) **대현(大賢):** 생도(生徒)의 연장자.
40) **지공거(知貢擧):** 고려 시대 과거의 시험관. 지공거에 대해 당해 연도의 급제자들은 좌주 은문(恩門)이라 칭하며 평생 부모처럼 모셨고 문생(門生)의 예를 행함.
41) **이제현(李齊賢):** 고려 말기 문신 학자(1287~1367). 초명은 지공(之公). 자는 중사(仲思). 호는 역옹(櫟翁), 익재. 벼슬은 문하시중에 이르렀으며 당대의 명문장가로 정주학의

관계를 맺게 되었다. 수재과에 급제한 가정공은 복주(福州)42) 사록참군(司錄參軍), 예문(藝文) 검열(檢閱)을 지냈는데 복주(지금의 경상북도 안동)에서 가정공은 정도전(鄭道傳)43)의 아버지 정운경(鄭云敬)44)을 만나 친교를 맺었다.

수재과에 급제를 했다고 하더라도 시골 향리 출신인 가정공은 문벌의 배경이 없어 중앙 관직을 받지 못했다. 가정공은 좌주인 이제현에게 구직을 청해 1331년 봄 정구품인 예문춘추관(藝文春秋館)45) 검열이 되었으나 이에 만족할 수 없어 1332년 정동성(征東省)46) 향시(鄕試)에 합격한 데 이어, 1333년 원나라 전시(殿試) 제과(制科)47)에 급제하여 승사랑(承仕郞) 한림(翰林)48) 국사원(國史

기초를 닦음. 저서로 『익재집(益齋集)』, 『역옹패설(櫟翁稗說)』, 『익재난고(益齋亂藁)』가 있음.

42) **복주**(福州): 지금의 경상북도 안동.

43) **정도전**(鄭道傳): 고려 말 조선 초의 정치가, 학자(1342~1398). 자 종지(宗之), 호 삼봉(三峰), 시호 문헌(文憲). 아버지와 가정공과의 교우 관계가 인연이 되어, 가정공의 아들 목은공(牧隱公)의 문하에서 수학함. 1360년(공민왕 9) 성균시에 합격하고, 2년 후에 동 진사시에 합격해 충주(忠州) 사록(司錄), 전교(典校) 주부(注簿), 통례문(通禮門) 지후(祗候)를 지냄. 1383년 동북면 도지휘사로 있던 이성계(李成桂)를 함주 막사로 찾아가서 그와 인연을 맺기 시작해 이듬해 이성계의 천거로 성균관 대사성으로 승진함. 1388년 6월에 위화도회군으로 이성계 일파가 실권을 장악하자 조선 건국의 기초를 닦았으며, 개국 1등 공신으로 문하시랑(門下侍郞) 찬성사(贊成事) 등 요직을 지냄.

44) **정운경**(鄭云敬): 고려 말기의 문신(1305~1366). 본관은 봉화(奉化). 어려서 영주(榮州)와 복주(福州) 향교에서 수학한 뒤 개경에 올라와 가정공 등과 사귐. 1330년 문과에 급제해 도평의녹사(都評議錄事), 전의(典儀) 주부(注簿), 밀성군(密城郡) 지사(知事) 등을 지냄.

45) **예문춘추관**(藝文春秋館): 고려 시대 왕명의 작성과 시정(時政)의 기록 및 역사의 편찬을 관장한 관서.

46) **정동성**(征東省): 고려 충렬왕 6년(1280)에 원나라가 일본 원정을 위해 개경에 설치했던 기구. 두 차례의 원정 실패로 철폐했다가 충렬왕 11년에 다시 세운 이후 고려 말까지 존속했음. 정동행성(征東行省).

47) **제과**(制科): 중국 천자가 직접 나와 보는 과거.

48) **한림**(翰林): 임금의 말과 명령을 글로 짓는 일을 맡아보던 벼슬. 예문관 검열.

院) 검열관에 제수되었다.

이후 가정공은 개경보다 연경(燕京)에 머무르는 기간이 많았다. 가정공은 원나라 관리로서 고려의 이익을 대변하는 역할을 했는데 1337년 정동성 좌우 사원외랑(左右司員外郞)을 지낼 때 나라 안은 70, 80년째 계속된 동녀(童女, 숫처녀) 징발로 원한이 하늘에 사무치고 깊은 비탄에 빠져 있었다. 이에 공이 원나라 순제(順帝)에게 장문의 청파(請罷) 소문(疏文)을 올려 그의 마음을 움직여 바로 잡아지자 온 백성이 기뻐했다. 이십대 약관 시절 울분을 삼키던 최영(崔瑩)[49]은 "나도 가정 선생 같은 선비의 붓끝과 다름없는 훌륭한 위력을 지닌 창칼로 나라를 구하겠다"라고 다짐하며 매진하여, 훗날 명장으로 이름을 떨치기도 했다.

그 후 가정공은 본국과 원나라를 오가며 여러 벼슬을 지냈는데 중대광한산군(重大匡韓山君) 예문관(藝文館)[50] 대제학(大提學)을 거쳐 광정대부 도첨의 찬성사에 올랐으며, 1350년 원나라에서 봉의대부(奉議大夫) 정동성 좌우사낭중(左右司郞中)을 제수받았다.

그해 겨울 모친상을 당하고 이듬해 1월 한산 숭문동(崇文洞)에서 서세하니 향년 54세였으며, 시호는 문효(文孝)이다. 공은 경학(經學)뿐 아니라 문학적으로도 뛰어난 소양을 보여 가전체(假傳體)[51] 문학 작품의 효시로 국문학사상 귀중한 작품인 『죽부인전(竹夫人傳)』[52], 『절부조씨전(節婦曺氏傳)』 등 역사에 남는 명작을 남겼다. 묘는 서천군 기산면(麒山面) 광암리(光岩里)에 있다.

가정공은 외아들 휘 색(穡)과 4녀를 두었다. 사위는 반남(潘南) 박상충(朴尙

---

49) **최영**(崔瑩): 고려의 명장, 충신(1316~1388). 본관 동주(東州). 시호 무민(武愍).

50) **예문관**(藝文館): 고려 시대 사명(詞命)의 제찬(制撰)을 맡은 관청. 관원으로는 대제학(大提學, 종2품), 제학(提學, 정3품), 직제학(直提學, 정4품) 등을 둠.

51) **가전체**(假傳體): 사물을 의인화하여 일대기 형식으로 서술한 글.

52) 『**죽부인전**(竹夫人傳)』: 당시 음란한 궁중과 타락한 사회에 경종을 울리고 점차 절개를 지키는 여인이 드물어가는 것을 한탄한 소설.

夷)53), 영해(寧海) 박보생(朴寶生), 나주(羅州) 나계종(羅繼從), 경주(慶州) 정인량(鄭仁良)이다. 박상충은 공민왕조에 등제(登第)해 고려의 판전교시사(判典校寺事) 우문관(右文館) 직제학(直提學)을 지냈으며, 조선조에 영의정 금성부원군(錦城府院君)54)에 추증되었다. 박상충의 아들 은(旾)은 조선 태종대에 금천부원군(錦川府院君)에 올랐다. 박보생은 1349년 판위위시사(判衛尉寺事)를 지냈고, 나계종은 공민왕조에 등제해 1371년 예문관 제학에 올랐으며 가정공의 화상찬(畵像讚)을 지었다. 정인량의 아버지는 대제학을 지낸 정종보(鄭宗輔)이며, 할아버지는 병조 판서를 지낸 정홍덕(鄭弘德)이었다.

■ 11대조 목은공 색(穡)

목은공(牧隱公, 1328~1396)의 자는 영숙(穎叔), 호는 목은(牧隱)이다. 목은공은 1328년(충숙왕 15) 5월 9일 외가가 있던 경상북도 영해부(寧海府)에서 동쪽으로 20리쯤 되는 괴시촌(槐市村) 무가정(無價亭)에서 태어났다. 목은공은 14세 되던 1341년 성균시 십운과(十韻科)에 급제했고, 1343년 구재(九齋)55) 도회(都會)56) 각촉시(刻燭試)57)에서 장원한 뒤 1346년 지밀직사사(知密直司事)58)

---

53) **박상충**(朴尙衷): 고려 말기 문신(1332~1375). 자 성부(誠夫), 시호 문정(文正). 공민왕 때 과거에 급제, 예조 정랑 전교령(典校令), 판전교시사(判典校寺事) 등을 지냈으며 북원(北元)의 사신과 그 수행원을 포박하여 명나라로 보낼 것을 상서하는 등 친명책을 주장함. 친원파 이인임(李仁任)과 지윤(池奫)의 주살을 주장한 것에 연좌되어 친명파인 전녹생(田祿生), 정몽주(鄭夢周), 김구용(金九容), 이숭인(李崇仁), 염흥방(廉興邦) 등과 함께 귀양을 가던 도중 별세함.

54) **부원군**(府院君): 왕비의 부(父), 또는 정1품 공신(功臣)의 작호(爵號).

55) **구재**(九齋): 고려 시대 관학(官學) 학재(學齋)의 하나.

56) **도회**(都會): 지방에서 행하는 향시(鄕試).

57) **각촉시**(刻燭試): 초에 금을 새기고 그 금까지 타기 전에 글을 지어냄.

58) **지밀직사사**(知密直司事): 고려 시대 밀직사의 종2품 관직.

중대광 화원군(花原君) 중달(仲達)의 딸인 안동 권씨(1331~1394)와 결혼했다. 중달의 아버지는 태자좌찬선(太子左贊善)이요, 도첨의(都僉議) 좌정승(左政丞) 인 당대의 권력자 권한공(權漢功)이었다.

결혼을 한 목은공은 1347년 아버님 가정공에게 근친(覲親)하기 위해 원나라에 들어가 우문자정(宇文子貞)에게서 『주역(周易)』을 배웠는데 이듬해 가정공은 원나라 조정의 중서사전부(中瑞司典簿)[59]에 올랐고, 목은공은 국자감(國子監) 생원이 되어 3년간 원의 성리학을 공부했다. 이때 유명한 구양현(歐陽玄)[60]과 사귀게 되었다. 목은공은 1350년 가을 잠시 귀국했다가 12월에 다시 원으로 들어가 국자감에 재입학했는데, 1351년 1월 부친상을 당해 다시 귀국하여 삼년상을 치렀다.

목은공은 1353년(공민왕 2) 명경과(明經科)[61]에 을과로 장원급제했는데, 당시 지공거 역시 이제현이었다. 이어 정동성 향시에도 장원하여 진봉사(進奉使)[62] 서장관으로 다시 북경에 가게 되었다. 1354년 북경에서 회시(會試)에 급제한 데 이어 전시(殿試)에서도 급제하여 응봉한림문자(應奉翰林文字) 승사랑(承仕郎)을 지내다가 귀국했다.

밀직사(密直司): 고려 시대 정령(政令)의 출납(出納), 궁중의 숙위(宿衛), 군기(軍機) 등에 관한 일을 맡아보던 관아.

59) **전부**(典簿): 조선 시대의 종친부에 속한 정5품 벼슬.

60) **구양현**(歐陽玄): 원나라의 문신(1273~1357). 유양(瀏陽) 사람. 자는 원공(原功), 호는 규재(圭齋). 국자박사(國子博士), 감승(監丞), 한림직학사(翰林直學士), 한림학사 승지(翰林學士承旨) 등을 지냄. 40여 년 동안 관직에 있으면서 종묘와 조정의 문책(文冊)과 제고(制誥)를 거의 도맡아 쓰면서 문명(文名)을 떨침.

61) **명경과**(明經科): 고려·조선 시대 과거 시험의 한 분과. 초시(初試), 회시(會試), 복시(覆試) 등 3차에 걸친 시험에 모두 합격해야 최종 합격자로 결정되었으며, 최종 합격자에게 홍패(紅牌)를 줌.

62) **진봉사**(進奉使): 중국 황제에게 보내는 조공품(朝貢品)인 방물(方物)을 바치기 위해 보내는 사신.

목은공은 1355년 춘추관(春秋館)[63] 편수관(編修官) 등을 역임하다가 다시 서
장관(書狀官)으로 북경에 가서 한림원 경력(經歷)을 지내다가 1356년 귀국하여
중산대부(中散大夫)[64], 이부시랑(吏部侍郎), 한림직학사(翰林直學士)[65] 등 여러
벼슬을 거쳤다. 1357년(공민왕 6) 10월에는 3년상제(三年喪制)를 실시할 것을
상소해 관철했다.

목은공은 1360년 정의대부(正議大夫)[66] 추밀원(樞密院)[67] 좌부승선(左副承
宣)[68] 등을 지냈는데, 1361년(공민왕 10) 홍건적의 난으로 개경이 함락되자 복
주(福州) 남쪽으로 파천하는 왕의 곁을 떠나지 않고 호위하여 일등 공신이 되
어, 철권(鐵券),[69] 밭 100결(結), 노비 20구를 하사받았다.

목은공은 1368년 원나라로부터 조열대부(朝列大夫) 정동성 좌우사 낭중(郎
中)[70]을 선수(宣受)받았고, 이듬해 광정대부(匡靖大夫) 판밀직사사(判密直司事)[71]
판개성부사(判開城府使) 겸 성균관 대사성에 올랐다. 1371년 숭록대부(崇祿大
夫) 진현관(進賢館)[72] 태학사(太學士) 동지공거(同知貢擧)[73]가 되었고, 정당문학

---

63) **춘추관**(春秋館): 시정(時政)의 기록을 맡아오던 관청.

64) **중산대부**(中散大夫): 고려 시대 문산계(文散階)의 한 품계. 정4품.

65) **직학사**(直學士): 고려 시대 중추원(中樞院), 청연각(淸燕閣), 홍문각(弘文閣)의 한 벼슬.
정원은 1명이며, 품계는 정3품이나 재추(宰樞: 재상급 이상의 신료)에 포함됨.

66) **정의대부**(正議大夫): 고려 시대의 문산계. 정3품 상(上).

67) **추밀원**(樞密院): 밀직사.

68) **좌부승선**(左副承宣): 고려 시대 추밀원의 정3품 관직.

69) **철권**(鐵券): 임금이 공신에게 하사하던 쇠로 만든 패(牌). 패의 표면에는 공신의 이력(履
歷)과 은수(恩數)를 새기고 그 공을 기록하며, 안쪽에는 면죄(免罪)나 감록(減祿)을 새겨
나중의 화를 면하게 했음.

70) **낭중**(郎中): 정동성의 정5품 관직.

71) **판밀직사사**(判密直司事): 밀직사의 종2품 관직.

72) **진현관**(進賢館): 고려 시대 학문 연구에 관한 일을 맡아보던 관아. 학식이 풍부한
문신들을 뽑아 학문을 연구하고 임금을 시종케 하던 관전(館殿) 중의 하나.

73) **동지공거**(同知貢擧): 고려 시대 과거의 부고시관(副考試官).

(政堂文學)[74]에 보임되었다. 이어 명나라 고시관이 되어 추충보절찬화공신(推忠保節贊化功臣)의 호를 받았으나, 이해 9월 어머니 상을 당했다.

1373년 11월 삼년상을 마치자 목은공은 대광(大匡) 한산군(韓山君)의 작호를 받았으나 이듬해 공민왕이 훙서(薨逝)[75]하자 벼슬에 뜻을 버리고 7년여 동안 두문불출했다. 신병을 이유로 계속 사직하려 해도 받아들여지지 않자, 목은공은 녹봉을 사양하고 받지 않았다. 그런데도 관직은 계속 올라가 1377년에는 추충보절동덕찬화공신(推忠保節同德贊化功臣)의 호를 받았고, 1382년 삼중대광(三重大匡)[76] 판삼사사(判三司事)[77]가 되었다. 이어 1384년에는 한산부원군, 이듬해에는 벽상삼중대광검교(壁上三重大匡檢校)[78] 문하시중(門下侍中)[79]에 제수되었다.

1388년 4월 이성계(李成桂)의 위화도(威化島) 회군으로 우왕(禑王)이 쫓겨나고 창왕(昌王)이 섰다. 이때 목은공은 조민수(曺敏修)[80]가 창왕을 세우자고 하자 마땅히 우왕의 아들 창왕을 세워야 한다는 데 동의했다. 같은 해 8월 한산부원군이 되었다. 공민왕이 죽은 뒤 명나라 황제가 집정대신을 입조(入朝)하라고 하는데 두려워서 가려는 자가 없자, 목은공은 어린 왕을 대신해 입조하

---

74) **정당문학**(政堂文學): 고려 시대 중서문하성에 설치된 종2품의 관직.

75) **훙서**(薨逝): 임금이나 후비(后妃) 등 왕공귀인(王公貴人)들의 죽음.

76) **삼중대광**(三重大匡): 고려 시대 문관 품계의 하나. 정1품 또는 종1품.

77) **판삼사사**(判三司事): 고려 시대 삼사(三司)의 으뜸 벼슬. 정원은 1명.

78) **벽상삼중대광**(壁上三重大匡): 고려 시대 문관 정1품의 품계명.

79) **문하시중**(門下侍中): 고려 시대의 수상(首相). 중서문하성(中書門下省)의 장관으로 종1품.

80) **조민수**(曺敏修): 고려의 무신(?~1390). 본관 창녕(昌寧). 1383년 문하시중을 거쳐 창성부원군(昌城府院君)에 봉해짐. 1388년(우왕 14) 요동정벌군(遼東征伐軍)의 좌군도통사(左軍都統使)로 이성계와 회군하여 공을 세웠으나 1389년(창왕 1) 이성계 일파의 전제 개혁을 반대해 유배되었으며, 우왕의 혈통을 둘러싼 논쟁으로 이성계 일파에 대항하다가 서인(庶人)으로 강등되고 다시 유배되어 배소에서 죽음.

겠다고 자원했다. 목은공은 하정사(賀正使)로서 이숭인, 김사안(金士安)과 함께 이성계의 아들 이방원(李芳遠)을 서장관으로 대동하고 갔는데, 이성계가 쿠데타를 일으켜 돌아오지 못할 상황에 대비해 이방원을 데리고 간 것이었다. 명 태조는 목은공이 원의 한림(翰林)을 지냈다는 명성을 익히 듣고 있어 극진히 대접했다.

목은공은 1389년 이성계 일파의 전제 개혁안에 반대하며 문하시중을 사임하고 그 자리에 이림(李琳)[81]을 추천했다. 창왕은 8월에 목은공과 이림, 이성계에게 검이상전(劍履上殿)[82], 찬배불명(贊拜不名)[83]의 특전을 내리고, 은 50량, 채단(綵緞) 10필, 말 1필씩을 내렸다.

1389년 겨울 즉위한 공양왕은 목은공을 판문하부사에 임명했다. 그러나 이성계 일파는 우왕의 신주 철거 문제, 전제 개혁 반대 문제, 불경 간행 문제 등을 들어 줄기차게 핍박했고, 이 때문에 목은공은 장단(長湍)·함창(咸昌) 등지에서 유배 생활을 해야 했다.

이때 '윤이(尹彝), 이초(李初) 옥사(獄事)'가 일어났다. 공양왕 2년(1390)에 명에서 돌아온 왕방(王昉)과 조반(趙胖)이 고하기를 "윤이와 이초가 명나라에 몰래 들어가 이성계가 자기의 인척인 왕요(王瑤)를 세우고 장차 명나라로 쳐들어오려고 했는데, 목은공 등이 반대하자 그들을 죽이거나 귀양을 보냈다"라고 하면서 군대를 동원해달라는 것이 그들의 주장이었다. 목은공과 우현보(禹玄寶), 권근(權近)[84] 등 많은 유신(儒臣)이 이 사건에 관계되었다고 하여 청주

---

81) **이림**(李琳): 고려 말기 문신(?~1391). 본관 고성(固城). 1379년 판개성부사로 딸이 우왕의 비(妃)로 책봉됨으로써 철성부원군(鐵城府院君)에 봉해짐. 이성계 등이 전제 개혁을 주장하자 이를 반대하였으나, 창왕의 외조부라 하여 극형을 면하고 철원에 유배됨. 1390년 윤이(尹彝)와 이초(李初)의 옥사가 일어나자 이성계 일파의 모함으로 충주에 유배되어 병사함.

82) **검이상전**(劍履上殿): 칼을 차고 신발 신고서 전에 오르는 특권.

83) **찬배불명**(贊拜不名): 높이 받들어 그 이름을 부르지 못하게 하는 특전.

(淸州)에 유배되었다. 그런데 국문 도중 별안간 천둥번개가 치면서 폭우가 쏟아져 물난리가 나자 국문을 그만두고 함창에 안치했으며, 목은공은 경외종편(京外從便)[85]하도록 했다.

1392년(공양왕 4) 정몽주(鄭夢周)[86]가 이방원에게 죽은 뒤 김진양(金震陽)이 문초를 받을 때 목은공과 아들들의 이름이 거론되자 목은공은 금주(衿州)[87]로 추방되고, 아들 휘 종학(種學), 종선(種善)은 파직 후 서인(庶人)으로 강등되어 역시 금주에 유배되었다.

그해 7월 조선 왕조가 건국되었다. 태조는 목은공의 직첩을 회수하고 서인으로 강등해 해상으로 유배시키고, 종학도 직첩을 회수하고 곤장 100대를 때려 먼 곳으로 귀양 보냈다. 즉위 교서가 발표된 이튿날 도평의사사는 공을 섬으로 귀양 보낼 것을 요청했으나, 장흥에 유배시키는 데 그쳤다. 8월에 종학

---

84) **권근(權近)**: 고려 말 조선 초의 문신 학자(1352~1409). 본관 안동(安東). 자 가원(可遠), 사숙(思叔). 호 양촌(陽村). 시호 문충(文忠). 1367년(공민왕 16) 성균시를 거쳐 이듬해 문과에 급제, 춘추관 검열이 되고, 성균관 대사성 예의판서(禮儀判書) 등을 역임함. 1390년(공양왕 2) 이초(彝初)의 옥(獄)에 연루되어 청주에 투옥됐다가 풀려남. 조선이 개국되자 1393년(태조 2) 예문춘추관학사(藝文春秋館學士) 대사성 중추원사(中樞院使) 등을 지냄. 1401년(태종1) 좌명공신(佐命功臣) 1등으로 길창부원군(吉昌府院君)에 봉해졌으며 예문관 대제학이 되었고, 대사성 의정부 찬성사(議政府贊成事)를 거쳐 세자좌빈객(世子左賓客) 이사(貳師) 등을 역임하였으며, 왕명으로 『동국사략(東國史略)』을 편찬함.

85) **경외종편(京外從便)**: 서울 밖에 편한 대로 살게 함.

86) **정몽주(鄭夢周)**: 고려 말기 문신 겸 학자(1337~1392). 본관 영일(迎日). 자 달가(達可). 호 포은(圃隱). 시호 문충(文忠). 경상북도 영천(永川)에서 태어남. 1360년(공민왕 9) 문과에서 장원을 함. 1390년(공양왕 2) 벽상삼한삼중대광(壁上三韓三重大匡) 수문하시중(守門下侍中) 등이 됨. 1392년 이성계가 사냥하다가 말에서 떨어져 황주(黃州)에 드러누웠자 이성계 일파를 제거하려 했으나 이를 눈치 챈 이방원 부하들에게 선죽교(善竹橋)에서 격살됨. 1401년(태종 1) 영의정에 추증되고 익양부원군(益陽府院君)에 추봉됨.

87) **금주(衿州)**: 서울 금천구 시흥동의 옛 지명.

은 장사(長沙)[88] 가던 중 거창(居昌) 무촌역(茂村驛)에서 이방원이 보낸 체복사(體覆使)[89] 손흥종(孫興宗)에게 목이 졸려 죽었으니, 나이 32세였다. 목은공은 10월에 해배(解配)되어 한산으로 돌아갔다.

목은공은 그 후 3년간 두문불출하고 한산에 머물다가 1395년 5월 여강(驪江)으로 갔는데, 그해 가을 관동(關東) 오대산(五臺山)으로 옮겨 오랫동안 기류(寄留)할 계획을 세웠다. 그러나 태조 이성계는 누차 친서를 보내 만나기를 원했다. 공은 교자를 타고 입경(入京)했다. 공이 입궐하자 태조는 국사에 참여할 것을 청했다. 이에 공은 "망국(亡國)의 대부(大夫)는 살기를 도모하지 않으며, 다만 장차 해골을 고향 산천에 장사 지내기를 원할 뿐"이라며 거절했다. 이때 공은 깊이 읍(揖)만 했을 뿐 절을 하지 않았고, 태조는 용상에서 내려와 옛 친구의 예로 대접했다.

1396년(태조 5) 5월, 공은 피서를 겸해 신륵사로 갈 계획을 세우고 여강으로 향했다. 5월 3일 여강 벽란도(碧瀾渡)에서 배를 타고 강물을 거슬러 올라가기 시작했는데, 그때 경기 감사가 쫓아와서 태조가 보낸 술이라며 선온례(宣醞禮)[90]를 행하려 왔다고 했다. 5월 7일 청심루(淸心樓) 아래 연자탄(燕子灘)에 이르러 태조가 보냈다는 술을 마시려 할 때, 함께 배에 탔던 신륵사 중이 만류하자 공은 "죽고 사는 것은 명이 있으니 걱정할 것 없다"라고 하며 술병의 마개 삼은 죽엽(竹葉)을 빼어들고 "나에게 충성(忠誠)이 있다면 이 댓잎이 살 것이요, 없다면 죽을 것이다"라고 했다. 공은 댓잎을 던지고 술을 마시자마자

---

88) **장사**(長沙): 중국 호남성에 있는 현. 귀양지로 유명하였음. 전하여 귀양.

89) **체복사**(體覆使): 임금의 명령을 받고 지방에 가서 벼슬아치들의 군무(軍務)에 관한 범죄 사실을 조사하는 임시 벼슬.

90) **선온례**(宣醞禮): 선온은 임금이 신하에게 내려주는 술. 나라에 경사가 있거나 신하의 노고를 치하할 때 또는 상을 당한 신하를 위로할 때 어주(御酒)를 내렸음. 때로는 술뿐만 아니라 함께 내리는 음식 전체를 선온이라 부르기도 했으며 선온을 전할 때에는 선온례라는 의식이 행해졌음.

배 안에 조용히 누워 운명(殞命)했는데, 공이 서세(逝世)한 뒤 대나무는 과연 뿌리를 박고 수백 년간 살았다고 한다.

태조가 부음을 듣고 경기 감사를 불러 조사하니, 이방원의 명을 받고 정도전이 보낸 독주(毒酒)임이 밝혀졌다. 태조는 사신을 보내 조문했고, 3일 동안 조회(朝會)를 정지했으며, 시호를 문정(文靖)이라 내렸다. 그해 11월 셋째 아들 휘 종선이 영구(靈柩)를 한산으로 모시고 가서 가지원(加智原)[91] 기린봉(麒麟峰) 밑에 장례(葬禮)를 지냈다. 묘는 기산면 영모리(永慕里)에 있다.

■ 10대조 양경공 종선(種善)

목은공은 슬하에 휘 종덕(種德), 종학(種學), 종선(種善, 양경공) 등 세 아들과 딸 하나를 두었다. 그러나 종덕, 종학 등 두 아들은 조선 건국을 반대하다가 비명(悲鳴)에 세상을 떠났고, 양경공도 아버지, 형들과 함께 폐서인되어 유배되었으나 1392년(태조 1) 목은공이 방면될 때 풀려나 벼슬살이를 하기 시작했다.

양경공(良景公, 1368~1438)의 자는 경부(慶父)이며 1382년(우왕 8) 15세 때 문과에 급제해 좌랑, 정랑 등을 지냈다. 1396년(태조 5)에 병조 참의에 제수되었는데, 그해 5월 아버님 목은공을 모시고 여강으로 피서를 갔다가 연자탄에서 목은공이 폭졸(暴卒)하자 한산에 장사를 지내고 3년간 시묘를 살았다. 효도가 지극해 효자비가 섰으며, 양경공이 살던 마을을 효자리(孝子里)라고 했다. 목은공이 서세한 후 10년간 두문불출하며 1404년 『목은집』을 간행했다. 1407년(태종 7)에는 양촌(陽村) 권근의 사위인 연유로 좌사간대부(左司諫大夫)[92]를 제수받았다.

그러나 1411년(태종 11) 6월에 명나라 국자조교(國子助敎) 진연(陳璉)이 찬한

---

91) **가지원**(加智原): 지금의 한산 영모암(永慕庵).
92) **좌사간대부**(左司諫大夫): 조선 초기 사간원(司諫院)의 정3품 벼슬.

목은공의 묘지명에 잘못 쓰인 부분이 있다는 죄목으로, 동래로 귀양을 갔다가 10월에 경외종편하게 되었다. 문제가 된 비명의 내용은 1392년에 용사(用事)하는 자가 목은이 자기를 따르지 않음을 꺼려 장단으로 내쫓았다는 것인데, 여기서 용사하는 자란 이성계이므로 그를 비방했다는 것이다. 또 1390년에 이초(彝初)의 난으로 억지로 죄를 씌워 청주 옥에 가두니 하늘이 노해 청주에 크나큰 수재가 일어났다고 기록한 것 등을 들었다. 진연이 양경공과 친분이 있던 관계로 양경공이 시켜 태조를 비방한 묘지명을 썼다고 하여 귀양을 간 것인데, 1412년 정월에 고신(告身)[93]을, 10월에 과전(科田)[94]을 환급받았다. 그리고 순창·배천·여흥 부사를 거쳐 1417년(태종 17)에는 황해도 관찰사에 제수되었다.

1419년 세종이 즉위하면서 한성부윤, 인수부윤(仁壽府尹)[95]을 거쳐 1421년 12월 좌군동지총제(左軍同知摠制)[96]가 되었다. 1423년 5월에는 사은부사(謝恩副使)로 명나라에 갔으며, 1426년 11월 함길도 관찰사로 나갔다가 다음 해 10월에 돌아와 판한성부사가 되었다. 1426년(세종 10) 6월에는 진하사(進賀使)[97]로 중국에 갔다 와서 황주에 선무사(宣撫使)[98]로 파견되었고, 개성 유후, 충청도 관찰사를 끝으로 고향에 돌아가 10년간 은거했다. 1438년(세종 20)에

---

93) **고신**(告身): 직첩(職牒). 조정에서 내리는 벼슬아치의 임명장.
94) **과전**(科田): 조선 왕조에서 국가가 국정 운영에 참여한 대가로 문무양반 등 직역자(職役者)에게 그 직책의 품(品)을 기준으로 한 과(科)에 따라 일정한 특권을 갖도록 지정한 토지.
95) **인수부윤**(仁壽府尹): 세자 교육의 교도관으로서 실무총책임자. 정2품.
96) **좌군동지총제**(左軍同知摠制): 조선 시대 군사조직인 오위도총부(五衛都摠府)의 관직. 종2품.
97) **진하사**(進賀使): 조선 시대에 중국 황실에 경사가 있을 때에 축하의 뜻으로 보내던 사절(使節).
98) **선무사**(宣撫使): 조선 시대에 큰 재해나 난리가 일어났을 때 왕명을 받들어 재난을 당한 지방의 민심을 어루만져 안정시키는 일을 맡아보던 임시 벼슬.

자헌대부(資憲大夫)⁹⁹⁾, 지중추원사(知中樞院事)¹⁰⁰⁾로 승진되었으며, 3월 14일 향년 71세로 서세했다. 영의정과 한산부원군에 증직되었고, 시호는 양경(良景)이다.

묘는 영모리에 위치한 목은공의 묘 아래에 있다. 양경공은 참찬문하부사(參贊門下府使)¹⁰¹⁾를 지낸 권균(權鈞)의 딸인 안동 권씨와의 사이에 아들 하나를 낳았는데, 호조 정랑을 지낸 휘 계주(季疇)이다. 계주의 외아들이 사육신인 휘 개(塏)¹⁰²⁾이다. 후취는 길창군 권근의 딸인데 4남 2녀를 두었다. 권균과 권근은 육촌지간이었다. 둘째 아들 휘 계린(季疄)¹⁰³⁾은 태종의 딸인 정순공주(貞順公主)의 사위로 동부승지를 지냈는데, 1455년(세조 1)에 좌익공신 2등 한산군(韓山君)에 책봉되었다. 시호는 공무(恭武)이다. 셋째 아들 휘 계전(季甸)은 영중추원사(領中樞院事)¹⁰⁴⁾를, 넷째 아들 휘 계완(季晥)은 전직(殿直) 감찰(監察)

---

99) **자헌대부**(資憲大夫): 조선 시대에 둔 정2품 문무관의 품계.

100) **지중추원사**(知中樞院事): 조선 전기에 중추원에 속한 종2품 벼슬.

101) **참찬문하부사**(參贊門下府使): 조선 시대 의정부에 소속된 정2품 벼슬.

102) **이개**(李塏): 조선 전기 문신(1417~1456). 자는 청보(淸甫), 사고(士高), 호는 백옥헌(白玉軒). 단종을 위해 사절(死節)한 사육신의 한 사람. 1436년(세종 18) 친시 문과에 동진사(同進士)로 급제하고, 집현전 저작랑으로 훈민정음의 제정에 참여함. 1447년 중시 문과에 을과 1등으로 급제하고, 1456년(세조 2) 2월 집현전 부제학에 임명됨. 이해 6월, 성삼문(成三問) 등 육신(六臣)이 주동이 된 상왕 복위 계획이 발각되어 작형(灼刑)을 당하면서도 의연했음. 6월 7일 성삼문 등과 함께 같은 날 거열형(車裂刑)을 당함. 1691년(숙종 17)에 사육신의 관작이 추복(追復)되고, 1758년(영조 24) 이조 판서로 추증됨. 시호는 충간(忠簡).

103) **이계린**(李季疄): 조선 전기 문신(1401~1455). 자는 자경(子耕), 시호는 공무. 태종의 큰딸인 정순공주(貞順公主)의 사위. 어린 나이에 출사하는 것을 바람직하지 않게 여기던 태종의 뜻에 따라 오랫동안 관직에 나아가지 않음. 1436년(세종 18)에서야 동부승지로 발탁되었고, 이후 형조 판서, 호조 판서를 지냄. 호조 판서 재임 중에 수양대군(훗날의 세조)에 협력하여 좌익공신(佐翼功臣) 2등에 녹훈되고 한산군(韓山君)에 봉해짐.

104) **영중추원사**(領中樞院事): 조선 시대 중추부에 두었던 정1품 관직.

을, 다섯째 아들 휘 계정(季町)은 집의(執義) 좌참찬을 지냈으며, 첫째 딸은 강화도 호부사(戶部事) 이백상(李伯常)에게, 둘째 딸은 군수(郡守)[105]를 지낸 김숭로(金崇老)에게 시집갔다.

■ 9대조 문열공 계전(季甸)

문열공(文烈公, 1404~1459)의 자는 병보(屛甫), 호는 존양재(存養齋)다. 양경공이 35세 되던 해에 태어났는데, 조선 건국 과정에서 조부 목은공, 첫째 댁 큰아버지 문양공(文襄公), 둘째 댁 큰아버지 인재공(麟齋公)이 비명에 세상을 떠나고 몇 년이 흐른 뒤였다. 이때는 양경공과 여러 사촌 형제가 조선의 신하로서 집안의 가계를 다시 튼튼하게 다져가는 전환기였다.

공은 24세 되던 1427년(세종 9) 친시 문과에 을과로 급제하여 집현전(集賢殿)[106] 학사(學士)로 발탁되었으며, 1429년 집현전에 장서각(藏書閣)이 준공되자 왕명을 받아 장각송(藏閣頌)을 지었다. 1434년에는 바로 밑의 아우 계완이 문과에 급제했고, 1436년에는 왕명으로 김문(金汶) 등과 『강목통감훈의(綱目通鑑訓義)』를 편찬했다.

1444년에 집현전 직전으로 재직했는데 이때 조카 백옥헌 공도 집현전 학사로 같이 있었다. 1445년 2월 왕명을 받들어 세종의 장모인 죽계(竹溪) 안씨(安氏)의 묘지명을 지었고, 곧 집현전 직제학으로 승진했다. 이해 5월에 둘째 댁 사촌형인 순절공(順節公) 휘 숙치(叔畤)가 좌참찬이 되고, 7월에는 큰댁 사촌형인 판중추공 휘 맹진(孟畛)이 함경도 관찰사, 바로 위의 형인 공무공이 경상도 관찰사가 되는 등 문중의 벼슬이 줄을 이었다.

1447년에 동부승지가 되고 이듬해 2월 우부승지에 올랐으며, 5월에 우승지,

---

105) **군수**(郡守): 조선 시대 문관 종4품 외관직으로 군(郡)의 행정을 맡아봄.
106) **집현전**(集賢殿): 1420년(세종 2) 궁중에 설치한 학문 연구 기관.

7월에 도승지가 되었다. 1450년 2월 세종이 훙서하고 문종이 즉위하자, 명에 부고를 알리고 시호를 청하는 표(表)와 전(箋)을 지었다. 이 무렵 왕세손은 문열공의 집으로 옮겨와 거처했다. 문열공은 같은 해 7월에 도승지가 되었는데 이때 정몽주, 길재(吉再)를 포장(襃獎)할 것과, 고려 왕씨의 후예를 찾아내어 그 작위를 높이고 제사를 이어가게 해달라고 건의해 왕명을 받아 교서를 지었다. 1452년(문종 2)『세종실록』을 편찬했으며, 이조(吏曹) 판서(判書) 겸 동지경연사(同知經筵事)가 되었다. 1453년(단종 1)에는 계유정난(癸酉靖難)[107]에 참여해 정난공신(靖難功臣) 1등에 녹훈되었다.

같은 해 호조 판서에 이어 병조 판서로 자리를 옮겼으며, 병조 판서로 재임할 때 수양대군이 왕권 강화를 위해 육조(六曹) 직계(直啓) 체제를 부활하자 예조 판서였던 하위지(河緯地) 등과 함께 반대하는 소를 올려 폐지를 주장했다. 그러나 수양대군은 이를 용납하지 않고 더욱 전제권을 강화해나갔다. 이에 불만을 품은 성삼문 등 집현전 출신의 학자가 중심이 되어 수양대군 제거 운동을 일으켰으나 이에 참여하지 않고 수양대군을 도왔다. 이 공로로 신숙주(申叔舟) 등과 함께 좌익공신에 녹훈되었다. 1455년(세조 1) 이조 판서를 제수받았고, 다음 해 판중추부사에 임명되었다. 1458년 세조로부터 정권 획득 과정에서 보인 협력과 사육신 사건에 참여하지 않고 도운 공로를 칭송하는 특별 교서를 받았다. 8월에는 영중추원사를 제수받았고, 이듬해인 1459년 7월 경기도 관찰사로 나갔다가 9월에 서세했다. 시호는 문열(文烈)이며, 묘지는 경기도 여주군 점동면(占東面) 사곡리(沙谷里)에 있다.

문열공은 군수 진호(秦浩)의 딸 풍기(豊基) 진씨(秦氏)와의 사이에 4남 4녀를

---

107) **계유정난**(癸酉靖難): 계유년(1453년)에 세종의 둘째 아들인 수양대군이 김종서(金宗瑞), 황보인(皇甫仁), 정분(鄭苯) 등 3재상을 비롯한 정부의 핵심인물을 죽이고, 가장 강력한 경쟁자였던 세종의 셋째 아들 안평대군(安平大君)을 강화로 축출, 사사(賜死)한 뒤 정권을 잡은 사건.

두었다. 첫째 아들 휘 육(堉)은 무후(無後)했다. 둘째 아들 휘 우(堣)는 대사성, 셋째 아들 휘 파(坡)는 좌찬성(左贊成)[108], 넷째 아들 휘 봉(封)은 형조 판서에 이르렀다. 사위는 유소(劉昭) 최연년(崔延年), 권선(權善), 정계금(鄭繼金)이다.

■ 8대조 대사성공 우(堣)

대사성공(大司成公, 1432~1467)은 문열공의 둘째 아들로 자는 명중(明仲)이다. 1453년 증광시 문과에 병과로 급제했고, 1453년(세조 2) 중시(重試)[109]에 합격하여 통정대부 성균관 대사성을 지냈다. 1467년 서른여섯 나이에 서세했는데, 가선대부(嘉善大夫)[110] 이조 참판 겸 동지경연 의금부 춘추관 성균관사 홍문관 예문관 제학(提學) 세자좌부빈객(世子左副賓客) 한산군에 추증되었다. 묘는 경기도 광주 색지리(穡枝里) 갈마치(渴馬峙) 동록(東麓)의 고산동(古山洞)에 있다.

공의 부인은 판사(判事) 서진(徐晉)의 딸인 이천(利川) 서씨(徐氏)이고, 후처는 목사(牧使) 권숭지(權崇智)의 딸인 안동 권씨이다. 대사성공은 슬하에 아들 둘, 딸 셋을 두었다. 첫째 아들은 봉화현감(奉化縣監)을 지낸 휘 장윤(長潤), 둘째 아들은 장사랑(將仕郎)[111]을 지낸 휘 세윤(世潤)이고, 사위는 이지(李漬), 조경(趙瓊), 유한장(柳漢長)이다.

---

108) **좌찬성**(左贊成): 조선 시대 의정부의 종1품 관직으로 정원은 1원.

109) **중시**(重試): 조선 시대 당하관 이하의 문무관에게 10년마다 한 번씩 보이는 과거.

110) **가선대부**(嘉善大夫): 조선 시대 종2품의 문관과 무관에게 주던 품계.

111) **장사랑**(將仕郎): 조선 시대 문산계의 종9품 위호(位號).

■ 7대조 봉화공 장윤(長潤)

봉화공(奉化公, 1455~1528)의 자는 수연(粹然)이다. 음보(蔭補)[112]로 서사(筮仕)[113]했다가 예에 의해 광흥창 주부로 옮겼다. 이후 충청도 이산(尼山)[114]과 경상도 봉화현감(奉化縣監), 안동진관(安東鎭管), 병마절제도위(兵馬節制都尉)[115] 등을 역임했으며, 74세로 서세했다. 정헌대부[116] 이조 판서 겸 지의금부사 오위 도총부 도총관(正憲大夫吏曹判書兼知義禁府事五衛都摠府都摠管)에 추증되었으며, 한원군(韓原君)에 봉해졌다. 묘는 수내동 중앙공원 내에 있다.

봉화공은 현감 인효(仁孝)의 딸인 고령(高靈) 박씨(朴氏)와의 사이에 4남 2녀를 두었다. 첫째 아들 휘 질(秩)은 부사를, 둘째 아들 휘 치(稺)는 수원 판관을, 셋째 아들 휘 온(穩)은 현감을, 넷째 아들 휘 정(程)은 부호군(副護軍)[117]을 지냈다. 사위는 김한(金瀚), 김충윤(金忠胤)이다.

■ 6대조 한성군 질(秩)

한성군(韓城君, 1474~1560)의 자는 자서(子序)이다. 26세 되던 해 생원시에 합격하고 문음(門蔭)[118]으로 의금부 경력(經歷)을 제수받았으며, 호조 좌랑으

---

112) **음보**(蔭補): 조상의 덕으로 벼슬을 얻음. 또는 그 벼슬.

113) **서사**(筮仕): 처음으로 벼슬을 얻음.

114) **이산**(尼山): 충청남도 논산(論山) 지역의 옛 지명.

115) **병마절제도위**(兵馬節制都尉): 조선 시대 종6품 외관직(外官職) 무관.

116) **정헌대부**(正憲大夫): 조선 시대 정2품 동서반(東西班) 문무관(文武官)에게 주던 품계로 자헌대부보다 상위 자리.

117) **부호군**(副護軍): 조선 시대 오위(五衛)에 둔 종4품 서반 무관직.

118) **문음**(門蔭): 조선 시대 관리 선발 제도의 하나. 선조나 친척이 국가에 큰 공을 세웠거나 고관직을 얻으면 후손이 일정한 벼슬을 얻게 하는 제도.

로 승진했다. 그 후 문화(文化)[119], 상주(尙州), 울진, 양천(陽川), 삭녕(朔寧), 덕천(德川), 장단(長湍) 등 일곱 군데의 수령을 지냈다. 통정대부로 승진하자 수직(壽職)[120]으로 선조(先朝)의 훈봉(勳封)[121]을 이어받았으며 명종 15년 여든일곱의 나이로 서세했다. 가선대부 동지중추부사 겸 오위도총부 도총관에 추증되었으며, 한성군(韓城君)에 봉해졌다. 묘는 수내동 중앙공원 내에 있다.

부인 연안(延安) 김씨(金氏)는 부사(府使) 석현(錫賢)의 딸이며, 후배(後配) 무송(茂松) 윤씨(尹氏)는 별좌(別坐)[122] 준(浚)의 딸이다. 한성군은 슬하에 아들 셋과 딸 둘을 두었다. 첫째 아들은 승지공(承旨公) 휘 지훈(之薰), 둘째 아들은 의정공(議政公) 휘 지란(之蘭), 셋째 아들은 한평군(韓平君) 휘 지숙(之菽)이며, 사위는 홍덕종(洪德種), 한예원(韓禮源)이다.

■ 5대조 한평군 지숙(之菽)

한평군(韓平君, ?~1561)의 자는 대유(大有)이며 종묘서[123]령(宗廟署令)을 지냈다. 명종 16년에 서세하여 순충보조공신(純忠輔祚功臣) 정헌대부(正憲大夫) 이조 판서에 증직되었고, 한평군에 봉해졌다. 부인 선산(善山) 김씨(金氏)는 진사 필신(弼臣)의 딸이며, 슬하에 4남 1녀를 두었다. 첫째 아들은 전부공(典簿公) 휘 원(垣), 둘째 아들은 의간공(懿簡公) 휘 증(增), 셋째 아들은 휘 보(堡), 넷째 아들은 휘 경(坰)이며, 사위는 성한경(成漢卿)이다.

119) **문화**(文化): 황해도 삼천 신천의 서부. 안악의 남부에 있던 옛 고을 이름.
120) **수직**(壽職): 해마다 정월에 80세 이상의 벼슬아치와 90세 이상의 백성에게 은전(恩典)으로 주던 벼슬.
121) **훈봉**(勳封): 공훈(功勳)에 따른 봉군(封君), 봉작(封爵) 등에 관한 일.
122) **별좌**(別坐): 조선 시대에 각 관아에 둔 정·종 5품 벼슬.
123) **종묘서**(宗廟署): 조선 시대 관청의 침묘(寢廟)와 정자각(丁字閣)을 관장하던 곳. 원으로는 영(令), 직장(直長,) 봉사(奉事), 부봉사 각 한 명씩을 둠.

■ 고조부 의간공 증(增)

의간공(懿簡公, 1525~1600)의 자는 가겸(可謙), 호는 북애(北崖)이다. 중종 20
년에 태어나서 25세에 사마시에 합격했고, 36세에 문과에 급제하여 승문원(承
文院)124) 정자(正字)125)에 보임되었으며, 그 뒤에 홍문관(弘文館) 정자에 제수
되었다.

육조에서는 호조·병조·형조·예조·이조 낭관126)을, 홍문관에서는 정자, 박
사(博士), 수찬(修撰), 교리(校理)를, 사헌부에서는 지평(持平), 사간원에서는 정
언(正言), 헌납(獻納)을 지냈다. 또 외임(外任)으로는 함경도(咸鏡道) 북평사(北評
事) 및 경기도사(京畿都事)에 제수되었다.

1568년 명나라 사신이 왔을 때 원접사(遠接使)127)의 종사관(從事官)128)으
로 임명되었고, 1590년(선조 23)에는 성절사로서 연경에 갔다. 1573년 자급(資
級)을 뛰어넘어 통정대부가 되었는데, 통정대부 때 내직으로는 병조·호조·형
조 참의와 판결사 및 도승지를 지냈고 외직으로는 황해, 충청, 전라, 경상 등
4도의 관찰사를 지냈다.

1585년 가선대부가 되었으며, 뒤에 가의대부(嘉義大夫)가 되었다. 이때 형

---

124) **승문원(承文院)**: 조선 시대 사대교린(事大交隣)에 관한 문서를 관장하기 위해 설치했던
관서. 이문(吏文)의 교육도 담당함.
이문(吏文): 조선 시대에 중국과 주고받던 문서에 쓰던 특수한 관용 공문의 용어나
문체.
125) **정자(正字)**: 조선 시대에 홍문관, 승문원, 교서관에 속한 정7품 벼슬.
126) **낭관(郞官)**: 조선 시대 육조의 5, 6품관인 정랑(正郞), 좌랑(佐郞)의 통칭.
127) **원접사(遠接使)**: 조선 시대 명나라와 청나라의 사신을 맞아들이던 관직 또는 관원.
128) **종사관(從事官)**: 중국에 보내던 하정사나 일본에 보내던 조선통신사(朝鮮通信使)를
수행하던 삼사(三使) 가운데 하나. 직무는 사행 중 정사(正使)와 부사(副使)를 보좌하면서
매일매일의 사건을 기록했다가 귀국 후 국왕에게 견문한 바를 보고하는 것임.

조·예조·이조 참판, 한성부의 좌윤·우윤, 부제학, 대사헌, 동지의금부사를 역임했다. 1589년에는 사간원 대사간으로 정여립(鄭汝立)의 옥사(獄事)를 참국(參鞫)했다. 1590년에 평난공신(平難功臣) 3등훈(三等勳)에 책훈(策勳)되어 아천군(鵝川君)에 봉해지고, 1591년 겨울 형조 판서에 임명되었다. 이어 또 자급이 올라서 자헌대부가 되었고 그 뒤에 정헌대부로 승진했는데, 이조·형조·예조·공조 판서와 의정부의 좌우참찬(左右參贊)을 역임했다. 임진왜란 이듬해인 1593년에는 예조 판서를 맡아 국가의 헌장(憲章)과 예의(禮儀)를 정비했다. 선조 33년 10월에 76세의 나이로 서세하여 대광보국숭록대부(大匡輔國崇祿大夫) 의정부 영의정 아천부원군(鵝川府院君)에 추증되었으며, 시호는 의간(懿簡)이다. 묘는 수내동 중앙공원 내에 있다.

의간공은 사람됨이 정직하여 남에게 아부하지 않았다. 홍문관 정자로 재임할 때 권세 있는 간신들 눈에 거슬린다고 북평사로 좌천되었다. 또 성품이 청렴하고 겸손하여 벼슬이 재신(宰臣)의 반열에까지 올랐으면서도 항상 가난한 선비처럼 간소하게 살았다. 세 번이나 성균관 대사성에 임명되었으나 모두 출사하지 않으며 말하기를 "성균관의 사유(師儒)는 학식이 얕은 내가 감당할 수 있는 직임이 아니다"라고 했다.

효성과 우애가 태어날 때부터 타고났고 생일에도 잔치를 벌이지 않았으며, 새 음식을 먹을 때에는 반드시 형님인 전부공이 먼저 들기를 기다린 뒤에라야 먹었고, 아우와 누이동생 중에 살림이 궁핍한 자들은 모두 공에게 의지하여 살아갔다고 전한다. 저서로는 『북애집』 1권이 있다.

공의 부인은 경주(慶州) 이씨(李氏)로, 신라(新羅)의 원훈(元勳)인 알평(謁平)의 후손이자 사직(司直) 이몽원(李夢菀)의 딸이다. 1612년(광해군 4)에 서세했는데 춘추는 82세였으며, 공의 묘소 왼쪽에 부장(附葬)되었다.

공은 5남 2녀를 두었는데, 첫째 아들 휘 경홍(慶洪)은 생원, 둘째 아들 휘 경함(慶涵)은 참판, 셋째 아들 휘 경심(慶深)은 통제사(統制使), 넷째 아들 휘 경류(慶流)는 병조 좌랑, 막내아들 휘 경황(慶滉)은 군수를 지냈다. 사위는 판관

유인(柳訒)과 현감 이계(李繼)이다. 임진왜란 때 넷째 아들 좌랑공이 순변사(巡邊使)의 종사관이 되어 싸우다가 경상북도 상주(尙州)에서 순절(殉節)했다.

■ 증조부 좌랑공 경류(慶流)

좌랑공(佐郞公, 1564~1592)의 자는 장원(長源), 호는 반금(伴琴)이다. 명종 19년인 1564년에 태어나 1591년 진사시에 합격하고, 그해 가을 명경과에 을과 제4인으로 급제했다. 같은 해 겨울에 바로 6품 관직이 되어 성균관 전적이 되었다. 1592년 정월에 사헌부 감찰이 되고, 2월에는 병조 좌랑이 되었다가 얼마 뒤 예조 좌랑으로 옮겼다.

4월 17일 왜구가 침략했다는 보고가 갑자기 이르자 사간원 관리로 있었던 공의 둘째 형 참판공을 비국(備局)[129] 에서 조방장(助防將)[130] 변기(邊璣)의 종사관으로 삼았는데, 들어가서 보고할 때 착오로 공과 이름이 바뀌었다. 명령이 내려졌을 때 참판공이 "조정의 뜻은 나에게 있었는데 어찌 착오로 너를 대신 가게 하겠는가. 내가 당연히 청해서 갈 것이다"라고 하니, 공이 "이미 제 이름으로 승낙이 내려왔고 일이 급한데 어느 틈에 고치겠습니까"라고 하며 곧바로 임지로 달려갔다.

문경새재에 이르렀을 때 왜적이 점점 가까이 온다는 말을 듣고 여러 장수들은 흩어졌으나, 공은 서리 한 명, 종 한 명, 말 한 필로 고개를 넘어 상주로 달려갔다. 그러나 주장(主將)은 도망갔고, 종사관들은 이미 전사한 뒤였다. 공은 남은 병졸들에게 "나랏일이 이 지경인데 어찌 마음이 아프지 않겠느냐. 내

---

129) **비국**(備局): 비변사(備邊司). 조선 시대에 군국의 사무를 맡아보던 관아. 중종 때 삼포 왜란의 대책으로 설치한 뒤 전시에만 두었다가 1555년(명종 10)에 상설 기관이 되었음. 임진왜란 이후 의정부를 대신해 정치의 중추 기관이 되었음.
130) **조방장**(助防將): 주장(主將)을 도와서 적의 침입을 방어하는 장수.

가 궁하여 재주는 없으나 너희들과 함께 죽기를 각오하고 결전하리라"라고 하며 싸우다가 순절하니 4월 25일이었다.

공은 적진으로 뛰어들기 전에 조복과 띠와 이불을 서리에게 주어 돌려보내고, 편지를 써서 집에 계신 아버님에게 올리기를 "일은 이미 급박하고 저의 생명은 하늘에 달려 있으니, 다만 바라는 것은 평안하게 양친을 잘 모시고 아이들을 잘 키우라"라고 할 뿐이었다. 비참한 전쟁터에서 공은 흔적도 찾을 수 없이 순절하여 조복과 띠, 이불만으로 수내동 봉화공의 묘 동쪽 기슭 언덕에 장사 지냈다. 훗날 도승지에 추증되었고, 상주의 충신의사단(忠臣義士壇)에 제향되었다. 공은 첨지 인(遴)의 딸인 횡성(橫城) 조씨(趙氏)와의 사이에 1남 2녀를 두었다. 아들은 부사를 지낸 휘 제(穧)이고, 사위는 권영(權偀), 김효성(金孝誠)[131]이다.

■ 조부 부사공 제(穧)

부사공(府使公, 1589~1631)의 자는 이실(而實)이다. 1589년(선조 22)에 태어나 1613년(광해군 5) 5월 생원시에 합격했으며, 그해 10월 증광시에 병과로 급제했다. 1616년 문과에 급제 승문원(承文院) 정자(正字)로 보임되었는데, 아버지 좌랑공의 공덕으로 곧바로 6품에 승급했다. 내직으로는 공조·형조·예조 정랑, 사도시(司導寺)[132] 첨정(僉正)·사예(司藝)[133], 제용감(濟用監)[134]·상의원(尙

---

131) **김효성**(金孝誠): 조선 중기 문신(1585~1651). 본관은 광주(廣州). 자는 행원(行源). 1613년(광해군 5) 생원시에 합격함. 1615년 인목대비(仁穆大妃)를 폐하려 하자 정조(鄭造) 윤인(尹訒) 등의 목을 벨 것과 귀양 가 있는 이원익(李元翼)을 다시 부를 것을 주청했다가 길주(吉州)로 유배당하고 뒤에 진도로 이배됨. 1623년(인조 1) 인조반정과 함께 복관되어 이후 호조 좌랑, 형조 정랑, 청주목사 등을 지냄. 오랜 외직 생활 동안 선정을 베풀어 청빈한 목민관으로 이름을 떨쳤으며 강직한 성품의 소유자였음.
132) **사도시**(司導寺): 조선 시대 궁중의 쌀과 곡식 및 장(醬) 등의 물건을 맡은 관청.

衣院)[135]·종부시(宗簿寺)[136]의 정(正)·지제교(知製敎)[137]를 지냈다. 외직으로는
금교(金郊)[138] 찰방(察訪)[139], 평안도사(平安都事), 영암군수(靈岩郡守), 대구부
사(大邱府使)를 역임했다. 1630년 대구부사로 재직할 때 통정대부로 승진했으
며, 이듬해 5월 서세했다. 가선대부 이조 참판에 추증되었으며, 묘는 경기도
광주 번천(樊川)에 있다.

부사공의 부인은 관찰사 서(惰)의 딸인 나주(羅州) 임씨(林氏)이며 슬하
에 2남 3녀를 두었다. 첫째 아들은 참판공 휘 정기(廷夔), 둘째 아들은 김제공
휘 정룡(廷龍), 사위는 박승후(朴承後), 김광(金桄), 변박(卞搏)이다.

■ 부 김제공 정룡(廷龍)

김제공(金堤公, 1629~1689)의 자는 몽경(夢卿)이다. 공은 1629년 대구 관아
에서 태어났다. 여러 번 대과와 소과, 지방시에 합격했으나 끝내 임용되지 못
하다가, 1670년 조부 좌랑공의 공으로 특전을 받아 후릉(厚陵)[140]과 목릉 참봉

관원은 제조(提調: 정2품) 한 명, 정(正: 정3품) 한 명, 부정(副正: 종3품) 한 명, 첨정(僉正:
종4품) 한 명 등이 있었음.

정(正): 종부시 등의 정3품 관원.

133) **사예**(司藝): 조선 시대 성균관의 정4품 관직.

134) **제용감**(濟用監): 조선 시대 왕실에 필요한 의복이나 식품 등을 관장한 관서.

135) **상의원**(尙衣院): 조선 시대 국왕과 왕비의 의복을 만들어 바치고, 내부의 보화, 금보
등을 맡아보던 관아.

136) **종부시**(宗簿寺): 조선 시대 왕실의 계보인『선원보첩(璿源譜牒)』의 편찬과 종실의
잘못을 규탄하는 임무를 관장하기 위해 설치했던 관서.

137) **지제교**(知製敎): 조선 시대에 왕에게 교서(敎書) 따위의 글을 기초해 바치는 일을
맡아보던 벼슬.

138) **금교**(金郊): 경기도 개성의 서북쪽 지역.

139) **찰방**(察訪): 조선 시대 각 도의 역참(驛站)을 관리하던 종6품의 외관직.

이 되었다.

　1674년에는 장흥고(長興庫)[141]의 봉사(奉事)[142]로 자리를 옮겼다. 인선대비(仁宣大妃)[143]의 초상에 국장(國葬) 감동관(監董官)[144]으로 차출되었고, 군자감(軍資監)[145] 주부(主簿)[146]로 승진했다. 현종이 승하하자 또 국장도감(國葬都監)[147] 낭청(郞廳)[148]으로 차출되었다.

　1676년에 다시 군자감 주부가 되고 본감(本監)의 판관으로 승진되었다가 문화현령(文化縣令)[149]으로 나갔는데, 치민(治民)을 잘해 소두(召杜)[150]라는 칭송을 받았다. 1681년에 김제군수가 되었다가, 1682년 방백의 미움을 받자 벼슬을 버렸다. 1687년에 사복시(司僕寺)[151] 판관이 되고 1688년에 장렬왕후(莊烈王后)[152] 초상에 산릉도감 낭청으로 차출되었다가 온양군수에 임명되었으나,

140) **후릉**(厚陵): 조선 제2대 왕 정종(定宗)과 비(妃) 정안왕후(定安王后) 김씨(金氏)의 능으로 개성 판문군(板門郡) 영정리(嶺井里)에 있음.
141) **장흥고**(長興庫): 돗자리, 종이, 유지(油紙) 등의 관리를 맡아보던 관아.
142) **봉사**(奉事): 조선 시대의 종8품 벼슬.
143) **인선대비**(仁宣大妃): 조선 제17대 왕 효종의 비(1618~1674). 본관은 덕수(德水). 우의정 장유(張維)의 딸이며, 어머니는 우의정 김상용(金尙容)의 딸임.
144) **감동관**(監董官): 국가의 토목 공사나 서적 간행 등 특별한 사업을 수행하던 임시직 벼슬.
145) **군자감**(軍資監): 조선 시대 군수품(軍需品)의 비축을 관장하던 관아.
146) **주부**(主簿): 조선 시대의 종6품 벼슬.
147) **도감**(都監): 조선 시대에 나라의 일이 있을 때 임시로 설치하던 관아.
148) **낭청**(郞廳): 실록청, 도감 등 임시 기구에서 실무를 맡아보던 당하관 벼슬.
149) **현령**(縣令): 조선 시대 문관 종5품 외관직.
150) **소두**(召杜): 소신신(召信臣)과 두시(杜詩). 중국 한(漢)나라의 소신신과 후한(後漢)의 두시는 태수(太守)가 되어 백성에게 선정을 베풀었기 때문에 지방에서 백성을 편안하게 잘 다스리는 수령이 있으면 그 수령을 이들에 비유함.
151) **사복시**(司僕寺): 조선 시대의 여마(輿馬), 구목(廏牧) 및 목장에 관한 일을 관장하기 위해 설치되었던 관서.
152) **장렬왕후**(莊烈王后): 조선 제16대 인조의 계비(1624~1688).

사복시와 도감이 모두 유임을 청해 부임하지 않았다. 1689년 2월 고향에 있는 본가에서 향년 61세로 서세했으며, 가선대부 이조 참판에 추증되었다. 묘는 수내동 중앙공원 내에 있다.

김제공의 부인은 응교(應教) 만용(曼容)의 딸인 제주(濟州) 양씨(梁氏)이며, 슬하에 5남 1녀를 두었다. 첫째 아들은 부평부사(富平府使)를 지낸 휘 오(澳), 둘째 아들은 이조 참판을 지낸 휘 택(澤), 셋째 아들은 문청공(文清公) 휘 협(浹), 넷째 아들은 한주공 휘 집(潗), 다섯째 아들은 절충(折衝) 첨사(僉使)[153] 휘 필(泌)이며, 사위는 박태정(朴泰正)이다.

4. 한주공의 종계(宗系)

한주공은 참판 유헌(俞櫶)의 딸인 기계(杞溪) 유씨(俞氏, 1670~1738)와의 사이에 외아들 정랑공(正郎公) 휘 병건(秉健, 1696~1742)과 딸 넷을 두었는데, 딸 강임(康任)은 1699년 어린 나이로 세상을 떠났다.

정랑공의 자는 여강(汝剛)이다. 정랑공은 1719년 생원시에 합격했고 통훈대부 호조 정랑(戶曹正郎)을 지냈으며, 가선대부 이조 참판 겸 판의금부사(嘉善大夫吏曹參判兼判義禁府事)에 증직되었다. 묘는 수내동 중앙공원 내에 있다.

맏사위는 좌찬성(左贊成)에 증직(贈職)된 김달행(金達行)[154], 둘째 사위는 참

---

153) **첨사**(僉使): 조선 시대 각 진영(鎭營)에 속한 종3품 무관.

154) **김달행**(金達行): 김창집(金昌集)의 손자, 김제겸(金濟謙)의 아들이며, 김조순(金祖淳)의 조부. 낭관(郎官)을 지냈으며 좌찬성에 추증됨.

   김창집(金昌集): 조선 후기 문신(1648~1722). 본관은 안동(安東). 자는 여성(汝成), 호는 몽와(夢窩). 좌의정 상헌(尙憲)의 증손으로, 할아버지는 동지중추부사 광찬(光燦)이고 아버지는 영의정 수항(壽恒)이며, 창협(昌協), 창흡(昌翕)의 형. 노론 4대신으로 불림. 호조·이조·형조 판서를 지냈으며, 우의정, 좌의정을 거쳐 1717년 영의정에 오름. 1721

판을 지낸 송재희(宋載禧)155), 셋째 사위는 헌경의황후(獻敬懿皇后) 혜경궁(惠慶宮) 홍씨(洪氏)의 아버지로 영의정을 지낸 홍봉한(洪鳳漢)156)이다.

정랑공은 판서 홍수헌(洪受瀗)157)의 손녀딸인 남양(南陽) 홍씨(洪氏, 1694~

년(경종 1) 신임사화(辛壬士禍) 때 거제도에 위리안치되었다가 이듬해 성주에서 사사(賜死)됨. 1724년 영조 즉위 후 관작이 복구되었으며, 영조의 묘정(廟庭)에 배향됨. 시호는 충헌(忠獻).

김제겸(金濟謙): 조선 후기 문신(1680~1722). 자는 필형(必亨), 호는 죽취(竹醉). 사간, 예조 참의, 승지 등을 역임하다가 아버지가 사사되자 울산에 유배되고, 뒤에 부령(富寧)으로 이배되었다가 사형당함. 신임사화 때 죽은 삼학사(三學士)의 한 사람으로 꼽힘. 시호는 충민(忠愍). 한주공과는 사돈지간.

김조순(金祖淳): 조선 후기 문신(1765~1832). 자는 사원(士源), 호는 풍고(楓皐). 순조(純祖)의 장인. 1785년(정조 9) 정시 문과에 병과로 급제해 검열(檢閱), 이조 참의, 직각(直閣), 보덕(輔德) 등을 거치며 정조의 사랑을 받음. 1802년 대제학 등을 거쳐 딸이 순조의 비, 순원왕후(純元王后)가 되자 영돈령부사(領敦寧府使)로 영안부원군(永安府院君)에 봉해지고, 이어 훈련대장, 호위대장 등을 역임. 시호는 충문(忠文).

155) **송재희**(宋載禧): 조선 후기 문신(1711~?). 본관은 은진(恩津). 자는 영수(永受), 호는 취백정(翠白亭), 사호각(四皓閣). 1772년(영조 48) 임진 기로정시(耆老庭試) 을과에 장원급제해 대사헌 참판을 지냄. 임금으로부터 '사호각'이라는 호를 받음.

기로정시(耆老庭試): 조선 시대 왕, 왕비, 대비, 대왕대비 등이 60·70세가 되었을 때를 경축하기 위해 늙은 선비를 대상으로 실시한 과거 시험.

156) **홍봉한**(洪鳳漢): 조선 후기 문신으로 사도세자의 장인(1713~1778). 본관 풍산(豊山). 자는 익여(翼汝), 호는 익익재(翼翼齋), 시호는 익정(翼靖). 1755년 평안도 관찰사 좌참찬에 이어 우의정, 좌의정을 거쳐 영의정에 오름. 영조를 도와 국고를 충실히 하고 백성의 부담을 절감하도록 함. 1771년 벽파의 책동으로 세손(世孫: 훗날 정조)을 해하려 할 때 이를 막다가 삭직(削職), 청주(淸州)에 부처(付處)되었으나, 홍국영(洪國榮)의 수습으로 시파가 승리하여 풀려나온 뒤 봉조하(奉朝賀)가 됨.

봉조하(奉朝賀): 조선 시대에 전직 관원을 예우해 특별히 내린 벼슬.

157) **홍수헌**(洪受瀗): 조선 후기 문신(1640~1711). 자는 군택(君澤), 호는 담포(淡圃). 1682년(숙종 8) 증광문과에 병과로 급제해 교리, 이조 좌랑을 거쳐 1688년에 헌납으로 박세채(朴世采)를 변호하다가 귀양 간 영의정 남구만(南九萬)과 좌의정 여성제(呂聖齊) 등을

1769)와의 사이에 3남 1녀를 두었다. 첫째 아들은 군자감정공(軍資監正公) 휘 산중(山重, 1717~1775), 둘째 아들은 이조 참판에 증직된 휘 석중(石重, 1722~1750), 셋째 아들은 예조 참판을 지낸 휘 해중(海重, 1727~1778)[158]이 며, 사위는 참의 신대년(申大年)이다.

통훈대부 군자감정을 지낸 군자감정공은 향년 59세로 서세하여 자헌대부 이조 판서 겸 지의금부사에 증직되고, 묘는 수내동 중앙공원 내에 있다. 부인 은 우상(右相) 조태채(趙泰采)[159]의 손녀딸인 양주(楊州) 조씨(趙氏, 1715~1752) 와 반남(潘南) 박씨(朴氏, 1737~1779)이며, 슬하에 3남 2녀를 두었다. 첫째 아 들은 동전공(東田公) 휘 태영(泰永, 1744~1803), 둘째 아들은 이조 판서에 증직 된 휘 규영(奎永, 1747~1771), 셋째 아들은 휘 순영(順永, 1775~1815)이며, 사 위는 김이유(金履鍒), 서유용(徐有用)이다.

동전공의 자는 사앙(士仰), 호는 동전(東田)이다. 공은 1772년(영조 48) 정시 문과에 급제한 뒤 1784년(정조 8) 서장관으로 중국에 다녀왔다. 이후 대사간 광주부윤, 장단부사, 황해도 관찰사를 거쳐 1795년 경상도 관찰사에 제수되었

구하려고 여섯 차례 계(啓)를 올렸다가 북청판관으로 좌천되었으며, 이듬해 무안으로 유배됨. 1694년 갑술옥사로 유배에서 풀려나 민비(閔妃)의 복위도청(復位都廳)에 기용 된 뒤 집의를 거쳐 대사간, 대사성, 이천부사, 이조 참판, 대사헌, 이조 판서, 공조 판서, 호조 판서, 좌참찬 등을 역임. 시호는 문정(文靖).

158) 이해중(李海重): 자는 자함(子涵). 1750년(영조 26) 알성문과에 을과로 급제하여 경주부 윤, 대사간, 대사성, 이조 참의, 승지, 예조 참판을 두루 역임함. 1776년 정조가 즉위하고 대사헌에 임명됨.

159) 조태채(趙泰采): 조선 후기 문신(1660~1722). 자 유량(幼亮), 호 이우당(二憂堂), 시호 충익(忠翼). 1686년(숙종 12) 별시 문과에 병과로 급제해 호조 판서, 공조 판서, 이조 판서를 거쳐 1717년 우의정에 오름. 노론 4대신의 한 사람으로 세제(世弟: 영조) 책봉을 건의하여 실현시켜 대리청정하게 했으나 소론의 반대로 철회되자 사직하고, 소론의 사주받은 목호룡(睦虎龍)의 고변으로 진도(珍島)에 귀양 간 뒤 사사(賜死)됨. 1725년(영조 1) 복관됨.

다. 1797년 내직으로 복귀하여 가선대부에 올랐으며, 도승지에 제수되었다. 1798년(정조 22) 충청도 관찰사로 다시 외직에 나갔고, 이듬해 평안도 관찰사를 지냈으며, 1801년(순조 1) 예조 참판이 되었다. 60세를 일기로 서세한 동전공은 숭정대부 의정부 좌찬성에 추증되었다. 묘는 경기도 가평군 가평읍 금대리(金垈里)에 있다.

동전공의 부인은 목사(牧使) 유한갈(兪漢葛)의 딸 기계 유씨이며, 11남 3녀를 두었다. 아들은 보국공(輔國公) 휘 희갑(義甲, 1764~1847), 나주목사를 지낸 휘 희두(義斗, 1768~1854), 황주목사를 지낸 휘 희평(義平, 1772~1839), 진주목사를 지낸 휘 희승(義升, 1774~1851), 예조 판서를 지낸 휘 희준(義準, 1775~1842), 대사헌을 지낸 휘 희조(義肇, 1776~1848), 휘 희화(義華, 1780~1821), 안흥 첨사를 지낸 휘 희오(義午, 1783~1858), 감목관(監牧官)을 지낸 휘 희신(義申, 1789~1838), 현감을 지낸 휘 희명(義命, 1794~1869), 호조 참판을 지낸 휘 희공(義鞏, 1795~1829)이다. 사위는 홍집규(洪集圭), 김이근(金儞根), 조병찬(趙秉瓚)이다.

보국공의 자는 원여(元汝), 호는 평천(平泉)이다. 1790년(정조 14) 증광문과에 을과로 급제하여 호남 암행어사와 홍문관 교리를 역임했다. 1801년(순조 1) 부호군이 되었고 1807년 이조 참의, 이듬해 황해도 관찰사를 지냈다. 이어 대사간, 이조 참판을 거쳐 1816년 함경도 관찰사로 부임하여 수재로 큰 피해를 본 함흥을 비롯한 6개 읍에 진휼(賑恤) 정책을 시행했다. 이듬해 이조 판서에 임명되었고, 1820년 판의금부사로 동지정사(冬至正使)가 되어 청나라에 다녀왔다. 그 뒤 예조 판서, 형조 판서, 수원부 유수, 병조 판서, 평안도 관찰사 등을 역임했으며, 1833년 70세 때 기로소(耆老所)[160]에 들었다. 시호는 정헌(正獻)이다. 묘는 가평읍 금대리에 있다.

---

160) **기로소(耆老所)**: 조선 시대에 나이가 많은 문신(文臣)을 예우하기 위해 설치한 기구. 정식 명칭은 치사(致仕)기로소. 왕과 조정 원로의 친목, 연회 등을 주관함.

보국공은 판서 김문순(金文淳)[161]의 딸 안동(安東) 김씨(金氏, 1762~1829)와의 사이에 2남 6녀를 두었다. 첫째 아들은 광주공(光州公) 휘 익재(益在, 1799~1860)이고, 둘째 아들은 이조 판서를 지낸 휘 겸재(謙在, 1800~1863)이다. 사위는 김면순(金勉淳), 김경선(金景善), 조발영(趙發永), 김공현(金公鉉), 김상희(金相喜)[162], 오치유(吳致愈)다.

광주공의 자는 공수(公受)이다. 관직은 광주목사를 지냈고, 자헌대부 의정부 찬정에 추증되었으며, 묘는 강원도 춘천시 남면 박암리(博岩里)에 있다. 광주공은 참판 민치문(閔致文)의 딸 여흥(驪興) 민씨(閔氏, 1798~1841)와의 사이에 5남 2녀를 두었다. 첫째 아들은 참봉공 휘 승조(承祖, 1820~1864), 둘째 아들은 장사랑(將仕郎)을 지낸 휘 승호(承祜, 1822~1888), 셋째 아들은 삼척부사를 지낸 휘 승우(承祐, 1823~1889), 넷째 아들은 의금부 도사를 지낸 승록(承祿, 1826~1898), 다섯째 아들은 의금부 도사를 지낸 휘 승례(承禮, 1832~1888)이다. 사위는 이빈현(李斌鉉), 윤기보(尹驥普)이다.

효정전(孝正殿)[163] 참봉을 지낸 참봉공의 자는 무경(武卿)이다. 참봉공은 서세 후 숭정대부(崇政大夫) 의정부(議政府) 참정(參政)에 추증되었으며, 묘는 경

---

161) **김문순**(金文淳): 조선 후기 문신(1744~1811). 자는 재인(在人). 고조부는 창집(昌集)이고, 할아버지는 준행(峻行)이며, 아버지는 이신(履信). 1767년(영조 43) 정시 문과에 장원 급제하였고 7년 만에 당상관에 올라 승지에 임명됨. 이후 대사간, 좌승지, 이조 참판, 대사헌을 지냈으며 남인인 지중추부사 채제공(蔡濟恭)의 죄를 논하고 유배시킬 것을 주장하다가 파직당함. 그러나 곧 기용되어 충청도 관찰사가 되고 이조 판서, 예조 판서, 형조 판서 등을 지냄. 1800년 순조 즉위 후 국구(國舅)인 김조순을 중심으로 김희순(金羲淳)과 함께 안동 김씨 세도의 중심인물이 되어 김씨 세도정치의 기반을 확립함.

162) **김상희**(金相喜): 조선 후기 문신(1794~1861). 추사(秋史) 김정희(金正喜)의 둘째 동생. 현령(縣令)을 지냄.

163) **효정전**(孝正殿): 조선 제24대왕 헌종(憲宗)의 혼전(魂殿).
   혼전(魂殿): 임금이나 왕비의 국장(國葬) 뒤 3년 동안 신위(神位)를 모시던 전각.

기도 파주시(坡州市) 맥금동(陌今洞)에 있다. 참봉공은 정랑 홍명규(洪明圭)의 딸인 부인 남양 홍씨(1820~1895)와의 사이에 1남 2녀를 두었다. 강암공(剛菴公) 휘 용직(容稙, 1853~1932)이 외아들이며, 사위는 조동규(趙東奎), 홍경택(洪景澤)이다.

강암공의 자는 치만(穉萬), 호는 강암(剛菴)이다. 공은 1875년(고종 12) 별시 문과에 급제하여 예문관 검열, 시강원(侍講院) 사서(司書) 등을 지내다가 1881년 용강현령이 되었으며, 1885년 정3품으로 승자하여 승정원 동부승지, 동래 부사, 우부승지, 병조 참의, 형조 참의, 이조 참의, 한성부 소윤 등을 지냈다. 1891년 종2품으로 승자하여 형조 참판, 우승지, 예조 참판, 대사헌, 성균관 대사성을 지내고, 1893년 가의대부에 봉해져 동지중추부사, 의주부윤, 개성유수, 춘천 관찰사 등을 역임했다. 1901년 정헌대부 정2품으로 승자하여 장례원 경, 의정부 찬정, 황해도 관찰사를 지냈고, 1904년 종1품으로 승자했다. 1904년 학부대신에 이어 전라북도 관찰사를 지냈고, 1909년 다시 학부대신에 임명되었다. 공은 1910년 국권피탈 당시에 대신들 중 유일하게 이에 반대했다. 공은 몇 차례 내각회의에서 조약에 반대하는 발언을 해 체결을 막았고, 8월 22일 조약이 체결된 날에는 총리대신 이완용(李完用)이 가택연금 중인 공에게 알리지 않아 참석조차 할 수 없었다. 공은 1919년 3월 독립운동 당시 독립청원서를 작성·배포·공표해 보안법 위반으로 조선총독부 재판소에서 징역 1년 6개월, 집행유예 3년의 형을 선고받았다.

공은 좌의정 조병세(趙秉世)[164]의 딸인 정경부인 양주 조씨(1850~1920)와

---

164) **조병세**(趙秉世): 조선 말기 문신이자 애국지사(1827~1905). 본관 양주(楊州), 자 치현(穉顯), 호 산재(山齋). 시호 충정(忠正). 1859년 증광시 문과에 병과로 급제해 대사헌, 의주부윤, 공조 판서, 이조 판서 등을 거쳐 1893년 좌의정이 됨. 1894년 중추원(中樞院) 좌의장(左議長)이 되었다가 사직하고 은거함. 1905년 을사조약이 체결되자 국권 회복과 을사오적의 처형을 주청하기 위해 고종을 만나려 하였으나 일본군의 방해로 거절당함. 이어 민영환(閔泳煥) 등과 함께 백관을 인솔하고 입궐하여 조약의 무효와 을사오적

후배(後配) 김해 김씨(1873~1946) 사이에 1남 5녀를 두었는데 감조원(監造員)을 지낸 휘 범규(範珪)가 외아들이며, 사위는 민충식(閔忠植), 김풍진(金豊鎭), 윤칠영(尹七榮), 이홍재(李弘宰), 윤완선(尹浣善)이다. 묘는 맥금동 참봉공의 묘 하에 있다. 강암공의 손자는 감조원을 지낸 휘 성구(聖求), 증손자는 도성(度晟), 현손(玄孫)은 재원(齊元)이다. 도성의 가명(家名)은 웅복(雄馥), 재원의 가명은 제원(齊遠)이다.

종통(宗統) 외에 한주공의 후손 가운데 현달(顯達)한 이들이 적지 않았으니 휘 해중(海重)의 첫째 아들 휘 도영(道永)의 자는 사원(士源)인데 사마시에 입격했고, 둘째 아들 휘 선영(善永)의 자는 사경(士卿)인데 적성현감을 지냈다. 셋째 아들 휘 호영(好永)은 통덕랑(通德郎)[165]을 지냈고, 그의 아들 휘 희석(羲錫)의 자는 윤여(允汝)로 군기시(軍器寺) 판관(判官)을 지냈으며, 손자 긍재(兢在)의 자는 공리(公履)인데 과천현감을 지냈다.

휘 희두(羲斗)의 자는 칠여(七汝)인데 나주목사 돈령부(敦寧府)[166] 동돈령(同敦寧)을 지냈으며, 품계는 가선대부였다. 증손인 휘 정재(鼎在)의 자는 공매(公梅)인데 별시 문과에 급제하여 예조 판서에 올랐으며, 동생 휘 관재(觀在)의 자는 공빈(公賓)으로 덕산군수를 지냈고, 휘 풍재(豊在)의 자는 공서(公瑞)인데 장악원 정(掌樂院正)을 지냈다. 휘 풍재의 첫째 아들 휘 승기(承耆)의 자는 성로(聖潞)인데 강화 판관을 지냈고, 둘째 아들 휘 승수(承壽)의 자는 성미(聖眉)인데 문과에

의 처형 등을 연소(聯疏)하다가 일본군에 의하여 강제로 해산당하고 표훈원(表勳院)에 연금됨. 곧 풀려났으나 다시 대한문(大漢門) 앞에서 석고대좌하며 조약의 파기를 주장하다가 또다시 일본 헌병에 강제 연행됨. 그 후 가평 향제로 추방되었으나, 다시 상경하여 표훈원에서 유소(遺疏)와 각국 공사 및 동포에게 보내는 유서를 남기고 음독 자결함. 1962년 건국훈장 대한민국장이 추서됨.

165) **통덕랑**(通德郎): 조선 시대 정5품 동반 문관에게 주던 품계.

166) **돈령부**(敦寧府): 조선 시대 종친부(宗親府)에 속하지 않는 종친과 외척에 대한 사무를 처리하던 관청.

급제해 벼슬이 참판에 이르렀다. 휘 승수의 셋째 아들 휘 성직(性稙)의 자는 계선(季善)인데 김포군수를 지냈다.

휘 희평(羲平)의 첫째 아들 휘 항재(恒在)의 자는 공립(公立)인데 사헌부 지평을 지냈고, 둘째 아들 곤재(坤在)의 자는 공후(公厚)인데 통덕랑을 지냈다. 휘 희승(羲升)의 자는 양여(讓汝)인데 통천군수, 안성군수, 적성현감, 진주목사를 지냈으며 품계는 통훈대부였다. 휘 희조(羲肇)의 자는 성여(成汝)인데 1813년 증광시 문과에 급제하여 교리, 사은사(謝恩使)[167] 서장관, 대사간, 대사헌, 부호군을 지냈으며, 휘 희오(羲午)의 자는 회여(會汝)인데 1813년 무과에 급제해 안흥 첨사를 지냈다. 휘 희명(羲命)의 자는 신여(申汝)인데 무과에 급제해 현감을 지냈고, 아들 휘 필재(玭在)의 자는 계옥(季玉)인데 무과에 급제해 오위장(五衛將)[168]을 지냈다. 휘 희공(羲鞏)의 첫째 아들 휘 회재(晦在)의 자는 공엽(公燁), 호는 송천(松泉)으로 동지중추부사를 지냈다. 둘째 아들 휘 만재(晩在)의 자는 공기(公器), 호는 기석(箕石)으로 통덕랑을 지냈다.

휘 순영(順永)의 첫째 아들 휘 희중(羲中)의 자는 일여(一汝)인데 무과에 급제해 통정대부에 올랐으며, 휘 희중의 첫째 아들 휘 신재(信在)의 자는 계성(季誠)인데 가선대부 수사(水使)를 역임했다.

휘 겸재(謙在)의 자는 공익(公益)이다. 공은 강원도 관찰사, 평안도 관찰사, 공조 판서, 한성 판윤, 예조 판서, 이조 판서 등을 지냈고, 시호는 효헌(孝憲)이다. 부인은 김조순의 딸이며 맏아들 휘 승서(承緖)는 개령군수, 둘째 아들 휘 승위(承緯)는 임실군수, 다섯째 아들 휘 승순(承純)은 형조 판서, 공조 판서를 지냈다. 휘 승위의 첫째 아들 휘 완직(完稙)의 자는 치륜(穉輪)인데 통정대

---

167) **사은사**(謝恩使): 조선 시대 때 나라에 베푼 은혜에 감사한다는 뜻으로 외국에 보내던 사신(使臣).

168) **오위장**(五衛將): 조선 시대 오위(五衛)의 으뜸 벼슬로 종2품이었다가 정조 때 정3품으로 격하됨.

부 용양위(龍驤衛) 사과(司果)를 지냈다. 둘째 아들 휘 관직(觀稙)의 자는 치용(穉用), 호는 해관(海鬝)인데 육군무관학교를 졸업하고 장교 생활을 하다가 이상설(李相卨), 이회영(李會榮), 이동녕(李東寧) 등과 함께 독립운동을 하여 1990년 건국훈장 독립장이 추서되었다. 다섯째 아들 휘 선직(宣稙)의 자는 치은(穉恩)인데 통훈대부 시강원(侍講院)[169] 전서관(典書官)을 지냈다.

휘 희조의 증손 휘 명직(明稙)의 자는 치선(穉善)인데 1893년 문과에 급제해 직각(直閣), 승지, 장례원(掌禮院) 부경(副卿)을 지냈다. 휘 희두의 증손 휘 경직(景稙)의 자는 유성(惟成)인데 문과에 급제하여 시강원 설서(設書)를 지냈고, 현손 휘 순규(洵珪)는 해미군수(海美郡守)를 지냈다.

5. 한주공의 처가

한주공의 장인은 기계 유씨로 휘는 헌(櫶), 자는 회이(晦而), 호는 송정(松汀)이며, 1617년(광해군 10)에 태어나 76세를 일기로 1692년(숙종 18)에 서세했다.

송정공의 6대조 유기창(兪起昌)은 첨지중추부사를, 5대조 유여림(兪汝霖)은 예조 판서, 고조부 유강(兪絳)은 호조 판서, 증조부 유영(兪泳)은 군수, 조부 유대의(兪大儀)는 이조 참판(추증), 아버지 유희증(兪希曾)은 군수를 지냈다.

송정공은 병자호란, 정묘호란을 당해 백성들이 크게 아픔에 잠기자 벼슬에 뜻을 버리고 한때 과거 공부를 중지했으나, 32세 때 처음 과거 시험장에 들어가 한성시(漢城試)[170]에서 장원을 했다. 이어 35세에 사마시에 합격하고 생원·진사 양장에서 모두 장원급제했으며, 동당(東堂)[171]의 초시에 합격했다.

---

169) **시강원**(侍講院): 조선 시대 왕세자의 교육을 담당한 관청인 세자시강원을 일컬음.
170) **한성시**(漢城試): 조선 시대 과거 중 한성부에서 실시한 생원·진사 초시와 식년시 문과의 제1차 시험.

54세에 병조 정랑이 되었고 곧 지평으로 제수되었으며, 59세 때인 숙종 2년 (1675) 형조 참의가 된 데 이어 승지, 경주부윤, 무주부사가 되었다. 64세 때 강원도 관찰사로 승진했다가 이듬해 호조·병조·형조 참의를 지냈고, 그 이듬해 대사간이 되었다. 그 후 10년 가까이 예조 참의, 공조 참의, 좌승지, 우승지를 지냈으며, 1687년 다시 대사간이 되었다. 이때 조정은 후궁 장씨, 즉 장희빈(張禧嬪) 문제로 극심한 혼돈 상태에 빠져 바람 잘 날이 없었다. 상황이 이에 이르자 뜻있는 조정 중신들과 지사들은 심하게 동요했는데, 그 선봉에 나선 인물이 중신(重臣)인 대제학 김만중(金萬重)[172]이었다.

숙종이 경연 석상에서 김만중과 언쟁을 벌인 끝에 김만중을 귀양 보내자 신하들은 숙종의 서슬에 놀라 모두 침묵했는데, 송정공은 병석에서 일어나 임금을 배알하며 앞장서서 귀양을 거두어들이기를 청했다.

"조정 공론은 갈기갈기 찢어져 각각 문호를 내세우고 서로 눈을 부라리면서 국사는 잊은 채 나라를 도우려는 생각이 없습니다. …… 조정은 관료들이 모여 당론을 만드는 장소로만 삼을 뿐입니다. 양전(兩銓: 이조와 병조)에서 추천되는 관리는 반이 그들의 친구들이니 사사로운 청탁과 인척 관계로 사사로움이 점점 깊어졌습니다. …… 대간에게는 보잘것없는 뇌물을 주어 잘못을

---

171) **동당**(東堂): 조선 시대 과거의 본시험에 대한 별칭.

172) **김만중**(金萬重): 조선 후기 문신(1637~1692). 본관은 광산(光山), 자는 중숙(重叔), 호는 서포(西浦), 시호는 문효(文孝). 사계(沙溪) 김장생(金長生)의 증손. 1665년(현종 6) 정시 문과에 장원급제하여 공조 판서, 대사헌, 홍문관 대제학, 지경연사(知經筵事) 등을 지냄. 김수항(金壽恒)이 아들 창협(昌協)의 비위(非違)까지 도맡아 처벌되는 것이 부당하다고 상소했다가 선천(宣川)에 유배되었으나, 1688년 방환(放還)됨. 이듬해 박진규(朴鎭圭), 이윤수(李允修) 등의 탄핵으로 다시 남해(南海) 노도(櫓島)에 유배되어 그곳에서 병사함. 『구운몽』은 선천에 유배되었을 때 지은 것으로 김만중이 어머니를 위로하기 위해 쓴 작품임. 1698년(숙종 24) 관직이 복구되고, 1706년(숙종 32) 효행에 대해 정표(旌表)가 내려짐.

전가하려고 하니 오늘날의 대간은 가련한 직책입니다. 이는 전하께서 왕으로 서의 자질은 비록 높으시나 학력이 이에 미치지 못하시고, 덕과 도량이 넓으 시나 사사로운 뜻을 버리지 못하셨기 때문입니다. …… 성의를 열어 보이시 어 시비가 밝지 않은 폐단을 없게 하시고 김만중을 멀리 귀양을 보내라는 어 명을 거두어주옵소서. 만중은 일품의 재상으로서 듣는 것을 모두 아뢰고 숨 기지 말라는 뜻을 부쳤을 뿐인데, 어찌 뜻을 거스른다고 여기시어 신하를 시 험할 계책이십니까. 지금 김만중을 귀양 보내라는 뜻밖의 어명으로 신하와 백성이 다 놀라 기색이 비참합니다. …… 전하께서는 마땅히 백성의 말을 두 려워하시고 몸을 닦으시어 여러 선업을 모으시며, 언로를 여시고 재앙을 풀 어 다스리는 도를 삼으셔야 합니다."

비록 숙종은 송정공의 이 같은 충언을 받아들이지 않았으나, 사람들은 그 용감함을 칭찬했다.

1689년 숙종이 인현왕후(仁顯王后) 민씨(閔氏)를 폐출시키자 송정공은 소(疏) 를 올렸다가 죄인으로 불려 들어갔는데, 나이 칠십이 넘은 까닭에 형벌은 특 별히 면했으나 삭직을 당했다. 공은 그날로 송정(松汀)으로 향했는데 가는 도 중 병세가 심해져 용호의 우사(寓舍)에 머물렀다. 이곳에서 4년 동안 병을 앓 다가 1692년 9월 16일 서세하여 양주에 있는 차유령 선영 아래 안장되었다.

한주공이 송정공의 사위가 된 것은 열여섯 나던 해인 1685년으로, 공은 한 주공을 아들처럼 여기고 부지런히 학문을 권하고 가르치며 이끌어주었다. 인 현왕후 민씨가 폐서인이 된 지 만 5년 만인 1694년 4월 복위되었다. 숙종은 그해 가을 송정공의 관직을 회복시키면서 한주공에게 제문을 짓도록 명했는 데, 한주공이 25세 되던 해의 일이었다.

6. 한주공의 외가

한주공의 외가는 호남의 망문(望門)인 제주(濟州) 양씨(梁氏)로 한주공 어머님의 5대조가 청사(靑史)에 아름다운 이름을 남긴 학포(學圃) 양팽손(梁彭孫, 1480~1545)이다. 전라남도 화순 능성현에서 태어난 학포공은 1510년(중종 5) 생원시 진사 시험에 급제했는데, 바로 이 과거 시험에 나란히 합격한 정암(靜庵) 조광조(趙光祖)와 평생을 변함없이 이어진 도의지교(道義之交)를 맺었다. 1516년 식년시 문과에 갑과로 급제한 학포공은 공조 좌랑, 형조 좌랑, 사간원 정언, 이조 정랑 등 청요직(淸要職)을 두루 거쳤고, 조광조와 함께 호당(湖堂)[173]에 뽑혀 학문을 연마했다.

당시는 조선 역사상 유례를 보기 어려운 개혁 정치가 이루어지고 있던 시기였다. 반정으로 왕위에 올라 연산조의 폐정(弊政)을 바로잡으려던 중종의 명분과 도학정치(道學政治) 구현을 위해 온몸을 던진 조광조의 의지가 맞아떨어진 결과였다. 조광조는 홍문관 부제학을 거쳐 대사헌으로 기용되는 등 고속 승진을 하며, 국왕 교육, 성리학 이념 전파, 사림파 등용, 현량과(賢良科) 실시, 훈구(勳舊) 정치 개혁 등 과감한 개혁 정치를 펼쳐나갔다. 기묘년(1519)에 조광조는 중종반정 공신이 너무 많고 부당한 녹훈자(錄勳者)가 있음을 비판하면서 105명 공신 중 2등 이하 76명의 훈작을 삭제해야 한다고 주장해 이를 관철시켰다. 온갖 권세를 하루아침에 잃은 훈구파의 반발은 격렬했다.

사림파의 강한 개혁 정책에 염증을 느끼며 마음이 바뀐 중종은 급기야 훈구파와 손잡고 1519년 10월 15일 밤 조광조를 비롯한 30대 개혁 관료 수십 명을 죽이거나 유배를 보내는 등 형벌을 가했다. 이른바 기묘사화였다.

조광조는 다음 날 화순 능성으로 유배를 갔고, 당시 홍문관 교리로 있던

---

173) **호당**(湖堂): 조선 시대에 국가의 중요한 인재를 길러내기 위해 건립한 전문 독서 연구 기구. 독서당(讀書堂).

학포공은 곧바로 동료들과 연명으로 왕에게 극간(極諫)을 하다가 삭직되어 고향인 능성으로 내려갔다. 그로부터 두 달여 지난 12월 20일 조광조에게 사약이 내려졌다. 이 장면을 유일하게 지켜본 사인(詞人)이 학포공이다. 의금부 도사는 시신에 아무도 손을 대지 못하게 했지만, 학포공은 아랑곳하지 않았다. 공은 서슬 퍼런 엄혹한 상황 속에서 3대의 죽음을 무릅쓰고 손수 시신을 수습해 염습했다. 그러고는 아들을 시켜 인근 중조산(中條山) 밑 깊은 골짜기에 시신을 묻은 후 봄, 가을에 제사를 지내며 3년 동안 상을 치렀고, 훗날 경기도 용인에 있는 조씨 문중 선산까지 시신을 손수 운구하여 장사 지냈다.

세상이 다시 바뀌어 1537년 공은 복관(復官)되었으나 1544년 잠시 용담현령(정5품) 지냈을 뿐 줄곧 화순군 이양면 쌍봉 마을에 학포당을 짓고, 글과 그림으로 소일하며 생을 마쳤다. 신잠(申潛) 안견(安堅)과 교류하며 수묵(水墨)에 심취했던 공은 당대 최고 명작으로 꼽히는 산수화 등을 남겼으며, 훗날 남종화의 태두요 시조로 일컬어졌다. 공에게는 사후 300여 년 만인 1863년(철종 14) 이조 판서가 추증됐으며, 혜강(惠康)이라는 시호가 내려졌다.

학포공의 아들은 '선조조의 8문장'으로 이름을 떨친 송천(松川) 양응정(梁應鼎, 1519~1581)이다. 송천공은 1540년 생원시에서 장원한 데 이어 1552년 문과에 급제하여 홍문관 정자, 시강원 설서가 되었다가 호당에 선발되는 등 성망(聲望)을 떨쳤다. 1556년 문과 중시에 장원급제하여 자급(資級)이 올라 이조 좌랑을 제수받았으나, 사림파가 대거 숙청된 을사사화(乙巳士禍)가 일어나는 등 난세 속에서 공은 세상에 묻혀 살기로 결심했다.

거처도 능주에서 나주 박산(朴山)으로 옮기고 조양대(朝陽臺), 임류정(臨流亭)을 지어 학문에 열중했다. 그러자 후학 영재가 몰려들기 시작하니 송강(松江) 정철(鄭澈), 고죽(孤竹) 최경창(崔慶昌), 태헌(苔軒) 고경명(高敬命), 건재(健齋) 김천일(金千鎰) 등 훗날 고충(孤忠)과 준절(峻節)로 이름을 남긴 인물들이었다.

조정은 다시 공을 불러들였다. 송천공은 홍문관, 예문관, 직제학과 성균관 대사성에 이르렀는데, 이때 공은 훗날 대유(大儒)로 청사를 빛낸 율곡(栗谷) 이

이(李珥, 1536~1584)가 조종에 역사적인 첫발을 내딛도록 이끌었다. 1564년 식년시 문과의 고시관(考試官)으로 임명된 공은 율곡을 장원으로 뽑았다. 그러나 율곡을 장원으로 결정짓는 일은 순탄하지 않았다. 율곡의 입산(入山) 전력이 문제가 된 것이다. 조선에서 불교는 금기(禁忌)나 다름없었다. 율곡이 입산했던 과거를 들어 좌우에서 반대 논의가 빗발치자 공은 같은 고시관이었던 상공(相公) 유홍(兪泓)을 설득해 장원을 지켜줌으로써 율곡은 호조 좌랑으로 첫 벼슬길에 나아갈 수 있었다.

권간(權奸)의 눈에 거슬린 공은 다시 외직을 전전했는데 이때 판윤(判尹) 신립(申砬)을 제자로 삼아 학문을 연마하도록 해 명장으로 키워냈다. 1577년 성균관 대사성에 올랐을 때는 문하에 만취(晚翠) 권율(權慄)과 병사(兵使) 최경회(崔慶會) 등이 있었다. 공은 1581년 63세를 일기로 서세했다.

공이 세상을 떠난 지 11년 만인 1592년 임진왜란이 발발하자 공의 문인(門人)들 중 대절(大節)과 대공(大功)으로 이름을 남긴 인물이 한둘이 아니었다. 가족과 자손 또한 역사상 유례없는 비극적 청절(淸節)로 세상의 우러름을 받았다. 먼저 나라를 위해 순절한 인물은 공의 셋째 아들 양산숙(梁山璹, 1561~1593)이었다. 양산숙은 김천일, 고종후(高從厚), 최경회 등과 진주성을 지키다가 성이 무너지자 촉석루에 올라 북향재배한 뒤 남강에 몸을 던져 33세에 순절했다.

양산숙의 뒤를 이어 온 가족이 순절한 비극이 일어난 것은 그로부터 4년 후인 정유재란(1597) 때였다. 무안 삼향포를 향해 피난길에 나섰던 송천공의 부인 박씨가 적선(賊船)을 만나자 "대부의 아내로서 놈들에게 욕을 당할 수는 없다"라고 하며 바다에 뛰어들었다. 아들 산룡(山龍), 산축(山軸)과 산룡의 아내 류씨(柳氏), 박씨의 딸과 조카딸 들이 모두 함께 몸을 던져 세상을 떠났다.

이어 산숙의 아내 이씨(李氏)와 산축의 아내 고씨(高氏, 고경명의 아들이자 복수 의병장 고종후의 딸)도 바다에 뛰어들었다. 종들이 두 사람을 건져냈으나 이씨는 끝내 목에 칼을 꽂아 자결하고 말았다. 고씨는 다시 바다에 뛰어들려 했다. 그러나 종들이 시집 온 지 두 해 만에 첫아이를 임신한 고씨에게 "가문이 영원히 끊긴다"라고 하며 한사코 만류해 가족 중 유일한 생존자가 되었다.

왜적이 물러가자 고씨는 갯가에 즐비하게 떠오른 일가족의 시신을 수습해 부근 산에 가매장한 뒤 고향 박메 마을로 돌아와 이듬해 3월 아들을 낳았으니, 이분이 뒷날 '양한림(梁翰林)'이라는 이름을 얻은 한주공의 외조부 거오재(據梧齋) 양만용(梁曼容, 1598~1651)이다.

거오재공은 1633년(인조 11)에 과거에 들어 그날로 한림(翰林)을 제수받았고, 이듬해 세자시강원 설서에 임명되어 소현세자를 가르쳤다. 이어 예문관 검열, 예조 좌랑 등을 지내다가 병자호란이 일어나자 옥과현감(玉果縣監) 이흥발(李興勃) 등과 군사를 일으켜 의병도유사(義兵都有司)를 맡았다. 그 뒤 거오재공은 사헌부 집의를 거쳐 영국원종이등공신(寧國原從二等功臣)에 봉해졌다. 앞서 순절한 양산숙에게는 1631년(인조 9) 선무원종일등공(宣武原從一等功)이 내려져 예조 참판으로 추증되었고, 박씨 부인에게는 1635년 절부(節婦)로 정려(旌閭)가 내려졌다. 산룡과 산축에게도 효자 정려를 내렸으며, 박씨와 함께 순절한 딸과 조카딸에게는 열녀 정려가 내려졌다.

송천공 가문의 이와 같은 내력을 상고(詳考)할 만한 사적(事蹟), 구결(口訣) 등은 정유재란의 난리 통에 온 가족이 나라를 위해 목숨을 바칠 때 모두 바다에 던져져 사라져버렸다. 겨우 한주공이 어머니에게서 들은 집안 내력과 송천공 문인의 기록, 묘갈명 등 몇 가지를 자료로 삼아 찬(撰)한 행장을 통해 후세에 전해질 뿐이다.

2014년 갑오년(甲午年) 초춘(初春)
한주집국역본간행위원회 위원장
한주공 10대 종손 이도성(李度晟) 근찬(謹撰)

62

권1

사詞
부賦
시詩

詞

사(詞): 중국 운문의 한 형식. 민간 가곡에서 발달하여 당나라 이후 오대(五代)를 거쳐 송나라에서 크게 성행함. 시형에 장단구가 섞여 장단구라고도 하며, 시여(詩餘), 의성(倚聲), 전사(塡詞)라고도 함.

1. 하담[1]의 화월사[2]에 화답하다[和荷潭花月詞]

■ 갑자년(1684)

春集南磵兮草綠	봄이 남쪽 시내에 모이니 풀이 푸르고
東洲嫩花兮野馬弄影	동쪽 물가 꽃이 곱고, 아지랑이가 그림자 희롱하는데
白日悠獨淹留於空谷兮	밝은 해가 아득히 홀로 빈 골짜기에 머무르니
誰與樂此芳時	누구와 더불어 이 꽃다운 때 즐길까
思美人兮在山麓	산기슭에 있는 벗 생각하네
昔相見兮結佳期	옛날에 서로 보고 아름다운 기약 맺었지
睠南山兮興欲飛	남산을 돌아보니 흥이 날고자 하고
歌以寄來兮要淸遊	노래 지어 보내며 청유하자고 하네
想南山之下有賢主人兮	생각해보니 남산 아래 어진 주인 있어
熟新酒而欲與我導酬	새 술 익혀놓고 나와 수작하게 인도하네

嗟吾輩汩乎塵埃而未拂兮 　우리들 속된 세상에 빠져 떨치지 못함을 탄
　　　　　　　　　　　　　식하는데
彼峰巒若無色而空迢遙 　저 산봉우리가 색깔이 없다면 하늘만 멀리
　　　　　　　　　　　　아득하리라
春雖無情兮豈憎我而易衰 　봄이 정은 없다지만 어찌 날 미워하여 쉽게
　　　　　　　　　　　　　쇠할까
將携爾登臨兮 　장차 너를 끌고 올라간다면
庶免於澗谷之獻嘲也 　그나마 간곡3)의 조소를 면할 것 같구나

주

1) **하담**(荷潭): 조선의 문신 김시양(金時讓, 1586~1643)의 호. 본관은 안동(安東). 판중
　추부사(判中樞府事) 등을 지내고 청백리에 뽑힘.
2) **화월사**(花月詞): 꽃과 달을 찬미한 글.
3) **간곡**(澗谷): 마을 이름. 여기서는 마을 사람을 뜻함.

賦

부(賦): 한문체에서 글귀 끝에 운을 달고 흔히 대(對)를 맞추어 짓는 글.

1. 높은 곳에 올라[登高賦]

■ 갑자년

관물자1)가 병들어 집에서 치료할 때 단약을 만들고 『주역』으로 점을 쳤는데, 손님들이 와서 서로 즐기며 환담하면 나아지곤 했다. 이날 하늘이 맑고 바람이 화창해 정신이 살아나고 기분이 좋아져 궤2)를 의지해 누워 있다가, 기둥을 잡고 일어나며 다음과 같이 읊었다.

觀物子抱病匡廬 研丹點易 有客來款談 說則繹 是日也 天朗風和 神蘇氣懌隱几而臥 倚柱而起 乃曰

紅白從何去	붉고 흰 것은 어디로 갔으며
青綠從何至	청색과 녹색은 어디서 왔는가
山谿涓社燕巢	산골짜기 고운 마을에 제비가 집을 지으니
柳揚絮於東阿	버들개지 동쪽 언덕에 날고

梅摽實於南梢	매화는 남쪽 가지 끝에 열매를 맺네
詩人惜春而操觚3)	시인은 가는 봄이 아쉬워 붓을 잡고
壯士悲暮而擊壺	장사는 늙음을 슬퍼하여 항아리를 두드리네
蓋春夏代序	봄이 흘러 여름 되니
羲鞭催驅	복희씨4)는 채찍으로 세월을 재촉하는데
滔滔人情莫不咨吁	도도5)한 인정으로 탄식하지 않을 수 없네
予時飮酒而醉	나는 때때로 술 마시며 취하고
醉後歌之	취한 뒤 노래하고
歌而琴琴而詩	노래하며 거문고 타고, 거문고 타며 시 지으니
所樂者四而已	즐겨하는 것은 이 네 가지뿐
又不足以歔欷也	한숨으로는 부족하구나
夫寄吾人於天地	무릇 우리들 사람은 천지 사이에 붙어사는데
必有生而有死	태어남이 있으면 반드시 죽음이 있고
貧賤不足憂	가난하고 천해도 족히 근심할 바 아니며
富貴不足喜故	부귀해도 족히 기뻐할 바 아니네
丈夫乃生閒曠爲美	대장부 태어나 한광6)의 삶을 아름답게 여기니
豈可惜春悲暮	어찌 봄을 아쉬워하고 노년을 슬퍼함을
如騷人壯士乎	시인과 장사처럼 하겠는가
遂欲登高望遠	드디어 높은 곳에 올라 멀리 바라보며
觀物開懷	사물을 바라보고 회포를 풀고자 하여
乃策藜筇躡芒鞋	이에 여공7) 짚고 망혜8) 신고
步由桃溪轉出松門	도계9)로부터 걸어서 솔문10)까지 돌아 나와
上下林莽間	위아래 우거진 숲 사이로
徘徊芳草原	향기로운 풀밭을 이리저리 거닐다가

仍上乎高丘之上	높은 언덕 위로 올라가니
客亦從余而來焉	나그네 또한 나를 따라왔네
嗟夫鳥將雛葽欲秀	아하! 새는 장차 새끼를 낳고, 풀은 돋아나려 하니
己詔華之遒盡	이미 소화11)의 기능은 다하였고
快一嘯於宇宙	우주 향해 쾌히 한 가락 휘파람 불었네
我而四有	조금 있으니 사방에서
車馬雜沓駿奔	거마가 잡답12)하게 달려오고
連袣成帷逐隊如雲	소매를 잇고 장막 이루어 쫓아온 무리가 구름 같은데
觀物子	관물자는
乍植仗而激昻	잠시 지팡이를 짚고 격앙되어
徒倚松而盤桓	소나무 숲을 서성이며 반환13)하였네
顧問於客曰	나그네를 돌아보며 묻기를
客亦觀此繁華	그대 또한 이 번화함을 보았는가
何車馬之紛紛	어찌 거마들이 이렇게 떠들썩한가
所以爲遊覽者耶	이들이 유람하는 자들인가
抑爲其有事者耶	아니면 그 밖에 다른 일이 있어 그러한가
客曰此乃慕華館也	나그네가 이곳은 곧 모화관14)이라 말하네
今者大司馬親率千軍	오늘 대사마15)가 직접 천군을 인솔하고
來試武技	와서 무술 기량을 시험하는 것이니
所謂馬上才者	말 위의 재주라고 하는 것이
又其中之奇藝也	또한 그 가운데서도 기이한 재주인즉
是以游子麗人	이 때문에 노는 나그네와 고운 계집과
越以騣邁先生	그 밖의 종매16) 선생들까지도

亦欲因觀物而	또한 이것으로 인해 구경하고자
亦觀乎此乎	모여서 이것을 보는 것입니까
觀物子曰諾	관물자가 그렇다고 말하였네
近而俯視周道如砥	가까이 굽어보니 온갖 길이 숫돌같이 평평한데
始有一勇夫	처음으로 한 용감한 사내 있어
被朱衣冠兜鍪	붉은 옷 입고 투구를 썼으며
腰揷旗手持矛	허리에는 기를 꽂고 손에는 창을 들었네
唾長拳乘快馬	긴 주먹에 침 뱉더니 쾌마를 타고
散碧玉之四蹄	벽옥 같은 네 발굽을 사방으로 흩으면서
攬青韋之雙靶	푸른 가죽 쌍파17) 잡고
馳未及於二步	내달려 두 걸음에 이르지 않아
立已高於八尺	이미 여덟 자 높이로 우뚝 서는가 했더니
忽側身而低昂	갑자기 몸을 기울여 낮췄다 높였다 하다가
倏左右而潛跡	재빨리 좌우로 자취를 숨기며
首倒地足向天	머리는 땅에 닿고 발은 하늘로 향했네
聲呼邪而恣躍	야! 소리를 지르며 마음대로 달리니
若危殆而復安	위태한 것 같았으나 다시 편안해졌고
去放銃來擊劍	가서는 총 쏘고 와서는 칼로 찌르니
銃聲動而禽獸藏	총소리 일어나자 새와 짐승 숨어버리고
劍光翻而雲日閃	검광이 날아다니니 구름 속 해가 번쩍이네
聳猿臂而顧瞻	원비18) 뻗어 뒤를 돌아보며
示元帥以奇才	원수19)에게 기이한 재주를 보이니
觀如山而色沮	산처럼 많은 구경꾼들 모두 놀라 실색하였고
或相謂曰壯哉	혹 어떤 사람들은 서로 돌아보며 장하다고

	감탄하였네
已而大司馬令曰	그때 대사마가 명령하기를
壯哉士有異藝	장하구나! 군사에게 특이한 재주가 있다면
豈無巨賞	어찌 큰상을 내리지 않겠는가
乃命褊裨論之以上	이에 편비20)에게 명하여 최상이라 논평하게 하고
解大車之束帛	큰 수레의 속백21)을 푼 후에
出太僕之乘馬	태복22)의 말을 타고 나갔네
客曰此觀何如	나그네가 이 구경이 어떠하냐고 말하니
觀物子	관물자는
忽於邑而不言	갑자기 울며 말을 잇지 못하고
暗向風而涕灑	가만히 바람을 향해 눈물 흘렸네
客問其故	나그네가 그 까닭을 물으니
觀物子曰客且坐	관물자가 그대는 잠시 앉으라고 말하네
吾語爾今日之事	나 그대에게 오늘의 일을 말하리라
悲乎痛矣	슬프고 원통하구나!
試觀域中竟誰家	생각해보건대 나라 안이 끝내 누구의 집이 되겠는가
地醜彼犬羊乃	이 땅을 더럽힌 저 짐승 같은 자들에게
敢傳璽	감히 옥새를 전하겠는가
旣無王蠋之經頸	이미 왕촉23)처럼 목을 맬 수도 없고
又無杲卿之嚼舌	또한 고경24)같이 혀를 깨물 수도 없으며
正師不起義檄久絶	의로운 격문25) 끊기고 정의의 군사 일어나지 않으니
我國地褊力小	우리나라가 땅 좁고 힘이 적어서

姑事皮幣	아직은 가죽과 비단으로 섬기지만
烈士忠憤孰不知愧	열사의 충분으로 누가 부끄러움을 알지 못하겠는가
大司馬必有思乎是耶	대사마는 반드시 이러한 생각을 하고 있는 것인가
笑尺坏之橫驅	척날26) 곁을 채찍질해 달리는 것과
類兒童之游戲	뿔난 아이들의 유희를 보고 웃는구나
鴨水闊而難越	압록강은 넓어서 건너기 어려운데
誰躍馬而飛渡	누가 말을 달려 날아서 건널 것인가
客亦有意於此耶	그대 또한 이러한 뜻을 가지고 있는가
客曰聞先生之大言	나그네가 말하기를 선생의 큰 말씀을 들으니
起此人之慷慨	이 사람도 강개가 일어납니다
蘊擊楫27)之雄心	웅대한 뜻 간직하고
幾仰屋而掌抵	지붕을 우러르며 손바닥을 친 지 몇 번입니다
觀物子笑而言曰	관물자가 웃으면서 말하기를
雖一士之有志	비록 한 사나이라도 뜻이 있다면
奈無人而同事	어찌 같이 일할 사람이 없겠는가
君言且休一坏可醉	그대는 또한 한잔 술로 취할 수 있다고 말하지 마라
遂乃拈古韻酬新詩	마침내 고운28)으로 새로 시를 지어
坐青苔歌紫芝	푸른 이끼 위에 앉아 자지29)를 노래하니
居然西日沈東林暝	어느덧 해는 서산에 잠기고 동쪽 숲은 어두워져서
人影稀而群聲息	사람 그림자 드물고 사람 소리 잠잠해졌네
鳥飛倦而萬籟定	나는 새 권태롭고 만 가지 소리 고요한데

仍與客同歸書齋　　　이내 나그네와 함께 서재로 돌아와

觀物子爲之辭曰　　　관물자가 말하기를

陟彼岡兮憂樂兩忘　　저 언덕에 올라가면 근심과 즐거움 다 잊어
　　　　　　　　　　버리고

觀異勢兮使我彷徨　　뛰어난 형세를 보며 나는 방황하는데

輸閑情而聳省兮成一章　한가로운 정 싣고 살핌을 높여 글 한 장 짓고

悵日暮而歸來兮歌正長　저물녘 슬퍼하며 돌아와 곧 긴 노래를 부르네

주

1) **관물자**(觀物子): 사물을 관찰하는 사람. 여기서는 지은이 자신을 뜻함.

2) **궤**(几): 앉아서 팔을 기대어 몸을 편하게 하는 팔걸이. 늙어서 벼슬을 그만두는 대신이나 중신에게 임금이 주던 물건.

3) **조고**(操觚): 붓을 잡아 글을 씀.

4) **복희씨**(伏羲氏): 중국 고대 전설상의 제왕. 삼황오제(三皇五帝) 중 첫머리로 꼽히며, 팔괘(八卦)를 처음 만들고 어획(漁獲)과 수렵(狩獵)의 방법을 가르쳤다고 함.

5) **도도**(滔滔): 벅찬 감정이나 주흥 등을 막을 길이 없음.

6) **한광**(閑曠): 사람이 살지 않거나 개간하지 않아 묵고 있는 넓은 땅.

7) **여공**(藜筇): 명아주 줄기로 만든 지팡이.

8) **망혜**(芒鞋): 미투리.

9) **도계**(桃溪): 복숭아 동산에 흐르는 시내.

10) **솔문**: 송문(松門). 경축, 환영하는 뜻으로 나무나 대로 기둥을 세우고 푸른 솔잎으로 싸서 만든 문.

11) **소화**(韶華): 화창한 봄의 경치.

12) **잡답**(雜沓): 많이 몰려 북적북적하고 복잡함.

13) **반환**(盤桓): 어정어정 머뭇거리며 그 자리를 떠나지 않음.

14) **모화관**(慕華館): 조선 시대에 중국 사신을 영접하던 곳. 이전의 모화루를 고친 것.

15) **대사마**(大司馬): 병조 판서를 달리 이르는 말.

16) **종매**(翳邁): 학식이 많은 사람.

17) **쌍파**(雙靶): 짐승의 양쪽으로 늘어진 고삐.

18) **원비**(猿臂): 긴 팔. 원숭이 팔에서 유래됨.

19) **원수**(元帥): 군사를 통솔하는 장수.

20) **편비**(褊裨): 각 군영의 대장 아래 속해 있는 부하 장수.

21) **속백**(東帛): 외국을 방문할 때 빙물(聘物)로 가지고 가던 비단 묶음.

22) **태복**(太僕): 고려와 조선 시대에 궁중의 수레와 말 등을 관리하던 관아.

23) **왕촉**(王蠋): 중국 춘추전국시대 제(齊)나라의 문신(?~B.C. 284). 제나라가 연(燕)나
라의 공격을 받아 망하게 되었을 때 연나라 장군 악의(樂毅)가 초빙하자 "충신은
두 임금을 섬기지 않고, 열녀는 두 남편을 섬기지 않는다"라는 말로 거절한
뒤, 스스로 목을 매어 죽음.

24) **고경**(杲卿): 중국 명(明)나라 신종(神宗) 때 호부상서를 지낸 왕고(王杲, 1384~
1467). 주로 재난민을 돕는 일을 하다가 나중에 모함을 받아 감옥에 수감되자
혀를 깨물고 죽음.

25) **격문**(檄文): 군병을 모집하기 위한 글. 적군을 달래거나 꾸짖기 위한 글.

26) **척날**(尺堷): 높이가 한 자쯤 되는 나지막한 담장.

27) **격즙**(擊楫) : 강의 중류에서 노를 두드린다는 뜻으로, 잃어버린 땅을 되찾으려는
굳은 결심 또는 가슴에 품은 웅대한 뜻.

28) **고운**(古韻): 중국 주(周)나라에서 한(漢)나라 때까지 쓰인 한자의 운(韻).

29) **자지**(紫芝): 영지(靈芝). 불로초 과의 버섯.

2. 연적화에 대하여[硯滴花賦]

■ 갑진년(1724)에 서문을 아우르다[甲辰並序]

한주자가 병들어 동전1)에 누웠다가 따뜻한 봄날 언덕에 올라가 바
라보니, 풀과 나무와 여러 가지 사물에 의욕이 생겨나 바야흐로 태탕2)
함을 막을 수 없었다. 병든 생각에도 또한 활발함을 느껴, 읊고 부르기
를 마음껏 즐겼다. 옆을 보니 아직 피지 못한 꽃가지가 있었는데 사람
들이 어지러이 꺾어버려 참으로 애석한 일이었다. 이에 몇 가지를 주
워 집에 돌아와 여러 연적의 물 가운데 꽂아두었다. 며칠이 지나지 않
아 꽃을 피웠는데, 참으로 기이한 일이었다.

무릇 하늘과 땅의 정화3)가 응결된 것은 비록 털끝만치 작은 것이라도 파괴되지 않으면 반드시 피어나거늘, 하물며 우리 인간은 스스로 지극한 영혼이 있어 우매하지 아니한 물건인데 비록 불행하여 몸이 해체됨을 만난다면 오히려 변하지 않고 다시 살아남이 과연 능히 이 꽃과 같을 수 있을까. 드디어 감동하여 시를 짓고 또한 넓혀서 부를 지으니, 이 뜻을 아는 자가 보게 되면 반드시 슬퍼할 것이다.

韓州子病臥東田 乘春和登皐而望之 草木群物生意 方駘蕩不可遏也 令病懷亦覺活潑 而吟嘯自適 傍視之有花枝之未吐蕚者 被人亂折 而委棄之 殊可惜也 乃拾其數枝 而歸揷諸硯滴水中 未數日能開發 信可奇也 夫天地之精華所凝結者 雖分毫之微 不壞則必發之 況吾人自有至 不昧之物 雖不幸而遭軆解 猶必不變焉 其發之也 其果能如此花也哉 遂感而爲之詩 又演而爲賦 知此意者覽之必悲之也

余惟天地之爲心兮	나는 다만 천지로 마음을 삼아
欲生生而不窮	나고 또 나고 하여 다하지 않고자 하나
苟人心其軆此心兮	진실로 사람의 마음은 이 마음이니라
可以輔相乎神功	신의 공력으로 서로 도와줄 수 있을까
覽群物之被育兮	여러 생명의 자라남을 바라보누나
藹至仁之周普	지극히 어진 힘 크고 넓게 미치니
總欣欣以敷榮兮	모두 기쁘고 기쁘게 영화를 펴는구나
思以盡夫所賦	무릇 받은 바를 다하고자 생각함이로다
睠玆花之在樹兮	나무에 핀 무성한 꽃 돌아보누나
信馨馥之胎胚	참으로 향기가 싹터
承雨露之汪濊兮	비와 이슬에 젖었구나

將與衆芳而均開	장차 여러 가지 꽃다움이 고르게 피어나려 함이라
夫何何人之拂戾兮	무릇 어찌하다 어떤 사람의 손에 꺾임이여
曾不若騶虞之弗踐	일찍이 추우4)가 실천하지 못함과 같구나
閼生意於方長兮	살 뜻을 품고 바야흐로 자라나는 것을 막음이여
肆毒手於敗翳	거리낌 없이 마음대로 하는 독수5)에 패했구나
紛牛羊之躪蹂兮	소와 양이 어지러이 유린함이여
委蓁塗而誰眄	진도6)에 버려진 것을 누가 보았는가
適余步於山徑兮	마침내 내 걸음 산길에 이르렀네
忽反顧而興咎	갑자기 되돌아보고 슬픈 탄식 일어났구나
唉芳質已絶于根兮	꽃다운 바탕 이미 뿌리에서 끊어진 슬픔이여
惟精英其猶靡麚	다만 정영7)이 조금 이지러짐과 같구나
愍含意而不舒兮	불쌍하게도 뜻을 머금고 펴지 못함이여
惻抱怨而永減	슬프다! 원망을 안고 영원히 죽었구나
薄言拾以在手兮	박한 말로 주워서 손에 둠이여
遂有意於生發	드디어 꽃이 필 뜻 생겨났네
斟澗瀝於硯滴兮	도랑물 걸러 연적에 부음이여
漬數枝於潮穴	몇 가지를 조혈8)에 꽂았네
滋分寸之淸液兮	한 푼 한 치가 맑은 액체에 불어남이여
日稍稍而有色	날마다 조금씩 빛이 나더니
終殷紅之吐出兮	마침내 은은한 붉음을 토해내는구나
忽爛熳其盈靚	갑자기 난만한 꽃의 가득함 볼 수 있네
披新藥以的皪兮	새로운 꽃잎 곱고 아름답게 피어남이여
宛舊叢之芳姸	옛날 떨기의 꽃다운 고움 완연하네

固赤心之有存兮	참으로 붉은 마음 가지고 있음이여
雖百折而必宣	비록 백 번 꺾이더라고 반드시 피어나네
豈人力之自多兮	어찌 사람의 힘이 스스로 많다고 할까
亦一氣之攸曁	또한 한 기운이 미치는 바이거늘
玩玆理而細推兮	이 이치 보고 자세하게 미루어봄이여
矧吾人之不爾	하물며 우리 사람들이 그와 같이 못할까
相前脩之有志兮	서로 앞을 닦음에 뜻이 있음이여
苟枉屈則皆伸	진실로 억눌려 꺾인 것은 다 피어나네
炯炯一寸之衷丹兮	빛나는 한 치 붉은 마음이여
物與我又奚異焉	물과 내가 또한 그 무엇이 다를까
金石尙可透兮	쇠와 돌도 가히 뚫을 수 있음이여
胡彼頑之不可復也	어찌 저 완고함을 회복하지 못할까
吁嗟乎逸馬之傷園葵兮	아! 달리는 말이 화원의 접시꽃을 상함이여
余獨倚床而太息也	나 홀로 상에 의지하여 한숨짓네

주

1) **동전**(東田): 집의 동쪽에 위치한 밭.
2) **태탕**(駘蕩): 봄날의 바람이나 날씨가 화창함.
3) **정화**(精華): 물건 속의 깨끗하고 순수한 알짜.
4) **추우**(騶虞): 신령스러운 상상의 짐승. 흰 바탕에 검은 무늬와 긴 꼬리가 있으며, 생물을 먹지 않고 살아 있는 풀을 밟지 않는 동물. 성인의 덕에 감응하여 나타난 다고 함.
5) **독수**(毒手): 남을 해치려는 악독한 수단.
6) **진도**(蓁塗): 초목이 무성하게 우거진 길.
7) **정영**(精英): 정예롭고 뛰어난 사물이나 사람.
8) **조혈**(潮穴): 조수가 만들어낸 구멍(硯滴中孔例謂潮汐進退之穴: 연적 가운데 구멍이 있는데 그것을 조수가 드나드는 구멍이라 한다).

詩

1. 봄풀[春草]

■ 정사년(1677) 공이 여덟 살에 지은 것이다[丁巳 公八歲作]

春雨來春草芃芃生   봄비 오니 봄풀이 무성하게 나오고
春雨晴春草漸漸長   봄비 그치니 봄풀이 점점 크게 자라네

2. 김창진에게 보내다[贈金昌珍]

■ 창진은 임술년(1682)에 김제에서 지인으로 있던 사람이다. 서문을 아우르다[壬戌
昌珍金堤郡知印1)也 竝序]

지난해 봄 삼월에 내가 신혼2)을 받들기 위해 벽제3)에 나그네로 나
가 있었는데, 땅이 내 고향이 아니어서 더불어 말할 사람이 없었다. 홀
로 빈 마루에 앉으니 적적하고 할 일이 없는데, 서창에 해가 비춰 다만

게으른 졸음을 지을 뿐이었다. 김창진이 재주가 있는 것을 알아 신분을 숨기고 아랫사람을 돕고자 하여 곧 조정에 보고한 후, 수리4)에게 명하여 공역(公役)에서 뺀 뒤 그를 방으로 끌어들였다. 풍모와 기운이 친할 만하기에, 지위가 다르다고 사람을 나누는 틈을 두지 않고 같은 상에서 글을 읽었다.

삼경5)이 이미 지나고 가을일이 처음 시작될 즈음 내가 한성에 볼일이 있어 떠날 때 관가에서 서로 이별하니, 가을바람 소리가 근심스러웠다. 수십 일이 되지 않아 다시 돌아와 타향에서 거듭 청안6)을 만나니, 바로 어제 헤어진 듯하였다.

드디어 함께 소미사7)와 당시(唐詩)를 상상8)의 온언선9) 보10)에게 배웠는데, 고금을 논하고 풍월을 읊으니 참으로 즐거웠다. 중양절11)이 되어 국화가 활짝 피니 가을의 흥이 절로 날 듯하였다. 들으니 흥복사는 승가산 밑에 있고, 산은 군에서 십 리쯤 떨어진 곳이었다. 이리하여 술을 가지고 그와 함께 가니, 길은 주위 산의 흰 구름 속으로 돌아가고 옷은 개울 건너에서 오는 차가운 안개에 젖었다. 그림과 같은 누각은 산허리에 영롱하게 서 있고, 자줏빛 누각은 숲 끝에서 밝게 빛났다.

올라가 보니 눈이 활짝 열려 진루12)를 씻을 만하였는데, 단풍잎은 휘날리고 청풍은 냉랭하였다. 시를 두어 편 짓고, 맑은 개울물에 발을 씻었다. 잔을 기울이며 취하도록 마시니, 매우 화평하고 즐거웠다.

얼마 후 해는 서령(西嶺)으로 넘어가고 달이 동쪽에서 뜨는데, 동산에 비가 흩어지고 앞 숲이 이슬에 젖었다. 송단13)에는 신선이 부리는 삽살개가 흰 구름 사이에서 짖고, 계수나무 그림자가 달 가운데 너울거렸다. 조금 뒤 술이 떨어져 이야기 잔치를 마치자, 개구리밥 끝에 서리가 날려 나그네 마음은 흔들리며 안정되지 아니하고 들떴다. 그대가 아니었다면 어찌 나그네 홀로 한 해의 끝을 이렇게 보낼 수 있었겠는가.

세월은 재빠른 말같이 달려 또 호남의 봄을 만나니, 떠나고 만남이 무상한데 누가 부생(浮生)의 이별을 감당하겠는가. 오월 초가 되어 그대와 헤어져 종남14)으로 돌아갈 때 호산(壺山)의 길에서 손을 놓고 우두커니 서서 서로 바라보았는데, 산은 돌고 길은 굽어 다만 양쪽 소매만 적셨다. 서로 만날 기약이 어느 때에 있겠는가.

이별하고 나서 빠르게도 벌써 가을이 되었구나. 난간을 의지해 남쪽을 바라보니 쓸쓸한 바람이 옷에 불어오는데, 내 마음이 녹아내리는 듯했다. 이에 옛날 놀던 일을 생각해 짓고 펴내어, 다음과 같은 시를 썼다.

往年春三月余奉晨昏 客於碧堤地 非我土 無可與語 獨坐空堂 寂寂難聊西窓夕暉 但作睡嬾而已 知俉有才 混跡下胥心愛之 卽白于庭 命首吏除公役 提俉入室 風氣可親同床讀書 情不間於上下之分也 三庚已伏秋事始分 余有行于漢城 相別官街秋聲可愁 未數旬奉內行而復歸 他鄕重逢靑眼如昨 遂與學少微史 及唐詩于溫上庠彦羨 甫 論古今咏風月 信可樂也 及乎重陽 黃花爛熳 秋興欲飛 聞興福寺在僧伽山之下 山去郡十許里也 乃載酒携爾而往之 路入圍山之白雲 衣沾隔溪之寒霏 畵樓玲瓏於山腰 紫閣照耀於林端 登臨眼闊可滌塵累 楓葉飄飄淸風冷冷 詩成數篇足濯淸溪 傾杯取醉其樂陶陶 居然日落西嶺月吐 東岑雨散前林露滴 松壇仙猊喧吠於白雲之間 桂影姿娑於玉輪之中 俄而酒盡談讌將罷 蘋末霜飆搖搖乎客懷也 以知客裡經年 非爾安得自遣也 歲月如馻 又逢湖南之春 離合無常 誰堪浮生之別 仲夏初屆 余別爾將歸終南 分手壺山之路 雖竚立而相望 山回路轉徒濕雙袖 相逢之期當在何時 別來倏已秋矣 倚闌南望飄風吹衣 我心如消 玆迷舊遊序而詩之 詩曰

春風三月時	봄바람 부는 삼월
我來客南方	남방에 나그네로 왔도다
旅舍寒燈夜	객사에 차가운 등불 비추는 밤
千里春夢長	천 리 봄꿈 길기만 하고
他鄕無故人	타향에 아는 이 없어
寂寂誰相訪	적적한데 누가 서로 찾아줄까
聞爾超羣吏	들으니 너는 군리15) 가운데 뛰어나고
混跡亦可尙	지난 자취 또한 가상하구나
襟閣忽相招	궁전에서 갑자기 서로 불러보고
深情幸有托	다행히 깊은 정을 의탁하였는데
相喜肝膽傾	간담 기울임을 서로 기뻐하여
還如夙相識	또한 옛날부터 서로 아는 사이 같았네
有酒卽相飮	술이 있으면 서로 마시고
客中歡意極	여행 중에 기쁜 뜻 지극하였으며
當歌畵閣夜	밤에 화각16)에서 마주 노래하고
論文細雨夕	가랑비 오는 저녁에는 글을 논했네
天涯歲如流	하늘가에 세월은 물 흐르듯 하고
四野秋草黃	사방 들에 가을 풀 누렇게 되니
維時八月中	다만 때는 팔월 중순
行行向落陽	가고 가며 서울로 향하는데
馬首復之南	말머리는 다시 남쪽 향해 가고
我意日催促	내 뜻은 날마다 재촉하는구나
旣見不相棄	이미 보고 서로 버리지 아니하니
情義宛如昨	따뜻한 마음과 의리는 완전히 어제 같은데
修程困跋涉	길 닦으면서 곤하게 두루 돌아다니니

汝亦慰行役	너 또한 길동무로 위로가 되는구나
好鳥得雙飛	어여쁜 새 쌍쌍이 날다가
裵回孤竹根	외로운 대나무의 뿌리를 배회하고
朝誦溫氏宅	아침에는 온 씨 댁에서 글을 외고
暮賦近民軒	저녁에는 가까운 민가에서 시를 짓네
蓐收行金氣	욕수17)가 금기18) 행하니
秋高霜露繁	가을 높고 서리와 이슬 많은데
蘋洲雁影冷	물가에는 기러기 그림자 차갑고
澤國蘆花白	못 언저리에는 갈대꽃이 희구나
山光淨以麗	산 빛은 고와 깨끗하고
悠然可蠟屐19)	멀어도 가히 오를 만하네
莞彼祗園林	우습구나! 저 기원림20)은
乃作青藜行	이에 청려장21) 짚고 걸어가는데
僧慣僧伽路	스님은 절로 가는 길 익숙하고
人記古郡城	사람들은 저 옛날 군성22) 있었다고 기억하네
蕭颸楓樹深	소슬하게 단풍나무 깊고
嶂色陰復晴	산 빛은 어두웠다가 다시 개는데
林端偃禪扉	숲 끝에 절 사립문 쓰러져 있고
山腰迥畫樓	산허리 채색한 누각 멀리 있네
登高四望同	높이 올라가 사방을 함께 바라보니
空翠滌我愁	공중이 푸르러 내 시름 씻어주고
叉手老僧拜	두 손을 어긋매껴 마주잡은 노승이 절하며
爲我掃蒲團	나를 위해 부들방석을 털어주네
九日且可飲	구일이라 또한 가히 마실 만하고
黃花開耐寒	국화 피어 추위를 이겨내네

降陟脚力疲	오르내리니 다리는 피곤하나
嘉處亦休息	아름다운 곳이라 또한 휴식하기 좋구나
白日下遙岑	밝은 해는 산 멀리 내려가고
明月上層嶽	밝은 달은 산 위로 오르는데
歌以送夕日	노래하며 저녁 해 보내고
醉以迎夜月	취하며 저녁 달 맞이하네
題詩古井梧	옛 우물가 오동나무에서 시를 짓고
濯足清溪石	맑은 개울가 돌에 발을 씻는데
天靜夜已闌	하늘 고요하고 밤이 이미 다하니
萬籟俱寂寥	만뢰23)가 모두 고요하구나
僕夫整歸駕	종은 돌아갈 거마를 챙기고
馬鳴風蕭蕭	말이 우니 바람 쓸쓸한데
緩轡却回首	고삐 늦추고 문득 머리 돌리니
別區暗烟霞	별다른 구역이라 연하24) 어둡네
清磬鳴月下	맑은 경쇠25) 달 아래 울고
寒聲在疏柯	차가운 소리 성근 가지에서 나오는데
出洞酒猶甘	마을 나서니 술이 오히려 달아
走馬入東閣	말 달려 동쪽 집으로 들어갔네
豈曾摧意氣	어찌 일찍이 뜻과 기운이 꺾였는가
但自道行樂	다만 스스로 도를 행함이 즐겁네
日月易云邁	해와 달이 쉽게 간다 하더니
倏爾東風至	빠르게 동쪽 바람이 이르렀네
紅紅池畔桃	붉고 붉은 못가의 복숭아요
白白園中李	희고 흰 동산 속 자두로구나
故園不可見	고향을 볼 수 없으니

客子多愁思	나그네 생각 시름이 많네
萬里春已老	만 리 떨어진 곳 봄은 이미 늙었는데
湖南夏又阻	호남의 여름이 또 나를 막는구나
塘上柳亂絮	못 위의 버들개지 어지럽고
樓頭鳥將雛	다락머리에 새가 새끼를 까는데
爾時決歸計	그때 돌아갈 뜻 결정하니
我行不可住	나는 가고 싶어 머무를 수 없네
驛樓花未盡	역루26)의 꽃은 아직 다하지 않았는데
別愁集暮雨	이별의 시름을 저물녘 비가 모으고
回浦一杯酒	회포에서 한잔 술 마시면서
望望壺山路	호산의 길을 바라고 또 바라네
揚鞭異南北	채찍을 드니 남북이 달라지고
舊遊何依俙	옛날 놀던 곳과 어찌 그리 비슷한가
山川阻且長	산과 내는 막히고 또 긴데
有夢不能飛	꿈을 꾸어도 날아가지 못하네
方秋雁南翔	바야흐로 가을 되니 기러기는 날개를 남쪽으로 돌리는데
聊以寄詩歸	애오라지 발목에 시만 부쳐 돌아가게 하네

 1) **지인**(知印): 조선 시대 지방관의 관인을 보관하고 날인의 일을 맡던 토관직.

2) **신혼**(晨昏): 혼정신성(昏定晨省)의 준말. 저녁에 잠자리를 보아드리고 아침에는 문안을 드림. 자식이 아침저녁으로 부모의 안부를 물어 살피는 것을 뜻함.

3) **벽제**(碧堤): 벽골제. 전라북도 김제.

4) **수리**(首吏): 아전의 우두머리. 이방(吏房).

5) **삼경**(三庚): 여름 더위를 셋으로 나눈 것. 초복(初伏), 중복(中伏), 말복(末伏).

6) **청안**(靑眼): 좋은 마음으로 남을 보는 눈.

7) **소미사**(少微史): 『소미가숙통감절요(小微家熟通鑑節要)』. 중국 송(宋)나라 때 소미 선생 강지(江贄)가 『자치통감』을 요약한 책. 조선 초기부터 '통감'이라는 이름으

로 초학(初學) 교재로 널리 쓰임.
8) **상상**(上庠): 학교 이름. 오늘날의 고등학교.
9) **온언선**(溫彦羨): 당시 상상의 교사 이름.
10) **보**(甫): 예전에 나이가 서로 비슷한 벗 사이나 아랫사람을 부를 때에 성(姓) 또는 이름 뒤에 붙여 쓰던 말.
11) **중양절**(重陽節): 음력 9월 9일. 9는 양수인데 양수가 겹쳤다는 뜻으로 중양절이라 고 함.
12) **진루**(塵累): 속루(俗累). 세상살이에 연관된 너저분한 일.
13) **송단**(松壇): 소나무가 우거진 단.
14) **종남**(終南): 목멱산(木覓山). 오늘날의 서울 남산.
15) **군리**(羣吏): 많은 관리.
16) **화각**(畵閣): 단청(丹青)을 입힌 누각. 화루.
17) **욕수**(蓐收): 가을 신[秋神]을 일컬음.
18) **금기**(金氣): 가을철의 기운. 오행(五行)을 사계절에 비유하면 금(金)은 가을이 됨.
19) **납극**(蠟屐): 밀 칠한 나막신. 남조 송의 사령운이 산에 오를 때 반드시 나막신을 신을 데서 유래한 말.
20) **기원림**(祇園林): 부처가 처음 포교하던 곳. 절이 있는 곳.
21) **청려장**(青藜杖): 명아줏대로 만든 지팡이.
22) **군성**(郡城): 군의 경계를 짓는 성.
23) **만뢰**(萬籟): 자연계의 만물이 바람에 날리며 울리는 소리.
24) **연하**(烟霞): 안개와 노을. 고요한 산수의 경치를 비유함.
25) **경**(磬)**쇠**: 틀에 옥돌을 달아 뿔 망치로 쳐서 소리를 내는 아악기.
26) **역루**(驛樓): 역 주변의 누각.

3. 또 창진에게 보내다[又寄昌珍]

無情歲月如水流	무정한 세월은 물같이 흘러
三夏已盡當菊秋	여름이 다 가고 벌써 국화 피는 가을이라
閑夜想像披襟月	한가한 밤 옷깃을 풀어 헤치고 달을 생각 하니

洛陽何以久遲留　　　낙양1)에 어찌하여 오랫동안 머물렀던가

주　1) **낙양**(洛陽): 조선 시대 한양을 중국의 낙양에 비유함.

4. 두 번째 시[其二]

樹影婆娑月滿窓　　　나무 그림자 아른아른 달빛 창에 가득하니
擧頭望見疑是爾　　　머리 들어 바라보며 너인가 의심하네
此夜應知爾不來　　　이 밤에 마땅히 네가 올 리 없다는 것 알지만
欲見未見意如此　　　보고 싶어도 못 보기에 뜻이 이와 같구나

5. 그림 병풍에 쓰다[題畫障]

■ **계해년**(1683)

家君與諸公飮　　　아버님과 손님 여럿이 술을 마실 때
朴正言世燋甫　　　정언1) 박세초 보가
展壁上障子呼韵　　　벽 위에 병풍 펼치고 운을 불러
使余隨呼應之　　　내게 운에 따라 시를 지으라 하셨다
一間茅屋白頭翁　　　한 칸 띳집에 흰머리 늙은이
雨後春波落檻中　　　비 온 뒤 봄 물결 헌함2) 속에 떨어지니
乘興羽觴流曲水　　　흥을 타 굽이굽이 흐르는 물에 우상3) 돌리는데
竹林終日吹淸風　　　대숲에는 종일토록 맑은 바람 부네

주　1) **정언**(正言): 사간원(司諫院)에 속한 정6품 벼슬.

사간원: 조선 시대 국왕에 대한 간쟁(諫諍)과 논박(論駁)을 담당한 관청. 간원(諫院),
미원(薇院)이라고도 함. 대간(臺諫), 홍문관(弘文館), 사헌부와 함께 삼사(三司)라
하고, 형조(刑曹)·사헌부와 함께 삼성(三省)이라 했음. 대사간(大司諫: 정3품)
한 명, 사간(司諫: 종3품) 한 명, 헌납(獻納: 정5품) 한 명, 정언(정6품) 두 명을
두었음. 관료는 첫째, 국왕에 대한 간쟁, 신료에 대한 탄핵, 당대의 정치·인사
문제 등에 대해 언론을 담당했으며, 둘째, 국왕을 시종하던 신료로서 경연(經筵),
서연(書筵)에 참여했고, 셋째, 의정부 및 6조와 함께 법률 제정에 대한 논의에
참여했으며, 넷째, 5품 이하 관료의 인사임명장과 법제 제정에 대한 서경권(署經
權)을 행사했음. 이처럼 간관의 임무가 매우 중요했기 때문에 화요직(華要職)으
로 인정되어 학문이 뛰어나고 인품이 강직한 사람 중에서 선발했고 교체 시에
폄출해 지방관으로 보내지 않았으며, 승진 시에는 파직 기간도 근무 일수에
포함시켜주었음.
2) 헌함(軒檻): 건넌방, 누각 등의 대청 기둥 밖으로 돌아가며 놓은 좁은 마루.
3) 우상(羽觴): 새 날개 모양의 술잔. 전(傳)하여 보통 술잔.

6. 낙계의 열 가지 경치[樂溪十景]

■ 갑자년(1684)

高樹鷄鳴午眠起   높은 나무 닭이 울어 낮잠 깨었는데
翳彼光山白日斜   저 광산이 비낀 밝은 해 가렸네
(光岳落日 광악에 지는 해)

且愛文香雨後月   또한 비 온 뒤 달이 글의 향기 사랑하여
夜半來照山人家   밤중에 와서 인가를 비추네
(香山霽月 향산에 갠 달)

風送山外笛聲高   바람이 산 밖으로 피리 소리 높이 보내니

知是樵兒渡寒沙　　　이는 나무하는 아이가 찬 모래 건너는 것이네

(寒沙牧笛 찬 모래 벌판에 목동의 피리)

秋嶺白衲僧獨歸　　　가을 재로 늙은 스님 홀로 돌아가다가
暮憩寒楂雙手叉　　　저물녘 찬 뗏목에 쉬며 두 손 모아 합장하네

(秋嶺歸僧 가을 재로 돌아가는 스님)

幽居無事拂釣竿　　　유거1)에 일이 없어 낚싯대 드리우니
此意亦非求魚鰕　　　이 뜻 또한 고기를 잡고자 함이 아니네

(前溪垂釣 앞개울에서 낚시를 드리우다)

門前復有數畝田　　　문 앞에 또한 몇 이랑 밭이 있고
田邊間種東陵瓜　　　밭 가장자리에 사이사이 심은 동릉과 있네

(後園治圃 후원에 채소 심기)

林亭修禊似山陰　　　숲 정자에 수계2)하니 산음3)과 같고
更把金尊酌流霞　　　다시 금 항아리 잡고 유하4)를 잔질하네

(林亭修禊 임정에서 수계하다)

娟娟翠篠繞高軒　　　곱디고운 푸른 가지 높은 처마 둘렀는데
長日圍棋爛樵柯　　　하루 종일 바둑 두니 도끼가 썩는구나

(竹軒圍棋 죽헌에서 바둑 두다)

草堂新起壓南池　　　초당을 새로 지어 남쪽 못 눌렀고
芙蓉始發雜芝荷　　　부용이 처음 피니 영지와 섞였네

(南池賞蓮 남쪽 못에서 연꽃을 감상하다)

彭澤歸來計未疎5)　　　팽택6)에서 돌아온 계획은 성긴 것이 아니고

東籬且看黃金葩　　　동쪽 울타리에서 황금색 꽃을 보네

(東籬採菊 동쪽 울타리의 국화를 꺾다)

此時此興何時終　　　이때 이 흥 어느 때나 마치려나

不關人間有風波　　　인간의 풍파에 관계되지 않는다네

1) **유거**(幽居): 속세를 떠나 외딴곳에서 삶, 또는 그런 거처.

2) **수계**(修禊): 중국 풍습으로 3월 상사일에 냇가에서 몸을 씻고 노는 것으로 그해의 액운을 면한다고 함.

3) **산음**(山陰): 산의 응달진 북쪽 편.

4) **유하**(流霞): 신선이 마신다는 좋은 술.

5) **계미소**(計未疎): 사표를 내고 돌아온 일이 남들의 생각과 달리 자신에게는 만족스러운 일이므로, 성긴 계획이 아님을 표현함.

6) **팽택**(彭澤): 지명(地名). 도연명(陶淵明)이 군수로 처음 부임했던 곳.

   도연명: 중국 동진(東晉) 시기와 송대(宋代)에 활동한 시인(365~427). 이름 잠(潛). 전원생활에 대한 사모의 정을 달래지 못해 팽택현(彭澤縣) 현령(縣令)을 사임한 뒤 재차 관계에 나가지 않음. 이때 퇴관성명서라 할 수 있는 것이 「귀거래사(歸去來辭)」.

7. 떠오르는 생각을 읊다[偶吟]

春陰著樹雨如絲　　　흐린 봄날 나무에 실 같은 비 내리고

山閣寥寥客到遲　　　고요한 산속 집에 느지막이 손님이 다다르네

讀罷床頭羲氏易　　　책상머리에서 복희씨의 주역 다 읽고

落花窓外任風隨　　　창밖에 지는 꽃은 바람 따라 날아다니네

8. 제목 없이 생각나는 대로 짓다[謾作]

永辭兩蠻觸	만(蠻)과 촉(觸)의 싸움에서 영원히 벗어나
閑閑獨采眞	나 홀로 한가하게 참[眞]을 캐려네
山中何所好	산중에 무엇이 그리 좋은가
千柳數家春	일 천 그루 버들과 두어 집의 봄이라오

9. 비 온 뒤[雨後]

前溪曉雨楊柳靑	앞개울 새벽 비에 버들 푸르니
轉覺春光處處生	문득 곳곳에서 봄빛 나오는 것 느끼네
日暖舞雩携好友	따뜻한 날 무우1)에서 좋은 벗 데리고
數聲黃鳥亦堪聽	두어 마디 꾀꼬리 소리 듣기 좋구나

주
1) **무우**(舞雩): 기우제를 지내는 곳. 또는 기우제를 지낼 때 춤을 추는 곳. 기우제는
여러 종류가 있는데, 이 중 우단(雩壇)에서 지내는 기우제는 임금이 친림(親臨)해
지내기도 했음. 우단의 기우제는 악공과 무희들을 동원해 음악과 춤을 행하는
의식이 있으므로 무우제라고 부름. 고대에 무당들이 춤추고 노래하던 의식에
서 기원한 것임. 그해의 액운을 면한다고 함.

10. 계상1)에서[溪上]

濯足晴沙伴白鷗	발 씻으니 맑은 모래는 흰 갈매기 짝하고
手攀叢桂洞門幽	손으로 계수 떨기를 잡으니 동문2)이 그윽하네
靑山欲暮春辭去3)	청산 저물려 하고 봄도 작별하며 떠나려 하니

滿地飛花麥已秋　　　온 땅 가득 꽃 날리고 이미 보리 익는 가을이라

> 주
> 1) **계상**(溪上): 시냇가. 문집 여러 곳에 반계(盤溪)라는 단어가 나오는 것으로 보아 저자가 살던 마을을 뜻하는 것으로 추정됨.
> 2) **동문**(洞門): 동네 어귀에 세운 문.
> 3) **사거**(辭去): 작별하고 떠남.

11. 채진당(采眞堂)

楊柳梧桐霽月明　　　버드나무, 오동나무에 달은 밝은데
春山一面石泉鳴　　　봄 산 한쪽에는 바위 위에 물소리
簞瓢陋巷專吾樂　　　단표1)누항2)이 오로지 내 즐거움
這裏誰知意味淸　　　이 속의 맑은 뜻을 누가 알리오

> 주
> 1) **단표**(簞瓢): 도시락과 표주박. 가난한 삶.
> 2) **누항**(陋巷): 누추한 거리. 자기가 사는 곳을 겸손하게 이르는 말. 『논어』 옹야(雍也) 편에 공자가 안회에게 "한 도시락밥과 한 표주박 물을 마시며 좁고 더러운 집에 있는 근심을 사람들이 견디지 못하거늘, 회는 그 속에서 즐거움을 고치지 아니하니 어질도다, 회여!"라고 한 데서 유래함.

12. 두 번째 시[其二]

春來物理隨時化　　　봄이 오니 사물의 이치 때에 따라 변화하고
樹影初濃麗景遲　　　나무 그림자 처음 짙더니 좋은 경치 더디구나
勳華已逝吾誰與　　　훈화1) 이미 갔으니 내 뉘와 어울릴까
明月春風是吾師　　　밝은 달 봄바람이 나의 스승이라

> 주
> 1) **훈화**(勳華): 자신을 애써서 가르치던 사람.

13. 세 번째 시[其三]

舞雩風暢動陽春	무우에 바람 시원하니 따뜻한 봄이 동하는데
我服初成淑氣新	내 옷 새로 지으니 맑은 기운 새롭구나
芳草如茵車馬絶	꽃다운 풀 자리처럼 깔렸으나 거마가 끊겼고
白鷗來睡綠溪濱	푸른 개울가엔 흰 갈매기만 와서 잠을 자네

14. 제목 없이 생각나는 대로 읊다[謾吟]

子雲曾築蜀郊廬	자운이 일찍이 지은 촉교1) 위 집에
知我幽棲計未疎	조용히 살 나의 계획 잘되어감 알겠네
自愛溪山幽意足	절로 시내와 산 사랑하니 그윽한 뜻에 족하고
任他浮世縛簪裾	저 뜬세상 일은 잠거2)들 뜻에 맡기네

주   1) **촉교**(蜀郊): 산 사이에 있는 들.
    2) **잠거**(簪裾): 의관을 정제한 사람. 선비나 벼슬아치.

15. 두 번째 시[其二]

山中卜築亦非晩	산중에 집 짓는 것 또한 늦지 않아
閑檢床頭萬軸書	한가로이 상머리의 만 권 책 점검하는데
寂寂茅堂人不寐	적적한 띳집에 사람 잠들지 못하고
夜深松月在窓虛	깊은 밤 소나무에 걸린 달이 빈 창에 들어오네

16. 세 번째 시[其三]

閑逐孤雲引步遲	한가로이 외로운 구름 따르니 걸음 늦어지고
春風花落滿山時	봄바람에 꽃이 져서 온 산에 가득한 때
桃源流水1)誰難覓	도원에 물 흐르나 누구도 찾기 어렵고
我在其中却不疑	나는 그 가운데 있어도 문득 의심하지 않네

> 주
>
> 1) **도원유수(桃源流水)**: 이태백(李太白)의 「산중문답(山中問答)」 중 "桃花流水杳然去 別有天地非人間(복숭아꽃 시냇물 따라 아득히 떠내려가니 인간 세상 아닌 또 다른 세상이라네)"에서 유래함.

17. 네 번째 시[其四]

松風澗水我心淸	솔바람 계곡물에 내 마음 맑아지니
濁酒呼兒細細傾	아이 불러 탁주를 자주자주 기울이네
滿樹梨花山月白	배꽃은 만발하고 산 위에 뜬 달은 흰데
千聲杜宇倚樓聽	천 마디 두견새 소리 누각에 기대 듣는구나

18. 벗 윤 아무개의 편지에 화답하다[答尹友簡]

尺素1)難看赤鯉傳	편지 보기 어려워 적리2)에게 전하니
二年南北隔山川	두 해 동안 남과 북에 산천이 막혔구나
浮沈從古如萍子	부침3)은 예와 같이 부평초 같고
離合由來若箭弦	이합은 본래부터 활시위 같은 것을
遙想音塵心耿耿4)	멀리 그대 소식 생각하니 마음에 아니 잊히고

長懷眉宇夢娟娟　　오랫동안 미우5)를 생각하니 꿈에 연연한데

謝君珍重相思語　　그대가 진중하게 서로 생각한다고 한 말 감
　　　　　　　　　사하여

露出心肝滿碧牋　　심간을 드러내어 푸른 종이 가득 쓰네

주　1) 척소(尺素): 글이나 편지를 쓰던 한 자 길이의 생견(生絹)을 이르던 말. 전하여
　　　편지.
　　2) 적리(赤鯉): 중국 연주(兗州) 사람들은 붉은 잉어를 붉은 천리마라고 했음. 강엄(江
　　　淹)의 시에서 붉은 잉어는 탈 수 있어서 구름과 안개 속으로 사라져 다시 돌아오
　　　지 아니했다고 한 고사에서 유래함. 신선의 행적을 비유함.
　　3) 부침(浮沈): 성함과 쇠함. 인생의 기복이나 세상의 변천.
　　4) 탐탐(耽耽): 마음에 잊히지 아니함.
　　5) 미우(眉宇): 이마와 눈썹 언저리.

19. 두 번째 시[其二]

夜夢山陰上小舟　　밤 꿈에 산음에서 작은 배 탔더니

朝來一札解離憂　　아침에 온 편지 이별 근심 풀어주네

草書遒壯龍蛇戰　　초서는 더욱 장해 뱀과 용이 싸우는 듯하고

文法淸工鬼神愁　　문법은 맑고 교묘하여 귀신도 근심하네

知子風流東洛最　　그대의 풍류가 동락에서 으뜸임을 알았는데

憐吾身世北山幽　　불쌍하다! 나의 신세 북산에 묶였구나

長安咫尺違良晤　　장안이 지척인데 좋은 약속 어기니

萬事人間摠若浮　　인간 만사는 모두 뜬구름 같은 것을

20. 부질없이 시를 이루다[謾成]

綠暗空庭歸思遙	푸른 그늘 빈 뜰에는 돌아갈 생각 아득하고
三更窓外雨蕭蕭	삼경1) 창밖에는 부슬부슬 비 내리네
留連此地方經歲	이 지방에 계속 머물면서 해를 넘기니
夢逐東風到洛陽	꿈속에 동쪽 바람 따라 낙양 간다네

(以上在樂溪 이상의 시는 낙계에 있을 때 지은 것이다)

주 1) **삼경**(三更): 한밤중. 밤을 다섯으로 나눠 저녁 7시에서 9시가 초경(初更), 9시에서
11시가 이경(二更), 11시에서 새벽 1시가 삼경(三更), 1시에서 3시가 사경(四更),
3시에서 5시가 오경(五更)임.

21. 한강에서[漢江]

翩翩白鷺掠舟飛	훨훨 나는 백로 배를 노략질하는 듯하고
蒼巖雨洗倚山肥	비에 씻긴 푸른 바위산에 의지해 살찌는데
寒驢晚下晴沙路	발 저는 나귀 천천히 맑은 모랫길로 내려오고
牧笛漁歌遠渚歸	목적1)과 고기잡이 노래, 먼 물가에서 돌아오네

주 1) **목적**(牧笛): 목자나 목동이 부는 피리.

22. 김덕유1)를 서산으로 보내며[送金德裕之瑞山]

我友心不羈	내 친구는 마음이 얽매이지 않고
乃是湖西美	이것이 바로 호서의 아름다움이니라
爲人甚端正	사람됨 매우 단정하고

文辭蓋餘事	문사는 대개 그리 중요하지 않으니
張華五歲詠鳳句	장화2)는 다섯 살에 봉구3)를 읊었고
陸機二十作文賦	육기4)는 스무 살에 문부5)를 지었네
看君才格出二子	그대의 재주와 품격 두 사람보다 뛰어남을 보니
驊騮將展追風步	화류6)가 앞으로 뻗으면 바람처럼 달려가리
相逢風塵裡	서로 풍진 속에서 만났으나
一笑許知己	한 번 웃으면서 지기로 인정하니
誰言新相識	누가 새로 만나 아는 사람이라 하겠는가
傾蓋膠在漆	경개7)하니 옻의 아교 같은 것을
蒹葭倚玉樹	겸가8)는 아름다운 나무에 의지하고
巴吟酬白雪	파조를 읊고 백설조로 수작하네
薰風夏之季	더운 바람 부는 여름 끝에
相携城西堂	서로 손 끌면서 성서당으로 가
論文剪華燭	글을 논하며 화촉을 태우고
痛飲酌深觴	많은 술 마시며 잔 깊이 기울였네
秋雨十日泥	가을비로 열흘 동안 진흙이 질척해
各居東西坊	각기 동쪽과 서쪽 마을에 머물렀는데
可恨咫尺間	가히 한스럽구나! 지척 사이인데도
久矣失追遊	오랫동안 함께 지내지 못함을
今晨忽告別	오늘 새벽 갑자기 이별을 고하니
千里適瑞州	천 리 먼 서주로 돌아가네
瑞州舊田廬	서주9)의 옛집에
風物好山水	풍물 좋은 산수 있으니
匡山讀書客	광산10)의 글 읽는 나그네
至今稱才子	지금도 재자11)라 칭하네

君今浩然歸鄉里	그대 지금 호연12)히 고향으로 돌아가서
且勤三冬足書史	또한 부지런히 삼동13) 동안 서사나 충분히 읽게나
吾聞明歲春	내 들으니 명년 봄에
禮羅澤宮裡	궁중에서 예라14)를 치른다고 하는데
天馬駕馭此其時	그때에 천마15)를 부릴 것이니
秋鷹奮翮亦容易	보라매 나래 펼치기 용이하리
更問相逢定幾日	다시 묻노니 서로 만날 때 어느 날인가
人間聚散何倏忽	인간의 모였다 흩어짐이 어찌 이다지 빠른가
秋風惜此別	가을바람 이 이별 애석히 여겨
苦竹聲蕭瑟	고죽 소리 쓸쓸한데
青眼復高歌	청안으로 다시 노래 높이 부르니
一盃不須避	한잔 모름지기 피하지 말게나
臨歧爲贈言	갈림길 임하여 하고 싶은 말은
珍重信行李	진중한 행리16)를 믿네
倘逢北飛雁	혹시 북쪽으로 나는 기러기 만나거든
願寄平安字	평안하다는 소식 전하기 바라네

주

1) **덕유**(德裕): 조선 문신 김유경(金有慶, 1669~1748)의 자. 본관은 경주. 호는 용주(龍洲), 용곡(龍谷). 숙종 때 노론과 소론의 집권에 따라 등용되고 파직·유배되기를 반복함. 1744년 대사헌이 되어 탕평책을 반대하는 노론 계열의 소장 세력을 옹호하다가 파직됨. 1746년 좌참찬으로 물러난 뒤 1748년 숭록대부(崇祿大夫)로 특진함. 시호 효정(孝貞).

2) **장화**(張華): 중국 남북조 시대 진(晉)나라의 문신이며 문인(232~300). 무제(武帝) 때 오(吳)나라 토벌에 공을 세워 무후(武侯)에 봉해졌고, 장재(張載), 장협(張協)과 함께 삼장(三張)으로 문명(文名)을 날림.

3) **봉구**(鳳句): 훌륭한 문장.

4) **육기**(陸機): 중국 진(晉)나라 문인(260~303). 자는 사형(士衡). 화려한 문장을 썼음.

5) **문부**(文賦): 중국 운문체(韻文體)의 하나. 산문적인 기세의 흐름을 띤 것으로, 송나라 때 쓰임.

6) **화류**(驊騮): 주(周)나라 목왕이 타던 명마(名馬).

7) **경개**(傾蓋): 수레를 멈추고 덮개를 기울인다는 뜻으로, 우연히 한 번 보고 서로 친해짐을 이르는 말.

8) **겸가**(蒹葭): 갈대. 겸가옥수(蒹葭玉樹)는 갈대같이 변변치 못한 인물이 옥으로 만든 나무 같은 훌륭한 인물에 의지한다는 뜻. 존귀한 친척의 덕을 보거나 뛰어난 인물의 시중들었음을 이름.

9) **서주**(瑞州): 충청남도 서산(瑞山)의 옛 지명.

10) **광산**(匡山): 중국 사천성의 산 이름. 은(殷)·주(周) 시대에 광유(匡裕)라는 신선이 이 산에 오두막을 짓고 살았다고 하며, 이백(李白)이 이곳에서 머리가 희도록 글을 읽었다고 함.

11) **재자**(才子): 재주가 뛰어난 젊은 남자.

12) **호연**(浩然): 넓고 큰 꼴. 물이 그침 없이 흐르는 모양.

13) **삼동**(三冬): 겨울의 석 달. 음력으로 시월, 동짓달, 섣달.

14) **예라**(禮羅): 과거 시험의 별칭.

15) **천마**(天馬): 하늘을 달린다는 상제(上帝)의 말.

16) **행리**(行李): 길 가는 데 쓰는 여러 가지 물건이나 차림. 행장(行裝).

23. 잡가(雜歌): 윤숙겸을 계림1)으로 보내다[贈尹叔謙之鷄林]

尹公是我友	윤 공은 나의 벗
年少人中最英傑	젊은 사람 가운데 가장 영걸하여
暮春相逢城西宅	저문 봄 성의 서택에서 서로 만나니
各許心知如膠漆	각각 마음 허락하여 교칠2)같이 되었네
今朝別我有所適	오늘 아침 나를 이별하고 갈 곳이 있다며
握手求我贈行詩	악수하며 나에게 증행시3)를 구하였는데
深情可見離別時	깊은 정이란 이별할 때 볼 수 있는 것
詩格雖拙豈敢辭	시격4)이 비록 졸하나 어찌 감히 사양할까

椿丈方今鎭南京	춘방5)께서 지금 남경6)을 다스리고 있어
君奉晨昏千里赴	아침저녁 봉양하고자 천 리를 가네
秋風嶺外白露繁	추풍령7) 밖에 흰 이슬 많으니
老萊衣濕楓江路	노래자8)의 옷이 풍강에 젖겠지
君不聞	그대는 듣지 못하였는가
此州山下特奇殊	이 고을 산하가 특별히 기이하다는 것을
乃是	이곳은
新羅王之古都	신라 왕의 옛 도읍 터라
州南有山何崔嵬	고을 남쪽에 산이 있는데 어찌 그리 높은지
戴以天池三金鰲	천지와 세 마리 금자라를 이고 있으며
山之上兮黃金殿	산 위에는 황금 전각이 있고
山之下兮琉璃濤	산 아래는 유리 같은 파도가 있네
琴松亭古玄鶴歸	금송정 오래되어 현학9)은 돌아가고
鳳曲難聽玉寶高	「봉황곡」10)은 듣기 어렵고 국새는 높으며
鮑魚石老曲水寒	포어11)의 돌은 늙고, 굽은 물은 차가운데
怨帶宮娥泣紅顏	원망 안은 궁녀들이 붉은 얼굴로 울고 있네
金公已遠劍韜彩	김 공12)은 이미 멀리 가 칼조차 빛을 감추었고
斷石礌碨積如山	잘린 돌 뇌외13)하여 산같이 쌓였구나
蚊川一帶水走下	문천 일대에는 물이 아래로 달리고
月精橋淸歌	월정교 맑은 노래는
咏花賓賢春	「화빈현춘곡」14)을 읊는다네
玉笛占月倚風宵	옥피리는 달을 차지하고 바람 부는 밤에 의지하는데
峨峨石門利見臺	우뚝 솟은 석문에 이견대15)가 있지

可憐波間白鷗鳥	가련하다! 파도 사이 흰 갈매기들과
感恩寺裡金堂砌	감은사 속 금당의 섬돌에는
時見遊龍隱旋繞	때로 노는 용이 숨어서 돌아다니며 본다네
城空半月鎖晩霞	성은 비고 반달은 저녁노을에 잠겼는데
境連蓬島近仙家	경계는 봉래도16)에 이어져 선가17)가 가깝지
栢栗更奇絶	잣나무, 밤나무 더욱 기묘·절묘하고
紗籠鄭公詞	사롱18) 같은 정공의 글이 있는데
狂僧雪岑居雲水	광승 설잠19)이 운수처럼 거한
千秋但古基	천 년 된 옛터뿐
良志一布袋	좋은 뜻 품은 포대화상20)은
好事留與錫杖寺	좋은 일과 함께 석장사21)에 머물렀네
天陰鵄述嶺	치술령22)에 날이 흐린 것은
神母潛下淚	신모23)가 조용히 눈물을 흘려서라지
楊山之井白鷄林	양산의 우물과 흰 계림에는
石上凜凜寶刀痕	돌 위에 늠름한 보도의 흔적 남아 있고
巫山高十二峰頭	무산24)의 높은 십이 봉우리에는
朝結雲雁鴨池	아침마다 안압지 구름이 맺히네
玉樹飛花春幾番	옥수에 꽃 흩날리는 봄 몇 번째인가
更聞東海處容翁	다시 듣는 동해 처용 옹25)의 이야기를
鳶肩貝齒來歌舞	솔개 어깨, 흰 이로 와서 노래하고 춤추니
高蹤縹緲歸仙府	높은 자취 표묘26)하여 선부27)로 돌아가네
市樓無人月正午	시루28)에 사람 없고 달은 밤중인데
靑銅鑄得萬斤鍾	청동으로 만 근의 종 만들어
鐘聲鏊鏊在靈妙	종소리 둥둥 영묘함 있고
王孫勒鬼徒	왕손이 귀신의 무리에게 명하여

石橋半夜橫雲表	한밤중 돌다리는 가로로 된 구름 같네
黃龍寶刹欲飛空	황룡사29) 보찰은 하늘을 날고자 하고
萬水千山一望通	만 가지 물과 일천의 산은 한번 바라보면 통하는데
將崩未崩一雲根	무너질 듯 무너지지 않는 한 운근30)
慧日沈輝恨無窮	지혜로운 해는 잠겨 빛나니 한이 끝없네
南山爭說放浪士	남산에서 방랑하는 선비 다투어 말하고
換骨仙翁昔來此	환골31) 한 신선이 옛날 이곳에 왔지
高高翠巖上如席	높고 높은 푸른 바위 위에는 자리 깔린 듯하고
想像天兵犒將吏	하늘 군대 장수와 군사에게 음식을 보내 위로한 곳인가 생각하네
孤雲一吟鵠嶺句	고운32)은 곡령33)에서 한 번 글귀 읊고
隱遁終老上書莊	은둔하여 늙을 때까지 서장34)에 올랐는데
薛子去後瑤石宮	설자35)가 간 뒤 요석궁36)에는
只有楡橋秋草荒	다만 느릅나무 다리37) 가을 풀에 황량함만 남았네
地是人非閱幾春	땅은 그대로이나 사람은 바뀌어 몇 해가 지났던가
長使英雄淚滿巾	영웅으로 하여금 길이 수건에 눈물 가득하게 하고
池臺牢落自風月	지대38)에 뇌락39)하는 것은 자연의 풍월이요
山川蕭瑟誰主賓	산천이 소슬하니 누가 주인이고 누가 나그네인가
三王王氣俱寂寞	삼왕40)의 왕기는 모두 적막하고

千年故國多遺跡　천 년 된 옛 나라에는 유적도 많은데
靑山無語愁殺人　청산은 말없이 시름으로 사람을 죽이고
佛塔亭亭如喚客　불탑은 정정하여 나그네를 부르는 듯하네
吾君自有遠遊志　임금 스스로 멀리 가실 뜻 있으나
今向此地可窮搜　지금 이 땅을 끝까지 찾으려나
借問錦囊幾尺長　비로소 묻노니 금낭41)은 몇 자나 길었던가
應接將令鬼神愁　마땅히 장령42)을 접하면 귀신도 시름하리
蕭齊書史且努力　소제43)의 서사에는 나라 지키려는 자취 남았
　　　　　　　　는데
設宴可作余那歌　연회를 베풀면 나는 어떤 노래 지을까
我慾從君去　나 그대 따라가고자 하나
路遠可奈何　길이 멀어 어찌할까나
實不是出無車　실제로 수레 없이 나감이 옳지 않으니
又非關足無力　또한 발에 힘없는 것 관계치 않네
迢迢樂浪州　멀고 먼 낙랑44)의 고을이요
悠悠長安陌　아득한 장안의 거리라
看我長歌行　나의 긴 노래 부름을 보고
且以抒我意　또한 내 뜻을 펴내어라
途道沮且脩　길마다 막혔으니 또한 닦고
巴江無赤鯉　파강45)에는 붉은 잉어 없네
白雲孤飛當別筵　흰 구름 외로이 날아 이별 자리 맞이하니
他日重逢何處是　다른 날 거듭 만나려면 어느 곳이 좋을까
雖無柳條惹人情　비록 버들가지 없이도 인정은 숨기고
露草寒塋亦傷心　이슬 젖은 풀, 차가운 터 또한 마음 상하네
我有斗酒送子歸　나에게 말 술 있어 그대를 돌려보내니

歲暮交情照氷襟	해 저물도록 사귄 정이 얼음 같은 가슴에 비추는데
嗚呼我歌歌正長	아! 나 노래하니 노래 바로 길고
終南山山有林	남산 바라보니 산에는 숲이 있네

주

1) **계림**(鷄林): 경상북도 경주의 옛 이름. 신라 천 년의 고도(古都).

2) **교칠**(膠漆): 사귀는 사이가 친밀하여 서로 떨어질 수 없음.

3) **증행시**(贈行詩): 송별할 때 위로하기 위한 시.

4) **시격**(詩格): 시의 격식, 품위, 품격.

5) **춘방**(椿方): 춘부장(椿府丈). 남의 아버지를 높여 일컫는 말.

6) **남경**(南京): 경주.

7) **추풍령**(秋風嶺): 충청북도 영동군 추풍령면과 경상북도 김천시 봉산면의 경계에 있는 고개.

8) **노래자**(老萊子): 춘추전국시대 노나라의 효자. 70세에 색동옷을 입고 부모님을 즐겁게 함.

9) **현학**(玄鶴): 늙은 학. 학이 오래 살면 검게 된다는 데서 나온 말.

10) 「**봉황곡**(鳳凰曲)」: 조선 시대의 가사(歌辭). 남녀의 금실을 노래함.

11) **포어**(鮑魚): 절인 어물.

12) **김 공**(金公): 김유신(金庾信, 595~673). 신라 진평왕대부터 문무왕대에 걸쳐 활동한 장군이자 대신. 신라가 삼국을 통일하는 데 중심적인 역할을 함.

13) **뇌외**(礌碨): 돌이 쌓인 모양.

14) **화빈현춘곡**(花賓賢春曲): 꽃은 나그네처럼 피었다 지고, 봄은 현자처럼 만물을 꽃피운다는 사실을 노래한 곡조.

15) **이견대**(利見臺): 삼국통일을 이룬 신라 문무왕의 수중릉 대왕암이 잘 보이는 곳에 세운 건물. 죽어서도 용이 되어 나라를 지키겠다는 문무왕의 호국정신을 받들어 신문왕이 681년에 세움.

16) **봉래도**(蓬萊島): 동해에 위치한 신선이 산다는 섬.

17) **선가**(仙家): 신선들이 사는 마을.

18) **사롱**(紗籠): 사등롱(紗燈籠). 여러 빛깔의 깁으로 거죽을 씌운 등롱.

19) **설잠**(雪岑): 조선 세종부터 성종 때 활동한 학자이자 문인인 김시습(金時習, 1435~1493)의 법호. 본관은 강릉. 생육신(生六臣)의 한 사람으로 한문소설 『금오신화(金鰲新話)』를 지음.

20) **포대화상**(布袋和尙): 중국 후량(後梁)의 중(?~916)인 포대. 이름은 계차(契此), 호는 정응(定應). 체구가 비대하고 배가 불룩하게 나왔으며, 항상 지팡이를 들고 다니면서 길흉과 날씨를 점쳤다고 함.

21) **석장사**(錫杖寺): 신라시대 경주에 있던 절.

22) **치술령**(鵄述嶺): 경주와 울산의 경계를 이루는 고개.

23) **신모**(神母): 신녀의 이칭. 신선.

24) **무산**(巫山): 중국 사천성과 호북성 경계에 위치한 산. 태양신 염제(炎帝)의 딸인 요희(瑤姬)가 죽어 무산에서 운우(雲雨)의 신이 되었다는 고사가 전함.

25) **처용 옹**(處容翁): 설화에 나오는 신라 헌강왕 때의 기인(奇人). 879년에 왕이 동부를 순행할 때 기이한 생김새와 옷차림으로 나타나 가무를 하며 궁궐로 따라 들어가 급간(級干) 벼슬을 함. 어느 날 아내가 역신과 동침하는 것을 보고 향가 「처용가」를 지어 불러 역신을 물리쳤다는 이야기가 『삼국유사』에 전함.

26) **표묘**(縹緲): 어렴풋하여 뚜렷하지 않은 모양.

27) **선부**(仙府): 신선이 사는 마을.

28) **시루**(市樓): 시장 주변에 있는 절.

29) **황룡사**(黃龍寺): 경주에 있던 절. 신라 진흥왕 때에 착공하여 645년(선덕여왕 14)에 완성됨. 신라 호국신앙의 중심지.

30) **운근**(雲根): 피어오르는 구름과 안개가 산의 영기를 머금은 괴석을 통해 나온다 해서 괴석을 운근이라 이름.

31) **환골**(換骨): 환골탈태(換骨奪胎). 속인이 수도하여 신선으로 변하는 과정.

32) **고운**(孤雲): 신라 때 유학자 최치원(崔致遠)의 자. 중국까지 이름을 알렸음.

33) **곡령**(鵠嶺): 경주 서북쪽의 황새 고개.

34) **서장**(書莊): 장엄한 글.

35) **설자**(薛子): 신라 유학자 설총(薛聰). 강수(强首), 최치원과 함께 신라 삼문장(三文章)임.

36) **요석궁**(瑤石宮): 신라 태종무열왕 김춘추의 딸이자 설총의 어머니가 살던 곳.

37) **느릅나무 다리**: 유교(楡橋), 원효대사가 일부러 떨어져 요석공주와의 인연이 시작되었다는 다리.

38) **지대**(池臺): 못가에 마련한 대.

39) **뇌락**(牢落): 널찍하고 쓸쓸한 모양.

40) **삼왕**(三王): 신라시대 박씨, 김씨, 석씨의 세 임금.

41) **금낭**(錦囊): 귀중한 물건을 담아두는 비단 주머니.

42) **장령**(將令): 장수의 명령.

43) **소제**(蕭齊): 남제(南齊). 중국 남북조시대 남조(南朝)의 두 번째 왕조. 남조 송(宋)의
   장군 소도성(蕭道成)이 순제로부터 양위를 받아 세웠으며, 7대 24년간 존속함.
44) **낙랑**(樂浪): 한사군(漢四郡) 중 하나로, 청천강 이남의 황해도 자비령 북쪽 일대에
   있던 행정 구역. 기원전 108년에 설치되어 여러 번 변천을 거듭하다 가 313년(미
   천왕 14)에 고구려에 병합됨.
45) **파강**(巴江): 강의 이름. 근원은 사천성 남강현. 남강 동남쪽 파시와 만나 파강이라
   일컬음.

24. 반곡에서 술에 취하여 쓰다[盤谷醉題]

月入寒松人影疎	달이 차가운 소나무 속에 드니 사람 그림자 드물고
東堦露菊襲吾裾	동쪽 섬돌 이슬 머금은 국화 내 옷깃에 스미는데
華堂燭盡夜如海	아름다운 집에 촛불 다하니 밤이 바다 같고
醉倚高闌咏碧虛	취하여 높은 난간 의지한 채 푸른 하늘에 읊어보네

25. 그림 병풍에 쓰다[題畵屛]

春生嶺外柳如眠	봄이 재 밖에 생기니 버들 조는 듯하고
花覆桃壇山似烟	꽃이 복사꽃 단을 덮으니 산은 연기 같은데
酒滿淸樽高興在	맑은 항아리 술 가득하니 높은 흥 절로 나고
更將斜景醉陶然	다시 해 기울려 하니 술에 취해 거나하네

26. 유암이 이별하고 문성으로 돌아가다[別柳蕃歸文城]

君向文城行路難	그대 문성1)으로 향하니 가는 길 어렵고
碧瀾風雪滿舟寒	푸른 물결 눈바람, 배에 추위 가득하지만
才名十歲動西海	재명2)이 열 살 때 서해를 움직였으니
佇見雲鵬擊水搏	물을 차고 나르는 운붕3) 우두커니 보고 있네

> 주
> 1) **문성**(文城): 함경남도 문천군(文川郡).
> 2) **재명**(才名): 재주로 얻은 명망(名望).
> 3) **운붕**(雲鵬): 구름 타고 한 번에 구만 리를 난다는 붕새.

27. 악군1)께서 운을 부르다[岳君呼韻]

歲暮琴歌任苦寒	세모의 거문고 소리에 모진 추위 맡겨두고
心遊天地一身安	마음이 천지에 노니 이 한 몸은 편한 것을
層氷洛水蛟龍蟄	층층이 언 낙수에 교룡2)이 웅크리고 있다가
風雨人間道路難	비바람 일으켜 인간의 가는 길 어렵게 하네

> 주
> 1) **악군**(岳君): 장인.
> 2) **교룡**(蛟龍): 상상 속에 등장하는 동물. 모양이 뱀과 같고 몸의 길이가 한 길을 넘으며, 눈썹으로 교미하여 알을 낳는다고 함.

28. 『중용』1)을 읽다가 벗 유 아무개가 쓴 시에 차운2)하다[讀中庸 次俞友韻]

魚躍鳶飛所賦同	헤엄치는 고기나 날갯짓하는 솔개에 하늘이 부여한 바는 같고

淵天上下亦相通	못과 하늘은 위와 아래지만 역시 서로 통하네
形生神發惟吾秀	형체가 생기고 정신이 발하는 것은 다만 우리의 뛰어남이라
此語曾聞無極翁	이 말은 일찍이 무극옹3)에게 들었다네

29. 벗 유 아무개와 밤에 글을 읽을 때 그에게 주다[與俞友夜讀]

谷口霜風拂面吹	골짜기 입구 서릿바람 얼굴에 스치고
夜深烏鵲各歸枝	밤 깊으니 까마귀, 까치 제각기 가지로 돌아가네
雞鳴月落人聲絕	닭 울고 달 지어 사람 소리 끊어지니
二子空堂講道時	두 사람이 빈 마루에서 도를 강할 때라

30. 교하1) 가는 길에[交河道中]

削玉千峰怪欲飛	옥 깎은 듯 일 천 봉우리 기이하게 날고자 하고
翩翩暮雪濕征衣	펄펄 내리는 저물녘 눈 나그네 옷 적시네
蕭條何處前邨在	쓸쓸하구나! 앞마을은 어느 곳에 있는지

山下寒烟宿鳥歸　　　　산 아래 차가운 연기에 새는 자리 돌아가네

　1) **교하**(交河): 경기도 파주시 교하읍.

31. 시희에게 사략1)을 가르치다[授始喜史略]

滿地干戈戰血飛　　　　땅에 가득한 병기는 싸움으로 피를 뿌리니
憚狐天子竟無依　　　　간사함을 꺼리는 황제는 끝내 의지할 곳 없네
邯鄲誰却尊秦說2)　　　한단에서 누가 진나라 높이는 것 반대하였나
蹈海齊人定是非3)　　　바다로 들어간 제나라 사람이 옳고 그름 정
　　　　　　　　　　　하였네

　1) **사략**(史略): 간략하게 서술한 역사.
　2) **한단수각존진설**(邯鄲誰却尊秦說): 중국 진나라 장한(章邯, ?~B.C. 205)의 고사. 장한
　　은 중국 진 말기의 장수로 진승(陳勝)과 오광(吳廣)이 일으킨 농민 반란을 진압할
　　때 큰 공을 세웠지만, 환관(宦官) 조고(趙高)의 박해를 받아 항우(項羽)에게 투항했
　　음. 기원전 205년 유방(劉邦)이 이끈 한나라 군대와의 전투에서 패해 자살함.
　3) **도해제인정시비**(蹈海齊人定是非): 진(秦) 말엽 제왕의 일족인 전횡(田橫, ?~B.C.
　　202)의 고사. 전횡은 중국 진 말기의 인물로 형인 전담(田儋), 전영(田榮)과 함께
　　진에 반기를 들고 제(齊)를 다시 일으켰음. 한(漢)의 유방(劉邦)이 천하를 평정하자
　　빈객(賓客) 500여 명과 섬에 숨어 살다가, 유방의 부름을 받고 낙양(洛陽)으로
　　가던 중 포로가 되어 한왕(漢王)을 섬겨야 한다는 부끄러움에 자결했음. 그의
　　죽음을 전해 들은 빈객 500여 명도 자결함. 후대인들이 그 의기를 높이 숭앙함.

32. 팔각정에 올라[登八角亭]

長安豪貴振威風　　　　장안의 귀족 위풍1)을 떨치는데
高閣連橫不霽虹　　　　높은 집 이어진 추녀, 비 갠 뒤 무지개는 아니지

俗子紛紛徒爾矣　　　떠들썩한 속인들은 너희뿐이니라
眼空今代定誰雄　　　지금 세대 업신여기니 누구를 영웅으로 정할까

33. 비 온 뒤 마을 사람을 찾아가서[雨後訪洞人]

忽廓天倪捲撿逢　　　갑자기 열린 하늘 끝에 가린 구름 열리고
望中山色翠崢嶸　　　바라보니 산 빛은 푸르고 가파르네
庭邊草木收殘濕　　　뜰 주변에 풀과 나무 남은 습기 거두고
澤下蝦蛙靜雜哤　　　두꺼비, 개구리 고요한 못 아래 잡되게 우는데
阻雨未能酬玉斝　　　비에 막혀 능히 수작하지 못하니
達宵惟獨對金釭　　　밤새도록 다만 홀로 금등잔 대하네
晴川一帶橫前路　　　맑게 갠 개울 일대에 가로지른 앞길을
訪爾辛勤渡石矼　　　너를 찾아 고생스럽게 돌다리 건너가네

34. 산양[1] 이 형 숙린이 가을날 운을 부르기에 따라서 호응해
짓다[山陽李兄叔鱗秋日呼韻 使隨呼應之]

百草捐芳鶗鴂鳴　　　백초는 꽃다움 버리고 두견만 울어대니
疏林處處鬧寒聲　　　듬성한 숲 곳곳에는 찬 소리 시끄러운데
南天雁去青山暮　　　남쪽 하늘에 기러기 가고, 푸른 산 저무니
搖落人間宋子情　　　요락[2]함은 인간 송자[3]의 정이라네

35. 제목 없이 생각나는 대로 읊다[謾吟]

嚴風夜撼後園林	모진 바람 밤까지 후원 숲 흔들더니
失巢寒雀動哀音	집 잃은 차가운 새 슬픈 울음 내는구나
黃花獨秀秋霜後	국화 홀로 피어 가을 서리 맞았으니
却似忠貞君子心	짐짓 충성스런 군자의 마음 같네

36. '변성의 이른 가을'이라는 시를 대신 짓다[代作邊城早秋]

露下天高寒月明	이슬 내리고 하늘 높아 차가운 달 밝은데
營門獨倚旅魂驚	영문1)에 홀로 기댄 나그네 혼 놀라네
秋聲細和笛聲動	가을 소리 피리 소리와 어울려 가늘게 흐르고
我馬時兼胡馬鳴	나의 말 말 때에 따라 호마2)와 함께 우는데
劍匣霜凄龍夜吼	칼집의 서리 쓸쓸해 용이 밤에 울부짖듯 하고
戍樓雲冷雁南征	수루3)에 구름 차니 기러기 남쪽으로 가네
蕭條關塞愁多夢	쓸쓸한 관새4)에는 시름 가득한 꿈
夢入金風到洛城	꿈이 가을바람 따라 낙양에 이르네

주
1) **영문**(營門): 병영의 출입문.
2) **호마**(胡馬): 예전에 중국 북방이나 동북방 등지에서 나던 말.
3) **수루**(戍樓): 적군의 동정을 살피기 위해 성 위에 만든 누각.
4) **관새**(關塞): 국경에 설치한 관문이나 요새.

37. 윤영숙을 청풍부1)로 보내면서[送尹永叔之淸風府]

雲外峰巒玉骨淸	구름 밖 산봉우리 옥골2)같이 맑고
有樓寒碧倚江城	한벽루3) 있어 강가 고을에 의지했는데
武陵豈獨眞仙窟	어찌 무릉만이 참 신선의 굴이더냐
欲逐吾君送此生	나 그대 따라가 이번 생을 보내려 하네

주
1) **청풍부**(淸風府): 충청북도 제천(堤川). 경치가 빼어나 청풍명월(淸風明月)이라는
  말에서 따옴.
2) **옥골**(玉骨): 옥같이 희고 깨끗한 골격. 고결한 풍채.
3) **한벽루**(寒碧樓): 고려 충숙왕 때(1317) 청풍현이 군(郡)으로 승격된 것을 기념하여
  왕사(王師) 청공(淸恭)이 지은 누정.

38. 이 형 이숙린에게 보이다[示李兄叔鱗]

久客多辛苦	나그네 오래되니 괴로움 많고
行裝淡若僧	행장은 욕심 없어 중과 같은데
天時如走兎	천시는 달아나는 토끼와 같고
壯志未搏鵬	장한 뜻은 아직 대붕1)을 잡지 못하네
千里鄕關夢	천 리 밖 고향 관문 꿈에 보고
三更旅館燈	삼경에 여관의 등불 보는데
暗思南去路	가만히 남쪽 갈 길 생각해보니
浩濶嶺崚嶒	호활한 산줄기 높고 험한 것을

주
1) **대붕**(大鵬): 하루에 구만 리를 날아간다는 상상의 새.

39. 용호에서[龍湖]

龍湖最奇絶	용호는 가장 기이하고 절묘하나
地僻少人行	땅이 외져 오는 이 적은데
卜築今非晩	집 짓는 것은 지금도 늦지 않으니
臥雲舊有盟	구름도 누웠다 가는 오지에 사는 것은 예부터 계획한 것이라네
醉乘漁子艇	술 취해 어부의 배 타고
醒愛玉蟾明	술 깨어 옥섬1)의 밝음을 사랑하니
斷渚圍山曲	끊어진 모래톱은 산을 돌아 굽어 있는데
仙禽掠水輕	신선의 새 가볍게 물을 차네
靑燈搖遠色	푸른 등 아득한 색 흔들리고
村篴送寒聲	마을에서 부는 피리 차가운 소리 보내는데
風靜疏簾外	성근 발 밖 바람 자니
雝雝旅雁鳴	옹옹2)거리며 먼 곳 나는 기러기 우네

주
1) **옥섬**(玉蟾): 달을 달리 이르는 말. 달 속에 두꺼비가 산다는 전설에서 온 말.
2) **옹옹**(雝雝): 기러기 울음소리.

40. 서쪽으로 가는 송광세를 전송하며[送宋光世西行]

僑居洛下未安棲	낙하1)에 붙어살아 집은 불편하고
活計艱難出海西	살아가기 어렵고 고생스러워 해서로 나가네
別路風寒飛臘雪	이별 길 바람 찬데 납일2) 눈 날리고
離筵酒盡贈新題	이별 자리 술 다하니 새로운 시제를 주네
雖蒙太守綈袍戀	비록 태수가 되어 제포3) 입기를 사랑하지만

誰上高堂彩服攜	누가 대신 고당4)에 채복5) 입고 올라갈까
知汝故山千里外	그대는 고향이 천 리 밖에 있음을 아는데
可堪征馬向南嘶	정마6) 남쪽 향해 울부짖으면 견딜 수 있겠 는가

41. 밤에 읊다[夜吟]

夜久寒霜滿屋簷	밤 깊으니 차가운 서리 집 처마에 가득하고
虛牕缺月繞書籤	빈 창의 이지러진 달 서가를 돌아 있어
欲吟白雪誰相和	백설조1) 읊고자 하나 누가 서로 화답할까
所謂伊人在巷南	송옥2)은 마을 남쪽에 있네

42. 눈이 내린 뒤에 사진1)에게 보이다[雪後示士珍]

冬日蕭疎冷徹屛	겨울날 적막해 병풍 두르니
破環新月照空庭	고리를 끊은 초승달이 빈 뜰을 비추는데

雪粧玉樹山俱白	눈으로 옥나무 단장하니 산마저 희고
氷作瑤池壑失靑	얼음으로 요지2) 만드니 골짜기는 푸름 잃었네
社老定勞懷白夢	마을 노인 수고로움 안정되자 낮에 꿈꾸는데
王公思棹訪逵舲	왕공3)이 배를 타고 대규4)를 찾아갔네
吟來欲寫相思語	읊다 와서 서로 생각했던 말 쓰고자 하였으나
悵望盤溪筆久停5)	슬피 반계6)만 바라보며 오래도록 붓 멈췄네

1) **사진**(士珍): 조선 숙종, 영조 때의 문신 이진유(李眞儒, 1669~1730)의 자. 본관은
   전주(全州). 소론(小論)의 영수 윤증(尹拯)을 비난한 권상하(權尙夏), 정호(鄭澔)의
   처벌을 주장하다가 삭출(削黜)되었으며 김일경(金一鏡) 등과 함께 신임사화(辛壬
   士禍)를 일으킴. 「속사미인곡(續思美人曲)」을 지음.
   신임사화: 조선 경종 때인 1721년(경종 1년, 신축년)부터 1722년(임인년)까지
   일어났던 정치적 분쟁. 연잉군(영조)을 왕세제로 책봉하는 문제를 에워싸고
   일어난 노론과 소론의 싸움으로, 소론이 노론을 숙청함.

2) **요지**(瑤池): 중국 곤륜산에 있다는 못. 주나라 목왕이 서왕모를 만났다는 이야기
   로 유명함.

3) **왕공**(王公): 왕휘지(王徽之, ?~388). 중국 남북조시대 진(晉)나라의 서예가. 왕희지
   (王羲之)의 아들로 자유분방한 성격을 지녔으며, 대나무 그림에 능함.

4) **대규**(戴逵): 자는 도안(道安). 거문고의 명인으로 결코 왕이나 제후를 위해 연주하
   지 않았으며, 인품이 고상하여 당시의 명사인 사안(謝安), 사현(謝玄), 왕순(王珣),
   왕휘지 등이 존경했음.

5) **창망반계필구정**(悵望盤溪筆久停): 눈 내리는 겨울밤 왕휘지가 강 건너 대규가
   그리워 배를 저어 대규의 사립문까지 갔다가 그를 보지 않고 그냥 돌아왔는데
   사람들이 "갔으면 만나고 오지 왜 그냥 왔느냐"라고 묻자, 왕휘지가 "흥이
   나서 만나러 갔는데 흥이 다해 그냥 왔다"라고 답했다는 고사에서 비롯됨.

6) **반계**(盤溪): 한주공이 살던 마을.

43. 납일(臘日)

| 遺蝗入地尺盈千 | 남은 황1) 땅에 들어가 천 자 넘게 자라고 |

街巷爭歌大有年	가항2)에는 풍년 노래 다투어 부르는데
梅破香心鳴鼓後	납일을 알리는 북 울리자 매화에 싹이 트고
柳絮芳眼磔鷄前	책계3) 전에 버들개지 꽃다운 어린 싹 품었네
銀鐺捧藥循唐制	당나라 제도 좇아 은 냄비에 약 달이고
后土祠禽法漢畋4)	한나라 전렵5)의 포획물로 후토사6)에 제사 지내는데
賜也豈知觀蜡樂	사야7)가 어찌 사악8)을 알까
從來宴飮荷皇天	예부터 하늘의 은혜로 잔치 열고 마시네

주

1) **황**(蝗): 메뚜깃과에 속하는 곤충. 무리지어 다니며 벼에 해를 끼치는 벌레.
2) **가항**(街巷): 거리. 넓고 곧은 거리인 가(街)와 좁고 굽은 거리인 항(巷).
3) **책계법**(磔鷄法): 역병을 쫓기 위해 닭을 기둥에 결박하고 창으로 찔러 죽이는 고려시대 세시풍속.
4) **후토사금법한전**(后土祠禽法漢畋): 오늘날의 중국 산서성 영하현 북쪽에 후토사를 세우고 제사를 지냈는데 천자가 군사를 이끌고 전렵을 해 제일 먼저 잡은 날짐승을 제물로 바친 것에서 유래.
5) **전렵**(畋獵): 사냥.
6) **후토사**(后土祠): 토지의 신(神)인 후토에게 재를 올리는 사당.
7) **사야**(賜也): 공자의 제자 단목사(端木賜). 중국 춘추전국시대 위(衛)나라의 학자. 공문십철(孔門十哲)의 한 사람으로 재여(宰予)와 더불어 언어에 뛰어 났으며 노(魯)나라와 위나라에서 재상(宰相)을 지냄.
8) **사악**(蜡樂): 납일에 제사를 지낼 때 연주하는 음악.

44. 장 참의가 악군에게 보인 시에 차운하다[次張參議示岳君韻]

闔闢陰陽處	음과 양이 닫히고 열리는 곳에
玄機渺莫窮	깊고 묘한 이치 아득하여 다할 수 없네
花開三月際	꽃 피는 때는 삼월 즈음이요
木落九秋中	잎 지는 때는 구월 중이라

天地高低異	하늘과 땅은 높고 낮기 때문에 다르지만
魚鳶上下同	물고기와 솔개는 위와 아래에 있으나 모두 자유롭네
欲知此間事	이 세간의 일을 알고자 할진대
須問悟眞翁	모름지기 참을 깨달은 오진1) 옹에게 물으라

주　1) **오진**(悟眞): 신라의 승려. 의상십철의 한 사람으로 신통력이 뛰어났다고 함.

45. 얼음 젓가락[氷筯]

淸朝步前堦	맑은 아침 앞뜰을 거니노라니
垂垂雙玉釵	주렁주렁 두 개의 옥비녀 같구나
無乃工倕琢	이에 공인이 소중히 다듬어
可以贈楚娃	초와1)에게 보내줄 만하지 아니한가

주　1) **초와**(楚娃): 초나라 여자. 허리가 가는 미인.

46. 흉년에 소문을 듣고[凶年所聞]

秋來拾穗不盈把	가을 되어 이삭 주워도 한 주먹 차지 않고
散四人民無室家	사방으로 인민 흩어져 모두가 빈집이네
誰戀凝之分十萬	누가 가엾이 여겨 십만을 나눠 줄 수 있을까
偏飢甫也走三巴	굶주린 사람들 먹이 찾아 삼파1)로 달려가네
徒勞隣里楡成屑	이웃 마을 느릅나무 껍질로 분주히 가루 만들고

未見隴山竹放花2)	농산3) 대나무에 피는 꽃은 볼 수가 없네
鶀面烏形滿溝壑	황새 얼굴과 까마귀 모습으로 골짜기 가득하니
須將此事問鳴蛙	모름지기 이 일을 울어대는 개구리에게 물어볼까나

47. 서쪽 나루 시골집[西津村舍]

■ 때에 외가의 사당을 맞이하였는데 둘째 형님1)과 천보가 함께하였다[時迎外家祠堂與季兄及天保偕]

客從漢陽來	한양에서 온 나그네
駐馬西津道	서쪽 나루 길에 말을 멈추니
寒風吹我衣	차가운 바람 내 옷에 불어
指直雙手抱	손가락 뻗쳐 두 손으로 감쌌네
蒼蒼雲日暮	창창2)하던 해도 구름 속에 저물고
待人苦不到	괴롭게 사람 기다려도 오지 않는데
回驂入漁村	말을 돌려 어촌으로 들어가니
主人賢且好	주인은 어질고 또한 좋아
爐炭爲我炳	화로에 숯 나를 위해 피우고
牀塵爲我掃	상의 먼지도 나를 위해 쓸었다네

盤中且有蔬	소반 가운데 또한 채소가 있어
可以滌愁惱	시름에 잠긴 번뇌 씻을 만했고
仍携二三子	이리하여 이삼자3)를 데리고
居然事幽討	거연4)히 일을 그윽이 토론하였네
促膝一蒲席	부들자리에서 무릎 맞대고 마주앉아
引觴醉欲倒	잔 들어 취하여 거꾸러지려 했는데
最恨屋如斗	가장 한스러운 것은 집이 말5)만 하여
但屈未伸傲	다만 구부릴 수는 있어도 펴지는 못함이네
雖然免寒凜	비록 그러하여도 추위 면할 수 있으니
起謝主人老	일어나서 주인 늙은이에게 감사하였고
臨別一爲吟	이별에 임해 한 수 읊어
壁上留文藻	벽 위에 글을 써서 남겼네

주
1) **둘째 형님**: 택(澤, 1661~1720). 자 광중(光仲), 호 운곡(雲谷). 이조 참판을 지냄.
2) **창창**(蒼蒼): 시야가 멀어 아득한 모양.
3) **이삼자**(二子): 공자의 말에서 비롯된 것으로 스승이 제자를 부를 때, 또 임금이
신하를 부를 때 쓰는 말. 단 한 사람이 아니라 두세 사람을 부를 때 씀.
4) **거연**(居然): 평안하고 조용한 상태.
5) **말**: 두(斗). 곡식, 액체, 가루 등의 부피를 잴 때 쓰는 단위로, 여기서는 집이
작다는 뜻.

48. 사진이 계상에서 즉석으로 부른 운을 써서 짓다[用士珍溪上口占韻]

紛然臘雪滿前峰	어지러이 납일에 내리는 눈은 앞 봉우리에 가득하고
萬里晴光玉作容	만 리에 갠 빛은 옥으로 얼굴 만든 듯
此夜可迎溪上月	이 밤 계상에서 달을 맞이할 수 있어

且呼諸子笑相逢　　　또한 여러 사람 불러 서로 만나 웃음 짓네

49. 임봉거1)가 쓴 계상 시의 운을 써서 지은 시에 답하다[答任鳳擧 用溪上韻]

人情悤似九疑峰　　　인정이란 구의산2) 봉우리처럼 알 길 없는데
俗子徒知做外容　　　속세 사람은 다만 겉모습만 보고 아는 체하네
一識荊州曾有願3)　　한번 형주를 알고 일찍이 원하는 것 있으니
滿山明月會相逢　　　산 가득한 밝은 달에 서로 만나 모이세

주

1) **임봉거**(任鳳擧): 조선 시대 학자. 본관은 진천(鎭川) 또는 상산(常山). 평사(平沙) 민태중(閔泰重)에게 학문을 배웠는데 박학하고 효행이 지극하였음. 나라에서 벼슬을 주었으나 나아가지 않고 도덕을 실천하고 학문에 전념하였음. 지촌(芝村) 이희조(李喜朝)가 현령으로 있을 때 매번 칭찬하면서 훗날 큰 인재가 되리라고 기대했으며, 여러 번 향공(鄕貢)에 천거함.

2) **구의산**(九疑山): 중국 호남성 영원현 남쪽에 있는 산 이름. 구봉(九峯)이 서로 비슷하여 구별하기 어려워 사람의 마음을 헤아리기 어려움을 비유함. 순(舜) 임금을 이곳에 장사 지냈다고 함.

3) **일식형주증유원**(一識荊州曾有願): 중국 후한(後漢) 관도(官渡)의 싸움 때 원소(袁紹) 와 조조(曹操) 사이에서 중립을 지켰던 덕망이 높은 유표(劉表)에게 유비(劉備) 등이 의탁했는데, 유표는 유비에게 형주를 다스릴 권한을 주고자 했으나 결국 실패한 고사에서 비롯됨. 고을을 다스릴 권한을 원한다는 뜻.

50. 달을 바로 하다[月正]

甲子初開曆　　　갑자에 처음 책력1)이 만들어졌는데
東風爲發春　　　동쪽 바람은 봄을 피우기 위해 부네

人心隨歲變	사람 마음은 해를 따라 변하고
物色逐時新	물건 빛은 때를 좇아 새로워지네
家飮屠蘇酒	집에서는 도소주2) 마시고
門書鬱壘神	문에 글을 붙여 울루3) 신 물리치고
赤城垂柳下	붉은 성 드리운 버들 아래
偏醉罷朝臣	너무 취해 조회에 가지 못한 신하로세

주
1) **책력**(冊曆): 1년 동안의 월일, 해와 달의 운행, 월식과 일식, 절기, 특별한 기상 변동 따위를 날의 순서에 따라 적은 책.
2) **도소주**(屠蘇酒): 도라지, 방풍, 산초, 육계 등을 넣어 빚은 술. 설날 아침 차례를 마치고 세찬(歲饌)과 함께 마시는 찬술로, 나쁜 기운을 물리친다고 함.
3) **울루**(鬱壘): 중국의 전설에 나오는 문신(門神). 백귀(百鬼)를 지배한다는 형제 귀신 가운데 하나로, 동해의 도삭산(度朔山)에 있는 복숭아나무 밑에 있다고 하며 그 상을 문에 붙여 액막이로 삼음.

51. 남을 대신하여 만사1)를 짓다[代人挽人]

少來一見托襟期	젊을 때 한 번 보고 금기2)로 대하여
憐子風流老不衰	그대의 풍류 늙어도 쇠하지 않음을 어여삐 여겼네
靑眼白頭情更篤	푸른 눈 흰머리에 정은 다시 두터워지고
詩思酒興氣相宜	시 생각과 주흥에 기운이 서로 맞았네
官微末路何須恨	관은 미미한 말직으로 어찌 한탄하랴
天嗇希年儘莫知	하늘은 인색해 희년3) 다함을 알리지 못했네
江漢月明飛旐出	강한에 달이 밝은데 날 듯 깃발 나가
欲題哀輓淚雙垂	슬픈 만사 짓고자 하니 두 줄기 눈물 흐르네

주
1) **만사**(挽詞, 輓詞): 상여글, 만장(輓章). 죽은 이를 슬퍼하는 글을 비단이나 종이에

적어 기(旗)처럼 만든 것. 주검을 산소로 옮길 때에 상여 뒤에 들고 따라감.
2) **금기**(襟期): 깊이 품은 생각. 금회(襟懷).
3) **희년**(希年): 드문 나이라는 뜻으로 일흔 살.

52. 『두공부집』1)에서 시운을 따서 짓다[次杜工部韻]

■ 이에 사진이 먼저 차운하였으므로 화답한 것이다[乃士珍先次也和之]

憂思纏不鮮	근심스런 생각 얽혀 풀리지 않고
太恨懶交遊	크게 한스러운 것은 교유함에 게으름이라
頹睡午憑几	낮에 궤에 기대 자고
沉吟暮倚樓	저물게 누각에 의지해 가만히 읊조리네
志惟在千里	뜻은 다만 천 리에 있으나
營營無外求	영영2)을 따로 구함이 없네
枯池困縱鱗	마른 못에 고기 놓으니 괴로워하고
苞杞羨夫不3)	구기자 뿌리를 부러워하는 사나이는
開懷向何處	마음을 열고 어느 곳으로 향하는가
巷北有淸流	거리 북쪽 맑은 내가 있는데
風月屬晴夜	바람과 달은 맑게 갠 밤에 속하고
時節當麥秋	시절은 보리 익는 가을이라네
霧散翠巖滋	안개 흩어지자 푸른 바위 불어나고
雲盡靑山稠	구름 다하자 푸른 산 빽빽하구나
君居淸流上	그대는 맑은 시내 위에 있고
柴門几杖幽	사립문에는 궤장4)이 그윽한데
多少眼中景	많고 적은 눈 속의 경치는

森羅篇上留	삼라5)하게 책 위에 머무르고
買酒仍要我	술 사서 나를 부르니
良會就君謀	좋은 모임 그대가 꾀한 것이겠지

 1) 『두공부집(杜工部集)』: 중국 최고의 시인으로 시성(詩聖)이라 일컬어지는 당나라
두보(杜甫)의 시문집. 북송의 왕수(王洙)가 편찬함. 전 20권.
2) 영영(營營): 세력이나 이익 등을 얻기 위해 몹시 분주하고 바쁨.
3) 포기선부부(苞杞羨夫不): 구기자 뿌리로 된 약을 먹고 무병장수를 원함.
4) 궤장(几杖): 궤장연(几杖宴) 때 임금이 70세 이상의 공신에게 하사하던 궤와 지팡이.
궤장연: 조선시대 궁중에서 70세 이상 된 1품 대신들에게 궤장(궤와 지팡이)을
하사하면서 베푼 연회. 늙은 대신들에게는 가장 영예로운 행사로서 매우 호화롭
게 베풀어졌으며, 비용은 각주와 군에서 염출함.
5) 삼라(森羅): 벌어진 현상이 숲의 나무처럼 많음.

53. 『동악집』1)에 차운하다[次東岳韻]

兩行垂柳巷西東	두 줄 드리운 수양버들 거리를 동서로 가르고
好雨霏霏帶晚風	때맞춰 내리는 비, 부슬부슬 늦바람을 띠었구나
山溪一夜淸幽景	산과 개울 하룻밤 사이 맑고 경치가 그윽하니
都在閒人杖屨中	한가한 도시 사람의 장구중2) 있네그려

1) 『동악집(東岳集)』: 조선 중기 문신 문인인 이안눌(李安訥)의 시문집. 1639년(인조
17) 재종질인 이식(李植)과 조카 이침(李梣)이 수집·편찬함.
2) 장구중(杖屨中): 지팡이와 짚신. 이름난 사람이 머물러 있던 자취를 비유함.

54. 가을날[秋日]

| 步入前溪夾樹間 | 걸어서 앞개울로 들어가 나무 사이로 나오니 |

飄然杖屨共淸閒　　표연1)한 장구2) 모두 청한3)하구나

寒砧搗盡孤村月　　찬 다듬이 다 두드리니 동네에 뜬 달 외롭고

葉上秋聲已滿山　　잎사귀 위에 가을 소리 이미 산에 가득하다

55. 『습재집』1)에 차운하다[隣家次習齊韻]

山家春早夜猶寒　　산집에 봄 이르렀지만 밤은 아직 차갑고

小閣寥寥燭影殘　　작은 집 고요하니 촛불 그림자만 남았구나

雨後銀蟾開好面　　비 온 뒤 달은 아름다운 모습 보이고

故人要我倚樓看　　옛 친구 나에게 누각에 의지해보라 하네

56. 팔각정에 올라 즉석에서 운을 불러 짓다[登八角亭口占]

提携佳客快登高　　귀한 손님 손잡고 쾌하게 높은 곳 올라오니

不覺崎嶇脚力勞　　험한데도 다리 힘 피로함 못 느끼네

橫篴何人添勝槩　　횡적1) 소리 누가 좋은 경치 더하는지

淸歌逸士任狂豪　　세상 등진 선비 맑은 노래 광호2)에 맡겼구나

山花滿樹開新障	산꽃은 나무 가득 새로운 장막 치고
沙嶼沈波若小舠	모래섬 파도에 잠기니 작은 배 같은데
且酌芳尊歸意懶	또한 향긋한 술 마시며 돌아갈 뜻 게으르니
座中塵客莫善逃	좌중의 진객3)들은 먼저 도망가지 말게나

(座中有先起者故云 좌중에 먼저 일어나려는 사람이 있어 말하다)

57. 한마을에 사는 벗에게 부치다[寄洞友]

昨夜東君按節歸	어젯밤 동군1)이 절기 안고 돌아오니
滿園春色蝶初飛	동산 가득한 봄빛에 나비 처음 나는구나
何人最起西亭興	누가 가장 먼저 서정에서 흥 돋우려나
爲整新冠更補鞋	새 갓 정돈하고 다시 신마저 기웠다네

58. 종남산을 멋대로 읊다[終南謾吟]

或舒或卷南山霧	끼었다가 걷히는 남산의 안개는
一覆一翻塵世情	이리저리 뒤집는 티끌세상 인정이라
雨後谿流流不息	비 온 뒤 개울은 흐르고 흘러 쉬지 않으니
仲尼深趣却分明	중니1)의 깊은 취미 문득 분명하구나

두 번째 아들이라는 뜻에서 중(仲) 자를 쓰고, 이구산(尼丘山)에서 기도하여 태어났다고 하여 니(尼)를 따서 지음.

59. 성에 올라[登城]

宮闕對南山	궁궐은 남산을 대해 있어
蒽蒽佳氣滿	상서롭고 맑은 기운 가득하네
莫惜春光盡	봄볕 다했다고 애석해하지 마라
好是綠陰散	흩어진 나무 그늘이 좋구나

60. 내종형[1] 양씨 댁에서 아이들과 놀 때 어머니께서 또한 오셨기에 짓다[內從梁兄宅與兒輩戲時 慈親亦來臨]

年長心幼似稚年	나이가 많아도 어린아이 같으니
松門暫學送鞦韆	솔문에서 잠시 배워 그네를 뛰었는데
冠巾倒地絨絲折	갓이 땅에 떨어져 갓끈이 끊어지자
剩使羣兒笑欲顚	여러 다른 아이들이 나뒹굴며 웃네

주 1) 내종형(內從兄): 고종형을 외종형에 상대하여 이르는 말.

61. 군주의 집에서 운을 불러 짓다[君胄家呼韻]

誰噓大塊起狂風	누가 땅을 흔드는 광풍 일으켰나
長卷塵沙漲碧空	먼지와 모래 길게 말려 푸른 하늘을 가리네

| 由來世路多波浪 | 예부터 세상길에는 파랑1)도 많은데 |
| 惠好同車與子同 | 고맙게도 같은 수레 그대와 함께 타니 좋구나 |

 1) **파랑**(波浪): 잔물결과 큰 물결. 시련과 기복.

62. 장적1)이 지은 『맹호행』에 차운하다[次張籍猛虎行]

伐木丁丁山日冥	쩍쩍 나무 베는 소리, 산의 해 어둡고
擔薪暮從巖逕行	저물녘 땔나무 짊어지고 바윗길 따라가는데
忽有猛虎當我前	갑자기 사나운 호랑이 있어 내 앞을 막으며
臨崖吼風如雷聲	언덕에 임하여 바람처럼 울부짖으니 천둥소리 같네
麋鹿驚走隱空谷	놀라 달아나는 사슴 빈 골짜기에 숨고
狐狸深藏不敢逐	여우와 삵은 깊이 숨어 감히 쫓지 못하는데
昨日來取南村牛	어제 잡아간 것은 남쪽 마을 소이고
今日又取西村犢	오늘도 서쪽 마을 송아지를 잡아갔네
寄語村人莫浪行	마을 사람에게 말하노니 쓸데없이 다니지 마라
此中自是豹虎迹	이 가운데 남아 있는 것은 범의 자취이니

주 1) **장적**(張籍): 중국 당나라의 문인. 한유(韓愈)의 추천으로 국자박사(國子博士)가 되었으나, 눈이 멀어 높은 벼슬에 오르지 못하자 자신의 불만과 인간의 고통을 반영하는 악부체(樂府體)의 시와 오언율시 등을 지었음.

63. 반곡에서 모여 이야기를 나눌 때 장인께서 운을 불러 짓다[盤谷會話岳丈呼韻]

西域暑氣欲秋時	서역의 더운 기운 가을이 되고자 하는데
多少芳塘采藕兒	많고 적은 연못에 연 캐는 아이들
日暮菱歌相和起	날은 저무는데 마름 노래로 서로 화답하며 일어나니
綠楊如夢幾絲垂	푸른 버들 꿈만 같은데 몇 줄이나 드리웠나

64. 비 온 뒤 가지 위에 이슬 달린 것을 보고[見雨後枝上懸露]

雨餘殘瀝樹枝枝	비 온 뒤 남은 방울 나뭇가지마다
點綴珠花巧且奇	점으로 이루어진 구슬 꽃 아름답고 기이하네
借問假形能久否	비로소 묻노니 거짓된 형태가 능히 오래가겠는가
誰令朝日上東遲	아침 해 더디 뜨게 누구에게 명할까

65. 오랜 비로 고통 받다가 잠깐 날이 개어[久雨爲苦乍晴]

一陣風回二夜雨	한 때의 바람이 이틀 밤비 돌려놓고
谷中春日已高春	골짜기 속 봄날은 이미 높이 솟았구나
宿雲散盡前山外	자던 구름 흩어져 앞산 밖으로 모두 흩어지고
尺霧猶橫最上峰	최상봉에 한 자 되는 안개 가로놓였네

66. 제석[1]에 외종형 양씨와 큰형님[2]과 둘째 형님께서 나로 하여금 붓을 달려 감히 조금도 멈추지 않고 백 개의 운을 써서 짓게 하다[除夜內從梁兄伯仲 使余走筆不敢少停百韻]

北斗初回柄	북두성 처음으로 자루를 돌리니
轉見光陰遷[3]	돌아서 광음[4]이 옮겨짐을 보았네
今夜送舊歲	오늘 밤 묵은 해 보내고
明朝迎新年	내일 아침 새해를 맞는구나
春意已扇和	봄뜻은 이미 화기를 부채질하고
梅發南塘前	매화는 남쪽 못가에 피었는데
別人猶可復	이별한 사람은 오히려 돌아올 수 있지만
別歲那可延	가는 해를 어찌 연장할 수 있을까
正似赴壑虵	바로 골짜기 건너는 뱀과 같아서
去去難能牽	갈수록 되돌리기 어려운데
問歲向何處	묻노니 해는 어느 곳으로 향하는가
遠在天一邊	멀리 하늘가에 있겠지
隨流已歸海	흐름을 따라 이미 바다로 돌아갔고
回波杳無緣	돌아나가는 물결처럼 아득해지니 인연이 없네
塊處來者絶	외진 곳에 오는 이 끊겨
寥寥不能眠	고요하여 잠 못 이루는데
燭明豈堪孤	촛불의 밝음이 어찌 외로움 감당할까
秩秩負賓筵	손님들 차례로 자리를 뜨니
誰能任風流	누구에게 능히 풍류를 맡길 것인가
爲我亘惠然	나를 위해 즐거이 은혜를 베풀게나
幸有舅氏子	다행히 외사촌이 있고

伯仲來聯翩	맏형님과 둘째 형님이 있어 날 듯 이어 달려 오는데
我家旣貧窶	나의 집은 본디 가난하여
待客寒无氊	손님을 접대함에 추워도 담요가 없네
佳會是良謀	아름다운 모임을 계획하니
不妨坐馬韉	말 위에 앉을 때 언치5)가 방해되지 않고
引手爲歡喜	손을 끌면서 서로 기뻐하며
促膝淸遊專	무릎을 맞대고 애오라지 맑게 노니네
中間南與北	남과 북 중간에는
消息隔山川	산과 내로 소식 막혀
望望空勞眼	바라볼수록 서로 속절없이 눈만 피로한데
迢迢絶隨肩	아주 멀어 벗과 왕래가 끊어졌다가
今日忽邂逅	오늘 갑자기 서로 만나니
沈痼欲蘇痊	잠긴 병이 완전히 나으려 하네
雖无外家養	비록 외가에 혈육은 없으나
渭陽情眷綿	위양6)의 정은 은혜가 길기만 하네
離別憎雲浮	이별이 뜬구름 같음을 미워하고
會合愛月圓	회합이 달처럼 원만함을 사랑하는데
旣令好意足	이미 좋은 뜻에 만족하니
毋用愁思纏	시름과 생각이 얽히지 않네
東家酒新熟	동쪽 집 술이 새로 익었으니
悠然口流涎	유연7)히 입에서 침이 흐르는데
典衣何足惜	전의8)를 어찌 족히 아끼겠는가
且罄囊中錢	또한 주머니 속의 돈을 전부 기울여
呼兒滿樽沽	아이 불러 항아리 가득 술을 사오니

擁壚洗玉船　　　화로 끼고 술잔 씻으리
紅潮漲顴頰　　　홍조는 볼과 광대뼈에 가득하고
陶陶凉可扇　　　화평하고 즐거운 서늘함 부채질하는 것 같은데
一觴又一詠　　　한 잔 마시고 또 한 번 읊으니
不須聽管絃　　　모름지기 관현 소리는 듣지 않아도 되네
醉後藻思壯　　　취한 뒤에 조사9)가 성해
把筆寫新編　　　붓을 잡아 새로 한 편 옮겨놓았네
陽春與白雪　　　양춘조와 백설조는
和答相後先　　　서로 앞뒤로 화답하는 것
雜戲兼博塞　　　잡희10)와 겸해 내기 장기 두며
骰子間華牋　　　말 사이에 종이를 펴네
談說更亹亹　　　이야기는 점점 깊어지고
聊以樂我員　　　애오라지 나와 사람들이 즐기는데
村人修古事　　　마을 사람들이 옛일 따라
竈下點燈燃　　　부엌 아래 등불을 켜네
漢戲學藏鉤11)　　한나라 놀이 갈고리 감추기를 배우고
吳俗尚炬田　　　오나라 풍속은 아직도 밭에 불을 지르는데
儺翁與儺母　　　나옹12)과 나모13)의
驅鬼聲闐闐　　　귀신 쫓는 소리로 가득 찼네
南村搗玉聲　　　남쪽 마을에는 옥수수 찧는 소리
北村烹羊羶　　　북쪽 마을에는 양고기 삶는 냄새
最憐鼓琴客　　　가장 어여쁜 것은 북 치고 거문고 타는 사람
寒堗絶火烟　　　차가운 온돌에 불마저 끊어졌네
有客忽向隅　　　나그네 있어 갑자기 구석을 향하더니
慷慨涕泗漣　　　강개14)하여 눈물 흘리네

恰似高接離	흡사 고접리15)와 같이
暗藏築中鉛	축 가운데 납을 암장한 듯
又似齊甯戚	또 제나라 영척16)같이
叩角見棄捐	뿔을 두드리다가 버림받은 듯
又似百里奚	또 백리해17)처럼
飯牛獨周旋	소를 먹이다가 홀로 주선한 듯
又似屈三閭	또 굴삼려18)같이
悒怏占筵篿	읍앙19)하여 정전20)으로 점을 치듯
又似彈鋏馮	또 탄협풍21)같이
歎息食无鮮	비린 것을 먹을 수 없다고 탄식하듯
又似憂國袁	또 우국원22)같이
自然涕潺湲	절로 눈물이 줄줄 흐르는 듯
又似杜工部	또 두공부같이
足繭巴山巓	파산 꼭대기에서 발에 물집이 생기듯
得非荊州府	형주부가 아니었다면
呼飢劉子賢	유자현23)의 굶주림을 불렀을 것을
無乃采石江	채석강이 없었더라면
隨譴李青蓮	이청련24)을 따라갔을 것인가
客言不在此	나그네의 말은 여기 없으니
吾意亦可憐	내 뜻만 가련하구나
人生太草草	인생이란 가장 초초25)한 것인데
流水何濺濺	흐르는 물은 어찌 그리 빨리 가는가
扶桑及若木	부상26)과 약목27)은
義和催日鞭	희화28) 씨의 해를 채찍으로 재촉하네
今日復明日	오늘 또 내일

焂忽心悁悁	홀연 마음이 초조한데
容顔暗裡衰	얼굴은 어둠 속에 늙어가고
王子淸詩傳	왕자청29)의 맑은 시만 전해지네
春心不自安	봄이 되어 마음이 절로 편치 못하니
庾公亦感焉	유공30) 또한 슬퍼하는구나
固皆一世豪	진실로 모두가 한때의 호걸인데
埋沒歲已千	묻힌 지 이미 천년이 지났네
爾吾白面生	너와 나 백면서생으로
抱卷窮磨硏	책을 안고 끝까지 연마하였는데
富貴未易期	부와 귀는 쉽게 기약할 수 없지만
日車懸悲泉	해의 바퀴 슬프게 황천에 걸려 있네
草木與同腐	초목과 함께 썩어갈까
得不心骨瘠	마음과 뼈마디가 저림을 금치 못하는데
答云君莫嗟	답하여 이르기를 그대는 슬퍼 마라
我有言正諠	나에게 빨리 할 바른말이 있노라
盈虛消長理	차고 비는 소장31)의 이치는
在地又在天	땅에도 있고 하늘에도 있으며
天地尙如此	하늘과 땅도 오히려 이와 같은데
在人能長全	사람에게 있어서 능히 길고 완전할까
何用苦啜泣	무엇 때문에 쓴 것을 먹으며 울까
自是浮梗槤	이때부터 뜬세상이 채찍질하는 것과 같네
甲第耀朱門	갑제32)에는 붉은 문이 빛나고
畫輪日連連	화륜은 날마다 이어지는데
勸客旣羹馳	손님에게 이미 갱타33)를 권했으니
飽客且宰犉	배부른 손님 또 고기를 저미는구나

金鞍重朱鑣	금 안장과 붉은 재갈 무거워서
行行馬自顚	걷고 걷다가 말이 절로 엎어지네
慕者愚已矣	생각이 매우 어리석었는데
盛衰何疾遄	성하고 쇠함이 어찌 이리도 빨리 바뀌는가
從古繁華地	예로부터 번화한 땅에는
寒月空娟娟	차가운 달이 부질없이 곱고 고운 것을
世人惑滋甚	세상 사람들은 깊은 의혹으로
循名困拘攣	명성을 좇아 피곤함에 얽매이는구나
名者實之賓	명성이란 실상의 손님이니
達人以爲愆	통달한 사람은 이를 허물로 아는데
我才本疎迂	나의 재주는 본래 성글고 멀어
平生足狂癲	평생에 미친 짓으로 만족할 것이네
陋巷飮一瓢	누항에서 한 바가지 물을 마시고
茅齋但三椽	초가집에는 다만 세 개의 서까래뿐인데
作賦擬陸機	부를 지으면 육기를 헤아리고
著文思服虔	글을 지으면 복건34)을 생각하네
貧富不足念	가난하고 부함을 족히 생각할 뜻 없으니
抵掌氣騰騫	손바닥 치듯 기세가 등등한데
蛟龍欲遠蟄	이무기는 멀리 숨고자 하고
鳥雀恣翩翩	새들은 제멋대로 날개를 퍼덕이네
紛紛夸毗子	분분한 비자35)들이 자랑하느라
浮揚且輕儇	들뜨고 드러내니 또한 매우 가볍네
寧與此輩同	어찌 이런 무리와 같을까
志常在八埏	뜻은 항상 팔연36)에 있는데
時運久未諧	시운이 오래도록 이롭지 못하여

安得忘魚筌37)	어찌 물고기 잡는 통발을 잊을 수 있겠는가
亦知養心道	또한 마음 기르는 도를 알아서
瀟洒:得靜便	깨끗하면 고요하고 편리함을 얻는 것을
非無象外興	경치 밖에 흥이 있어
浮海催叩舷	바다에 떠서 뱃전 두드리며 재촉하는데
金篦未刮眼	금비38)에 눈을 크게 뜨지 못하고
鏡象難離銓	거울은 겉모양만 비추네
留光亦無術	세월을 머무르게 할 기술이 없으니
武陵豈有仙	무릉에 어찌 신선이 있겠는가
秦皇及漢武	시황39)과 한 무제40)는
謾事親封禪	부질없이 친히 봉선41)하였네
秦車臭沙丘	진나라 수레는 사구42)에서 냄새 풍겼고
漢詔馥遺編	한나라 조서43)는 향기로움 책으로 남겼는데
古今往來間	예와 지금을 오가는 사이에
一理金石堅	한줄기 이치는 금석보다 굳구나
何必食松實	하필 소나무 열매를 먹어야 할까
徒勞效偓佺	부질없이 악전44)을 본받으려 수고하는데
何必如釋迦	하필 석가처럼
衣褐向眞詮	갈옷 입고 진전45)으로 향해야 할까
死者寄之歸	죽은 자는 돌아가게 하니
難奪造化權	조화옹의 권리를 빼앗기가 어려운데
誰識上天理	누가 상천의 이치를 알까
蒼蒼又玄玄	창창하고 현현46)할 뿐임을
可樂不可憂	즐기고 근심하지 않는 바는
陽春大澤宣	양춘이 큰 혜택을 베풀기 때문이며

烟月屬太平　　　연기에 어린 은은한 달빛 태평하고
歌鼓喧里塵　　　노래와 북은 마을을 시끄럽게 하네
欣然觀物化　　　기쁘게 사물의 변화를 보니
鳶天魚則淵　　　솔개는 하늘에, 물고기는 연못에 있구나
將爲聖朝用　　　장차 성조47)에 쓰일 것인데
何憂命迍邅　　　무엇 때문에 운명이 둔전48)하다고 근심할까
莫惜時月易　　　세월이 바뀌는 것을 애석해하지 마라
壽夭皆箭弦　　　장수와 단명은 모두 화살과 활줄 같은 것을
且聞人者仁　　　또한 듣노니 사람이란 어진 것
請君此勉旃　　　그대 또한 뜻을 세우고 힘쓰기를 청하네
謂我言不信　　　내 말을 못 믿는다 하지 마라
有如白日懸　　　밝은 해가 하늘에 걸려 있는 것 같고
佳節不可負　　　아름다운 절기는 저버릴 수 없어
遊衍卽古躔　　　놀이하는 것은 곧 옛 자취이네
客亦喜而笑　　　나그네 또한 기쁘게 웃으며
軟茗復相煎　　　부드러운 차를 다시 서로 달였는데
銜盃49)滌新愁　　　술 마시면 새로운 시름 씻고
快若衣煩摙　　　상쾌함은 옷을 자주 세탁한 것과 같네
吾兄氣岸多　　　내 형님은 기개가 견실하고
玉貌美且鬈　　　옥 같은 얼굴은 아름답고도 아름답도다
其志不我違　　　그 뜻 나를 어기지 아니하여
贈我詩一聯　　　나에게 시 한 연을 보냈구나
永夜亦已曉　　　긴 밤이 또한 이미 새고자 하고
鷄鳴淚涓涓　　　닭이 울자 눈물이 줄줄 흐르네
明星爛而疎　　　밝은 별은 밝으면서 성글고

海色照屋檼　　　　　바다 빛은 집안 평고대50)를 비추는데

願言諸君子　　　　　원하노니 여러 군자들은

休憚陋居偏　　　　　누거51)에 살기를 꺼리지 마라

別後更訪我　　　　　이별한 뒤에 다시 나를 찾아와

慰我獨蹁躚　　　　　나 홀로 방황함을 위로해주게

주

1) **제석**(除夕): 제야(除夜). 섣달그믐 밤.

2) **큰형님**: 오(澳, 1659~1720). 자 첨백(瞻伯). 영양군수, 부평부사를 지냈음.

3) **전견광음천**(轉見光陰遷): 봄에는 북두칠성의 국자 모양 자루가 동쪽으로 향하는 것을 보고 계절이 바뀌는 것을 알 수 있다는 뜻.

4) **광음**(光陰): 햇빛과 그늘. 낮과 밤. 시간이나 세월.

5) **언치**: 소의 안장이나 길마 밑에 깔아 등을 덮어주는 방석이나 담요.

6) **위양**(渭陽): 위수(渭水)의 북쪽. 외숙(外叔)을 이르기도 함. 『시경』 「진풍위양(秦風渭陽)」편에 "내가 구씨(舅氏)를 보내 위양에 이르게 한다"라고 한 데서 유래함.

7) **유연**(悠然): 침착하고 여유가 있음.

8) **전의**(典衣): 정7품 관리가 입는 옷.

9) **조사**(藻思): 글을 잘 짓는 재주.

10) **잡희**(雜戲): 여러 가지 잡스러운 장난이나 놀이.

11) **한희학장구**(漢戲學藏鉤): 중국 하남성 의양에서 설날이 지난 뒤 노인이나 어린이들이 즐기는 놀이. 두 패로 나누어 한 패가 갈고리를 숨기고, 다른 한 패가 숨긴 곳을 찾는 놀이.

12) **나옹**(儺翁): 경 읽고 굿하는 사람.

13) **나모**(儺母): 귀신 쫓는 사람.

14) **강개**(慷慨): 의롭지 못한 것을 보고 정의심이 복받치어 슬퍼하고 한탄함.

15) **고접리**(高接離): 중국 연나라 형가(荊軻)의 친구. 형가가 연나라 태자 단(丹)의 청을 받아 진시황제를 암살하기 위해 역수를 건너 떠났다가 실패하여 죽자 당시 축(筑: 악기의 일종)의 명인 고접리는 진시황제를 위해 연주하는 척하면서 납이 든 축을 휘둘러 때리려고 했으나 빗나가 역시 잡혀 죽고 말았음.

16) **영척**(甯戚): 중국 춘추전국시대 제나라의 대부. 가난하여 남의 소를 쳤는데 환공(桓公)이 지나간다는 소식을 듣고 쇠뿔을 두드리며 자신의 시름을 노래하자 환공이 불러서 대화를 나눈 뒤 그의 뛰어난 식견에 기뻐하며 대부로 삼음.

17) **백리해**(百里奚): 춘추전국시대 진(秦) 목공(穆公) 때의 대부. 목공을 패주(霸主)의

지위로 이끄는 데 지대한 공을 세웠음.

18) **굴삼려**(屈三閭): 굴원(屈原). 춘추전국시대 초나라의 대부 시인(B.C. 343~B.C. 277). 회왕(懷王)의 좌도(左徒)를 맡아 활약했으나 정적들의 중상모략으로 자신의 뜻을 펴지 못하다가 멱라수(汨羅水)에 투신하여 죽음.

19) **읍앙**(悒怏): 우울하여 마음이 편하지 못한 모양.

20) **정전**(筳篿): 옛 점법의 하나. 눈앞에 있는 초목의 가지를 꺾어 그 다과(多寡)와 상관없이 세 개씩 가려낸 뒤 나머지 숫자를 가지고 길흉을 점치는 것.

21) **탄협풍**(彈鋏馮): 중국 제나라 인물 풍환(馮驩)이 재상 맹상군(孟嘗君)의 식객(食客)으로 있으면서 충언을 아끼지 않았는데, 협 땅의 수령을 시켰으나 사양하고 귀래의 노래를 거문고로 탔다는 이야기.

22) **우국원**(憂國袁): 하남윤. 정치를 잘하는 명관. 환제 때 두태후의 형 헌이 자기편으로 만들고자 했으나 뜻을 굽히지 않았음. 나랏일을 논할 때 눈물을 흘릴 만큼 우국지정이 컸다고 함.

23) **유자현**(劉子賢): 유비가 조조에게 패하고 떠돌 때 형주의 유표를 찾아가 의지해 곤란을 면할 수 있었다는 것을 뜻함.

24) **이청련**(李靑蓮): 중국 당나라의 시인 이백(李白, 701~762). 자는 태백(太白). 호는 청련거사(靑蓮居士). 젊어서 여러 나라에 만유(漫遊)하고 뒤에 출사(出仕)했으나 안사의 난으로 유배되는 등 불우한 만년을 보냈음. 칠언절구에 특히 뛰어났으며 시선(詩仙)으로 일컬어짐. 『이태백 시집』 30권이 있음.

25) **초초**(草草): 바쁘고 급한 모양.

26) **부상**(扶桑): 해가 뜨는 동쪽 바다 또는 중국 전설에서 해가 뜨는 동쪽 바닷속에 있다는 상상의 나무나 나무가 있다는 곳.

27) **약목**(若木): 예전에 해가 지는 곳에 서 있었다는 나무.

28) **희화**(羲和): 중국 고대 전설상의 인물. 제준(帝俊)의 아내로 열 개의 태양을 아들로 낳고 수레에 싣고 다닌다는 신. 일반적으로 해를 지칭함.

29) **왕자청**(王子淸): 중국 후진 사람. 시를 잘했음.

30) **유공**(庾公): 중국 진나라 시인 유량(庾亮, 289~340). 봄이 되면 계절의 변화를 슬퍼하며 애상시(哀傷詩)를 많이 썼음.

31) **소장**(消長): 쇠하여 사라짐과 성하여 자라남.

32) **갑제**(甲第): 크고 넓게 잘 지은 집.

33) **갱타**(羹駝): 낙타 고기로 끓인 국.

34) **복건**(服虔): 후한 사람. 자는 자신(子愼). 구강 태수를 지냄. 『좌씨전(左氏傳)』의 주해 복씨주를 지음.

35) **비자**(毗子): 구족계를 잘 지키는 승려.

36) **팔연**(八埏): 팔방의 끝.

37) **안득망어전**(安得忘魚筌): 고기를 잡은 뒤 통발을 버림. 불경에서 나온 말.

38) **금비**(金鎞): 금으로 된 화살촉 같은 작은 칼.

39) **시황**(始皇): 중국 진(秦)나라 황제(B.C. 259~B.C. 210). 제위 기원전 246년부터 기원전 210년. 기원전 221년에 중국을 통일하고 스스로 시황제라 칭함. 중앙집권을 확립하고 도량형, 화폐를 통일하였으며 만리장성을 증축함.

40) **한 무제**(漢武帝): 중국 전한의 제7대 황제. 재위 기원전 141년부터 기원전 87년. 흉노(匈奴)를 정벌하고 서역(西域)을 경략하였음.

41) **봉선**(封禪): 옛날 중국에서 천자(天子)가 흙으로 단(壇)을 만들어 하늘에 제사 지내고 땅을 정(淨)하게 하여 산천에 제사 지내던 일.

42) **사구**(沙丘): 시황이 낭야(瑯琊)로 가던 중 병들어 죽은 곳.

43) **조서**(詔書): 임금의 명령을 일반에게 알릴 목적으로 적은 문서.

44) **악전**(偓佺): 옛날 신선 이름. 또는 참된 깨달음.

45) **진전**(眞詮): 참된 깨달음.

46) **현현**(玄玄): 현묘하고 심오함.

47) **성조**(聖朝): 백성들이 당대의 왕조를 높여 이르는 말.

48) **둔전**(迍邅): 길이 험하여 가기 힘든 모양.

49) **함배**(銜盃): 말에 재갈을 물리듯 술의 향기를 맛보는 것.

50) **평교대**(平交臺): 처마 끝에 가로로 놓은 오리목.

51) **누거**(陋居): 더럽고 좁은 거처.

67. 외종형인 양여수 씨를 금성으로 보내면서[送外從梁兄汝守氏之錦城]

■ **짧은 서문을 아우르다**[竝小序]

옛말에 "사람과 전별하는 데 물건으로 하는 것은 글로써 하는 것만 못하고, 사람을 보내는 데 술로써 하는 것은 말로 하는 것만 못하다"라고 했다. 대개 물건의 뜻은 다함이 있고 글의 뜻은 다함이 없으며, 술의 맛은 궁함이 있고 말의 맛은 궁함이 없기 때문이다. 절로 어진 사람과 군자가 아니라면 능치 못하니, 어찌 내가 감히 그러할까.

지금 나의 외종형님이 장차 금성1)으로 돌아감에 나에게 신행2)하는 글을 요구하며 "너의 말을 얻음은 남쪽을 위하고 뒤를 위하는 것이니 진면목을 가지고 산천이 막혀서 생각하는 마음을 풀게 해달라"라고 말했다. 참으로 나의 글이 어렵고 말주변이 부족해 족히 형님의 간절한 뜻에 부응하지 못함을 알지만, 의리상 또한 가히 거듭 사양하여 외롭게 저버릴 수가 없었다. 그러므로 율시 한 수를 얻어가는 깃발 아래 받들어 보이기로 하였다. 또한 내 형님이 부득불 말하지 못함을 위한 것이다. 아! 돌아보건대 나의 외할아버님 자손이 무릇 몇 사람이나 세상에 남았는가. 단지 내 형님의 형제뿐이다. 친지들이 믿고 반드시 양씨 문중을 일으킨다는 것은, 또한 내 형님의 형제뿐 아닌가. 오늘 이별함에 힘써 학문을 닦도록 하여 청전3)을 망치지 않도록 내 형님에게 바라는 바가 있기 때문이다. 병들어 이별하는 정을 펴지 못하여, 생각을 시로 보인다.

古語曰餽人以物 不若餽人以文 送人以酒 不若送人以言 蓋以物之意有盡而文之意無盡 酒之味有窮而言之味無窮也 自非仁人君子不能 與余何敢 今吾內從兄將歸乎錦城 索我贐行之篇曰 得爾言爲南爲後 眞面目以觧山川脩阻之戀云爾 余固知文艱言拙不足以副吾兄懇懇之意 而於義亦不可固辭而孤負也 故傲得一律 奉送于行旌之下焉 抑且爲吾兄有不得不言者 噫顧視吾外王考之後 凡幾人存乎世也 惟是吾兄兄弟也 親知之恃以爲必興梁門者 亦非吾兄兄弟也 耶余於今日之別 有以勉修學問 不墜靑氈之業 有所望於吾兄也

病未拌別之懷見于詩

春草欲生江欲波	봄풀은 자라나려 하고 강은 물결치려 하는데
送君南浦意如何	그대를 남포로 보내는 뜻이 어떠하겠는가
素書或見烹魚得	소서4)를 또 보아 물고기 삶아 먹던 일을 읽고
青洛莫遲策馬過	서울에 말을 채찍질하여 늦지 말기를
風打半總歸夢少	바람 반창에 치니 고향으로 돌아가는 꿈 적고
月盈長路亂山多	달이 긴 길에 차니 어지러이 산이 많구나
離筵未勸一盃酒	떠나가는 자리에 한잔 술 권하지 못하니
獨唱隴頭流水歌	홀로 농두5)에서 유수가6)를 부르네

주
1) **금성**(錦城): 지금의 전라남도 나주.
2) **신행**(贐行): 여행하는 사람을 돕기 위해 금전 또는 시를 주어 격려하는 일.
3) **청전**(青氈): 조상 대대로 이어온 업.
4) **소서**(素書): 정성이 담긴 편지.
5) **농두**(隴頭): 통행이 잘 보이는 높은 언덕.
6) **유수가**(流水歌): 물이 흘러가듯 세월의 덧없음을 비유한 곡.

68. 또 계상에서 즉석에서 부른 운을 써서 벗 아무개에게 보내다[又疊溪上口占韻贈俞友]

洞天雲雪淡千峰	동천1)의 구름과 눈에 일천 봉우리 맑고
雙樹蒼松偃古容	두 그루 푸른 소나무 옛 모습대로 쓰러졌네
窮巷病深誰訪我	궁한 골짜기에 병 깊은데 누가 나를 찾을까
君乘清興月中逢	그대 맑은 흥 타고 이 달 안에 만나세

주 1) **동천**(洞天): 산천으로 둘러싸인 경치 좋은 곳.

69. 사진이 나귀를 보내준다고 약속하였으나 지키지 아니하였기에 다음 날 아침에 써 보이다[士珍有送驢之約而不踐 故明朝示之]

春風動蘭壑	봄바람 난초 골짜기에 움직이고
庭樹曜新粧	뜰의 나무 새로운 단장으로 빛나네
暮雨過城頭	저물녘 비는 성 머리를 지나고
月在天中央	달은 하늘 한가운데 있는데
良朋倘惠我	좋은 벗 오히려 나를 은혜롭게 하니
此酒可與嘗	이 술 더불어 맛볼 수 있네
所懷在巷北	골짜기 북쪽으로 가려 하나
交道不尋常	사귀는 도리가 심상치 않고
別來歲月深	이별한 후 세월이 오래되어
詩以寄一章	시 한 장을 보내네
人回得素書	사람이 돌아와 보낸 편지 받으니
蕪沒蘭蕙芳	난초의 향기로움에 깊이 빠졌고
中有招我語	중간에 나를 부르는 말 있어
驚喜正欲狂	놀라고 기쁨에 바로 미칠 것 같았네
沈唫有所待	가만히 입 다물고 기다리노라니
倚樓勞我望	누대에 의지한 나의 바람이 괴로운데
靑驢影不到	푸른 나귀 그림자 이르지 아니하니
好期嗟已忘	좋은 기회 이미 잃은 것을 탄식하네
斯須月已隱	잠깐 사이 달은 숨어버리고
滿空星惶惶	하늘 가득 별만 반짝거리네

70. 봄밤에 군주와 사진을 찾아가서[春夜訪君冑士珍]

隨柳入深谷	버들 따라 깊은 골짜기 들어가니
山幽水亦幽	산은 그윽하고 물 또한 그윽한데
月林淸影散	달은 숲에 맑은 그림자로 흩어지고
我愛此宵游	나는 이 밤놀이 사랑하네

71. 『북저집』1)에 차운하여 이중약2)이 시를 구함에 사례하다[次北渚韻謝李仲約求詩]

春牕困睡起來遲	봄 창에 곤한 잠 일어나기 늦어서
不覺朝紅已滿帷	아침 해 이미 장막에 가득함을 느끼지 못했네
病後苦無吟詠興	병든 뒤에 고통스러워 읊조리는 흥 없으니
囊中安有贈人詩	주머니 속에 어찌 남에게 보낼 시 있을까

1) 『북저집(北渚集)』: 조선 인조 때의 문신 학자 김류(金瑬)의 문집. 1658년(효종 9)에 김진표(金震標)가 편집·간행함.
2) 중약: 조선 문신 이진검(李眞儉, 1671~1727)의 자. 본관은 전주(全州). 호는 각리(角里). 평안도 관찰사 예조 판서를 지냈으며 신임사화에 가담해 소론으로 노론 축출에 앞장섰음. 1725년(영조 1) 소론이 실각한 후 전라도 강진(康津)에 유배되어 그곳에서 세상을 떠남. 이진유(李眞儒, 士珍)의 사촌.

72. 사진이 점호로 가는 길을 전송하면서 짓다[送士珍做賦之行之店湖]

聞道明朝子遠去	들으니 내일 아침 그대 멀리 간다지

匡山行色興仍高	광산의 행색은 흥이 따라 높은 것을
歸來示我囊中寶	돌아올 때는 나에게 주머니 속 보배를 보여 주게
應有淸詞合楚騷	마땅히 좋은 글 있어 「초소」1)에 합치되리니

주 1) **초소(楚騷)**: 「이소(離騷)」. 굴원이 지은 서정적 장편 서사시.

73. 비 온 뒤 사람에게 보이다[雨後示人]

宿雨今初霽	간밤에 오던 비 지금 처음 개었는데
曜靈夕斂紅	비치는 해는 저녁 붉음 거두었네
覓巢禽碎碎	둥지 찾아오는 새 쇄쇄1)하고
侵砌草芃芃	섬돌에 침입한 풀 무성하구나
溪響細仍讀	개울 소리 가늘어 책 읽을 수 있고
山光翠更空	산 빛은 푸르렀다가 다시 빛을 잃는데
仰看雲裏月	우러러 구름 속 달을 보니
未望欲彎弓	보름이 아직 멀어 활처럼 휘었네

주 1) **쇄쇄(碎碎)**: 분간하기 힘들 정도로 아주 작음.

74. 구숙1)의 「압구정」을 읊다가 차운하다[詠久叔狎鷗亭次其韻]

平生志鬱鬱	평생의 뜻 울울2)하고
高視氣巖巖	높이 보이는 기상 암암3)하구나
形勝思吳越	지형이 좋으니 오나라, 월나라 생각하고

浮沈等楚凡	부침은 촉나라 범부 같은데
正宜命翰駑	바로 달려갈 준비를 명하나
聊憶掛萌帆	애오라지 생각은 맹범4)에만 걸려 있네
且願長攜子	또한 원하노니 길이 그대 데리고
尊前共挽衫	술 항아리 앞에서 서로 소매를 당기네

주

1) **구숙**(久叔): 조선 문신 이진망(李眞望, 1672~1737)의 자. 본관은 전주. 호는 도운(陶雲), 퇴운(退雲). 영의정 경석(景奭)의 증손. 대사성(大司成), 형조 판서, 예조 판서, 중추부 지사(中樞府知事)를 지냄. 영조의 잠저(潛邸) 시절 사부(師傅)로서 왕의 예우를 받음. 저서는 『도운유집(陶雲遺集)』.

이경석: 조선 문신(1595~1671). 본관 전주, 자 상보(尚輔), 호 백헌(白軒), 시호 문충(文忠). 정종의 후예이며 김장생(金長生)에게 배움. 병자호란 이후 인조가 척화신들을 배격하던 때에 도승지를 맡아 국왕을 모셨음. 이때 예문관 제학을 겸하여 청나라의 승전을 기념하는 삼전도비(三田渡碑)의 비문을 썼음. 1644년(인조 22)에 이조 판서를 거쳐 우의정, 좌의정, 영의정에 오름. 이념과 정책은 숙종대의 소론으로 연결됨.

잠저: 왕세자와 같이 정상법통(正常法統)이 아닌 다른 방법이나 사정으로 임금으로 추대된 사람이 왕위에 오르기 전에 살던 집, 또는 그 살던 기간.

2) **울울**(鬱鬱): 마음이 상쾌하지 못하고 답답함.

3) **암암**(巖巖): 아주 높게 솟아 있는 모양.

4) **맹범**(萌帆): 풀로 만든 돛. 시발(始發)의 뜻.

75. 송여규가 지은 「점호」에서 시운을 따서 짓다[次宋汝奎店湖詩]

■ (송여규는) 송징오이다[宋徵五]

麗日攜琴想杏壇	고운 날 거문고 들고 행단1)을 생각하며
咏歸江閣午方闌	먼 길 강가 집으로 돌아오니 낮이 바야흐로 다했구나

聲高漁篴山仍應	높은 고기잡이 피리 소리에 산이 울리고
夢熟沙鷗浪亦殘	모래 갈매기 깊은 꿈에 물결 또한 잔잔하네
物外此生名姓隱	물외2)에 이 생의 명성을 숨겨두니
世間何處道途難	세상 어느 곳이든 갈 길이 어려운데
淸宵更發幽人興	맑은 밤 다시 유인3)의 흥이 나오고
松月娟娟醉裏看	소나무에 걸린 달 곱고 고와 취중에 보고 있네

주
1) **행단**(杏壇): 공자가 학문을 가르치던 곳. 중국 산동성 국분현 공자 묘전에 있음.
   전하여 학당.
2) **물외**(物外): 세상의 속된 일이나 물정에서 벗어남. 이러한 맛을 흔히 '물외지취(物
   外之趣)'라고 했으며, 옛 현인들은 부귀공명을 버리고 이러한 지향을 꿈꾸었음.
3) **유인**(幽人): 속세를 피하여 숨어 사는 사람.

76. 단오에 사진을 찾아가다[端陽1)訪士珍]

■ 뜰에 월계수 있어 사철 꽃이 핀다. 찾을 때 가지 꺾어 보내니 대개 선비로서 학문
으로 나아가는 자는 마땅히 이 계수나무같이 개발하는 공이 사철에 쉼이 없어야
할 것이다[庭有月桂四時有花矣 訪時折取以贈 盖爲士之向學者 宜如此桂開發
之功 無息於四時也]

人間處處蒲葉酒	인간 곳곳에 부들 잎 술이 있고
細葛輕衫稱薰風	가는 갈포 가벼운 적삼에 따스한 바람 일으키네
別爲西隣有所贈	서쪽 이웃 위하여 따로 보내줄 것은
手中丹桂四時紅	손에 쥔 붉은 계수 사시 붉은 것이라네

주 1) **단양**(端陽): 단오(端午). 음력 5월 5일. 수릿날, 천중절(天中節)이라고도 함.

77. 비 온 뒤 사진이 군주에게 가다[雨後訪士珍仍往君冑]

雨後相尋趁暮鍾	비 온 뒤 서로 찾으니 저문 종소리 들리고
總前疎響在孤松	창 앞 성근 소리 외로운 소나무에서 나오는데
風流最謝鞭羊子	풍류를 가장 좋아하는 이는 편양자요
(君胄号也 편양자는 군주의 호이다)	
謀婦春醪醉殺儂	아내에게 봄 술 가져오라고 해 크게 취한 이는 나라네

78. 한식에 사진이 지은 시에 화답하다[寒食答酬士珍]

寒食常年花正開	보통 한식 때는 꽃이 바로 피었는데
今年寒食蝶不來	올 한식에는 나비조차 오지 않네
墻頭桃始含紅蕚	담장 머리의 복숭아는 처음 붉은 꽃을 맺고
園上杏思圻素胚	동산 위 살구는 사방에서 흰 송이 터질 것을 생각하는데
北里有人宜命駕1)	북쪽 마을 사람 있어 마땅히 떠날 준비시키니
中堂置酒可傾盃	중당에 술을 두고 잔 기울일 만하네
須將昨日淸明興	모름지기 어제 청명한 흥을 가지고
更向盤溪掃石苔	다시 반계 향한 발길이 돌이끼 쓸었다오

주 1) **명가**(命駕): 길을 떠나려고 하인(下人)에게 탈것을 준비시킴.

79. 재미 삼아 사진이 지은 시에 화운1)하다[戲答士珍韻]

黑甛初罷整冠巾　처음 낮잠에서 깨자 관건을 정돈하고
欲向西隣訪故人　서쪽 이웃 향해 친구를 찾고자 하는데
帶雨瀑飛山抱玉　비가 폭포수처럼 내리니 산이 구슬을 안았고
過簷電掣鬼翻燐　처마 지나는 번개는 도깨비불처럼 번쩍이네
綿巒谷鳥空沾翅　긴 산골짝 새는 쓸데없이 날개 적시고
嗋喁潭魚乍躍鱗　엄옹2)하는 물고기는 갑자기 뛰노는데
待得天晴携杖去　하늘 갤 때 기다려 막대 짚고 나아가니
莫敎閽者拒門賓　문지기에게 일러 손님 막지나 말게나

(前訪士珍在內門者諱之故云 지난날 사진을 찾아갔다가 문 안에 있는 자가 숨겼기에 말한 것이다)

> 주
> 1) **화운**(和韻): 남이 지은 시의 운자(韻字)를 써서 화답하는 시를 지음.
> 2) **엄옹**(嗋喁): 고기가 물 위에 입을 내놓고 벌름거림.

80. 사람을 관동으로 보내며 고운에 차운하다[送人關東次古韻]

人間長恨劫灰忙　인간의 긴 한은 겁회1)처럼 바쁘고
病裏空傷世事妨　병 속에 쓸데없이 상하는 것은 세상일이 방해해서라네
東峽素稱名勝窟　동쪽 산은 본래 명승 굴이라 칭했는데
千區盡是水雲鄕　일천 구역 모두 물과 구름의 마을이라
滄波采玉人人寶　파도의 옥을 캐 사람마다 보배로 여기고
沙路開棠步步香　모랫길에 해당화 피어 걸음마다 향기난다
吾子浩然今去矣　그대 홀연히 지금 가니

也應詩律錦爲囊　　　마땅히 시를 비단 주머니에 담아오라

주　1) 겁회(劫灰): 세계가 파멸될 때 일어난다고 전하는 큰 불의 재앙.

81. 군주가 지은 시에 차운하다[次君胄]

天高且地厚　　　하늘 높고 또한 땅은 두터워
長嘯復行吟　　　길게 휘파람 불다 다시 가며 읊조리는데
俗險羞爲俗　　　풍속 험하니 속됨이 부끄럽고
心淳古作心　　　마음 순수하니 옛것으로 마음 짓네
樽留北海酒　　　항아리에는 북해의 술 담아두고
膝有廣陵琴　　　무릎에는 광릉의 거문고 있는데
風期惟見子　　　소문으로 다만 그대 볼 기약 정해
銜盃日醉沈　　　함배하며 종일토록 취하려 하네

82. 병든 까마귀를 슬퍼하다[哀病鵶]

出遊中野忽逢矰　　들에서 노닐던 중 갑자기 화살 맞아
飛入上林却未能　　상림원1)으로 날아들려 하지만 여의치 못한데
月白星稀何處宿　　달 밝고 별 드문데 어디에서 자려는가
一天風露滿荊藤　　온 하늘 바람과 이슬이 가시나무, 등나무에
　　　　　　　　　가득하네

주　1) 상림원(上林苑): 중국 장안 서쪽에 진시황제가 만든 궁원(宮苑). 안에 36원(苑)
　　12궁(宮) 25관(觀)을 두고 진기한 동물이나 여러 가지 화초를 길렀음. 여기서는

그처럼 크고 아름다운 숲.

83. 비 온 뒤 대추나무 잎이 달에 빛남을 보다[雨後見棗葉得月有光]

向月斑斑影乍揚　　　달을 향해 아롱아롱 그림자 잠시 날리니
渾如花發可生香　　　모두 꽃이 피어 향기 나는 것 같구나
更疑造化翁多戲　　　다시 조화옹1)의 희롱 많은 것 의심하고
移下中天曉宿光　　　중천으로 옮겨와서 샛별이 빛나네

주　1) **조화옹**(造化翁): 조물주.

84. 모화관 뒤 언덕에 올라 군주가 쓴 시에 차운하다[登慕華館後丘
次君胄]

厭就床頭檢古書　　　책상머리에서 고서 읽기 싫증이 나
快登山頂望王居　　　산머리에 올라 왕궁을 바라보니 상쾌하네
舘中習馬朱衣走　　　관 가운데 붉은 옷 입고 익숙한 말을 달려
漫使遊塵汚我裾　　　부질없이 나는 먼지로 내 옷 더럽히지 마라

85. 사진이 벼루를 구함에 보이다[示士珍求硯]

靜倚晴牕一理探　　　맑게 갠 창에 조용히 기대어 한 이치 탐구하니
几床瀟灑若禪庵　　　궤상이 맑고 깨끗하여 선종의 암자 같구나

詩_149

金池未喚端溪友　　벼루로 단계1)의 벗 부르지 못했는데
絳客愁凝穎怨含　　붉은 옷 나그네 시름, 붓 끝에 원망이 서리네

 1) **단계**(端溪): 한주공이 살던 이웃 마을.

86. 사중이 쓴 시에 차운하다[次舍仲韻]

四天春霧幾時晴　　사방 하늘 봄 안개 몇 번이나 개었는가
來去黃雲雨脚輕　　오고 가는 노란 구름 빗줄기 가볍구나
消陰自有生陽理　　음이 사라지니 절로 양의 이치 생겨나고
惟待明朝白日行　　다만 내일 아침 밝은 해에 가기를 기대하네

87. 악군, 도사1) 이득보2), 사진 형제와 함께 팔각정에 오르다[同
岳君及李都事得甫士珍兄弟 登八角]

西海波盈垠　　서해 파도는 지경에 넘실대고
南嶽翠引望　　남악의 푸른 기운 조망이 눈길을 끄네
美哉山與水　　아름답구나! 산과 물이여!
高深一何壯　　높고 깊음이 하나같이 어찌 장한가

 1) **도사**(都事): 조선 시대에 충훈부, 중추부, 의금부 등에 속하여 벼슬아치의 감찰
　　　및 규탄을 맡아보던 종5품 벼슬.
　　2) **득보**(得甫): 조선 문신 이덕성(李德成, 1655~1704)의 자. 본관은 전주. 호는 반곡(盤
　　　谷) 지비자(知非子). 1699년 동지부사로 청나라에 가서 사서(史書)를 구입하다가
　　　금령에 걸려 파직됨. 1704년 충청 감사가 되었으나 재직 중 병으로 죽음. 글씨에
　　　능해 당시에 이름이 높았음.

88. 두 번째 시[其二]

彈冠陟巘喜新晴	갓 털고 시루봉 오르니 새로 개서 기쁘고
漢水終南一案平	한강과 종남산이 하나같이 편평하네
東峰高處紅猶在	동쪽 봉우리 높은 곳에 꽃은 아직 남았는데
留得遊人似有情	노니는 사람 머무르니 정이 있는 것 같네

89. 「북동의 여러 사람이 매화를 읊다」라는 시에 차운하다[次北洞諸人詠梅韻]

羅浮昨夜夢還疑	어젯밤 꿈꾼 나부1)는 또한 의심스러워
春色先於萬樹枝	봄빛이 먼저 만 개 나뭇가지에 전했구나
粉蝶無心香可趁	꽃나비 무심하게 향을 뒤쫓고
雲禽欲下影相隨	구름 새 내려오니 그림자가 서로 따르네
愁爲南陌詩人折	근심스러운 일은 남쪽 언덕 매화를 시인들이 꺾음이요
笑許西湖處士知	웃으며 허락함은 서호의 처사도 알고 있네
苦怨江村三兩篴	강촌의 두어 마디 피리 괴롭고 원망스러운데
東風吹盡不敎遲	동쪽 바람 불어 다하니 더디게 옴 가르치지 말게나

주 1) **나부**(羅浮): 중국 광동성 증성현에 있는 도교의 명산 나부산에서 수나라 조사웅(趙師雄)이 꿈에 나부 소녀(신선)를 만났다는 이야기.

90. 구숙이 지은 시에 차운하다[次久叔]

■ 구숙은 이진망이다[李眞望]

薄暮柴門爲訪君　　어스름에 가시사립 열고 그대 찾아가니
慇懃遺我一篇文　　비밀스레 나에게 한 편의 글 남겼구려
深情可見敦箴戒　　깊은 정은 두터운 잠계1)에서 볼 수 있고
懶性其如欠刻勤　　게으른 성품은 부지런함이 모자란 것 같네
江村久期螢借火　　강마을에 오래 있으니 반디에 불 빌리고
洛波還恨鴈分羣　　서울에 돌아온 한은 형제간 헤어짐일세
相尋知在生陽後　　양기가 난 뒤 있는 곳 알고 서로 찾아
延客何須趁日曛　　손님을 맞아 어찌 모름지기 황혼녘에 쫓아
　　　　　　　　　　가랴

주　1) **잠계**(箴戒): 깨우쳐 훈계함.

91. 달밤에 사진을 찾아가서[月夜訪士珍]

露下秋高夜氣凉　　높은 가을 이슬 내리니 밤기운 서늘하고
一輪明月滿天光　　둥글고 밝은 달 하늘에 가득하여라
西隣佳客勤招速　　서쪽 이웃 좋은 손님 부지런히 불러오고
乘興吾非雪裡王　　흥을 탄 나는 눈 속의 왕은 아니로세

92. 반곡에서 덕휘와 더불어 연구1)를 짓되 당률에 차운하다[盤谷

與德輝聯句次唐律]

盤谷淸遊孰復京(德輝)	반곡의 맑은 놀이 두고 누가 서울로 갈까(덕휘)
一圍溪壑自天成	개울가 한 골짜기 하늘이 스스로 만든 것을
宿雲朝過西林靜(己)	잠자는 구름 아침에 지나가니 서쪽 숲 고요하고(나)
疎雨晚歸北嶽晴	성긴 비 늦게 개니 북악이 개는구나
牕近翠光閑謝眺(德輝)	창 가까운 푸른빛 사조2)가 느낀 한가로움이요(덕휘)
簾垂長日類君平	주렴에 드리운 긴 해는 군평3)과 같구나
風塵莫羡翱翔客(己)	풍진 속 날갯짓하는 사람 부러워하지 마라(나)
衡泌棲遲送此生(德輝)	은거해 더디 살며 이 생을 보내려 하네(덕휘)

> **주**
> 1) **연구**(聯句): 한 사람이 각각 한 구씩을 지어 이를 합하여 만든 시.
> 2) **사조**(謝眺): 중국 남북조시대 제나라의 문신 시인(464~499). 선성 태수(宣城太守)를 지냈으며 영명체(永明體)의 대표적인 작가. 사영운(謝靈運), 사혜련(謝惠連)과 더불어 삼사(三謝)로 일컬어짐.
> 3) **군평**(君平): 중국 전한의 학자 엄준(嚴遵, B.C. 73~A.D. 17)의 자. 『노자지귀(老子指歸)』의 저자. 원래 성은 장(莊)이었으나 명제(明帝)의 이름을 피휘해 엄(嚴)으로 고침.

93. 사진이 쓴 시에 차운하다[次士珍]

澗路緣山霧裏斜	계곡물 산에 이어 안개 속에 비껴 있고
一簑寒雨動樵歌	도롱이 가득한 비에 초가1) 흘러나오는데
幽人渾謝紅塵事	그윽한 사람은 홍진의 일 모두 거절하고
細檢東籬露菊花	동쪽 울타리 이슬 맞은 국화 세심히 손질하네

> **주** 1) **초가**(樵歌): 나무꾼들이 부르는 노래.

94. 등불을 보며 연구를 짓다[觀燈聯句]

置酒城西宅	성서 댁에 술을 두고
明燈不夜天(己)	등잔 밝히니 하늘은 밤이 아니로세(나)
美殽橫玉筯	좋은 안주에 옥저1) 가로놓이고
佳客集華筵(士珍)	아름다운 손 좋은 술자리에 모였구려(사진)
開抱頻揩眼	회포 여니 자주 눈을 비비며
吟詩任聳肩(仲約)	시를 읊으니 어깨 따라 들썩이네(중약)
傾盃猶未了	술잔 기울여 다 마시지 못했는데
月落水涓涓(公輔)	달은 지고 물은 졸졸 흐르네(공보)

주 1) **옥저**(玉筯): 옥으로 만든 젓가락.

95. 두 번째 시[其二]

浴佛佳辰屬此宵	불상 목욕시키는 이 밤은 가신1)에 속하는데
萬家燈火照靑霄(士珍)	많은 집 등불이 푸른 하늘 비치네(사진)
開懷對月千愁散	가슴 열고 달을 대하니 일천 시름 흩어지고
把酒吟詩百慮消(公輔)	술 잡고 시 읊으니 백 가지 생각 사라지네 (공보)
世態還同江上浪	세태는 또한 강 위의 물결 같고
壯心頻撫匣中刀(己)	비장한 마음으로 자주 갑 속 칼 어루만지네(나)
聯床笑語惟疎放	상이 이어지니 웃음과 말이 다만 소방2)하고
不覺寒齋夜欲朝(仲約)	한재에서 밤이 날이 새고자 함도 느끼지 못하네(중약)

96. 또 읊다[又吟]

千家銕鎖玉燈圜	일천 집은 철쇄로 잠겼는데 옥등 둥글고
怳若疎星滿目斑	어슴푸레 성긴 별같이 눈에 가득 아롱지네
天意似嫌移造化	하늘의 뜻은 조화1)를 의심하는 듯하고
夜來雲雨滯前山	밤사이 온 비구름은 앞산에 걸려 있네

주 1) **조화**(造化): 어떻게 이루어진 것인지 알 수 없을 정도로 신통하게 된 일.

97. 서호로 가는 길에[西湖道中]

麥熟將可刈	보리가 익었으니 벨 만도 하고
稻生水如油	벼 자라는 물결은 기름같이 맑은데
如何把鋤嫗	어찌하여 호미 잡은 늙은 아낙은
眉攢萬端愁	눈썹에 온갖 시름 모여 있는가

98. 서호로 가는 배 안에서[西湖舟中]

舟自籠巖下	배는 농암에서 내려오고
山回夾兩舷	산은 뱃전을 끼고 도네
遠疑初絶地	멀리서 보고 길이 끊어졌다고 의심하였는데

近識別容天	가까이서 보니 다른 하늘 있음을 알겠네
野鶩從鳧過	들따오기는 오리 따라 지나가고
漁歌和簫傳	고기잡이 노래는 피리에 섞여 들려오네
莫將行棹促	노를 빨리 저으라고 독촉하지 말게나
於此景餘千	여기에 천 가지 경치가 남아 있나니

99. 두 번째 시[其二]

彈冠好興上舡亭	갓 털고 좋은 흥으로 배 정자에 오르니
一朶雲峰眼外靑	한 조각 뭉게구름 봉우리 눈 밖에 푸르구나
借問漁舟何處去	비로소 묻노니 고기잡이배는 어디로 갔느냐
歸來賣我一筐鯖	돌아올 때는 나에게 청어 한 광주리 팔게나

100. 세 번째 시: 이 장1) 자고2) 보가 '청(鯖)' 자로 고친 시에 차운하다[其三 次李丈子固甫改鯖字韻]

仙游峰色碧亭亭	선유봉의 빛 푸르고도 정정3)한데
古石雙蹲點點靑	옛 돌 두 개 꿇어앉은 듯 점점이 푸르구나
煙霞莫道東吳勝	동오4)의 연기 노을이 좋다고 말하지 마라
移得廬山九疊屏	여산의 구첩병5)을 옮겨온 것 같으니

주
1) **장(丈)**: 어른.
2) **자고(子固)**: 그 사람의 자.
3) **정정(亭亭)**: 아름다운 모양.
4) **동오(東吳)**: 중국 삼국시대 오나라를 일컬음.

5) **구첩병**(九疊屛): 아홉 겹 병풍처럼 이루어진 여산의 봉우리를 이름.

101. 네 번째 시[其四]

擊岸波聲若碎環	언덕 치는 물결 소리 구슬을 부수는 듯
白鷗飛帶夕陽還	흰 갈매기는 날아서 석양 띠고 돌아오는데
村烟羃羃迷江渚	마을 연기 막막하여 강가에 어렸고
指點雲間多少山	구름 사이로 몇몇 산을 가리키네

102. 다섯 번째 시[其五]

移棹歸來處	배를 돌려 돌아오는 곳에
懸崖玉幾層	언덕에 달린 옥은 몇 층인가
暮江潮欲怒	저문 강에 조수는 성내고자 하고
攀柳拄枯藤	버드나무에 마른 등나무 감고 올라가네

103. 서호 어른 신중유[1] 보가 쓴 시에 화운하다[和西湖辛丈仲濡甫韻]

■ 신씨 어른의 말을 헤아린 것이다[擬辛丈言也]

雨下江天暗	비 내리니 강과 하늘 어둡고
波連海色迷	파도 이어지니 바다 빛 아득한데
流將傾華泰	흐름은 장차 화산과 태산을 기울이고

漲欲注燕齊	불어나서는 연나라, 제나라 물 대고자 하네
谷獸難尋窟	골짜기 짐승은 굴을 찾기 어렵고
山禽却失栖	산새는 문득 둥지를 잃었는데
久陰還病我	오랜 그늘 또한 나에게 병이 되어
携友負烹雞	벗 이끌고 닭 삶으러 가네

주　1) 중유(仲濡): 신씨의 자.

104. 두 번째 시[其二]

暮年想閑適	늘그막에 생각이 한적하여
來卜西湖居	서호에 살 곳 점쳐 살았네
身異樊籠鳥	몸은 새장의 새와 다르고
心同縱壑魚	마음은 골짜기에 노니는 물고기와 같은데
沙磯盟已固	모래톱 맹세는 이미 굳어졌고
城郭跡仍疎	성곽의 자취는 이미 성글었네
肯恨貧窮切	가난을 끊은 것을 한스럽게 여겨
行藏任所如	행장은 가는 대로 맡겼네

105. 관음사에서 수창[1]하다[觀音寺酬唱]

■ 첫 번째 시는 연구이다[其一 聯句]

陟巘心頗闊(己)	산에 오르니 마음 자못 넓은데(나)

臨危氣轉慢　　위태로운 곳 오르니 기분이 두려워지네

微茫山郭外(正叔)　아득한 것은 산곽 밖이요(정숙)

煙霧羃寒江(己)　연기와 안개 추운 강을 가렸네(나)

106. 두 번째 시: 연구를 짓다[其二 聯句]

一帶青嵐水外山(己)　한 줄기 푸른 아지랑이 물 밖의 산(나)

依然如在畫圖間　　의연하게 그림 사이에 있는 것 같네

登臨指點微茫外(正叔)　올라가서 가리키는 곳은 어슴푸레한 밖이고
　　　　　　　　　　(정숙)

何處漁歌送雁還(己)　어느 곳 어부 노래 돌아가는 기러기 보내줄
　　　　　　　　　　까(나)

107. 세 번째 시: 앞의 운을 쓰다[其三 用前韻]

一曲清江一面山　　한 굽이 맑은 강 한 면은 산인데

白鷗投宿暮煙間　　흰 갈매기는 잠잘 곳 찾아 저물녘 연기 사이
　　　　　　　　　　로 날아가네

詩中逸興知多少　　시 가운데 좋은 흥을 조금 알고

萬里風光領略還　　만 리 풍광을 둘러보며 돌아가네

108. 네 번째 시[其四]

與客吟詩峰上頭	나그네와 더불어 봉우리 위에서 시를 읊고
晚來煙霞隔江浮	저물게 온 연기와 노을은 강을 막았네
漁竿乍拂驚眠鷺	낚싯대 잠깐 스치니 잠자던 백로 놀라고
怒汐初回起夢鷗	성난 썰물 처음 돌아와 갈매기 꿈 깨우네
步雪寧無蘇子酒	눈길 걸으니 어찌 소자1)의 술 없으며
登仙思泛李膺舟	선대에 오르니 이응2)의 배 떠남 생각하는데
臨分安得丹青手	이별에 임하여 어찌 화공을 얻어
畫出人間此勝遊	인간의 이 즐거운 놀이 그려낼 것인가

주
1) **소자**(蘇子): 중국 송나라의 문장가 소식(蘇軾)을 높여 부르는 말. 당송팔대가(唐宋八大家)의 한 사람으로 문장에 능해 「적벽부(赤壁賦)」등 명작을 남김.
2) **이응**(李膺): 중국 후한 때의 문신. 당고지화(黨錮之禍) 때 두무(竇武)와 함께 환관(宦官)을 숙청하려다가 환관 조절(曹節)에게 피살됨. 청렴하여 당시 청년 관리들이 그를 알게 되는 것을 등용문(登龍門)이라 부름.

109. 다섯 번째 시[其五]

銅雀津連漢水頭	동작 나루는 한강 머리로 이어지는데
登臨逸氣若將浮	올라가니 좋은 기분 뜰 것 같구나
暮天雲盡飛來鶴	저문 하늘에 구름 다하니 학이 날아들고
極浦沙平上下鷗	먼 포구에 모래 펼쳐지니 갈매기 오르내리네
墨客豪情惟綺語	묵객의 호방한 정은 다만 말이 비단 같고
漁翁身世但扁舟	어옹의 신세는 다만 작은 배뿐이네
吾儂素有江山病	우리들은 본래 강산에서 노니는 병이 있어
他日東南作遠游	다른 날 동남쪽에서 먼 놀이 하리라

110. 여섯 번째 시: 밤에 앉아 사진이 쓴 시에 차운하다[其六 夜坐 次士珍]

嚴風吹戶冷	세찬 바람 문에 부니 춥고
寒月掛山新	차가운 달 산에 걸리니 새로운데
詩令何太急	시령1)이 어찌 그리도 급한지
催呼誦雅人	재촉하여 아인2)에게 외우게 하네

> 주 1) **시령**(詩令): 여러 사람이 시를 짓기 전에 미리 정하여 두는 약속.
> 2) **아인**(雅人): 교양이나 품위가 있어 고상한 사람.

111. 일곱 번째 시: 눈을 읊다[其七 詠雪]

一宵天幕冪江湖	하룻밤 하늘 막이 강과 호수 가리니
萬壑千峰樹有無	일만 골짜기 수천 봉에 나무가 있는 듯 없는 듯
客倚胡床高氣岸	나그네 호상1)에 의지하여 기안2) 높고
詩腸多憶吸瓊壺	시장3)이 많아 경호4)의 술을 들이마시네

> 주 1) **호상**(胡床): 오랑캐들이 만든 상.
> 2) **기안**(氣岸): 마음이 견실함.
> 3) **시장**(詩腸): 시상(詩想). 시적인 생각이나 상념.
> 4) **경호**(瓊壺): 옥으로 만든 병.

112. 여덟 번째 시[其八]

君子會湛樂	군자의 모임 맑고 즐거우니
長吟山有臺	길게 「산유대」1) 편을 읊는데

登高心則悅	높이 오르니 마음은 곧 즐겁고
望遠眼仍開	멀리 바라보니 눈이 열리는 듯하네
畝雪東南限	밭의 눈은 동남에 한계를 이루고
江舟上下廻	강의 배는 위아래로 돌아가며
芳醪多且旨	맛 좋은 막걸리 또한 맛이 깊으니
一飲百篇裁	한 잔 마시고 백 편의 시를 지으리라

주 1) 산유대(山有臺): 산에 있는 대. 『시경』의 편명.

113. 아홉 번째 시: 경쇠를 치면서 운을 불러 계수에게 보이다[其九 擊磬呼韻示季受]

■ 십삼일 밤에 이야기할 때 어지러이 읊었는데 계수가 시를 잘하지 못한다며 부탁하므로 끝 구절에 다음과 같이 이르다[至十三夜話時亂吟 季受托以不能詩末句云]

湛樂人成六	맑은 즐거움에 사람 여섯 되었는데
清尊酒有朋	맑은 항아리 술은 벗이 있구나
雖把藩溷筆	비록 더럽고 흐린 붓을 잡았으나
詩律豈無能	시율에 어찌 능함이 없겠는가

114. 열 번째 시[其十]

| 漁村誰買酒 | 어촌에서 누가 술을 사오려나 |

雲衲石門來　　　　운납1)이 석문으로부터 오는구나

待月高樓上　　　　높은 누각 위에서 달을 기다리고

沈吟對玉壺　　　　가만히 읊조리며 옥호2)를 대하네

주　1) **운납**(雲衲): 운수납자의 줄임말. 스님.
　　2) **옥호**(玉壺): 옥으로 만든 병.

115. 열한 번째 시[其十一]

多少臨江白雪村　　다소의 사람들이 강가의 흰 눈 쌓인 마을에
　　　　　　　　　　이르니

暮雲閑影鎖松門　　저물녘 한가로운 구름 그림자 솔문에 잠겨
　　　　　　　　　　있네

遊人把酒相看處　　노니는 사람 술잔 잡고 서로 보는 곳에

牕外靑山嘿不言　　창밖의 푸른 산은 입 다물고 말 못하네

116. 열두 번째 시[其十二]

吸盡尊中酒　　　　항아리 술 다 마시니

騷人氣岸驕　　　　시인의 기안 거만해지는데

淸談揮玉麈　　　　청담1)하며 옥주2) 휘두르니

長夜正寥寥　　　　긴 밤이 바로 고요하구나

주　1) **청담**(淸談): 명리를 떠난 맑고 고상한 이야기.
　　2) **옥주**(玉麈): 옥으로 만든 먼지떨이.

117. 열세 번째 시[其十三]

玉洞雲烟入夜淸	옥동의 구름 연기 밤이 들어 맑아지고
月林寒影一笻輕	달 비추는 숲 속 차가운 그림자에 지팡이 가볍구나
村鷄欲報東方曉	촌닭은 동방이 밝음을 알리고자 하니
歸對心燈揭壁明	돌아와 마음 등불 벽에 밝게 걸고 맞이하네

118. 열네 번째 시: 술을 구하며 짓다[其十四 求酒]

■ 이 도사가 다른 고을로 전근을 갔는데 순찰하다가 우리 마을로 왔기에 시를 부쳐 백족1)이 떠남을 말하다[李都事巡到本縣 付詩白足之去]

對卷書樓任刻勞	서루에서 책을 대하니 잠깐 피곤함이 일고
滿山飛雪意全豪	산에 가득 눈 날리니 뜻이 완전히 호기로운데
遙憐何處風流輩	멀리 어느 곳에서 풍류 무리 불쌍히 여기는가
分我雲安一盞醪	나에게 운안2)의 막걸리 한 잔 나누어 주게나

> 주
> 1) 백족(白足): 청백리. 재물 욕심이 없이 곧고 깨끗한 관리.
> 2) 운안(雲安): 지명. 중국 사천성 운양현. 좋은 술이 나는 것으로 알려짐.

119. 열다섯 번째 시: 서울에서 술과 안주를 보내줌에 감사하여 짓다[其十五 謝畿都送酒饌]

兩日候僧望眼勞	이틀 동안 스님 바라보던 눈 피로하니

風流惟許我公豪　　풍류는 다만 나와 그대의 호기를 인정하네
珍羞玉韻雖多意　　진수1)와 옥운2)에 비록 뜻이 많으나
但恨尊中減斗醪　　다만 항아리의 말술 줄어들까 한스럽구나

> 주　1) **진수**(珍羞): 맛있는 음식.
> 　　2) **옥운**(玉韻): 썩 잘 지은 시. 남이 지은 시가를 높여 이르는 말.

120. 열여섯 번째 시: 동짓날에 연구를 짓다[其十六 至日聯句]

冬至陽生一線長(季受)　동짓날 양기 생겨 해가 조금 길어지니(계수)
湘南雁陣欲翶翔(己)　소상1)에는 남쪽 기러기 떼 날아오르려 하네
　　　　　　　　　　(나)
佳辰倍切思親意(士珍)　명절에는 어버이 생각 배로 간절해(사진)
陟彼高岡惱遠望(仲約)　저 높은 언덕 올라 멀리 바라보며 괴로워하네
　　　　　　　　　　(중약)

> 주　1) **소상**(瀟湘): 중국 호남성 동정호 남쪽의 소수(瀟水)와 상강(湘江)을 아울러 이름.

121. 열일곱 번째 시: 여러 사람이 지은 시에 차운하여 맏형님에게 부치다[其十七 次諸子韻寄舍兄]

谷口嚴風杖屨寒　골짜기 입구 세찬 바람 장구도 추운데
月華如水上層欄　물같이 밝은 달 난간 위에 올랐구나
空山遊子吟常棣1)　빈산의 나그네 당체를 읊고
獨夜姜衾恨幾端　외로운 밤 편안한 이불, 한이 얼마던고

> 주　1) **상체**(常棣): 산앵두나무. 형제를 비유함.

122. 열여덟 번째 시: 여러 사람에게 보이다[其十八 示諸公]

平生性癖酒爲年	평생 술로 세월을 보내고도
石上開壺對雪天	돌 위에 술병을 열어두고 눈 내리는 하늘을 맞이하네
醉意多嫌山有礙	취하니 막힌 산이 답답하고
詩情付與水無邊	시정은 끝없는 물에 보내는데
寒泉滴滴垂瓊筯	찬 샘 방울방울 구슬 젓가락 드리우고
老檜重重拂晩煙	늙은 전나무에 저물녘 연기 겹겹이 얽히네
歌着峩冠同一詠	아관1) 쓰고 부르는 노래는 시 읊는 듯하나
非徒李郭望如仙	이응과 곽태2)가 신선 같음을 바라보는 것과는 다르네

 1) **아관**(峩冠): 높은 벼슬의 관리가 쓰던 관.
2) **곽태**(郭泰): 중국 후한의 학자(128~169). 학문과 인격이 뛰어나 사람들의 존경을 받았음.

123. 관음사 가는 길[往觀音寺路中]

策馬嚴晨渡石橋	엄숙한 새벽 말을 달려 돌다리 건너가니
扶桑赤色弄淸朝	부상의 붉은 빛 맑은 아침 희롱하는데
空山冷響傳多少	빈산에 차가운 울림 다소 전해오고
瞻彼西林木已凋	저 서쪽 숲을 보니 나뭇잎 떨어졌네

124. 두 번째 시[其二]

邇來憂病倦題詩	요사이 병이 근심스러워 글짓기 게을렀는데
舊習猶存觸景時	옛 습관은 경치를 볼 때마다 여전히 남아 있네
僮僕亦知驢背興	종들 또한 나귀 등의 흥 알아
手持征勒故遲遲	손에 잡은 여행 고삐 짐짓 더디 가게 하네

125. 세 번째 시: 동작 나루에 이르러 짓다[其三 到銅雀津]

客到江村日上初	나그네 강마을 이르니 해가 처음 뜨고
扁舟遙曳斷山餘	조각배 멀리 끄니 끊어진 산 끝이라네
一簑烟霧何人立	한 도롱이 안개와 연기에 누가 서 있는가
知是漁翁獨釣魚	고기 잡는 늙은이 홀로 물고기 낚음을 알겠네

126. 네 번째 시: 절에 이르러 짓다[其四 到寺]

石路崎嶇馬不前	돌길 울퉁불퉁 말이 나아가지 못하니
僕夫頻問寺何邊	종들은 자주 절이 어디쯤인지 묻는구나
山深谷邃人蹤絶	산골짜기 깊으니 사람의 자취 끊겨
轉覺琳宮可靜專	오히려 임궁1)의 고요함 홀로 누리는 것을 느끼네

주 1) 임궁(琳宮): 도교(道教) 사원.

127. 다섯 번째 시: 상인[1] 법등에게 보내다[其五 贈上人法燈]

白雪懸崖路	흰 눈 절벽에 걸려 있고
寒聲古寺鍾	차가운 소리 옛 절의 종이로세
老僧多舊識	늙은 스님 해묵은 지식 많아
携錫出蒼峰	석장[2] 끌고 푸른 봉우리로 나아가네

 1) **상인**(上人): 중을 높여 이르는 말.
2) **석장**(錫杖): 중이 짚고 다니는 지팡이. 밑 부분은 상아나 뿔, 가운데는 나무, 윗부분은 주석으로 만듦.

128. 여섯 번째 시[其六]

微雨蕭蕭佛燈前	가랑비 부슬부슬 불등 앞에 내리는데
滿山楓葉政凄然	산에 가득한 단풍잎 쓸쓸하기만 하구나
遠公猶喜淵明至	원공[1]은 연명[2]이 다다름을 기뻐하여
爲掃蒲團共榻眠	포단[3]을 털고 평상에서 함께 잠자네

1) **원공**(遠公): 혜원(慧遠). 중국 남북조시대 진(晉)나라의 승려(334~416). 여산(廬山) 동림사(東林寺)에서 염불, 수행 결사(結社)인 백련사(白蓮社)를 결성. 중국 불교를 학문적으로 확립하는 데 기여함.
2) **연명**(淵明): 도잠(陶潛). 진(晉)·송(宋) 시대에 시인(365~427). 자연을 노래한 시가 많으며 당나라 이후로 육조(六朝) 최고의 시인으로 꼽힘.
3) **포단**(蒲團): 부들로 만든 방석이나 요.

129. 절에서 귀경하며 여러 벗과 유별[1]하다[自寺歸京留別諸友]

| 先撤書箱向洛城 | 먼저 서상[2] 걷고 한양으로 향하니 |

石門留別暗愁生　석문에서 유별하니 짙은 수심 생겨나네
靑山欲暮驪駒發　푸른 산 저물 즈음 여구3)가 출발하고
谷鳥嚶嚶若挽行　골짜기 새 앵앵대며 가는 길 잡는 듯하네

　1) **유별**(留別): 떠나는 사람이 남아 있는 사람에게 작별함.
　2) **서상**(書箱): 책을 넣어두는 궤짝.
　3) **여구**(驪駒): 털빛이 검은 말.

130. 동작진에서[銅雀津]

雪後峰巒高處靑　눈 내린 뒤 산봉우리 높은 곳 푸른데
村烟莫莫隔寒坰　마을 연기 막막하고 추운 들 막혀 있네
郭西歸路知遲遞　성 서쪽 돌아가는 길 멀고 가까움 알지만
銅雀津波馬首聽　동작진 물결 소리 말머리에서 듣는구나

131. 이용경의 잔치에서 셋째 형님1)께서 지은 시에 차운하다[李龍卿筵上次叔兄韻]

酒煖金爐上　술이 금로2) 위에서 덥혀지니
心遊廣莫邊　마음은 넓고 끝없는 곳에서 놀고
滿庭淸夜月　뜰에 가득한 맑은 밤의 달
銀漢更回天　은하수 다시 돌아 하늘로 오네

　1) **셋째 형님**: 협(浹, 1664~1698). 자 숙화(叔和). 이조 판서에 증직됨.
　2) **금로**(金爐): 금으로 장식하여 만든 향로.

132. 당시1)에 차운하다[次唐律]

池楊催意雪中天	연못가의 버들은 눈 오는 하늘에 봄 재촉하고
節序看看盡舊年	절서2)는 가고 가서 한 해가 다했는데
病廢三冬書史足	병들어 삼동 동안 서사3) 폐함에 족했고
愁添一夜漏籌傳	시름은 하룻밤에 더하여 누주4)를 전하네
草茅久穢靈臺上	영대 위는 풀과 띠로 더러워진 지 오래고
習氣猶凌俠士前	습기5)는 협사6) 앞에도 드러나는데
自有杖懸鵝眼貫	스스로 엽전 꿰어 지팡이에 걸고
滿沽春酒對山川	가득히 춘주7)를 사서 산천을 대하네

주
1) **당시**(唐詩): 당나라 때의 시. 5언, 7언의 율시와 절구 같은 근체시(近體詩) 양식이 완성됨.
2) **절서**(節序): 절기의 차례.
3) **서사**(書史): 경서(經書)와 사서(史書).
4) **누주**(漏籌): 누수(漏水)를 헤아림. 시간을 보낼 계획.
5) **습기**(習氣): 습관으로 형성된 기운이나 습성.
6) **협사**(俠士): 부처를 좌우에서 모시는 두 보살. 아미타불을 모시는 관세음보살과 대세지보살, 석가모니불을 모시는 문수보살과 보현보살 등을 이름.
7) **춘주**(春酒): 삼해주(三亥酒). 정월의 세 해일(亥日)에 삼가 익힌 술의 하나.

133. 수세1)하다[守歲]

壁上孤燈盡	벽 위의 외로운 등불 다 꺼져가니
城頭曉角催	성 머리 새벽빛 재촉하누나
開牕問童子	창문 열고 동자에게 물으니
春入小園梅	봄이 작은 정원 매화에 들어왔다 하네

주
1) **수세**(守歲): 섣달 그믐날 밤 집 안에 등불을 밝히고 밤을 새움. 이날 밤 자면

134. 절에서 경쇠 치는 소리에 읊다[寺中擊磬一聲吟成]

深夜雪初捲	깊은 밤 눈이 처음으로 걷혔는데
淸齋一點燈	맑은 집에는 한 점 등불이 있고
床頭開卷處	상머리 책을 편 곳에
且有說玄僧	또한 말하는 현승1)이 있네

주 1) **현승**(玄僧): 불교의 이치를 터득한 사람.

135. 두 번째 시[其二]

古寺斜陽盡	오래된 절에 석양이 다했고
西林獨鳥還	서쪽 숲에 외로운 새 돌아오네
詩情寄何處	시정을 어느 곳에 부칠 것인가
多少白雲山	많고 적은 것은 흰 구름과 산이로다

136. 한마을에 사는 친구가 보내준 매화를 읊은 시에 차운하다
[次洞友贈梅韻]

塢上新梅春帶雨	언덕 위의 새로운 매화 봄비를 맞고
故人相贈滿枝香	옛사람 가지 가득한 향기를 서로 보내네
虛堂有酒愁無伴	빈 마루에 술 있으나 벗 없으니 시름겨워

對此猶勝獨擧觴　　　이 좋은 경치 대해 홀로 잔을 드는구나

137. 중약이 보낸 시에 차운하여 보내다[次仲約寄示韻]

風送階花雨裏香　　　바람이 뜰 안의 꽃을 불어 보내니 빗속에 향기 나고

別愁還結柳絲長　　　이별한 슬픔이 도리어 버들가지에 맺히는데

泥濘不敢携藜去　　　진흙길이라 감히 청려장을 끌고 가지 못하니

天意如何好事妨　　　하늘의 뜻 어찌하여 좋은 일을 방해하는가

138. 비 온 뒤 사진에게 편지를 쓰다[雨後簡士珍]

閑居人不到　　　한가롭게 사니 오는 사람 없고

寂寂坐虛堂　　　고요히 빈 마루에 앉아 있는데

霧擺山如畫　　　안개 걷히니 산은 그림 같고

春晴柳拂黃　　　봄날 개니 버들이 노란빛 떨치네

排愁詩自就　　　시름을 물리니 시는 절로 이루어지고

開甕酒初香　　　술병 여니 술 향기 처음 나는데

偏憶西隣友　　　치우치게 서쪽 이웃의 벗 생각하니

何時共一床　　　언제 상을 함께할까

139. 운마산 스님에게 지어 보내다[題寄雲磨僧]

지난해 사진의 초당1)에 우거2)한 일이 있는데 갑자기 한 노승이 찾아와, 스스로 "처음 관동에서 왔다"라고 말했다. 나는 관동의 풍경을 평생 동안 꿈속에 생각했으나, 가보지 못했다. 드디어 한 절구를 보내 그 뜻을 붙였다.

스님이 사는 곳은 평강의 운마산 보월사로 이름은 천웅이다. 산으로 돌아간 뒤 전혀 소식이 없었으나 한 생각이 그치지 아니하더니, 올봄 3월에 갑자기 또 찾아와서 만나 보았다. 또한 소매에서 시를 꺼내주었다.

같은 절의 중 의천, 성문, 문눌 세 명의 상인(上人)이 내가 쓴 시운을 따라서 지어주었고, 나는 "산인들의 시율을 진애에 부쳐온 것은 또한 좋은 일이다"라고 말했다. 이리하여 칠언율시를 써 부치니 그들 중 의천이 더욱 능하다고 했다.

往年余寓于士珍草堂 忽有一老僧來見 自言初自關東來 余於關東
風景平生夢想而未到者也 遂贈一絶以寓其意矣 僧所居平江雲磨山
寶月寺 天雄其名 歸山後寂無消息 一念未已 今春三月忽又來見 且
袖同寺僧義天聖門文訥三上人 次拙韻者以與 余以爲山人詩律寄到
塵埃者 亦好事也 仍題七律以寄之 義天其尤云

山人多意寄詩來	산사람 정이 많아 시를 부쳐오니
象外歸心倍覺催	세상 밖에 돌아갈 마음 곱절로 재촉함 알겠네
憐我塵容城市裏	도시 속 나의 때 묻은 얼굴 가련히 여기네
羨君仙路水雲隈	그대가 신선의 길인 물과 구름 가에 있음을 부러워하네

鳴沙十里紅棠路	명사십리 붉은 해당화 길이요
皆骨千峰白玉臺	개골의 천봉은 백옥대일세
春夢幾勞淸夜月	봄꿈이 몇 번이나 맑은 밤에 달을 수고롭게 했던가
世間人事也堪咍	세간 사람의 일이란 마땅히 비웃음을 감당해야겠지

주
1) **초당**(草堂): 몸채에서 따로 떨어진 곳에 억새나 짚으로 지붕을 인 작은 집채.
2) **우거**(寓居): 남의 집이나 타향에서 임시로 몸을 붙여 삶.

140. 남산에서 제자1)가 지은 시운을 따라 짓다[南山次諸子韻]

■ 정숙 형제와 언숙, 계수, 양직, 중보, 천일, 자정이 함께했다[正叔兄弟彦叔季受養直仲輔千一子貞偕矣]

嫩花芳草妬春姸	고운 꽃, 향기로운 풀이 고운 봄빛 시샘하고
綠水靑山淡似煙	녹수와 청산은 연기처럼 어렴풋하네
南北回頭皆一色	남쪽, 북쪽으로 머리 돌리니 모두 한빛인데
長堤十里柳如眠	긴 둑 십 리에는 버들이 조는 듯하네

주
1) **제자**(諸子): 제군(諸君). 여러 명의 아랫사람을 문어적으로 조금 높여 이르는 말.

141. 두 번째 시[其二]

長安花柳正芳華	장안의 꽃과 버들 바야흐로 아름답게 빛나는데

江水流春春浪多　　　강물이 봄을 흘려 봄 물결이 많구나
痛飲尊中千斛酒　　　동이의 천 곡1) 술 실컷 마시고
醉鄉豪興付無何　　　취한 마을에 흥이 일어나니 마음을 둘 곳 없
　　　　　　　　　　　구나

주　1) 곡(斛): 열 말.

142. 사진이 쓴 시에 차운하여 남산에 함께 가지 못한 이들의 뜻에 답하다[次士珍韻以答不同南山行之意也]

嗟我佳辰南嶽遊　　　슬프다! 아름다운 때에 남악에서 노니
問君何事北山樓　　　묻노라, 그대 무슨 일로 북산 누각에 머무
　　　　　　　　　　　는가
登臨指點盤池上　　　올라가서 손가락으로 멀리 반지를 가리키며
一草高亭惱遠眸　　　한 채 높은 정자 멀리 바라보니 괴롭네

143. 생각나는 대로 읊다[謾吟]

桃李春來滿禁城　　　복숭아, 자두 봄이 오자 금성에 가득하여
淡濃紅白各分明　　　엷고 짙은 홍백이 각각 분명하구나
牕前最惜芳華歇　　　창 앞의 아름다운 꽃이 다하는 것 가장 애석
　　　　　　　　　　　한데
驚起中宵急雨聲　　　한밤중 놀라 일어나니 급한 빗소리로세

144. 사진이 기록해 온 꿈을 보여주어 차운하다[次士珍記夢來示韻]

日暮花園獨倚軒	날 저문 꽃동산에서 홀로 난간에 기대니
寥寥無事酒盈樽	고요하여 일은 없고 술만 동이에 가득하네
何人初罷相思夢	누가 처음으로 상사의 꿈 깨워줄까
詩自盤溪卽好言	시는 곧 반계로부터의 좋은 소식인 것을

145. 아버님을 모시고 팔각정에 올라[陪家君登八角亭]

■ 이때 맏형님과 둘째·셋째 형님, 대여섯 명의 노소가 다 모였다[時家兄伯仲叔及五六諸公老少齊會矣]

佳境眈來病脚伸	아름다운 경치를 탐해 와서 병든 다리를 뻗으니
晴郊風物眼中新	맑은 들 풍물이 눈에 새롭구나
江山遠近無邊畵	강산은 멀고 가까운 끝없는 그림이고
桃李高低不盡春	복숭아꽃과 자두 꽃은 높고 낮아 봄이 다하지 않는데
百丈烟霞搖白日	백 길 연하는 밝은 해 흔들고
三條車馬鬪風塵	세 줄기 거마는 바람 먼지와 다투네
玉山一任眠芳倒	옥산은 한번 임해 꽃다운 잠에 쓰러지니
分付奚童整冠巾	어린 하인에게 분부하여 의관을 정돈하네

146. 홍사겸이 배천1) 관아로 근친2)할 때 이별하며 보내다[贈別洪士謙之白川衙覲親]

雨過沙橋柳織煙　　비 지나간 사교에 버들이 연기처럼 짜여 있고
渭城歌曲惜離筵　　헤어지며 부르는 「위성곡」3)이 슬프구나
牙絃纔奏探花會　　거문고 줄 겨우 타니 꽃 탐하는 모임 되고
彩服還催向海鞭　　채색 옷 재촉하여 바다 향해 돌아가네
華嶽東望雲似錦　　화악4)에서 동쪽 바라보니 구름은 비단 같고
碧瀾西渡水如天　　벽란도5)에서 서쪽으로 건너니 물은 하늘같
　　　　　　　　　은데
驛亭梅盡詩難寄　　역참 정자에 매화 지니 시 부치기 어렵고
別後相思但月懸　　이별한 후 서로 생각하나 다만 달만 걸렸
　　　　　　　　　구나

1) 배천(白川): 황해도 남동부에 있는 고을 이름. 배천으로 읽음.
2) 근친(覲親): 멀리 계신 부모를 가서 뵘.
3) 「위성곡(渭城曲)」: 중국 당나라의 시인, 화가, 문신인 왕유(王維)가 원이사(元二使)를 송별할 때 지은 시가. 송별의 노래로 널리 애창됨.
4) 화악(華嶽): 서울 삼각산.
5) 벽란도(碧瀾島): 황해도 예성강 하류에 있는 나루. 개경 가까이에 있던 국제무역항으로 사신을 영송하기 위해 안산(岸山)에 세운 벽란정(碧瀾亭)에서 유래한 이름.

147. 기다리는 비는 안 오고 달이 나와 '적(赤)' 자를 운으로 하여 짓다[待雨不來見月得赤字]

其雨竟不雨　　　　그 비는 끝내 내리지 않고

東山月出赤	동산에 달이 붉게 떠 있네
浮雲散郊坰	뜬구름 들에 흩어지고
星宿滿虛碧	별들은 푸른 허공에 가득한데
前年八路旱	지난해엔 팔로¹⁾에 가뭄이 들어
散民靡所適	흩어진 백성들 갈 곳이 없네
東西與南北	동과 서, 남과 북으로
飢走但遘疫	굶주려 달려가나 역질만 만날 뿐
時將牟麥熟	장차 모맥²⁾ 익을 때
望望待朝夕	아침저녁 기다리며 바라고 또 바라는데
何意未成實	어떤 뜻으로 영글지 못하는가
魃災又太劇	한발의 재앙이 너무도 심했구나
遑遑閭里間	황황³⁾하게 마을 사이에 다니니
糠糗亦云窄	쌀겨와 보리 싸라기도 또한 적다고 하네
嗟嗟不忍說	슬프다! 차마 말을 못하겠구나
誰復任斯責	누가 또 이 책임을 질 것인가
蒼天豈無情	파란 하늘 어찌 그리 무정한지
人事或有逆	인간의 일에 혹 거스름이 있어서인가
所以君子憂	이런 까닭으로 군자가 근심하는 것은
不獨民命迫	다만 백성의 명을 재촉할 뿐 아니라
窮巷閉門人	빈곤한 거리의 문을 닫은 시골 사람들에게
發棠更無策	발당⁴⁾ 외에는 다른 대책이 없는데
簞瓢自有樂	단표에도 절로 즐거움이 있으니
放歌感古昔	노래하면서 옛날을 느껴보네

 1) **팔로**(八路): 조선 시대 전국을 이르는 말. 팔도(八道).
2) **모맥**(牟麥): 볏과에 속한 두해살이풀.

148. 중약이 지은 시에 차운하여 남산에 동행하지 못한 사람에게 답하였는데, 도리어 과천을 자랑하는 시가 되었다[次仲約韻以答未同南山行 反以果川爲誇之意也]

郭外誰誇宅近山	성 밖의 누가 산 가까이 집 있음을 자랑하는가
終南春賞亦閑閑	종남산 봄 감상하느라 또한 한가롭기만 하네
一林丘壑元非羨	한 숲이나 언덕이 본디 부럽지는 않았지만
萬里風烟擬可攀	만 리 풍연1) 헤아려보니 의지할 만하다
城市有家吾欲隱	시가에 집이 있는 나는 숨어 살고자 하는데
野亭無友子空還	들 정자에 벗이 없어 헛되이 돌아왔네
從將尊酒同遊樂	장차 술 항아리 끼고 함께 노는 즐거움은
留待招提十月間	시월에 초제2)에서 부를 터이니 기다려주게

주
1) 풍연(風煙): 멀리 보이는 공중에 서린 흐릿한 기운.
2) 초제(招提): 사방에서 모여드는 수행승들이 머무는 객사.

149. 정숙의 집에서 사진이 찾아온다는 글을 보고 시를 보내 화답하다[正叔家見士珍來訪贈詩走和]

薄暮方催郭外歸	어스름에 바야흐로 성곽 밖에서 돌아오기 재촉하니
隔籬人影忽依依	울타리 너머 사람 그림자 갑자기 어른대는구나
聞聲正是盤溪友	소리 들어보니 이는 바로 반계의 벗인 것을

分付奚童促啓扉　　어린 하인에게 분부하여 빨리 사립문 열라고
　　　　　　　　　　분부하네

150. 반송지를 지나며[過盤松池]

不必山林拂袖歸　　반드시 산림 뿌리치고 돌아올 필요는 없으나
洛陽城外可忘機1)　낙양성 밖이라 속세의 일을 잊을 만한데
盤溪秋水波聲靜　　반계 가을 물에 물결 소리 고요하니
暮雨寒簑臥釣磯　　저물녘 내리는 비에 차가운 도롱이 입고 낚
　　　　　　　　　　시터에 누웠다네

주　1) 망기(忘機): 속세(俗世)의 일이나 욕심(慾心)을 잊음.

151. 장렬대비1)에 대한 만장[莊烈大妃挽章]

■ 대신 지음[代作]

清漢毓精氣　　맑은 한나라의 정기 흘러서
名門誕聖姿　　이름난 문중에 성인의 모습으로 탄생하셨네
祥虹徵積慶　　상서로운 무지개는 쌓인 경사 증험하고
翬翟2)正尊儀　황후로서 존귀한 의식을 바로 하셨네
覆幬天雖大　　하늘이 비록 커도 덮을 수 있고
載持地竝資　　땅에 실린 바탕 아울러 가지셨네
贊周同太姒　　찬사 받으심은 주나라 태사3)와 같으셨고

安漢類和熹	편안함은 한나라 화희4)에 비견되셨네
戚里干私絶	친척들의 사사로운 관계 끊으시고
宮闈制法宜	궁중의 법도 마땅하게 처리하셨네
齊簪規幾獻	가지런한 잠규5)는 치국의 기회 만들었고
湘竹6)淚先滋	소상의 대나무는 눈물에 먼저 불어났네
一紀居中壺	한 세기 동안 궁중에 거하시어
三朝仰母慈	세 임금을 어머니의 사랑으로 우러렀으며
陳衣恒常儉	옷을 갖추시기를 항상 검소히 하셨고
帑貨屢賙飢	내탕금7)으로 여러 번 굶주림을 도우셨네
海屋添新算	바닷가 집에서 새로 나이를 더하고
長秋奉壽卮	오랜 세월 잔을 바치셨네
寢宮灾忽警	침궁의 재앙은 갑자기 경계되어
奇疾禍仍隨	기이한 열병으로 화가 이어서 따랐는데
禋禱誠無賴	정성스러운 기도도 효험이 없었고
良醫效亦遲	좋은 의원의 노력 또한 더디어
俄驚軒曜晦	잠깐 사이 추녀의 빛 어두움에 놀랐더니
終見桂輪虧	끝내 계륜8) 이지러짐을 보았네
滕主扳號日	등나라 왕이 호곡하며 돌아오는 날이요
堯民遏密時	요의 백성이 소리를 끊을 때이라
萱留椒掖閉	훤당9)은 머물러 있으나 초액10)은 닫혔고
山引鳳旐移	산으로 끌고 감에 봉의 깃발 옮겨졌네
縱與先陵隔	비록 선릉11)과는 떨어져 있으나
猶期列聖追	오히려 열성들이 따라옴을 기약하네
襃揚宸翰美	신한12)의 아름다움을 포양13)하나
保護聖躬誰	성궁14)을 보호할 이 뉘 있을까

曉月東郊路	새벽달 동쪽 들길
啼鳥上苑枝	상원 가지에 까마귀 우는데
可堪賜囊節	낭절15)을 감당할 수 있을까
含淚進哀辭	눈물을 머금고 애사를 바치네

1) **장렬대비**: 조선 인조의 계비(繼妃, 1624~1688). 본관 양주(楊州). 성 조(趙). 1638년 (인조 16)에 왕비로 책봉되었고, 1649년 인조가 죽고 효종(孝宗)이 즉위하자 대비(大妃)가 됨. 1659년 효종이 죽었을 때와 1674년(현종 15) 며느리인 효종비 인선대비(仁宣大妃)가 죽었을 때 복상 문제가 일어남. 시호는 장렬. 소생은 없고, 능은 구리시의 휘릉(徽陵).

2) **휘적**(翬翟): 붉은 비단에 꿩 무늬를 수놓은 왕후의 옷. 왕후의 지위를 비유함.

3) **태사**(太姒): 중국 주(周)나라 문왕(文王)의 비. 부덕(婦德)이 훌륭하여 태임(太任), 태강(太姜)과 더불어 주나라 왕실의 삼모(三母)로 일컬어짐.

4) **화희**(和熹): 화희등황후(和熹鄧皇后). 중국 후한 화제(和帝)의 후비.

5) **잠규**(箴規): 잘못을 바로잡게 하는 경계.

6) **상죽**(湘竹): 상수(湘水)의 대나무. 중국 고대 순임금이 창오(蒼梧)에서 죽었을 때 두 비인 아황(娥皇)과 여영(女英)이 상수에서 흘린 눈물이 대줄기를 얼룩지게 했다고 하여 남편을 따라 죽은 두 비의 절개를 상징함.

7) **내탕금**(內帑金): 조선 시대에 내탕고에 넣어두고 임금이 개인적으로 쓰던 돈.

8) **계륜**(桂輪): 달을 달리 이르는 말. 계백(桂魄).

9) **훤당**(萱堂): 남의 어머니를 높여 이르는 말. 자당(慈堂).

10) **초액**(椒掖): 왕비에게 딸린 하인.

11) **선릉**(先陵): 선대의 능묘(陵墓).

12) **신한**(宸翰): 임금이 몸소 쓴 문서나 편지.

13) **포양**(襃揚): 칭찬하고 추어올림.

14) **성궁**(聖躬): 임금의 몸을 높여 이르는 말.

15) **낭절**(囊節): 일을 은밀하게 처리하기 위하여 비밀리에 내리는 명령서.

152. 사진을 생각하다[懷士珍]

| 參差谷中鳥 | 가지런하지 아니한 골짜기 새는 |

催喚北牕眠　　　　북창에서 자주 울어 잠을 재촉하네
酒盡瓢尊裏　　　　박처럼 생긴 잔 속 술이 다했고
風來竹檻邊　　　　대헌함 가에는 바람 부는데
柳陰閣微雨　　　　버드나무 그늘 집에 가랑비 내리고
山色隱疎烟　　　　산 빛은 성긴 연기 속에 숨어 있네
獨坐達良晤　　　　홀로 앉아 즐거운 명절 보내며
空吟伐木篇　　　　「벌목」편1)을 부질없이 읊고 있네

주　1)「벌목(伐木)」편: 『시경』의 편명.

153. 관음사에서 금강산에 있는 스님 정원에게 보내다[在觀音寺贈 皆骨僧淨源]

高僧杖錫自江南　　　고승의 석장은 강남으로부터 와서
邂逅禪牕說夜參　　　선창1)에서 해후하여 야참2)에 강설했네
明日東關歸去興　　　밝는 날 동관으로 돌아가는 흥은
毗盧峰上白雲深　　　비로봉 위에 흰 구름 깊었구려

주　1) 선창(禪窓): 선실(禪室)의 창문.
　　2) 야참(夜參): 도를 닦는 사람이 밤에 학덕을 갖춘 스승을 뵙고 법(法)을 묻는 일.

154. 당1)중형이 청양의 임소2)에 가시기에[堂仲兄之靑陽]

■ 절에 있었기 때문에 뵙고 전별하지 못하였다[任在寺不得奉別]

我來冠岳留　　　　나는 관악에 와 머무르는데

君向靑陽去	그대는 청양을 향해 가네
五馬明朝發	오마3)는 내일 아침 떠나는데
嘶風杳何處	바람 일으키며 어디까지 가는지 아득하구나

1) 당(堂): 오촌 또는 사촌의 뜻을 더하는 접두사.
2) 임소(任所): 지방 관원이 근무하는 곳.
3) 오마(五馬): 태수(太守). 태수 행차에 말 다섯 필이 수레를 끌었으므로 하는 말.

155. 셋째 형님께 답하여 올리다[答上叔兄]

書箱深入碧山層	책 상자 깊이 푸른 산 층층이 들어오니
時撤牙籤寺殿憑	아첨1)을 거두려고 전각에 기댔는데
月印芳塘勞客夢	달은 꽃다운 못에 도장 찍어 나그네 꿈 위로 하고
雪黏虛戶揭寒燈	차가운 등만 걸린 빈집엔 눈이 덮여 있네
長宵攻苦錐常刺	긴 밤 괴롭게 공부하느라 늘 송곳으로 찌르고
功業須時劍已陵	공업을 이루려고 이미 칼을 준비했네
回首氷江城路遠	머리 돌려 언 강 바라보니 성로 멀고
一場湛樂恨難能	한바탕 즐겁고자 하나 그리 못함이 한스럽네

1) 아첨(牙籤): 점칠 때 쓰는 상아(象牙)로 만든 가지.

156. 제석을 지키면서 중약을 기다리다[守申待仲約]

| 暗聞人語響 | 가만히 사람 말소리 들리며 |

相近在松門　　　　서로 가까워져 소나무 문 안에 있네
逢柳是吾友　　　　나의 벗 류 씨를 만나니
携壺自酒村　　　　술병 들고 주막에서 왔다네

157. 「여러 사람이 섣달 그믐날을 지키다」라는 시에 차운하다[次諸子守申韻]

囊繩無計繫流年　　시낭 풀 일 없어 묶어두고 해 보내니
此夜更長不可眠　　이 밤이 다시 길어 잠들지 못하는데
愁擊唾壺仍擧酒　　시름으로 타호1)를 두드리며 술잔 들고
醉沾柔翰已圓篇　　술 취해 부드러운 글이 이미 책을 이루었네
奚童見月疑天曙　　어린아이 달을 보고 날 샜다고 의심하고
佳客論詩觧榻懸　　아름다운 손님과 시 논하며 시름 푸는데
更喜諸僧同惜歲　　다시 여러 스님과 함께 아쉬운 한 해를 보내
　　　　　　　　　기쁘니
一場棋亦亦尊前　　술 항아리 앞에서 한바탕 바둑 두네

 1) 타호(唾壺): 가래나 침을 뱉는 그릇.

158. 「홍사겸의 집에서 밤에 모이다」라는 시에 차운하여 가지 못한 뜻을 풀어쓰다[次洪士謙家夜會韻以叙未赴之意]

君家美酒釀花神　　그대의 집 좋은 술 화신1)이 빚었는데
高會風流幾箇人　　고회2) 풍류에 몇 사람 모였던가

爭訑豪情添算飲	큰 정 온화하게 다투며 더 마심을 셈하고
獨憐愁影伴燈親	홀로 시름 그림자 어여삐 여겨 등불 친해 짝하네
風來晴雪寒侵牖	바람 부니 눈 개어 추위 창으로 들어오고
月落疎星夜嚮晨	달 지니 성긴 별밤 새벽을 알리네
錦軸投來聊自慰	비단 시축3) 던지며 애오라지 스스로 위로하고
强將巴曲和陽春	씩씩한 파곡4)에 양춘곡5)으로 답하네

1) **화신**(花神): 꽃을 맡은 신.
2) **고회**(高會): 성대한 모임을 높이어 일컫는 말.
3) **시축**(詩軸): 시를 적는 두루마리.
4) **파곡**(巴曲): 파 땅 사람들이 부르던 노래.
5) **양춘곡**(陽春曲): 초나라의 가곡.

159. 두 번째 시[其二]

雪滿西園有所思	눈 가득한 서쪽 동산 생각하게 하는 바 있고
小堂寥閴漏聲遲	작은 마루 고요하니 옥루 소리 더디구나
白門城外鳥棲後	흰 문 성 밖에 새가 둥지 지은 뒤
紫石橋頭人靜時	자석교1) 근처에는 왕래가 끊겼네
投璧暗途皆按劍	둥근 옥 어둠 속에 내던지면 칼을 빼려고 모 두 칼자루에 손을 대는데
聯床何處可論詩	어느 곳에서 상을 맞대고 시를 논할까
瑤琴抱向東鄰奏	거문고 안고 동쪽 이웃 향해 연주하니
水意山情待子期	물의 뜻, 산의 정 그대 기약 기다리네

1) **자석교**(紫石橋): 붉은 돌을 쌓아 만든 다리.

160. 세 번째 시[其三]

華軒夜宴客	화헌1)에서 나그네들 야연하고
微月出東方	가늘게 빛나는 달 동쪽에서 떴네
携手坐氍毹	손잡고 구유2)에 앉으니
桂酒清滿觴	계주3) 맑은 술 술잔에 가득한데
飲來放志意	마시다 보니 뜻은 호방해지고
高吟仰穹蒼	높이 읊으면서 높고 푸른 하늘 쳐다보네
天時易變化	천시는 쉽게 변화하여
南雁忽北翔	남쪽 기러기 홀연 북으로 날아가고
中砌梅始華	중간 섬돌에 매화 처음 피니
馥馥襲人芳	복복4)한 향기 사람을 엄습하네
爲樂當及早	즐거움이란 아침까지 이어져야 마땅한데
誰能繫朱光	누구 있어 붉은 해 매어둘 수 있을까
清談更促膝	맑은 이야기로 다시 무릎 맞대고 앉아
咏言各申章	말로 읊으면서 모두 책을 펴네
晨鷄鳴高樹	새벽닭 높은 나무에서 우는데
餘興尙飄揚	남은 흥 아직도 휘날리고
我獨病在褥	나 홀로 병들어 요 위에 누워 있으니
解憂惟杜康	근심을 풀어줄 사람은 다만 두강5)뿐이네

주
1) **화헌**(華軒): 아름다운 집.
2) **구유**(氍毹): 털로 만든 깔개.
3) **복복**(馥馥): 풍기는 향내가 그윽함.
4) **계주**(桂酒): 계향을 넣고 빚은 술.
5) **두강**(杜康): 중국 고대 황제(黃帝) 때 재인(宰人)으로 처음 술을 만든 사람. 술의 다른 이름.

161. 조중서 씨 댁에서 한 해를 보내며 셋째 형님이 지은 시에 차운하다[守歲趙仲叙宅次叔兄韻]

城樹風嚴宿鳥飛   성 나무에 바람 사나우니 자던 새 날고
黃昏來叩洞中扉   황혼에 와서 동중의 사립문 두드리는데
主人手折寒梅弄   주인은 손으로 겨울 매화 꺾어 희롱하다가
驚覺玄冥捲雪歸   깜깜한 하늘 눈을 말고 돌아와 놀라 정신을
                           차렸네

162. 사겸과 다시 이별하다[重別士謙]

遊子西登詠白華   나그네 서쪽에 올라 「백화」 편을 읊으니
太行雲影望中多   빨리 가는 구름 그림자 바라볼수록 많구나
金盃緩酌驪駒發   금잔에 천천히 따르고 여구1)를 노래하니
南浦春風水欲波   남포의 봄바람에 물결 일고자 하네

주   1) 여구(驪駒): 검은 말. 여구는 가곡의 이름인데, 객이 떠나려 하면 여구가(驪駒歌)를
       노래함.

163. 두 번째 시[其二]

江南江北雪初消   강의 남쪽, 강의 북쪽에 눈이 처음 녹고
一夜輕黃着柳條   하룻밤 사이 엷은 황색 버들가지에 붙었구나
猶帶去年相送恨   오히려 지난해에 서로 보낸 한이 남아 있
                           는데

翠眉愁蹙傍河橋　　　　취미1) 수심에 겨워 찡그리며 다리 가에 서 있네

> 주 1) **취미**(翠眉): 푸른 눈썹이라는 뜻으로, 화장한 눈썹을 이르는 말. 버들잎의 푸른
> 모양을 비유적으로 이르는 말.

164. 합천군수 정재대에 대한 만사[鄭陜川載大挽]

■ 대신 지음[代作]

忽聞孤櫬自南還　　　　갑자기 들으니 외로운 상여 남쪽에서 돌아온
　　　　　　　　　　　다네

半百光陰一瞬間　　　　반백 년 세월이 한순간에 지나가

才屈縣州留惠澤　　　　재주는 군수에 그쳤으나 선정의 자취 남겼고

世傳卿相任清閒　　　　대대로 전해오던 경상1) 자리는 한가로움에
　　　　　　　　　　　맡겼네

昔年交契牙絃走　　　　지난해에 사귀던 아현2)은 사라지고

中歲離愁嶺月彎　　　　중년에 이별한 시름으로 고개의 달이 굽었
　　　　　　　　　　　는데

伯道況無身後托　　　　백도3)처럼 죽은 후에 자손이 없었으니

春庭荊樹淚花班4)　　　봄 뜰 가시나무에는 눈물 꽃이 아롱지네

> 주 1) **경상**(卿相): 재상. 삼상(三相: 삼정승)과 육경(六卿: 육조 판서)을 아우르는 말.
> 2) **아현**(牙絃): 백아가 탔던 금으로 아주 좋은 금이나 서로 마음이 통하는 지기지우를
> 뜻함.
> 3) **백도**(伯道): 등유(鄧攸)의 자. 오랑캐가 침입했을 때 동생 아들과 자기 아들을
> 업고 가다가 둘을 모두 데리고 갈 수 없게 되자 아들을 버리고 조카를 데리고
> 갔는데, 아들을 끝내 못 보았다고 전함.
> 4) **춘정형수루화반**(春庭荊樹淚花班): 봄은 젊음을, 가시나무는 아내를 말함.

165. 한생(항)에 대한 만사[韓生(亢)挽]

■ 대신 지음[代作]

自少交情老轉親	어릴 적부터 사귄 정 늙을수록 더 두터웠는데
況敎衡泌接芳隣	하물며 형문[1]과 비수[2] 가르쳐 꽃다운 이웃에 접했으니
同修仕契頻講好	함께 사계[3]를 닦아 자주 한 강론이 좋았고
剩買村醪不計貧	자주 마을 술 샀으나 가난함을 헤아리지 아니했네
仁壽無徵纔五袠	인수[4]를 증명 못한 채 겨우 오십을 살았고
箕裘有後卽三人	기구[5]는 뒤로 세 사람이 이었는데
可堪栗里重過處	율리[6]에 다시 갈 수 있을까
花樹依然帶舊春	꽃나무는 의연히 옛 봄빛을 띠고 있네

주
1) 형문(衡門): 벽에 나무를 가로질러 만든 문. 『시경(詩經)』, 「진풍(陳風) 형비(衡泌)」 편에서 비수(泌水)와 함께 은거하는 곳을 뜻하는 용어로 쓰임.
2) 비수(泌水): 중국 문수현의 동남쪽으로 흘러 문수(文水)로 흘러드는 강.
3) 사계(仕契): 두터운 친목을 맺은 단체.
4) 인수(仁壽): 인덕(仁德)이 있고 수명(壽命)이 깊.
5) 기구(箕裘): 대대로 내려오는 가업.
6) 율리(栗里): 도연명이 살던 곳. 중국 강서성 성자현.

166. 덕휘의 운에 화답하다[和德輝韻]

織促南軒起夜聲	베 짜는 소리는 밤에 남쪽 집을 깨우고
月窺西戶覺天淸	달이 서쪽 문 엿보니 하늘 맑음을 깨닫네

笑談亹亹棋間檢　　웃음과 이야기가 미미1)하여 바둑 한가로이
　　　　　　　　　　두는데
鷄報虛堂已五更　　닭은 빈 마루에 이미 오경이라 알리네

주　1) **미미**(亹亹): 힘써 부지런한 모양.

권 2

시 詩

詩

1. 지졸당1)에 대해 여덟 수를 읊다[趾拙堂八詠]

■ 각각 한 장씩인데 이 형(한구)을 위해 지은 것이다[各一章爲李兄(漢龜)作也]

巖之盤矣春有花矣   넓적한 바위 봄 이르러 꽃이 피었는데

誰俾之敷毋以光華   누가 피게 했는지 빛을 내지 못하네

(右歸巖春花一章 위의 시는 귀암에 핀 봄꽃에 대해 한 장을 읊은 것이다)

嶺之高矣秋月之色   재가 높구나! 가을 달빛이여!

孰相見之美人如玉   누가 서로 보는가! 미인의 옥 같은 얼굴이로다

(右鼓嶺秋月一章 위의 시는 고령2)에 뜬 가을 달에 대해 한 장을 읊은 것이다)

翠崖秀發雲收天澄   푸른 언덕에 피어났구나! 구름 걷히니 하늘이 맑구나!

白日青嵐非氣焉蒸   한낮의 푸른 아지랑이 기운이 아니라면 어찌

김이 오를까?

(右成德晴嵐一章 위의 시는 성덕3)에 갠 아지랑이에 대해 한 장을 읊은 것이다)

漠漠邃谷蕭蕭楓林　　아득히 깊은 골짜기요 쓸쓸한 단풍 숲이로다
秋旣云暮落照何心　　가을도 이미 저물었다는데 낙조는 무슨 맘인가

(右楓洞落照一章 위의 시는 풍동에서 본 낙조에 대해 한 장을 읊은 것이다)

長亭短亭千人萬人　　장정, 단정에 천 사람 만 사람
本非萬千願同斯仁　　본래 만천이 아니더라도 어진 일 같이하기 원하네

(右六亭行人一章 위의 시는 여섯 정자에서 바라본 행인에 대해 한 장을 읊은 것이다)

甫田每每嘉穀綿綿　　큰 밭에는 때마다 아름다운 곡식 끊이지 않고
兒謠老歌一區堯天　　아이와 노인이 노래하니 한 구역이지만 요4)의 하늘이로다

(右寒江農家一章 위의 시는 한강 주변에 사는 농가에 대해 한 장을 읊은 것이다)

綠波漪漪游魚潑潑　　푸른 물결 넘실넘실 물고기 펄펄 뛰노는데
爰我在上徐步而潤　　나는 물결 위 둑 천천히 걷다 활보하다 하네
(右碧流游魚一章 위의 시는 벽류5)에 노니는 물고기에 대해 한 장을 읊은 것이다)

雖雖鳴雁秋南春北　　　끼룩끼룩 울며 가을엔 남으로, 봄에는 북으
　　　　　　　　　　　로 가는 기러기

人之爲行云胡不忒6)　　사람의 위험을 어찌 의심하지 않겠는가

(右竹頭歸雁一章 위의 시는 죽두7)에서 돌아가는 기러기에 대해 한 장을 읊
은 것이다)

주
1) **지졸당**(趾拙堂): 당(堂)의 이름. 한주공의 소유로 추정됨.
2) **고령**(鼓嶺): 지졸당 부근의 고개 이름.
3) **성덕**(成德): 지명.
4) **요**(堯): 중국 고대 전설상의 임금. 성덕을 갖춘 이상적인 군주로 꼽히며 역법을
   정하고, 효행으로 이름이 높았던 순(舜)을 등용했음.
5) **벽류**(碧流): 물빛이 푸르게 보일 정도로 맑은 물줄기.
6) **인지위위행운호불특**(人之危爲行云胡不忒): 기러기가 사람이 해칠 것을 두려워한다
   는 뜻.
7) **죽두**(竹頭): 대나무가 자란 들판 또는 산머리.

2. 금1)을 타다[援琴]

■ 전체는 세 장인데 장마다 여섯 구씩이다. 자정을 생각한 것이다[三章章六句
　懷子貞也]

洗雨瀟瀟　　　　　먼저는 비가 소소하더니
後雪瀌瀌　　　　　뒤에는 눈이 펄펄 내리네
援琴一彈　　　　　거문고 안고 한 번 타니
我心如搖　　　　　내 마음 흔들리는 듯하네
美人何在　　　　　벗은 어느 곳에 있는지
海上乎消遙(興)　　바다 위에 소요하는구나(흥2)이다)

雞鳴喈喈	닭이 꼬끼오 울더니
雨雪雰雰	눈비가 펑펑 내리고
援琴再彈	거문고 안고 두 번 타니
我心如颺	내 마음 날리는 듯하네
戀彼美人	아름다운 저 벗은
海上乎翶翔(興)	바다 위에 나는 듯하구나(흥이다)

美人靡遖	벗이 가까이 있지 않으니
曷月言旋	어느 달에 돌아오리
援琴三彈	거문고 잡고 세 번 타니
我心如瘼	내 마음 병든 것 같네
匪爲見之	보고 싶어서가 아니라
令德不愆(賦)	아름다운 덕이 허물없기 때문이지(부3)이다)

> 주   1) 금(琴): 아악기. 거문고와 비슷한 모양으로 줄이 일곱이며 왼손으로 짚고 오른손
>   으로 탐.
>   2) 흥(興): 먼저 다른 물건을 말해 읊고자 하는 시의 뜻을 이어가는 것.
>   3) 부(賦): 『시경』 육의(六義) 중 하나. 사물이나 그에 대한 감상을, 비유를 쓰지
>   않고 직접 서술하는 작법.

3. 저기 느릅나무가 매우 우거지다[彼鬱者楡]

■ 전체는 세 장인데 장마다 네 구씩이다. 이 시는 덕을 생각하면서 지은 것이다[三
章章四句 此懷德而作]

彼鬱者楡	저기 느릅나무 우거지니

蔭于周道	그늘이 길을 둘렀네
有人在斯	사람 이곳에 있어
濯乎皜皜(興)	밝게 빛나는구나(흥이다)

翩翩者鳥	펄펄 나는 저 새
集于桑林	뽕나무 숲에 모였구나
惠我斯人	나에게 은혜로운 이 사람은
聊與齊心(興)	애오라지 마음을 함께하는 사람이지(흥이다)

習習谷風	솔솔 부는 골바람이여
雨彼幽蘭	저 그윽한 난초에 비가 내리네
君子之德	군자의 덕은
於止攸安(興)	멀고 편안한 데 머문다네(흥이다)

4. 하늘이 맑다[天淸]

■ 전체는 세 장인데 장마다 네 구씩으로, 자적하는 말이다[三章章四句 自適之辭]

天淸日月	하늘 맑으니 해와 달 뜨고
地厚山川	땅 두터우니 산과 내 있네
得之幷有	얻어서 함께 있으니
維吾其然(賦)	오로지 나만 그러한가(부이다)

雲淡水淸	구름 맑고 물도 맑으니

禽翔魚泳	새가 날고 고기는 헤엄치네
枯槎何意	마른 뗏목은 무슨 뜻인가
嗒焉而靜(比)	우두커니 고요하네(비1)이다)

圃瓠旣成	박 밭이 이미 이루어졌고
籬菊欲開	울타리의 국화도 피려고 하네
采焉斷焉	캐고 자르니
優哉游哉(賦)	편안하고 넉넉하구나(부이다)

 1) 비(比):『시경』의 육의 중 하나. 어떤 사물이나 정감을 비유를 통해 표현하는
창작 방법.

5. 펄펄 나는 새[翩翩飛鳥]

■ 전체는 세 장인데 장마다 네 구씩이다. 유 공 보의 부채를 소재로 삼아 서로 힘쓰
자는 글이다[三章章四句 題俞公輔扇相勉之詞]

翩翩飛鳥	펄펄 나는 새
息我廷柯	내 뜰 나무에서 쉬고 있구나
嗟我友生	슬프구나! 벗으로 삼은 생명이여!
其止維何(興)	그 머묾은 무슨 뜻인가(흥이다)

彼棣之華	저 아가위1)의 꽃
時則藏㲲	때가 되면 드리울 것인데
悠悠日月	멀고 먼 해와 달은
豈爲我遲(興)	어찌 나를 위하여 더디 가나(흥이다)

南山鬱鬱	남산은 빽빽하여
維松維栢	소나무와 잣나무뿐이로다
願言吾子	원하건대 그대 말하여
示我令德(興)	나에게 아름다운 덕을 보여주게(흥이다)

주 1) **아가위**: 산사나무의 열매. 형제를 비유함.

6. 그대는 물을 건너지 마오[公無渡河1)]

■ 전체는 네 장인데 장마다 네 구씩이다. 보고 느낀 바가 있어 옛것을 그리워하는
　마음으로 이 시를 읊다[四章章四句 感於所見托古意以詠之]

河之水	황하의 물이여
浩浩其流	그 흐름이 넓고 넓구나
人孰能渡	누가 능히 건널까마는
公胡爲乎中洲(賦)	당신은 어찌하여 물 가운데 있는가(부이다)

河之水	황하의 물이여
白波湯湯	흰 파도 넘실거리니
不可渡也	건널 수 없건마는
公胡爲乎中央(賦)	당신은 어찌하여 물 가운데 있는가(부이다)

河之水	황하의 물이여
風之蕩矣	바람에 넘실대는구나
死而靡悔	죽어도 후회함이 없으니

吾誰與往(賦)	내 뉘와 더불어 돌아갈까(부이다)
豈公之狂無	그대가 물에 매료되지 않은 것은
或水之不靈	물이 그대를 알아주지 않아서인가
公旣逝矣	당신이 이미 가버렸으니
吾誰與生(賦)	나는 뉘와 더불어 살 것인가(부이다)

주 1) **공무도하**(公無渡河): 고조선 때 노래. 백수(白首) 광부(狂夫)가 강을 건너다가 빠져 죽자 그의 아내가 한탄하면서 불렀다고 함. 이를 곽리자고(霍里子高)가 듣고 아내 여옥(麗玉)에게 들려주자 여옥이 공후(箜篌)를 연주하면서 곡조를 만들어 불렀다는 기록이 중국 진(晉)나라 최표(崔豹)의『고금주(古今注)』에 나옴.

7. 숙자가 지은 시에 차운하다[次叔子韻]

■ 신미년(辛未, 1691)

發發飄風急	휙휙 빠른 바람 불고
哀哀淚眼枯	슬프고 슬퍼서 눈에 눈물이 마르는데
同居四兄弟	함께 살던 네 형제가
少慰此生孤	적게나마 외로운 삶에 위로가 되는구나

8. 용호에서 덕휘가 지은「배 안에서」라는 운에 응하다[龍湖酬德輝舟中韻]

晚雨疎疎過	늦은 비는 부슬부슬 지나가고

秋江袞袞流	가을 강은 넘실넘실 흐르는데
已移紅蓼岸	이미 붉은 여뀌1) 언덕으로 옮겨갔구나
更下白蘋洲	다시 흰 개구리밥 핀 물가로 내려오네

> **주** 1) **여뀌**: 여뀟과의 한해살이풀. 잎은 매운맛이 나며 조미료로 쓰임.

9. 이씨 집안 여덟 번째인 정숙이 지은 시에 화답하다[和李八正叔]

晴晝北牕夢	갠 낮에 북창에서 꿈꾸고
新篇東郭詩	새로 지은 글, 동곽의 시라네
詩能喚吾夢	시는 내 꿈을 부르지만
夢罷多所思	꿈에서 깨자 생각하는 바 많아지네

10. 여름날[夏日]

門開綠柳下	문을 여니 푸른 버들 밑이요
意在白雲頭	뜻은 흰 구름 꼭대기에 있는데
五月雖云熱	오월이 비록 덥다고는 하나
此中却似秋	그 가운데도 문득 가을 같은 때가 있네

11. 두 번째 시[其二]

人心貴自定	사람의 마음 절로 안정되기 어렵고

天理見分明	하늘의 이치는 분명하게 보이는 것을
可惜門前客	가히 애석하구나! 문 앞의 나그네여!
汗珠結兩纓	땀방울이 두 갓끈에 맺혀 있구나

12. 장인께 올리다[上丈君]

■ 소서를 함께 쓰다[竝小序]

　외구1)인 영공께서 용호에 머물러 계셔서 뵙지 못한 지가 오래되었다. 외생2)은 상복을 벗은 뒤 병이 나서 곧 나아가서 뵙지 못하고, 3년이 지나서야 비로소 뵐 수 있었다. 외구께서 내가 온 것을 기뻐하셨고, 나는 외구께서 강녕하심을 기뻐하였다. 공손히 모시고 이야기하며 두 밤을 지냈는데, 때는 신미년 오월 초순이었다. 외구께서 바야흐로 시동3)에게 명하여 백 가지 꽃씨를 모아두고, 나를 돌아보시며 "너희 집에도 꽃나무나 풀이 있느냐"라고 물으셨다. 내가 "저희 집은 땅이 좁아 꽃나무를 심을 곳이 없습니다. 다만 내금4) 나무 한 그루가 있어 해마다 꽃이 만개하여 딸 만합니다"라고 아뢰었다. 그러자 외구께서 "내금의 꽃은 짐작하건대 이미 졌을 것이다. 너는 아직 알지 못하는구나"라고 말씀하셨다.

　내 마음에 아직 미심쩍은 바가 있어 집에 돌아와서 집안사람들에게 "담 서쪽 내금의 꽃이 피었느냐, 피지 않았느냐"라고 물어보니, 집안사람들이 모두 나의 소우5)함을 웃었다. 곧 나가서 바라보니 그 잎이 두 살 먹은 물고기와 같았다. 다만 올해는 나무가 병들어 꽃을 피우지 않았을 뿐이었다. 비로소 생각해보니 전에 일찍이 유월에 열매를 땄는데 유월에 따는 열매가 어찌 오월에 꽃을 피우지 않았겠는가. 대개 봄을 지나면서 항상 병으로 문을 닫은 채 나가지 못했고, 혹 나가더라도 눈으로 두루 바라보지 못해 마당에 꽃이 어떠하며 잎이 어떠한지 미처 보지 못했던 것이다.

그러나 내금은 항상 있는 나무인데 비록 병들었으나, 어찌 내금의 꽃이 봄에 피고 여름에 열매 따는 것을 알지 못했을까. 이것을 보고 사물에 박식한 사람이라고 할 수 있을까. 이는 또한 병이 정신을 녹여버린 것인가. 집안사람들이 나를 보고 웃는 것이 마땅하고, 나 또한 사물에 어두웠음을 스스로 알지 못하니 우습구나. 나의 병 또한 가련하다. 우연히 한 절의 시를 얻어 대략 뜻을 펴서 쓰니, 애오라지 적막한 가운데 유연하게 웃을 뿐이다. 두 번째 수는 모시고 바둑 둘 때 떠오른 생각을 돌아올 때 말 위에서 지은 것이니, 또한 맑은 책상을 더럽혔다고 하겠구나.

外舅令公留龍湖 未拜款久矣 外甥服闋後 有疾未卽造 三昨始謁焉
外舅喜甥來 甥喜外舅康 寧侍話留兩宵 時辛未五月初旬也 外舅方
命侍僮 鳩百種花顧甥曰 爾家有花木若草乎 甥曰家地隘無種蒔 惟
來禽一樹 年年花繁開則可摘也 外舅曰 來禽花想已落矣 爾未曉也
甥意猶疑信歸而問家人 墻西來禽花花未邪 家人盡笑甥疎迂也 卽
就而望之其葉可二歲鯽 但今年病不花耳 始思之昔甞六月實矣 六
月實者 豈五月未花乎 盖經春常病 閉戶不出 或出而眼著未周不及
園中 花何如葉何如也 然來禽常樹也 雖病豈昧於來禽之花 於春實
於夏邪 其可謂博於物者邪 抑病鑠我精神邪 宜家人之唾甥而 甥亦
自知闇於物可笑也 病又可憐也 偶得一絶 略叙其意以上 聊爲寂寞
中一 笑悠然耳 其二侍棋時意到矣 歸時馬上成章 故亦浼淸案也

宇宙茫茫淚滿巾	우주는 망망한데 눈물이 수건에 가득하네
幾時吟病更傷神	얼마나 병으로 신음하고 또 정신을 상하게 하였던가
閉牕日月空消盡	창문을 닫으니 해와 달 부질없이 사라져 다 하고
不覺園花已謝春	동산의 꽃은 이미 봄이 떠난 것도 알지 못하네

주
1) **외구**(外舅): 편지 글에서 장인을 일컫는 말.
2) **외생**(外甥): 편지 글에서 사위가 장인, 장모에게 자기를 이르는 말.
3) **시동**(侍童): 귀인 밑에서 심부름을 하는 아이.
4) **내금**(來禽): 능금을 한자화함.
5) **소우**(疎迂): 사리에 어둡고 세상 물정을 잘 모름.

13. 두 번째 시[其二]

江水潨潨江雨絲	유유히 흐르는 강물 위로 빗줄기 가는데
靜中巾屨暫趨隨	고요함 속에 종은 뒤처지지 않고 따르네
古人衎切援琴意	옛사람의 즐기고 절제함은 거문고 잡는 뜻과
見得圍棊落子時	바둑판에 둘러앉아 바둑돌 떨어지는 것 볼 때일세

14. 채소밭을 보며[觀圃]

半畝瓜花點點黃	반 이랑 오이꽃 점점이 누렇고
小園殘蹀欲尋芳	작은 동산에 남은 나비, 꽃을 찾으려 하네
疎慵敢笑樊遲圃	성글고 게으른 주제에 감히 번지1)의 밭을 비

웃을까

| 前代名儒亦自藏 | 전대의 이름난 선비들은 또한 스스로 내세우지 않고 숨기는 것을 |

1) **번지**(樊遲): 노나라 학자 번수(樊須). 공자의 제자. 공자에게 인(仁)과 농사 등에 관해 가르침을 받음.

15. 용호에서[龍湖]

烟雨濛濛隔小洲	안개비 자욱해 작은 물가 막혔는데
漢陽歸客獨登樓	한양에서 돌아온 나그네 홀로 누각에 올랐네
晚來雲盡平沙淨	저녁 되니 구름 사라져 모래펄 맑게 보이고
湖海閑情欲問鷗	넓은 호수 한가로운 정 갈매기에 묻고자 하네

16. 진흙 길에서 느낀 바 있어[泥塗有感]

雨後泥濘一膝深	비 온 뒤 진흙은 한 무릎까지 깊은데
小僮脛短困蹄涔	종아리 짧은 어린 종의 발이 빠져 곤란하구나
主人不識艱辛意	주인은 어렵고 괴롭고 고통스러운 마음 알지 못하니
謾向靑山覓好吟	되는 대로 푸른 산을 향해 좋은 글귀 찾아 읊네

17. 밤에 정희숙의 누각에 올라[夜登鄭希叔樓]

■ 용호에서[龍湖]

縹緲高樓倚半空　　묘표1)한 누각 반공에 의지하여
披襟思御廣寒風　　가슴 헤치고 광한전 바람 맞고자 생각하는데
月上湖心天似洗　　달이 호수 가운데 오르니 하늘은 씻은 듯 맑고
一聲漁笛白雲中　　고기잡이배 피리 소리 흰 구름 속에서 한 가
　　　　　　　　　락 들리네

주　1) **표묘**(縹緲): 끝없이 넓거나 멀어서 있는지 없는지 알 수 없을 만큼 어렴풋함.

18. 두 번째 시[其二]

故人携我上危樓　　친구가 나를 이끌고 높은 누각에 오르니
月照淸尊酒似油　　달 비춘 동이의 맑은 술 기름과 같네
何處玉簫聲更遠　　어디선가 들려온 옥통소 소리 다시 멀어지고
水光山色共悠悠　　물 빛과 산 빛이 함께 아득히 멀구나

19. 이구숙이 지은 시에 차운하여 짓다[次李久叔韻]

■ 두 수를 짓다[二首]

滔滔浮世摠哇咬　　넘실대는 부세1) 모두 개구리 울음 같고

濟濟高門孰爲敲	제제2)한 높은 문중 누가 드러내는가
笑我三溪摩病足	우습구나! 나는 삼계에서 병을 다스리는 데 만족하고
逢君四海許神交	그대를 만나 사해에서 정신의 교류 허락하였네
男兒志業須相勉	사나이는 뜻과 사업에 모름지기 서로 힘쓰고
年少詩書莫浪抛	젊을 때 시와 서를 쓸데없이 포기하지 말게
遙憶西方人不見	멀리서 서쪽의 벗 그리워하나 만날 수 없고
放歌時復曳竿梢	노래 부르며 다시 낚싯대 끌고 가네

주 1) **부세**(浮世): 부운(浮雲)이나 부평초(浮萍草) 같은 세상. 덧없는 세상.
2) **제제**(濟濟): 많고 번성함.

20. 두 번째 시[其二]

白日中天天四空	해는 중천에 떴는데 하늘은 사방이 비어 있고
千家山郭霽光濃	일천 집과 산과 성엔 갠 빛 무르익는데
懸崖長瀑銀波落	기슭에 걸린 긴 폭포에서 은물결 떨어지고
遠柳游絲翠氣重	바람에 실처럼 흔들리는 버드나무 푸른 기운 무겁구나
詩客吟詩應太瘦1)	시객이 시 읊다 보면 파리해지고
病夫忘病未全慵	병자가 병 잊었으니 전혀 게으르지 않은데
城南有約如相得	성남에서 만나자 약속하였으니
式好堂中躡後蹤	식호당으로 계속 가려고 하네

주 1) **시객음시응태수**(詩客吟詩應太瘦): 시를 짓느라 머리를 짜내다 보니 파리해짐.

21. 이씨 집안의 열 번째 아들인 중약이 쓴 시에 화운하다[和李十仲約韻]

伯仲同棲兼隱居	맏형님, 둘째 형님과 같은 집에 은거하니
蕭然左右整圖書	좌우에 정돈된 책은 그저 소연1)하네
沙邊濺水延心爽	모래사장 얕은 물, 마음을 끌어들여 상쾌하고
山下良疇非計疎	산 아래 좋은 밭에는 생계가 서툴지 않네
外侮禦時須甲冑	외방의 도적을 막을 때는 모름지기 갑주가 필요하나
廣居安處豈蘧廬	넓은 집에서 편안하게 사는데 어찌 거려2)가 필요할까
行行牛角亦勤誦	가면서도 쇠뿔에 책을 걸고 부지런히 외우며
皤腹便便應不虛	굶지 않아 흰 배는 편편3)하네

주
1) **소연**(蕭然): 호젓하고 쓸쓸함.
2) **거려**(蘧廬): 객관(客館). 한번 자고 지나면 그만이라는 의미에서 인생을 뜻하기도 함.
3) **편편**(便便): 살진 모양.

22. 이씨 집안의 열한 번째 아들 구숙이 지은 시에 차운하다[次李十一久叔]

青竹蒼松山下廬	푸른 대, 푸른 소나무 산 아랫집에
縱言誰復問閒居	비록 말로라도 누가 또 한가로이 사는지 묻는가
林間小雀從煩亂	숲 사이 작은 새 따르니 마음이 산란하고
洞裏歸雲自卷舒	마을 속 돌아가는 구름 절로 모였다 흩어졌

	다 하네
病客浪教三夏過	병든 나그네는 부질없이 가르치며 여름을 보내고
故人今道一心虛	친구는 지금도 한마음 비우라 말하는데
極知學力堅操守	노쇠한 배움의 힘 굳게 지키려는
頗愧愚廢讀書	어리석음이 부끄러워 독서를 그만두었네

23. 이씨 집안의 여덟째인 정숙이 쓴 시「기몽」에 차운하다[次李八正叔記夢韻]

出門何處便相邀	문을 나서 어느 곳에서 서로 만날까
江漢風流三四交	강한에서 풍류로 서너 번 교류하였네
肝膽照來詩上語	간담이 비춰오니 시로 대화하고
酒盃疑對夢中宵	술잔 마주하니 꿈속의 밤인가 의심하네
曲殊華夏奚爲瑟	곡조가 중국과 다른데 어찌 슬을 탈까
胥劈青酒且有餚	사는 곳 외지지만 술과 안주 있는데
鎖却城門夕陽暮	성문 잠그니 석양이 저물고
白雲秋色空遙遙	흰 구름 가을빛에 공중은 멀기만 하네

24. 병중에[病中]

| 足病年年加 | 발병이 해마다 더해가니 |
| 心神日月耗 | 마음과 정신이 날로 달로 소모되네 |

祗懷千歲憂　　　　　다만 천년 뒤의 근심을 생각해보니

天地窄吾道1)　　　　천지보다 나의 도가 좁네

 1) **천지벽오도**(天地窄吾道): 천지는 천년 뒤에도 무변하나 나의 도는 변화를
　　　예측할 수 없음.

25. 두 번째 시[其二]

黨論誤人情　　　　　당론1)이 사람 마음 잘못 이끌어

鬪爭似蝸角　　　　　싸움질하는 꼴이 와각2)과 같네

莫言天地濶　　　　　천지가 넓다고 말하지 마라

處處是劍閣　　　　　곳곳이 바로 검각3)이라네

주 1) **당론**(黨論): 정당의 의견이나 논의.
　　2) **와각**(蝸角): 좁은 지경(地境)이나 작은 사물을 비유적으로 이르는 말.
　　3) **검각**(劍閣): 촉(蜀) 땅으로 가는 길에 있는 험준하기로 이름난 잔도(棧道)를 말함.

26. 세 번째 시[其三]

卷裏乾坤大　　　　　책 속에 건곤1)은 크고

牀中跪膝安　　　　　평상에 무릎 꿇으니 편안한데

天心看往復　　　　　천심의 오고 감을 보면서

聊自整衣冠　　　　　애오라지 스스로 의관을 정돈하네

주 1) **건곤**(乾坤): 하늘과 땅.

27. 광탄[1)으로 가는 배 안에서 여러 사람에게 보이다[廣灘舟中示諸子]

月上乾坤闊	달이 뜨니 건곤은 넓고
雲收沙渚空	구름 걷히니 모래톱 훤하구나
孤舟任所適	외로운 배 가는 대로 맡기니
眞味有誰窮	진정한 취미를 그 누가 알 것인가

> 주   1) 광탄(廣灘): 오늘날의 경기도 파주시 광탄면.

28. 밤에 이구당에 앉아 임군주가 지은 시에 차운하다[夜坐李九堂次任君冑韻]

野宿西山下	서산 아래 야숙하니
白雲叢桂深	흰 구름 계수나무에 깊이 엉기었구나
秋風一尊酒	가을바람 한 동이 술에
多少故人心	옛사람의 마음 다소 알 듯하구려

29. 도중에[道中]

沙皐步馬客懷淸	모래언덕에서 말 타고 가니 나그네 생각 맑고
江雨霏霏晴未晴	강 비 부슬부슬 갤 듯 말 듯 하구나
自有畵工難寫處	자못 화공이 옮기기 어려운 곳 있어
薄雲殘照半邊明	엷게 낀 구름 석양의 반쪽만 밝네

30. 북녘을 바라보며[北眺]

雲鎖仁皇最上巓	인황산 최상봉 구름에 잠겼는데
西峰低處漏靑天	서쪽 봉우리 낮은 곳으로 푸른 하늘 스며들었구나
要看來曉到收盡	새벽 지난 뒤 오니 구름 속으로 다 사라졌고
北斗星橫白月圓	북두성 가로놓였는데 밝은 달 둥글구나

31. 이씨 집안의 열한 번째인 구숙에게 응답하다[酬李十一久叔]

時問白鷗紅蓼灣	때로 흰 갈매기가 홍료만1)에 있느냐고 물으니
百年身世暫淸閒	백 년 신세 잠시 맑고 한가롭구나
已從城郭無塵慮	이미 성곽을 나와 속된 생각 없으니
萬事人間付八還	만사를 인간의 팔환2)에 붙이네

주
1) 홍료만(紅蓼灣): 붉은 여뀌가 있는 물가.
2) 팔환(八還): 인간의 운명을 결정하는 팔자. 즉 출생 연월일의 간지.

32. 두 번째 시[其二]

細雨論心到出處	가랑비 속에 마음 논하다가 나간 곳에 이르니
是非人世自多家	시비는 세상에 절로 많은 것을
徒然洛下淸宵夢	쓸데없이 서울에서 맑은 밤 꿈꾸니
十里江湖月一簑	십 리 강호에 달이 한 도롱이로세

33. 육신을 모신 사당에 참배하다[拜六臣廟]

■ 사당은 노량진 남쪽에 있다[在鷺梁津南]

湖海千年漫浪人	세상에 천년 동안 일없는 사람 되어
古祠來揖魯陵臣	옛 사당에 와서 노릉1)의 신하에게 절하니
青山烈烈秋江冷	푸른 산 크고 높고 가을 강 차가운데
不管東風洞外春	동쪽 바람 마을 밖 봄을 상관하지 않는다네

주 1) **노릉**(魯陵): 조선 6대 임금 단종의 능묘. 단종이 세조에 의해 노산군(魯山君)으로 강봉이 되었기 때문에 한때 노릉으로 불림.

34. 비가 개다[雨晴]

日夕南園宿雨晴	저녁 무렵 남쪽 동산에 묵은 비 개니
天清雲白照牕明	맑은 하늘 흰 구름은 창에 비추어 밝고
孤鳶狎得三千丈	외로운 솔개 삼천 길이나 치솟아 나는데
風上逍遙底性情	바람 위에 소요하는 성정1)을 바라보네

주 1) **성정**(性情): 성질과 심정. 타고난 본성.

35. 두 번째 시[其二]

玉盤無累掛晴空	옥반같이 티 없는 달 맑은 하늘에 걸려 있고
南嶽迢迢細霧中	남쪽 산 아득히 가는 안개 속에 있는데
安得快登樓百尺	어찌 쾌히 백 척 누각에 올라

江山萬里一望通　　　강산 만 리를 한눈으로 바라볼 수 있을까

36. 신일사에 있는 스님에게 보내다[新日寺贈性師]

江漢秋風客	한양 사람 가을 나그네 되어
靈山祇樹林	영산 기수림에 왔는데
未逢雲衲子	납자는 만나지 못하고
先聽海潮音	먼저 해조의 소리를 듣네
石路從川細	돌길은 내를 따라 가늘고
崖花拂水陰	언덕의 꽃은 그늘진 물 스치는데
喚君松下出	그대 불러 소나무 아래로 나오니
一笑見眞心	한 번 웃으면서 진심을 보네

37. 유군사¹⁾에게 부치다[寄俞君四]

■ 밤에 유군사에게 갔으나 만나지 못하고, 밤을 새워 시를 써 보내면서 작은 편지를
　아우르다[夜往俞君四不遇 申旦錄寄竝小書]

　군사는 시에 뛰어난 사람인데 처마를 맞대고 산 지 또한 여러 달이
되었으나 지은 시가 없으니 병든 사람이 시 짓기에 게으르다는 것을
보여주게 되었네. 우연히 단율을 지었으니 깨끗한 눈으로 보고 화답하
며 근정²⁾을 부탁하네. 아첨하려는 속인의 태도는 짓지 말기 부탁하네.
'사(些)' 자를 처음에는 '차(遮)' 자로 쓰려고 생각하였었네.

글씨를 쓸 때 잘못 쓴 줄 알고 고치려고 했으나 돌아오는 길에 본 것이 기억나서 암암리에 갑자기 그러지 않아도 되는 것을 알게 되었네. 이리하여 고치지 않았으니 아마도 시마3)가 도운 것이 아닌가 생각되네. 좋은 일이니 웃어보세.

君四能詩矣 接簷居亦有月而未有醻酢 可見病夫懶於詩也 偶得短律始浼清覽須和其意 又加斤正 毋爲陰阿俗子態也 些字本擬遮字臨紙誤書將欲改之 忽記歸路所見 暗與相合仍不改 或恐詩魔相助耶4) 好笑好笑

棋罷將軍宅	장군 댁에서 바둑을 마치니
燈明仲氏家	둘째 형님 집에 등불이 밝았는데
星低動虛郭	별은 낮게 떠 빈 성곽에서 움직이고
風急臥疎笆	바람 급히 불어 성근 울타리 누이는데
飢馬逢人喜	주린 말은 사람을 만나면 기쁘고
寒狵趁客些	추운 때의 삽살개는 손님 적게 오는 것이 좋은데
躊躇更何事	무슨 일로 또 주저하는가
咫尺暗雲霞	가까이 어두운 구름과 안개가 끼었네

1) 군사(君四): 조선 숙종 때 문신 유명악(兪命岳, 1667~?). 본관은 기계(杞溪). 영의정을 지낸 유척기(兪拓基)의 아버지로 청주목사 등을 지냄.
2) 근정(斤正): 고쳐서 바로잡음.
3) 시마(詩魔): 시심(詩心)을 불러일으키는 마력.
4) 시마상조야(詩魔相助耶): '차(遮)' 자로 쓴 것보다 실수로 '사(些)' 자로 쓴 내용이 나중에 보니 더 만족스러움을 의미함.

38. 소요하다[消搖詞]

晨起步消搖	새벽에 일어나 생각 없이 걷노라니
庭草露瀼瀼	뜰의 풀은 이슬에 흠뻑 젖었네
疏林鳥聲唧	나무가 듬성한 숲에 새소리 드물고
高樹鷄鳴長	높은 나무에서 닭이 길게 우는데
仰天無纖壒	하늘 우러르니 먼지 한 점 없어
我心淸且康	내 마음 맑고 또한 편안하구나
俄然白日出	급작스레 밝은 해 떠오르니
門外紅塵颺	문 밖에는 홍진1)이 날리는데
入室焚香坐	방에 들어가 향 사르고 앉아
黙誦天命章	묵묵히 천명장2)을 외우네

주
1) **홍진**(紅塵): 바람이 불어 햇빛에 벌겋게 일어나는 티끌.
2) **천명장**(天命章):『시경』소아(小雅)에 나오는 「천명불이(天命不易)」라는 시로 만든 음악.

39. 한 쌍의 까치에 대한 노래[雙鵲歌]

寒日照西園	차가운 해 서쪽 동산에 비추는데
雙鵲下空田	한 쌍의 까치 빈 밭으로 내려오네
葑菲旣掇拾	배추와 무 이미 주워 먹었지만
根葉或棄捐	뿌리와 잎이라고 혹 버릴 것인가
將以療其飢	그것을 먹어 주림을 달래려고
啄之喙欲穿	부리로 쪼아 남김없이 먹어치우네
營營不自覺	먹느라고 모르는 사이

射者忽當前	사냥꾼 갑자기 앞에 나타났네
驚弦思遠擧	활시위 소리에 놀라 멀리 달아나려 했으나
白羽已在肩	백우전 이미 어깨 위에 있으니
鴻鵠一來弔	기러기와 고니가 같이 와서 조상하다가
翶翔上靑天	날개 퍼덕이면서 푸른 하늘로 올라갔네

40. 들보 위에 있는 새[梁上鳥]

鏗然讀床書	짜랑짜랑 글 읽는 소리에
驚散梁上鳥	들보 위의 새 놀라 흩어지고
霏霏滿天雨	부슬부슬 하늘 가득 비 내리는데
何處各顚倒	어디로 제각기 급히 날아갔을까
遲回集庭樹	천천히 돌아와 뜰 나무에 모였으나
拂羽太愁濕	날개 털며 젖은 것을 크게 시름하네
豈意不安汝	어찌 알리오? 너의 편치 못함을
偶然聲所及	우연히 소리가 너에게까지 미쳤겠지
且莫遷所止	또한 그친 곳에서 옮기지 말고
爲我復暫留	나를 위해 잠깐 머물러다오
汝性本畏人	너의 성품은 본래 사람을 두려워하는 것인데
佻巧易驚憂	방정맞고 교묘하여 쉽게 놀라는구나
汝豈解吾語	네 어찌 내 말을 알겠느냐
聞之愈遠去	들으면 더욱 멀리 갈 것을
終知不相謀	끝내 서로 이야기 못할 것을 알고
天質旣自殊	타고난 바탕이 이미 서로 다르구나

茫茫更無言　　　아득하여 다시 무슨 말을 할까
黙念以觀吾　　　묵묵히 생각하며 나를 바라보네

41. 영령산에서 스님과 이별할 때 주다[靈靈山贈僧別]

蘭崖絶澗灑霏微　　난초 언덕 끊어진 시내에는 부슬비 내리고
拾得瓊華滿袖歸　　옥과 비슷한 돌을 소매 가득 주워 돌아오
　　　　　　　　　는데
樹裏回頭山雨細　　숲 속에서 머리 돌리니 산에는 가늘게 비
　　　　　　　　　내리고
竹筇雲衲乍依俙　　대지팡이와 납자는 잠깐 사이에 희미해지네

42. 돌다리에서 감회가 있어 선인의 가르침을 생각하다[石橋感懷
　　　盖思先教]

漢水歸程趁石橋　　한강에서 돌아오다 돌다리에 이르렀는데
躊躇何事忽回鑣　　주저하다 무슨 일로 홀연히 말머리 돌렸는가
僕夫不識存心處　　종은 마음 쓰는 일 있음 알지 못하고
最惜沾泥謾自嘲　　진흙에 젖는 것만 애석해하며 쓸데없이 자조
　　　　　　　　　하네
(橋危不由川塗沮洳 다리가 위태로워 건너지 못하고 개울물로 가니 진흙이
질퍽거렸다)

43. 중서 댁을 지나며 슬픔에 잠겨[過仲敍宅掉懷]

弱柳殘桃洞裏春　　약한 버들, 지는 복숭아 마을 속 봄이라
昔年行樂摠隨塵　　지난해 즐기던 일 모두 먼지 되었구나
一盃誰勸寒梅下　　한 잔을 겨울 매화 아래서 누가 권할까
惆悵斜陽駐馬人　　석양에 슬퍼하며 말 멈추는 사람이라네

(戊辰守歲於仲叔梅下詩酒以酬 무진1) 섣달그믐날 밤 매화나무 밑에서 시와
술로 수작하였다)

주　 1) **무진**(戊辰): 1688년.

44. 두 번째 시[其二]

倏忽浮生三十春　　이 덧없는 인생 삼십 년
小庭幽草聞芳塵　　작은 뜰에 그윽한 풀 고요한 꽃 먼지가 되
　　　　　　　　　었네
無情老犬門前吠　　무정한 늙은 개만 문 앞에서 짖어대며
不識當時慣踏人　　자주 오는 사람 몰라보는구나

45. 신자정에게 화답하다[答愼子貞]

城上曉烏初散飛　　성 위 새벽 까마귀 처음 흩어져 날고
草堂秋雨轉霏霏　　초당에 가을비는 점점 부슬부슬 내리는데
馬卿多病無時起　　마경1)은 병이 많아 일어날 때 없으니

氣像何能綵筆揮 　　이 기상으로 채색 붓을 어찌 휘두를 수 있
　　　　　　　　　을까

1) **마경**(馬卿): 말을 높여 부르는 말.

46. 이씨 집안의 아홉 번째인 사진에게 응답하다[酬李九士珍]

■ 내가 화산¹⁾에서 돌아왔을 때 사진이 나에게 요구한 것이다[予自華山歸 士
珍要我也]

洛樹秋紅尚未稀 　　낙양의 단풍은 아직 시들지 않았는데
莫將佳節但虛歸 　　아름다운 절기 다만 헛되이 보내지 마라
故人好意知閒境 　　벗의 호의는 한가한 경지 알지만
月滿松潭獨掩扉 　　달 가득한 송담에서 나 홀로 사립 닫고 있다네

1) **화산**(華山): 서울 삼각산.

47. 문수사¹⁾에서 새벽에 짓다[文殊寺曉占]

紙戶生寒暗曉燈 　　종이 문에 추위 생기니 새벽 등잔 어둡고
出攀丹桂露華凝 　　나가서 붉은 계수 어루만지니 꽃에 이슬 엉
　　　　　　　　　겼구나
千江欲落西峰月 　　천강에는 서쪽 봉우리에 달이 지고자 하고
獨立長松黙似僧 　　홀로 서 있는 큰 소나무 말없는 스님 같네

1) **문수사**(文殊寺): 서울 삼각산에 있는 절. 오백 나한으로 유명함.

48. 신자정이 쓴 시에 차운하다[次愼子貞]

掃雪携藤倚竹扉　　눈 쓸다가 등나무 잡고 대사립에 기대니
一庭衰綠照晴暉　　한 마당 시든 풀에 맑은 햇빛 비추는구나
疏籬老犬寒仍睡　　성긴 울타리에 늙은 개 추워 잠자고
暮樹飢烏集又飛　　저문 나무에 굶주린 까마귀 모였다 다시 흩
　　　　　　　　　어지네
樓外秋光宜共餞　　누각 밖 가을빛 함께 보내는 것이 좋고
山陰夜雪不須歸　　산그늘, 밤눈 때문에 돌아갈 수 없는데
佳期爲報城南會　　아름다운 기약은 성남 모임을 알려주는 것
擬向華堂更挽衣　　생각하며 아름다운 집 향하다 다시 옷을 걷네
(子貞有還歸之語故第六及之 자정이 돌아온다는 말이 있으므로 끝에 말한 것
이다)

49. 이구숙이 지은 시에 차운하다[次李久叔]

世遠康衢擊壤年　　나라에 풍년 든 지 오래되어
一區烟月海東邊　　태평함은 이 나라에만 있다네
山青不老千霜栢　　산이 푸름은 천년 묵은 잣나무가 늙지 않음
　　　　　　　　　이요
水白長含萬古天　　물이 맑음은 길이 만고1)에 하늘을 담고 있음
　　　　　　　　　이라
剩閱風塵青白眼　　넘치도록 풍진을 지나온 청백안2)인데
莫論人物死生緣　　인물의 죽고 사는 인연을 말하지 마라

深居誰問韓州子　　숨어 사는 한주자에게 누가 묻겠는가
珍重城西數寄篇　　진중하게도 성 서쪽에서 글을 자주 보내주네

50. 배 안에서 정희숙과 유덕휘에게 지어 보이다[舟中示鄭希叔俞德輝]

好向龍湖放短篷　　기쁘게도 용호로 작은 거룻배 띄워 가니
江山秋色露眞容　　강산의 가을빛 참모습 드러내는데
樹浮日夜溶溶水　　나무는 밤낮으로 넘실대는 물에 떠 있고
天盡西南點點峰　　하늘 끝 서남쪽에 산봉우리 점점이 나타나네
商子有期歸太急　　상인은 기약이 있어 돌아갈 길 매우 급하고
釣徒無事笑相逢　　낚시꾼은 일 없이 웃으며 서로 만나는데
白沙垂柳漁村暮　　버들 늘어진 하얀 모래 주변 어촌은 저물고
燈火明時趁客蹤　　등불 밝을 때 객의 자취 좇네

51. 배로 가던 다음 날 정자 위에 앉아서 읊다[舟行明日亭上坐吟]

昨夜清江未盡歡　　어젯밤 맑은 강에서 기쁨 다하지 못하여
明朝高閣更堪看　　오늘 아침 높은 누각에서 다시 보는데
連連西去白沙岸　　줄줄이 서쪽으로 이어지는 하얀 모래언덕 있고
袞袞東來碧玉瀾　　넘실넘실 동쪽으로 오는 벽옥 같은 물결 있네
檜楫松舟底處止　　전나무 노와 소나무 배 낮은 곳에 매어두고

浴鳧飛鷺爾情安	자맥질하는 오리 날아가는 백로 너희들의 정은 편하구나
終南回首不相見	종남으로 머리 돌리니 서로 보이지 않고
雲日沉陰望眼寒	구름 속 해 그늘에 잠기니 바라보는 눈도 차갑구나

52. 구숙이 지은 시에 차운하다[次久叔]

故人重贈短長吟	친구가 거듭 길고 짧은 시 보내주니
歲暮交情轉覺深	해가 다가도록 사귄 정 점점 깊어짐 느끼네
沈病幾時難強起	병든 지 여러 해에 비록 억지로 일어났으나
隔城秋日莫能尋	성에 막혀 가을 해는 찾을 수 없고
只放天上三更月	다만 하늘 위에 삼경 달 놓아두어
來照牕間一片心	와서 창 사이로 한 조각 마음 비추네
修養想應到寡慾	수양을 생각하니 마땅히 욕심이 적은 데 이르는 것
若爲相對滌煩襟	서로 마주하게 되면 번거로운 번민도 씻겠지

53. 같은 소리로 노래하여 이씨 집안 아홉째가 지은 십일 운에 답하다[同聲歌答李九十一韻]

志士惜短日	지사는 짧은 날 아끼고
閒人愛佳期	한가로운 사람은 좋은 때 사랑하는데

有意卽相謀	뜻이 있으면 곧 서로 꾀하게 되니
誰能欲威遲	위엄을 생각하고 더디 올 사람 있을까
寒風積霜露	차가운 서릿바람과 이슬을 쌓고
芳華謝東籬	아름다운 꽃 동쪽 울타리에서 떠나갔는데
燕鴻各知歸	제비와 기러기는 각각 돌아갈 때를 알고
烏鵲自滿枝	까마귀와 까치는 절로 가지에 가득하네
日月易云邁	해와 달이 쉽게 간다고 말하나
不樂應爲悲	즐기지 않으니 마땅히 슬픔이겠지
南山有桑杞	남산에 뽕나무와 구기자 있어
嘉言得周詩	좋은 말로 주나라 시를 얻었네
矧爾前約在	하물며 너와 예전 약속이 있었는데
歡娛當及時	즐김은 그때를 당해 할 바이지
人事縱相碍	사람의 일은 비록 서로 막힘이 있지만
好意不可遺	좋은 뜻은 버릴 수 없네
君子且有酒	군자는 또한 술이 있으면
正可燕又思	바로 잔치 열 생각하는데
胡乃南北里	어찌 남북 마을에서
脈脈久傷離	하염없이 오래도록 이별을 슬퍼할까
好我必有示	좋은 게 있으면 반드시 나에게 보일 것이니
爲樂異耽卮	즐기고자 달리 술잔을 탐하겠지
更語十一郎	다시 십일 낭에게 말하노니
何日出盤池	어느 날 반지에서 나올 것인가
美彼池上齋	아름다운 저 못 위의 집에서
瀟灑闢緇帷	깨끗하게 검은 휘장 열었는데
相逢須欣然	서로 만남을 모름지기 즐기고

且與敬威儀1)	또한 더불어 위의를 공경하겠지
同聲豈不應	소리가 같은데 어찌 응하지 않을까
聊以和其詞	애오라지 그 글에 화답하네

1) **위의**(威儀): 예법에 맞는 몸가짐.

54. 자정이 쓴 시에 화답하다[和子貞]

客子出西門	나그네 서문을 나서는데
雨雪何雰雰	진눈깨비는 왜 이다지 펄펄 내리는가
暝色起古木	어두운 빛 옛 나무에서 일어나고
烟雲氣蒼茫	연기와 구름 기운이 창망한데
北風又其涼	북쪽 바람 또한 서늘하거늘
何以陟高岡	무엇 때문에 높은 언덕에 오르는가
睠言美人居	말로는 벗이 사는 곳을 본다고 하나
桂樹棲鳳凰	계수나무에는 봉황이 깃들었고
神情自泊如	표정은 담담하여
且應无經營	또한 마땅히 경영할 일도 없네

55. 밤에 거닐다[步夜詞]

玉宇崢嶸銀漢流	옥우1)는 쟁영2)하여 은하수 흐르니
蟾輝雪色同悠悠	섬휘3)는 눈빛과 함께 멀기만 한데
道人凝思閑自步	도인은 생각에 젖어 한가롭게 걸어가고

圓冠方履竹扉幽	둥근 갓과 모난 신, 대사립에 그윽하다
簷頭有巢好鳥入	처마 끝에 새집 있어 좋은 새 날아들고
牆外無風高樹靜	담 밖에 바람 없으니 높은 나무도 고요한데
且看九衢千點烟	또한 아홉 거리에 천 집의 연기 보라
西起東飛安所定	서쪽에서 일어나고 동쪽에서 나니 어찌 정한 바가 있을까

56. 겨울 안개를 읊다[冬霧吟]

冬霧黯黯夕四圍	겨울 안개 어둑어둑 사방이 저녁인데
寒風慘憺吹不飛	찬바람 참담하게 불어도 날리지 않고
北望已沒城闕逈	북쪽 바라보니 이미 성궐은 멀리 사라지는데
東市不分牛馬歸	동쪽 저자에는 소와 말 돌아가는 것조차 보이지 않네
西南赤氣一道橫	서남에 붉은 기운 한 줄기 가로지르고
流入中霄半陰晴	하늘로 흘러들어 오며 반은 흐리고 반은 갰네
蒼蒼高處洩機紗	푸르고 푸른 높은 곳에 현묘한 천기 누설할까
昨夜嶺關雷又聲	어젯밤 영관1)에는 천둥 또한 소리 나고
雪山孤客起彷徨	설산의 외로운 나그네 일어나 방황하니
胡爲慷慨獨有情	어찌 강개하여 홀로 정이 있다고 할까

57. 사진에게 응답하다[酬士珍]

病臥西城歲月遙	병들어 서성에 누우니 세월은 아득하고
自憐神思欲全消	정신이 거의 없으니 스스로 가련한데
砂爐一粒猶勻火	사로1)에는 한 알의 불꽃 남아 있고
玉樹千尋可蔭條	아름다운 나무는 천 길이나 자라 가지가 그늘을 이루네
尙訝鷗鴉難革響	아직도 올빼미와 부엉이는 소리를 못 바꾸니 의아하고
敢看螮蝀又隮朝	감히 무지개 보니 또한 아침이 개는데
靑田最憶玄裳客	푸릇푸릇한 논에서 현상객2)을 생각하니
嘹唳淸音徹紫霄	길게 우는 맑은 소리 자줏빛 하늘에 닿는 듯하네

주
1) **사로**(砂爐): 도자기로 만든 화로.
2) **현상객**(玄裳客): 신선이 타고 다닌다는 학.

58. 덕휘의 「동짓날」이라는 시에 차운하다[次德輝至日韻]

陰寒消却一年催	음산하고 차가운 날씨 사라지니 한 해가 지나고
陽氣翻從七日來	양기 나부끼며 칠 일 만에 오는구나
花發初非枝上色	막 꽃 틔운 가지는 좋은 빛 아니니
火殘猶起管端灰	꺼진 불 일어나지 않게 타고 남은 재 단속하네
可憐南郭同枯木	가련한 남곽자기1)는 죽은 나무 같고
欲向西湖問早梅	서호2) 향해 일찍 핀 매화 묻고자 하네

玄酒淡然元好味	현주3)는 담연하여 원래 좋은 맛이라
呼兒曉汲爲添杯	새벽에 아이들 시켜 길어 와 잔을 채우네

59. 부질없이 시를 짓다[謾成]

好古於今莫與親	옛날이 지금보다 좋으나 친하지는 마라
僻居仍又病侵身	외진 곳에 사니 또한 병이 몸에 침입하는구나
强迎客處言無味	억지로 손님맞이하는 곳에는 말에 맛이 없고
獨閉門時意有眞	홀로 문을 닫았을 때는 뜻에 참이 있네
晴晝明牕開卷帙	밝은 낮 밝은 창문 앞에 책을 펴놓으니
涼宵虛室靜心神	서늘한 밤 빈방에 마음과 정신 고요한데
瑤琴一曲誰相聽	요금1) 한 곡조 누가 서로 들을 것인가
數疊青山作故人	겹겹이 푸른 산 친구가 되어주네

60. 이씨 집안의 여덟 번째인 정숙에게 화답하다[和李八正叔]

江漢風高雪正繽	한강에 바람 높아 눈이 참으로 어지럽고
琴歌歲暮病彌旬	거문고 소리에 해 저물고 병은 열흘이 넘었네

山中二友寄詩遠	산중의 두 벗이 멀리 시를 보냈는데
洛下諸友非我倫	낙하의 여러 벗은 나와 짝이 못 되네
齊士當年東海步	제나라 선비들은 그해에 동해를 거닐었고
羲皇何處北窓人	복희씨 시대 어느 곳에 북창인1)이 있는가
時從盤谷惺惺子	때에 반계로부터 성성자2) 오니
稍道交情有故新	조금쯤 도로써 사귄 정 더욱 새로워지는구나

주 1) **북창인**(北窓人): 북창삼우(北窓三友). 즉 거문고, 술, 시.
2) **성성자**(惺惺子): 스스로 노력하여 사물의 이치를 깨달은 사람.

61. 용산으로 가는 도중 술에 취해 끝 구절에 상공1)을 욕하는 자를 보고 말하다[龍山路中末句見醉犯相公呵者言]

白雪荒程一膝深	흰 눈 거친 길에 한 무릎 빠지는데
村烟淡泊暮江潯	마을 연기 담박한 저문 강가에
依依樹暝行人少	의의2)한 나무 어두워지니 길 가는 사람 적고
浙浙山寒獨鳥吟	점점 산이 차가워지니 외로운 새 우는구나
域內招胡高士淚	나라 안에 오랑캐 부르니 고사3)는 눈물 흘리고
袖中看劍壯夫心	소매 속 칼을 보니 장부의 마음이라
誰分承相尊中酒	누군가 승상의 항아리 술 나누어 주니
解醉寒氓亦不禁	술 깬 가난한 백성 또한 금할 수 없구나

주 1) **상공**(相公): 재상을 높여 이르던 말.
2) **의의**(依依): 풀이 무성하여 싱싱하게 푸름. 어렴풋함.
3) **고사**(高士): 인격이 높고 성품이 깨끗한 선비. 특히 산속에 숨어 살며 세속에 물들지 않은 덕망 있는 선비를 이름.

62. 해주군수 집에서 밤에 정 주서[1]와 여러 사람과 술 마시다[李
海州家夜與鄭注書諸人飮]

門掩高山白雪天	높은 산문 가리고 하늘에 흰 눈 내리니
竹窓梧几一蕭然	대나무 창문 오동 궤에 한결같이 소연하다
樵柯欲爛仙人局	나무꾼 도끼자루 썩히고자 함은 신선의 바둑이고
郢曲仍酬壯士絃	영곡으로 응수하는 것은 장사의 거문고라
蘭谷雲深孤鶴唳	난곡에 구름 깊으니 외로운 학이 울고
松潭水冷老蛟眠	송담 물 차가우니 늙은 이무기 잠을 잔다
思君暗誦唐風意	그대를 생각하며 가만히 당풍의 뜻 외우고
來曉春生又改年	새벽 되자 봄이 생겨 또한 해도 바뀐다

(有武夫李雄俊善棋琴 亦來禮卿呼韻 乃立春昨日也 무부에 이웅준이라는
자가 있어 바둑과 거문고를 잘했는데, 입춘 전날 이곳에 왔기에 예경이
와서 운을 불렀다)

> **주** 1) **주서**(注書): 조선 시대에 국왕의 비서기관인 승정원에 속한 정7품 벼슬. 승정원의
> 기록 특히 『승정원일기』의 기록을 맡아보았음.

63. 월식[月蝕]

신미년 납월 열엿샛날 밤에 당질 덕초의 집에서 잠을 잤다. 이날 밤
월식으로 달의 사분의 삼이 가려졌다. 두꺼비가 달을 삼켰다는 말을
서로 의심하기에, 내가 진실로 이치가 그러한 것이지 두꺼비는 아니라고
설명해주었다. 새벽에 일어나 보니 달의 옛 둘레가 완연하게 살아났는데
사방에는 소리가 없고, 다만 눈과 달이 한빛이 되었을 뿐이다. 느낀 바

있어 읊으니, 덕초1)가 빈 장지를 펴고 써주기를 청했다. 내가 드디어 첫머리에 밤과 새벽의 두 경치를 그리고 그림 밑에 읊은 시를 써주며 제목은 붙이지 않았다. 보는 이로 하여금 묵묵히 깨닫게 하려 함이다.

歲辛未臘月十六夜 宿堂姪德初 是夜月蝕殆四分之三矣 相訝蝦蟆
能犯太陰之說 余論其理固有然而非蝦蟆也 曉起看之舊輪完然 四
顧無聲 惟雪月一色而已 感而吟之 德初展空障子請題之 余遂於上
頭自描宵曉兩景 像下題所吟以與之 無其命題 欲令觀者黙會也

最惜前宵色	가장 애석한 것이 어젯밤 빛인 줄 알았는데
起看今曉光	일어나 보니 오늘 새벽빛이구나
千門一寥寂	천 문은 한결같이 고요한데
誰與我相羊	누가 나와 더불어 거닐까

주 1) **덕초**(德初): 한주공의 조부인 부사공(府使公)의 종손인 병원(秉元, 1663~1699). 목릉(穆陵) 참봉을 지냄.
부사공: 조선 문신 이제(李穧, 1589~1631). 대구부사를 지냄. 정기(廷夔, 歸川公), 정룡(廷龍 金堤公) 두 아들을 두었음. 귀천공의 맏아들인 자(瀿)의 맏아들이 병원임.

64. 낙촌에서 안장을 풀어놓다[樂村卸鞍1)]

依依川上林	무성한 내 위의 숲이요
的的山頭雪	하얀 산머리의 눈이로다
夜行亦已深	밤길 또한 이미 깊었는데
征馬方始歇	먼 길 가는 말 이제야 쉬게 하네

주 1) **사안**(卸鞍): 말에서 안장을 벗긴다는 뜻으로 숙소에 다다랐다는 뜻.

65. 사진에게 화답하다[答士珍]

送子柴門夜欲深	그대를 사립문에서 보내고 밤은 깊어가는데
一簑風雪向西林	한 도롱이 눈바람 맞으며 서림1)으로 향하는 구나
苦寒自是書窓事	서재 창에 한기가 드는데
莫願侯家爛錦衾	귀한 집에서 따뜻한 비단 이불 원하지 말게

주   1) **서림**(西林): 오늘날의 충청남도 서천(舒川).

66. 또 이구가 쓴 「선물에 감사하다」에 화운하다[又答李九感雷韻]

■ 그날은 입동 다음 날이었다[立冬後也]

天寒雪落歲將遒	날은 춥고 눈은 내리고 해는 장차 다하려 하니
且訝雷聲殷不收	또한 천둥소리 은은하면서도 그치지 않음을 의심한다
燮理神功良相在	섭리1)와 신공2)은 반드시 있게 마련인데
吉凶何必問韓州	무엇 때문에 한주에게 굳이 길흉을 묻는가

주   1) **섭리**(燮理): 음양을 고르게 다스림.
     2) **신공**(神功): 신령의 공덕.

67. 스님이 오다[僧至]

城郭從來異跡稀	성곽에서 따라오는 다른 자취 드문데

浩師今日偶然歸 　호사[1])가 오늘 우연히 돌아왔네

兒童頗在山僧老 　아이들은 늙은 산승 놀리려고

爭把泥丸迂衲衣 　다투어 납의에 진흙을 던지네

주　1) **호사**(浩師): 호(浩) 자가 들어간 호를 쓰는 스님.

68. 윤양직이 쓴 시운을 따서 짓다[次尹養直]

故人豪興菊花酒 　친구의 흥은 국화주와 더불어 커지고

故人新辭漢子虛 　친구가 새로 보낸 편지는 한자어가 없네

谷口泥青山日暮 　골짜기 입구는 진창이고 청산의 해 저무는데

誰憐倦客出無車 　게으른 나그네 나갈 수레 없다고 누가 가련
　　　　　　　　 히 여길까

69. 황천일에게 재미 삼아 보이다. 대개 친구가 지은 시축을 보고 술맛을 안다고 하였으나 정작 본인은 깊이 알지 못한다고 말했으므로 재미 삼아 이 시를 짓다[戲示黃千一 蓋見友人詩軸有以能酒語我非深知也 故戲之]

詩酒當年氣若馳 　시와 술은 그해에 기운이 달리는 것과 같아

百篇千斗不相辭 　시 백 편 짓고 천 말 술 마셔도 사양하지 않았네

病來頓失山翁興 　병들자 자주 산 늙은이 흥을 잃어버렸고

怕有襄陽拍手兒[1]) 　두려운 것은 양양에 손뼉 치는 아이가 있다
　　　　　　　　　 는 것일세

1) **박유양양박수아**(怕有襄陽拍手兒): 이태백이 쓴 시 「양양소아제박수 난가쟁창백동
제(襄陽小兒 齊拍手 攔街爭唱白銅鞮)」(양양의 어린아이 일제히 박수 치고 거리를
달리면서 다투어 백동제를 부르네)에서 나온 말. 시를 잘 짓지 못하였는데
희롱으로 칭찬받는 것을 두려워한다는 뜻임.

70. 이구가 지은 시에 차운하여 문득 보내다[次李九韻却贈]

散却書籤懶不收	문득 서첩1) 펼쳐놓고 게을러서 거두지 못하니
百年身世似虛舟	백 년 신세가 빈 배와 같구려
前山落木蕭蕭下	앞산 나뭇잎 쓸쓸히 떨어지는데
淡薄千樹白露秋	담백한 천 그루 나무에 흰 이슬 내리는 가을이라오

1) **서첩**(書籤): 겉장에 붙이는 표제를 적은 종이.

71. 이씨 집안의 열한 번째 아들에게 답으로 부치다[酬寄李十一]

愛君幽事辟波旬	그대 그윽한 일 좋아하여 파순1)을 물리치고
林水怡然魚鳥親	숲과 물 기쁘고 좋아해 물고기, 새와 친하네
歲暮病淹西谷臥	해 저무는데 병이 오래되어 서곡에 누워 있으니
客來誰拂積床塵	손님 오면 누가 책상에 쌓인 먼지 털어줄까

1) **파순**(波旬): 불교에서 이르는 사마(四魔)의 하나. 석가모니가 보리수 아래에서
성도(成道)할 때 이의 방해를 받아 먼저 혜정(慧定)에 들어 마왕을 굴복시킨
다음 대각(大覺)을 이루었음.

72. 이구가 쓴 시에 응답하여 사천으로 보내다[酬李九寄沙川]

逍遙一室淨琴尊	한방에서 소요하니 거문고와 술 항아리 깨끗하고
空谷人稀鳥滿門	빈 골짜기에 사람 드무니 새가 문에 가득한데
朗月淸風方係向	밝은 달, 맑은 바람을 바야흐로 향하여
寶賤華墨亦佳言	값진 종이, 좋은 먹으로 또한 가언1)을 쓰네

주 1) 가언(佳言): 본받을 만한 좋은 말.

73. 감회(感懷)

■ 소서를 아우르다[竝小序]

선군자께서 일찍이 『두율』1)을 좋아하시어 병정년2)에 불초3) 형제들에게 명하시기를, 『두율우주』의 칠언을 그 수대로 다 써서 고요한 집 안팎의 벽에 붙여둔 잠어4) 사이에 붙이게 하시었다. 대체로 한가한 때에 읊을 자료로 만들고자 한 것으로 서벽 밖 북쪽에 태백의 율 여러 수가 있는데, 또 그 남은 곳에 써서 메우게 하시었다.

팔분5)으로 써서 구별하게 하시었는데, 글씨는 불초의 솜씨였다. 불초가 불효하여 삼 년이 지난 기사년6)에 재앙에 걸려 도리어 그 방이 전실이 되었고, 그 아래 앉아서 스스로 애통함을 항상 머금고 간절하게 우러르고 사모하였다. 면앙7)하는 사이에 빠르게 상복을 벗기에 이르니, 기사년으로부터 지금까지 또한 삼납이다.

납월의 날에 풍속에 따라 차례를 지내고 여러 형님들과 함께 어머님을 모시고 사당으로 들어갔다. 차례를 마치고 상을 거둔 뒤 문을 나서다가 눈길이 벽상에 붙어 있는 글에 이르니, 옛 자취가 완연하였다. 생각해보니 그 줄을 바로 하고 글자를 고르게 하라는 말씀이 숙연하게 들리는 것 같았다. 마땅한 말이다.

이내 납일이 되자 시로 세월을 슬피 탄식하며 슬픔을 스스로 이기지 못하였다. 서로 더불어 안고 누를 뿐이었다. 애오라지 사구를 써서 여러 형님들께 보이면서 함께하였다.

先君子嘗好杜律 丙丁間命不肖兄弟 虞註七言盡其數書之 黏于靜窩之內外壁箴語之間 蓋作閒中 嘯咏資耳 西壁外北太白律數首 且爲有餘地書以塡之 以八分者別之也 筆亦不肖手也 不肖不孝越三年己巳 罹禍殊反奠其室 坐作其下 恒自含慟慕切羹牆 俛仰之頃 俄已外除 歲自巳于今 又三臘矣 臘之日薦俗奠 與諸兄奉慈闈入廟 奠旣徹出戶陶 遂寓目壁上則舊蹟宛如也 想其排行均字 肅然如聞乎德音矣 仍到臘日 詩歎傷歲月 悲不自勝 相與掩抑而已 聊於四句發之示諸兄共焉

臘日聊吟杜甫詩	납일에 애오라지 두보가 쓴 시 읊고
壁間偏感舊題詩	옛날 벽 사이에 써놓은 시 오랫동안 감상하니
摩挲拙筆思先旨	마사8)는 어버이의 뜻을 생각나게 하고
祭罷陶陶母子悲	제사를 마치자 도도하게 모자는 슬퍼하였네

주　1) 『두율(杜律)』: 『두율우주(杜律虞註)』. 중국 원(元)나라 때 우집(虞集)이 두보의 칠언 율시를 모아 주해를 붙여 만든 책.

3) **불초**(不肖): 어버이에 대해 자손이 겸손하게 자신들을 이르는 말.

4) **잠어**(箴語): 사람이 살아가는 데 교훈이 되는 말.

5) **팔분**(八分): 한자의 여섯 가지 서체의 하나로서 예서체(隸書體)에 장식을 가미함.

6) **기사년**(己巳年): 1689년. 한주공의 아버님인 김제공이 별세한 해.

7) **면앙**(俛仰): 부앙(俯仰). 아래를 굽어보고 위를 우러러봄.

8) **마사**(摩挲): 손이 가는 대로 쓰는 글씨.

74. 해주군수 이득보가 요구한 시에 차운하다[次李海州得甫要來韻]

西園雪色靜牕櫳	서쪽 동산 눈빛은 고요한 창 가두고
寥落愁胸酒未空	요락1)하고 근심스런 가슴 술로도 못 비우네
橘裡乾坤2)應好意	굴 속의 건곤은 마땅히 좋은 뜻이겠으나
不須巴曲醉南翁	파곡을 기다리지 않고도 남옹3)은 취하였네

주

1) **요락**(寥落): 황폐하고 쓸쓸함.

2) **귤리건곤**(橘裡乾坤): 득보가 보낸 시에 들어있는 내용을 말함.

3) **남옹**(南翁): 한주의 집이 득보의 집 남쪽에 있으므로 자신을 비유함.

75. 해주군수와 함께 군주의 집에서 술을 마시다가[與李海州飮 君冑家]

■ 좌중에서 운을 불렀는데 그날이 입춘이었다[座中呼韻立春日也]

故人酒煖玉樓寒	친구의 술 따뜻하고 옥루는 차가운데
暢得詩情破懶殘	성하게 시정 일어 게으르고 잔약함 깨뜨렸네
細菜登盤春意動	가는 나물 반에 오르자 봄뜻이 움직이고

百年歌曲歲方闌　　　백 년 노래 속에 해가 바야흐로 다하고자 하네

76. 두 번째 시[其二]

雪積空山天氣寒　　　눈 쌓인 빈산에 하늘 기운 차갑고
東風無力春猶殘　　　동쪽 바람 무력하여 봄은 아직도 약하네
主人美酒方高興　　　주인의 아름다운 술로 바야흐로 흥이 높으니
莫報西簾晴畫闌　　　서창 주렴1)에 갠 낮이 다했다고 알리지 마라

주　1) **주렴**(珠簾): 구슬 따위를 꿰어 만든 발.

77. 세 번째 시: 이령의 뜻에 화답하다[其三 和李令意也]

蒼松翠柏不彫寒　　　푸른 소나무, 푸른 잣나무 추위에도 굻지 않
　　　　　　　　　　　는데
歲暮寧爲霜雪殘　　　해가 저문다고 어찌 눈과 서리에 시들겠는가
胡虜如今誰掃去　　　오랑캐는 지금 무엇을 쓸고 갔는지
壯懷聊付酒情(一字缺)　장한 뜻 애오라지 술에 붙여 정을 다하였네
(李令詩有斬樓蘭語 盖時有北憂也 余乃批之曰 雖是廟堂人語空奚爲 李令批
鄙詩曰 書生語安得不爾 遂與抵掌而罷 이령이 쓴 시에 "참루난"1)이라는 말이
있는데, 대개 그때의 북쪽 근심을 말한 것이다. 내가 "묘당2)인인가 헛된 말을
왜 하는가"라고 그 말을 평하자 이령이 내 시에 "서생의 말이 어찌 또한 그렇
지 않겠는가"라고 답하였으므로 드디어 함께 논하기를 그만두었다)

주　1) **참루난**(斬樓蘭): 누각에 있는 난초를 칼로 벰. 오랑캐의 만행을 보고 분이 나서

어찌할 줄 몰라 누각 옆에 있던 난초를 칼로 베어 치밀어 오르는 화를 삭였다는
고사에서 전함.
2) **묘당**(廟堂): 의정부(議政府).

78. 이튿날 아침 군주에게 화답하다[申旦和君冑]

山容的的荻簾寒	산 모양 적적하여 물억새 발 차갑고
雪意遙遙蠟燭殘	눈의 뜻 요요하여 밀납 초 시들었는데
駄醉歸來晴夜寂	취함 싣고 돌아오니 갠 밤 고요하고
月窓孤興夢中闌	달 비친 창의 외로운 흥 꿈속에 다하였네

79. 낙계에 이르러서[到樂溪]

長路悠悠征馬鳴	긴 길 멀고도 멀어 가는 말 울어대고
山回日暮少人行	산길 돌고 해 저무니 다니는 사람 적구나
遙尋林外白烟起	멀리 숲 밖 흰 연기 일어나는 곳 찾으니
始到溪邊新月明	개울가 이르러서야 비로소 초승달 밝았네

80. 세촌에서 소를 타고 사람을 찾아가다[細村騎牛訪人]

山程細細村煙稀	산길 좁고 좁은데 마을 연기 드물고
川水潺潺沙鳥飛	시냇물 잔잔하여 모래 새만 나는구나
誰笑野人牛背倒	누가 야인이 소등에 거꾸로 탔다고 비웃을까

自知高興月中歸　　　　절로 높은 흥 알아 달빛 아래 돌아오네

81. 내동 길에서 흥이 나다[内洞路興]

白雪千山萬木封　　　　흰 눈은 일천 산에 만 그루 나무 봉하였고
青驪影外夕陽紅　　　　푸른 나귀 그림자 밖에는 석양이 붉었구나
瑤華風處篩篩下　　　　옥 같은 꽃은 바람 부는 곳에 체 치듯 내리는데
偃蹇1)蒼松爲我容　　　높이 솟은 푸른 소나무 내 모습 같네

주　　1) **언건**(偃蹇): ① 거드름을 피우며 거만(倨慢)함, 언연(偃然), ② 성대(盛大)한 모양,
　　　③ 높은 모양.

82. 명운탄에서 스님을 만나다[鳴雲灘遇衲子]

皤皤老釋駐吟筇　　　　늙은 스님 염불하던 지팡이 멈추니
雪華雲衲色相同　　　　눈송이와 운수 색이 서로 같구려
前山半入灘聲動　　　　앞산에 반쯤 들어오니 여울 소리 크게 나고
移照平潭百尺中　　　　햇빛은 평평한 못의 백 척 깊은 속으로 옮겨
　　　　　　　　　　　갔네

83. 석송우에 주인 없어[石松隅主人不在也]

何家亭子石松隅　　　　석송우는 어느 집 정자인가
水抱山籬景不孤　　　　물 돌고 산이 울타리 되니 경치 외롭지 않은데

叢棘謾令啼小雀　　　가시덤불 작은 새 속여 울리네
晴波誰愛欲雙鳧　　　누가 청파에 짝지은 오리 사랑하려 하는가

84. 생각나는 대로 밤의 경치를 읊다[謾吟夜景]

終南鬱鬱白雲多　　　종남산 울울하고 흰 구름 많으니
客子出門一放歌　　　나그네 문 나서며 노래 한 곡 부르네
欲識英雄心內事　　　영웅의 마음속 일을 알고자 하여
月明今夜幾山河　　　달 밝은 오늘 밤 얼마나 산천을 헤매었던가

85. 소를 쉬게 하다[休牛]

山行盡白日　　　산을 가노라니 하루가 다하고
牛渴飮水川　　　소는 목말라 냇물을 마시는데
怕有巢居翁　　　소보1)처럼 사는 늙은이
上流已洗耳　　　상류에서 이미 귀를 씻었는지 두려워하네

주　1) **소보**(巢父): 허유(許由). 중국 하(夏)나라의 은자. 청렴하고 덕이 높아 요임금이
　　천하를 양보하려 하자 거절하고 기산(箕山)에 숨었음. 또 그를 불러 구주(九州)의
　　장(長)으로 삼으려 하자 영수(潁水) 물가에 가서 귀를 씻었다고 함.

86. 마전 포구에서[麻田浦]

招舟麻浦口　　　마전 포구에서 배를 불렀는데

日暮人爭喧	날 저무니 사람들 다투는 소리 시끄럽네
驢背停鞭客	나귀 등에서 채찍 멈추는 나그네
悠然胡不言	멀리 바라보며 어찌 말이 없는가

87. 신미년 섣달 그믐날 밤에[辛未除夜]

悄與阿咸坐	조카와 함께 고요히 앉아
仍敎剪燭頻	촛불 심지 자주 돋우면서 가르쳤네
歲隨滄海水	세월은 창해의 물 따라 흐르고
名誤丈夫身	명예는 장부의 몸 그르쳤는데
竹爆猶今夜	폭죽 터지는 것은 오히려 오늘 밤이지만
鷄鳴又一春	닭이 울면 또 내년 봄인 것을
樗蒲非我事	저포[1]는 나의 일이 아니고
定性仰前人	한결같은 선인을 우러르네

 1) 저포(樗蒲): 백제 때의 놀이. 나무로 만든 주사위 같은 것을 던져 그 끗수로
   승부를 겨룸. 윷놀이와 비슷함.

88. 사진이 서재에서 보낸 시에 답하다[答士珍送之書齋]

可愛盤溪友	사랑스럽구나! 반계의 벗이여!
詩篇日益新	시 지음이 날로 더욱 새롭구나
輕舟句更好[1]	경주의 구절 매우 좋고
歸檝意更眞	배로 찾아갈 뜻 또한 참되네
郭外尋才子	성 밖의 재자를 찾고

村南記病人　　　마을 남쪽 병든 사람 기억하는데

同牀吾未得　　　동상2)하지 못하였으니

努力付朋親　　　만나고 싶다는 시를 벗에게 부치네

89. 홀로 회포를 풀다[自遣]

夕陽在西戶　　　석양은 서쪽 창에 있고

靜坐絶塵嘵　　　고요히 앉아 속세의 시끄러움 끊네

槐老風猶響　　　홰나무 늙어 바람에 오히려 울림 내고

山寒水自淙　　　산이 차가우니 물소리 절로 나는데

爭簷從墜雀　　　처마 끝 좇아 다투던 새 떨어지고

無客愛眠厖　　　나그네 없으니 삽살개 잠을 즐기는구나

好酒時相覓　　　좋은 술 가지고 서로 때마다 찾으니

深懷付一缸　　　깊은 생각은 술 항아리에 붙었네

90. 겨울날[冬日]

冷落前宵雨　　　차갑게 떨어지던 어젯밤 비에

蕭條負郭堂　　　쓸쓸히 성 마루에 기대었네

飢鴉啄虛壁　　　굶주린 까마귀 빈 벽을 쪼고

獨鳥坐空梁　　　외로운 새는 빈 들보에 앉았는데

日人千山合　　　해와 사람이 천산에 모이고

花留短菊香	꽃 머문 짧은 국화 향기롭다네
此懷宜自在	이런 생각 마땅히 절로 나는데
歲晚莫嗟傷	해 저무니 슬퍼하거나 상하지 마라

91. 밤에 중흥사¹⁾에서[重興寺夜]

松老千年色	소나무 늙었으나 천년 빛 지녔고
猿啼半夜聲	원숭이 울음소리 밤중에 들리는데
出門人不見	문 나서도 사람은 보이지 않고
山月更分明	산의 달은 다시 분명하구나

주 1) **중흥사**(重興寺): 서울 은평구 북한산성에 위치한 사찰.

92. 신일사의 늙은 스님 회성에게 보내다[贈新日寺老師回性]

■ 회성은 삼세 동안 알고 지내는 사람이다[性卽三世所知也]

二月山門別	이월에 산문에서 이별하였는데
秋來入夢頻	가을 되자 꿈에 자주 나타나네
封書欲何贈	편지를 쓴들 무엇을 보내고자 하는가
一尺白綸巾¹⁾	한 자가 되는 하얀색 윤건²⁾만 남아 있을 뿐이네

1) **일척백윤건**(一尺白綸巾): 회성이 윤건을 남겨두고 갔기에 한 말.
2) **윤건**(綸巾): 윤자로 만든 두건. 촉한 승상 제갈량이 쓰고 다녀 제갈건이라고도 함.

93. 새벽 창가에서 잠이 깨어[曉牕寢宿]

心包羣物外   마음은 세상 밖까지 끌어안았으나
身臥一衾中   몸은 한 자락 이불에 누워 있고
彷彿今夜夢   오늘 밤 흐릿한 꿈에
頎然是何翁   헌걸찬 늙은이 누구인가

94. 일재에서 임시로 살 때 거위와 이별하며 짓다[寓一齊別鵝]

■ 세 수를 짓다[三首]

　집주인은 거위 두 마리를 키웠다. 내가 우거하면서부터 주인은 용호에 나가기를 좋아했는데 그곳에 가면 정원이 고요했다. 소일거리가 없어 경전을 외울 때 곁에 있는 붉은 이마와 흰 깃의 거위를 느긋하게 바라보는 것을 사랑했다. 때로는 아악거리며 하늘을 향해 노래하는 것이 마치 내가 짓는 시에 화답하는 것 같았고, 가끔은 나를 따라 오동과 매화 사이를 다니며 즐거워했다.

　갑자기 해서로부터 나그네가 왔는데 대략 들으니, 집주인이 학과 바꾸기를 원한다고 하면서 거위를 새장에 담아간다고 말했다. 들으니 거위를 학으로 바꾸는 것 또한 좋은 풍치이기 때문에 가져가기를 허락했으나, 오히려 강하¹⁾의 탄식을 전할 길이 없었다. 그러나 훗날 벼가 푸른 논에서 날개를 퍼덕이며 주인과 함께 삼십 여 마리와 같이 올 수도 있을까 하고 생각했다. 다시 돌아오기를 다만 이렇게 기다릴 뿐이다.

鵝卽主人雙鵝也 自余寓玆主人出龍湖 庭院寥寥 無以爲遣 誦經之
側惟爾丹頂白翎 閒緩可愛 有時鵝鵝鵝向天而歌 如有以和我也 時
與追隨乎梧梅之間以自娛 忽有海西客 以主人言來籠去 盖聞主人爲
換鶴 耳以鵝換鶴又是好致 故許其籠去 而尙不無傳江夏之歎 然他
日靑田逸翮翩翩 而來與主人共之奚啻三十餘頭 復還也 惟是以俟

幾日窓前玩	몇 날 창 앞에서 보았는데
今朝海上歸	오늘 아침 해상으로 돌아가는구나
手携綠玉杖	손에는 푸른 옥장 끌고
西望到斜暉	해질 때까지 서쪽을 바라보네

 1) 강하(江夏): 왕희지가 강하에 살 때 거위를 사랑하여 『도덕경』을 써서 거위와
바꾼 고사에서 전함.

95. 두 번째 시[其二]

海空天地闊	바다는 비고 천지는 넓으니
隨處可棲遲1)	어느 곳이나 마음 편히 놀 수 있다
城市已殊絶	성시는 이미 멀고 끊어지니
寧復入夢思	어찌 꿈속에라도 생각해서 볼 수 있겠느냐

주 1) 서지(棲遲): 천천히 돌아다니며 마음껏 놂.

96. 세 번째 시[其三]

西飛爾意好	서쪽으로 나는 너의 뜻 좋으나

獨立我心悲　　　홀로 서 있는 내 마음 슬프도다
寄語靑田客　　　말을 청전객1)에게 부치노니
歸來且莫遲　　　돌아올 때 또한 늦지 마라

1) **청전객**(靑田客): 푸른 밭에 손님으로 온다는 학.

97. 일재에서 임시로 살 때[寓一齋]

　　주인의 책상 위에 상국1) 류성룡2)의 유고가 있었다. 어지러운 글씨로 쓴 글을 한 번 보니 논리가 지극하면서도 온순하고 번창하였으나, 배움이 정밀하지 못한 데가 많았다. 대개 그 뜻을 감히 어길 수는 없지만, 성인의 문하에서 남긴 규범으로 그 말이 관례에 따른 듯하나 글이 끝내 명백하지 않았다. 해석한 글 또한 스스로 말하기를 "양명3)을 배척하고, 주자를 따랐다"라고 했는데 끝까지 모두 양명이 남긴 말을 벗어나지 않았다. 『대학』4)을 시로 논하기를 "훈고5)를 좇은 날로부터 명물이 많이 나왔고, 우6)나라와 하7)나라의 문정에는 초목이 깊다"라고 하였다. 그렇다면 주자 또한 우하의 문장을 거칠게 하고 더럽혔다는 말인가. 그 말이 매우 모호하여 훈고를 무시한 것 같으니, 류 정승(성룡)이 어찌 『대학』을 제대로 공부했다고 명백히 말할 수 있겠는가.

主人床有柳相國成龍遺稿　亂抽而一看　其文則順暢至論　學處多未
精　蓋其意不敢違聖門遺法　其言有若循例公文終無明白　剖釋子且
自謂斥陽明扶朱子　而末終意思都不出陽明餘嚼　其論大學詩曰　自
從訓詁多名物　虞夏門庭草木深　然則朱子亦荒穢虞夏門庭者乎　其

語甚模糊如無訓詁此台　安得有大學眞功在一明語耶

聖人所作爲	성인이 하는 바를
無學豈易論	배우지 않고 어찌 쉽게 논할 수 있을까
紛紛衆人心	떠들썩하고 뒤숭숭한 뭇사람의 마음은
來去似浮雲	오고감이 뜬구름 같구나

1) 상국(相國): 조선 시대에 영의정, 좌의정, 우의정을 통틀어 이르던 말. 상신(相臣).
2) 류성룡(柳成龍): 조선 선조 때의 재상(1542~1607). 자는 이견(而見). 호는 서애(西厓). 이황(李滉)의 문인으로 영의정을 지냄. 임진왜란 때 이순신, 권율 같은 명장을 천거했으며 도학, 문장, 덕행, 서예로 이름을 떨침.
3) 양명(陽明): 중국 명나라의 철학자 정치가 군인인 왕수인(王守仁, 1472~1528)의 호. 자는 백안(伯安). 시호는 문성(文成). 양명학을 주장함.
4) 『대학(大學)』: 유교 경전인 사서(四書)의 하나. 공자의 유서(遺書)라는 설과 자사 또는 증자의 저서라는 설이 있음.
5) 훈고(訓詁): 경서의 고증, 해명, 주석 등을 통틀어 이르는 말.
6) 우(虞): 순임금이 요로부터 물려받아 다스리던 나라.
7) 하(夏): 우(禹)가 순제(舜帝)로부터 왕위를 물려받아 세운 중국 최초의 나라.

98. 윤화중이 쓴 시에 차운하다[次尹和仲]

漁歌一曲暮山青	고기잡이 노래 한 곡조에 저무는 산 푸르고
垂柳雙行步屧輕	두 줄 버들 드리우니 걸음걸이 가볍구나
留得故人洲渚語	친구가 물가의 말 남겼으니
芳蘭采采見高情	향기로운 난초 눈부신 고정1)을 보이네

주　1) 고정(高情): 높고 귀한 품위가 있는 마음.

99. 이구숙이 보낸 시에 차운하다[次李久叔寄韻]

暇日命懽友	한가한 날 좋은 친구에게 알리기를
置酒城東園	술을 성 동쪽 동산에 두라 했는데
旣樂且有儀	이미 음악 있고 위의도 있으니
令德唱高言	아름다운 덕 소리 높여 노래하네
玉巋自潤華	옥 같은 이마는 아름다운 꽃 같으나
操瑟豈齊門1)	비파를 가지고 어찌해 제나라 문 앞에 있는가
變態在圍棋	변하는 모양 바둑판에 있고
浩歌當淸尊	호탕한 노래 맑은 술동이에 있는데
淸漢動波瀾	맑은 한강에 크고 작은 물결 넘실대니
誰能濟以援	누가 능히 도와 건져줄까
西方望渺渺	서쪽을 바라보니 아득하기만 한데
此意終不諼	이 뜻을 끝내 속일 수 없네
相笑出門來	서로 웃으며 문 밖으로 나오니
白烟生萬村	마을 가득 하얀 연기 피어나네

주 1) **조슬기제문**(操瑟豈齊門): 한유(韓愈)의 「답진상서(答陳商書)」에 나온 글. 벼슬을 위해 제나라 왕이 피리 소리를 좋아하는 것을 알고 비파를 들고 궁궐 문 앞에서 3년을 기다린 고사에서 나온 말. 벼슬 구하는 데 서툰 사람을 뜻함.

100. 옥잠화를 꺾어 장인께 바치다[折玉簪花上岳老]

■ 당시에 장인께서는 온갖 꽃을 모아 술을 만들고 계셨으므로, 내용을 요약하여 부

치다[時岳君會百花爲酒矣竝小書]

두 빛깔의 꽃을 보내드립니다. 우연히 산사에서 거닐 때 다 핀 것을 꺾어왔는데, 그리 많지 않았습니다. 아직도 꽃이 향기롭습니다. 꽃을 보니 더욱 그리운 마음이 간절하여 한 수를 지어 감히 이 편지와 함께 올립니다. 애오라지 적적함을 없애시는 데 한번 도움을 드리고자 지었습니다. 남은 꽃은 마땅히 산승에게 분부하여 다시 꺾어오고자 했으나, 아마도 때를 놓쳐 비바람에 쉽게 졌을까 두렵습니다.

呈去兩色花 偶得於山寺 逍遙之頃 盡其開者摘來 而甚不多矣 尚爲馨香而用否 看花益切慕 向吟成一章 敢此書上 聊作破寂一資耳 餘花當分付山僧更取 而惑恐踰時風雨易漂也

綠草被幽崖	푸른 풀 그윽한 언덕에 미치니
皎皎玉簪花	곱고 고운 옥잠화로구나
薄言采以有	조금 캐서 오니
馨香一何多	향기는 어찌 하나같이 많을까
采之欲遺誰	캐서 누구에게 주려고 하는가
所思在湖涯	생각하는 바는 호숫가에 있는데
瞻望而佇之	바라보며 우두커니 서 있으니
白日復西斜	밝은 해가 다시 서쪽으로 기울었네
此物豈所貴	이 물건이 어찌 귀한 것이겠는가
祇以戀繁華	다만 번화함을 사랑할 뿐이네
最爲美人老	가장 늙은 친구를 위하여
雅抱或蹉跎	곱게 안고 혹 시기를 놓칠까 하는데

矧爾金玉音　　　더구나 너의 금옥 소리는
遙遙隔雲霞　　　멀리멀리 구름 노을에 막히는구나

101. 이정숙이 자리에서 부른 운을 따라 짓다[李正叔席上韻]

東城李氏園　　　동쪽 성은 이씨의 동산인데
中有靑槐樹　　　가운데 푸른 홰나무 있고
文章聞相國　　　문장은 상국이 날렸는데
其孫繼其祖　　　그 손자가 그 할아버지를 이었네
情義結蘭蕙　　　정과 의리는 난혜[1]처럼 맺어졌고
志氣異婦嫣　　　뜻과 기운은 부녀자들과 다르네
芳華易委折　　　아름다운 꽃은 쉽게 마르고 꺾어지나
松柏可遲暮　　　소나무와 잣나무는 가히 늦게 저물어가네

주　1) 난혜(蘭蕙): 난초와 혜초. 모두 향기로운 풀로, 우정을 상징함.

102. 구숙이 지은 시에 화운하다[和久叔韻]

驅車入空谷　　　수레 몰고 빈 골짜기로 들어오니
淸幽愜素覯　　　맑고 그윽함이 본래 보던 것보다 만족스럽다
芳蘭裹湛露　　　꽃다운 난초는 이슬에 흠뻑 젖어 있고
馨香不掩色　　　향기는 빛을 가리지 못하는데
回颷一蕭瑟　　　회오리바람 매우 소슬하여
使我雙淚滂　　　두 줄기 눈물 흐르게 하였네

援琴欲成曲	거문고 잡고 곡조를 이루고자 하나
我意憎惋戚	내 뜻이 밉고 한탄스러워
回瞻山路峻	고개를 돌려 바라보니 산길은 험한데
雲日且晻隔	구름이 해를 또한 가리고 있네
猛虎號我西1)	사나운 범은 나를 서쪽으로 부르는데
其額何的的	그 이마는 어찌 그리 분명하며
胡爲雙飛鳥	무엇 때문에 쌍으로 나는 새는
和鳴高樹側	높은 나무 옆에서 서로 울어대는가

 1) 맹호호아서(猛虎號我西): 구숙의 별명. 그의 성품이 범과 연관된 것으로 추측됨.

103. 동문으로 가다[東門行]

驅馬出東門	말을 몰고 동문을 나서
行行至箭城	가고 가다 전성1)에 이르렀네
箭城何所有	전성에는 무엇이 있는가
纍纍千萬壑	천만 골짜기가 서로 얽혀 있네
借問誰家碑	비로소 묻노라, 뉘 집의 비석인가
特立三尺高	특별히 높이가 석 자나 되는구나
風霜磨字盡	바람과 서리에 글자가 다 닳아
白楊但蕭蕭	백양나무만 다만 쓸쓸하네
百年天地間	백 년 천지 사이에
薤露2)亦易晞	만가 역시 쉬이 사라지고
沒而且無稱	죽어도 또한 부르는 이 없으니
禽卉與同歸	새와 초목과 함께 돌아갔구나

可以人若斯	가히 사람이 이와 같다면
吾嘗有所慕	나는 일찍이 무엇을 생각했는가
昌平草不入	풀도 잘 돋지 않는 창평 땅에
知爲葬尼父	이보3)를 장사 지낼 줄 알았으랴

1) **전성**(箭城): 군인들이 활쏘기 연습을 하던 곳.
2) **해로**(薤露): 사람이 죽었을 때 부르는 만가.
3) **이보**(尼父): 저자의 친한 벗.

104. 인일에 한 짧은 말[人日短言]

人日人皆樂	인일에 사람은 다 즐거워하나
我憂只自稠	나는 다만 빽빽하게 근심하네
誰非堯與舜	요임금과 순1)임금 같은 사람은 아니나
不爲亦馬牛	마소만큼 어리석지도 아니하네

1) **순**(舜): 성은 우(虞), 이름은 중화(重華). 요의 뒤를 이어 천하를 잘 다스려 태평시대
를 이룸.

105. 수천곡에서[漱泉曲]

淡淡玉井水	담담1)한 옥정수2)는
其源自何來	그 근원이 어디서부터 오는가
披雪出巖逕	눈을 헤치고 바윗길로 나와
振衣坐古苔	옷을 털고 옛 이끼에 앉았네
一汲仍自漱	한 모금 퍼서 스스로 양치하니
灑然爽我懷	맑고 깨끗하여 내 가슴 상쾌해지는데

我齒豈不潔	내 이는 어찌 깨끗하지 못한가
玄德本所佳	본래 현덕3)이 있어야 아름답겠지
不息是當勉	쉬지 않고 지금부터 힘쓰면
然後志可諧	나중에는 뜻을 알 수 있으리

주
1) **담담**(淡淡): 물의 흐름이 그윽하고 평온함.
2) **옥정수**(玉井水): 옥이 나는 곳에서 나오는 샘물.
3) **현덕**(玄德): 속 깊이 간직하여 드러내지 않는 덕.

106. 설날에 묘를 참배하다[新元拜墓]

流光不可住	세월은 멈출 수 없고
塵網不可解	진망1)은 풀 수가 없네
前秋來拜時	지난가을 와서 참배할 때는
草木尙未萎	풀과 나무가 아직 시들지 않았는데
今日始復謁	오늘 다시 와서 배알하니
霜雪被崖谷	눈서리가 골짜기를 덮고 있네
南阿陽氣多	남쪽 언덕에는 양기가 많아
羣烏集蒼柏	뭇 새가 푸른 잣나무에 모여 있는데
逝彼長川水	흐르는 긴 냇물은
一去不回復	한 번 가면 다시 돌아오지 못하니
年年孤兒淚	해마다 고아의 눈물로
添灑向東流	불어나서 동쪽 향해 흐르네
空山愁獨立	빈산에 시름하며 홀로 서니
日落風颼颼	해는 지고 바람은 솔솔 부네

주
1) **진망**(塵網): 때가 낀 그물이라는 뜻으로, '속세'를 이르는 말.

107. 근곡에서 나귀를 타고[芹谷騎驢]

靑驢忽嘶影	푸른 나귀 갑자기 우는 그림자에
雪山更奇絶	눈 덮인 산은 다시 보아도 기절1)하구나
入門拜數子	문에 들어와서 절하는 몇몇 아이
其言何芳潔	그 말이 어찌 그리 향기롭고 깨끗한가

주 1) **기절**(奇節): 신기하고 기이함.

108. 빛 고운 참새가 동남으로 날아가기에 시를 지어 약속을 저 버린 여러 친구들에게 보이다[彩鵲東南飛示負約諸友]

彩鵲東南飛	채색 까치가 동남으로 날다가
雙雙繞高樹	쌍쌍으로 높은 나무를 도는구나
乍散旣還合	잠깐 흩어졌다가 이윽고 또 만나니
志氣似相慕	뜻과 기운이 서로 사모하는 듯하네
往者與君言	가는 자 그대와 더불어 말하기를
有約金石固	약속은 금석보다 더 굳다고 했건만
如何及今日	어찌하여 오늘까지
佳期便更誤	아름다운 기약을 문득 다시 어겼는가
願言不可見	보고 싶다고 다 볼 수는 없구나
步下東階路	걸어서 동쪽 계단으로 내려가는데
颯颯凉雨至	쇄쇄 찬비 내리고
習習白日暮	어둑어둑 날은 저무네
悵望多所思	창망1)하며 생각할 것이 많아

聊以寄新句   애오라지 새로 글을 지어 부치네

주   1) **창망**(悵望): 시름없이 바라봄.

109. 사진이 귤을 보내준 일에 감사하며[謝士珍惠橘]

終歲居無定   해가 저물도록 정처 없이 살다 보니
逢春愁未除   봄이 되어도 걱정을 걷어내지 못하네
誰將洞庭橘   누가 동정호1)의 귤 가져다가
來問病相如   상여2)에게 문병하러 왔는가

주   1) **동정호**(洞庭湖): 중국에서 두 번째로 큰 담수호. 호남성 북부 장강의 남쪽에
        있음. 산천이 아름답고 걸출한 인물을 많이 배출하여 "동정호는 천하제일의
        호수"라는 칭송을 들었음.
     2) **상여**(相如): 인상여(藺相如). 춘추전국시대 조나라 혜문왕 때의 정치가.

110. 조카 병정1)이 지은 시에 화답하다[和舍姪秉鼎韻]

晚把一竿竹   저물게 낚싯대 하나 잡고
來垂春水邊   봄 물가에 와서 드리웠네
聖朝收俊傑   성조에서 준걸을 모두 등용하니
何事渭川賢   어찌 위천현2)을 섬길 수 있을까

주   1) **병정**(秉鼎): 김제공의 맏아들인 오(澳)의 맏아들(1678~1736). 자 여수(汝受). 청주
        목사를 지냄.
     2) **위천현**(渭川賢): 중국 주나라 초기의 정치가 강상(姜尙). 여상(呂尙)이라고도 부르
        며 속칭은 강태공(姜太公). 위수 가에서 여든 살이 되도록 낚시를 하다가 주
        무왕에게 발탁되어 무왕을 도와 은나라를 멸하고 천하를 평정했음.

111. 반계에서 친구를 기다리다[盤溪待友人]

蓮沼淸香滿我衣	연못의 맑은 향기 내 옷에 가득하고
柳亭新色更依依	유정의 새 빛은 다시 싱싱하게 푸르구나
美人隔水無消息	벗은 물에 막혀 소식 없으니
晚把漁竿上釣磯	저물게 낚싯대 잡고 낚시터로 올라가네

112. 자정이 쓴 시에 화답하다[和子貞]

■ 자정은 당시에 『세정집』을 읽고 있었으므로, 시집 가운데서 말한 것이다[子貞時
讀世貞集故詩中言之]

黃鳥何交交	꾀꼬리는 어인 일로 꾀꼴꾀꼴 울어대며
碧蕙何菴菴	푸른 난초 어이하여 향기롭고 향기로운가
美人起我思	친구도 내 생각할까
駕言游城南	수레 타고 성 남쪽에서 노닐었지
中堂有禮數	중당에는 예수1)가 있어
式燕和且湛	경사스러운 잔치에 화락하고 또한 즐거운 것을
文章一何綺	문장은 어찌 한결같이 고우며
吾豈笑王弇	내 어찌 왕엄2)을 비웃겠는가
任生亦同志	임생 또한 동지
相顧動淸談	서로 돌아보면 청담이 동하는데
風生北窓竹	바람은 북창 대나무 사이에서 일고

月上東岡楠	달은 동쪽 언덕 매화나무 위에 떴네
聊復勉令德	애오라지 다시 아름다운 덕 힘써 쌓고
爲仁始參三	어진 일 하면서 삼삼3)을 시작하네

113. 두 번째 시[其二]

南山何所有	남산에는 무엇이 있는가
鬱鬱松柏樹	빽빽한 소나무와 잣나무이지
蒼然凌雪霜	푸름은 눈과 서리 업신여기고
肅肅仙禽聚	엄숙하고 고요함은 두루미 모으네
回瞻塵世間	먼지 세상을 돌아보며
誰復結遠趣	누가 다시 먼 정취 가질 것인가
人心貴相得	사람의 마음은 서로 얻기 어렵고
君子保遲暮	군자는 오래도록 보전함이라네
四園前期在	사방의 동산에 옛 기약 이미 있어
秉燭可與迁	촛불 잡고 가히 만날 수 있으리
欲別東方曙	이별하려 하니 동방에 먼동 트고
門外下踈雨	문 밖에는 드문드문 비 떨어지네

114. 세 번째 시[其三]

曉自城南門	새벽에 성 남쪽 문부터
偃蹇韓州家	엎어져서 절며 한주의 집에 왔네
數日病不出	여러 날 병들어 나가지 못하니
別懷殊增加	별회1) 특히 늘어가는데
中庭有奇草	뜰 가운데 기이한 풀 있어
綠葉旣發華	푸른 잎사귀에 이미 꽃도 피었네
采之欲相贈	꺾어서 보내려 하나
願言望南阿	남쪽 언덕 바라보며 말하기 원하는데
瓊瑰忽先投	좋은 글을 갑자기 먼저 보내주니
燦燦足堪誇	번쩍번쩍 아름다운 빛이 자랑스러울 뿐이네
莫謂善爲謔	좋은 해학으로 썼다고 하지 마라
此理竟如何	이 이치는 필경 어떻게 될 것인가
頭上天蒼蒼	머리 위에 하늘 짙푸르니
金玉宜琢磨	금옥 갈고 닦음이 마땅하겠지

주 1) **별회**(別懷): 이별할 때의 슬픈 회포.

115. 쑥을 캐는 노래로 이구에게 답하다[采蒿歌酬李九]

春日載陽照沙谷	봄날 실린 볕 사곡에 비치는데
采蒿采蒿西山阿	서산 언덕에서 쑥을 뜯고 또 뜯네
彼采蒿兮欲何需	저 쑥을 뜯어 어디에 쓰고자 하는가
于以湘之靑銅鍋	그것을 청동 솥에 담아 삶아내어

淡和江西鼓鹹行 　담담함을 짠 것에 섞어 장아찌 담그려 하네
水精鹽 　물의 정기인 소금이여
山中服食亦多方 　산중의 복식에도 또한 방법이 많은데
亂點金卯象 　어지러이 금 토끼 모양 찍어
味兼其味豈不好 　맛을 겸하였으니 어찌 그 맛이 좋지 아니할까
美人非爲味 　미인이 그 맛을 만드는 게 아니라
芃芃披雪得春早 　불쑥불쑥 눈을 뚫고 이른 봄에 얻었다네
蔼爾仁心異百卉 　무성한 너의 어진 마음 백 가지 꽃과 다르니
啖之聊可見天意 　씹을수록 애오라지 하늘의 뜻 알겠네
一點和氣淸君胃 　한 점 화한 기운 그대의 위를 맑히니
君且要我以長歌 　그대 또한 나에게 긴 노래 요하는구나
長歌宛轉相思語 　긴 노래 완전히 바뀌어 서로 생각하는 말이 되나
山川修險不能越 　산과 내가 길이 험하여 능히 넘지 못하고
悵望佳期久延佇1) 　슬프게 바라보며 좋은 기회 오래도록 기다리네

주　1) 연저(延佇): 오랫동안 발돋움하여 서서 행렬 등을 향해 머리를 길게 빼고 바라보는 것.

116. 화산을 생각하며[憶華山]

六月城西困隘湫 　유월의 성 서쪽 곤하고 좁은 연못에
何來爽氣入高樓 　어딘가에서 온 상쾌한 기분 높은 누각에 들어
華山一點雲邊翠 　화산의 한 점은 구름 가에 푸르고
日夜歸心不少休 　밤낮으로 귀심1)은 조금도 쉬지 못하네

주　1) 귀심(歸心): 사모하여 마음으로 붙좇음.

117. 친구를 생각하며[憶友人]

夢覺南牕宿雨晴	꿈을 깨고 나니 남쪽 창에 해묵은 비 멎었고
樹深啼鳥兩三聲	깊은 나무에 새 울음 두세 마디 들리는데
香蘭步拾空墀下	난초 향기 맡으며 걸어서 빈 섬돌 내려감은
欲寄江城惱我情	강성에 괴로운 내 정을 보내고자 함이네

118. 강가의 정자에서[江亭]

雨色依微過遠江	빗속에 어렴풋이 멀리 강이 흐르고
小堂淸夜對殘釭1)	작은 마루 맑게 갠 밤에 등불 마주보는데
瑤琴一曲無人見	아름다운 거문고 한 곡조에 보는 사람 없으니
竹帶寒聲故近牕	대나무 두른 차가운 소리 짐짓 창 가까이 들리네

주 1) **잔강**(殘釭): 등잔의 기름이 다하여 꺼지려고 가물거리는 등불. 깊은 밤의 깜박거리는 등불.

119. 느끼는 바가 있어[有感]

靑山靜立水安流	푸른 산 고요히 서 있고 물은 잔잔히 흐르는데
多少沙邊白白鷗	다소의 모래 가에는 새하얀 갈매기라
忽有狂風東北起	갑자기 거센 바람 동북쪽에서 불어오니

黃塵眯目使人愁　　　누런 먼지 눈 가려서 사람을 시름하게 하네

120. 호상에서 일찍이 바라보다[湖上早眺]

白霧橫江不見山　　　하얀 안개 강에 뻗치니 산은 보이지 않고
浴鳧纔辨小洲間　　　자맥질하는 오리 겨우 분별되는 작은 물가일세
孤舟一葉搖搖出　　　한 조각 외로운 배 흔들흔들 나아가니
問自昭陽幾日還　　　묻노라, 소양강에서 며칠이면 돌아오는가

121. 두 번째 시[其二]

長風吹盡淡無雲　　　장풍1) 불고 나니 날이 개어 구름이 없고
俄見朝光照柴門　　　문득 아침 햇살 보이다가 사립문으로 들어오
　　　　　　　　　　는데
歷歷晴沙三五里　　　역력한 맑은 모래 삼 리, 오 리나 되고
蘆花楓樹是漁村　　　갈대꽃, 단풍나무 이것이 어촌일세

주　1) 장풍(長風): 멀리서 불어오는 강한 바람.

122. 새벽에 내리는 비[曉雨]

曉雨無端喚客眠　　　새벽녘 내리는 비 쓸데없이 나그네 잠을
　　　　　　　　　　깨워

坐來何事忽愀然　　우두커니 앉으니 무슨 일로 갑자기 슬퍼지는가
碧梧枝老聲蕭瑟　　푸른 오동 가지 늙어 소리도 소슬한데
最爲丹禽惜暮年　　가장 붉은 봉황 위해 저문 해가 애석하네

123. 일재에서 잠시 머물다[寓居一齋]

僑寓仍成隱者棲　　집 떠나 우거하며 은자로 살면서
碧梧蒼竹護幽齋　　푸른 오동 푸른 대 그윽한 집 보호했네
抱經終日誰相問　　경전 안고 종일 가나 누가 서로 부를까
好鳥嚶嚶向我啼　　어여쁜 새 앵앵대며 나를 향해 우는구나

124. 두 번째 시: 주인을 생각하다[其二 憶主人]

竹堦花塢一般清　　대나무 뜰 꽃 언덕이 한결같이 맑은데
馥馥娟娟引我行　　향기롭고 곱디곱고와 내 걸음 끌고 가네
怊悵主人湖上去　　슬프구나! 주인이 호상으로 떠났으니
解留佳景慰孤情　　좋은 경치 머물러서 외로운 정 위로하네

125. 세 번째 시: 공보를 애도하다[其三 悼公輔]

哭望秋城落木疎　　울며 바라보니 가을 산에 나뭇잎 드물고
浮生天地夢蘧蘧　　부생은 천지간에 꿈처럼 거거1)한데

白沙翠柳盤溪水　　　흰 모래 푸른 버들 반계의 물가에서
更喚何人共釣魚　　　다시 누구 불러 함께 고기 낚을까

주　1) 거거(蘧蘧): 많이 모이는 모양.

126. 네 번째 시: 제비와 이별하다[其四 別燕]

　집 안에서 글을 읽다가 보니, 제비 한 떼가 문에 모여 남남1) 지껄이
는 것이 무슨 뜻이 있는 것 같았다. 일찍이 옛 책에 제비는 춘사2)에
오고 추사3)에 간다고 했다. 이달도 벌써 열흘이 지났으니, 제비가 돌
아갈 날이 얼마 남지 않았을 것이다. 드디어 책력을 뽑아보니, 과연 명
일이 추사일이다. 세월의 빠름을 한탄하고 또 제비를 보며 느낀 바 있
어 이 글을 쓴다. 임신 팔월 초아흐레이다.

齋中讀書燕燕一隊　集門喃喃若有意　予嘗見古書　燕春社來秋社去
此月已旬則燕之歸不日矣　遂抽曆視之　果明日社也　嘆時月之易去
且有感於燕者　書之壬申八月初九日也

翩翩燕子出山扉　　　펄펄 나는 제비들이 산문 나가니
欲趁明朝社日歸　　　내일 아침 사일4)에 돌아가고자 함인데
爲謝主人珍重意　　　주인에게 진중하게 사례하려는 뜻으로
更從梁上一飛飛　　　다시 들보로부터 한 바퀴 날아드네
(一作 翩翩燕子欲何飛 應趁明朝社日歸 簾外呢喃多少語 遲回惜出主人
扉 따로 "펄펄 나는 제비가 어디로 가려 하는가. 마땅히 내일 아침 사일
에 돌아가고자 함이지. 주렴 밖에 재잘거림이 많고 늦게 돌아와서 빨리

문을 나감을 아쉬워하네"라고 썼다)

1) **남남**(喃喃): 혀를 재게 놀리어 무슨 말인지 알아들을 수 없게 재잘거리는 소리를 이르는 말.
2) **춘사**(春社): 입춘이 지난 뒤 다섯 번째 무일(戊日).
3) **추사**(秋社): 입추가 지난 뒤 다섯 번째 무일을 이르는 말.
4) **사일**(社日): 입춘이나 입추가 지난 뒤 각각 다섯째의 무일(戊日). 입춘 뒤를 춘사(春社), 입추 뒤를 추사(秋社)라 하는데, 춘사에는 곡식이 잘 자라기를 빌고 추사에는 곡식의 수확에 감사함.

127. 다섯 번째 시: 사람을 시켜 운을 부르게 하다[其五 令人呼韻]

碧樹輕陰入夜淸	푸른 나무 옅은 그림자에 밤이 들자
半輪秋月十分明	가을 반달 몹시도 밝구나
天公只罷閒人睡	천신은 다만 한가한 사람 잠을 깨우고
城上棲鴉莫浪驚	성 위에 깃든 까마귀는 놀라게 하지 마소서

128. 여섯 번째: 시 또한 앞의 시운을 거듭 써서 한 사람을 위하여 시를 쓰다[其六 又疊前韻爲人寫之]

逍遙何處我懷淸	어느 곳을 거닐어야 내 생각 맑아질까
秋入高樓月色明	가을이 높은 누각으로 들어오니 달빛 밝구나
恨不携來陶謝輩	도잠과 사영운1)의 무리 끌고 오지 못하여 한스러운데
朗然詩語使人驚	낭연2)한 시어는 사람을 놀라게 하는구나

1) **사영운**(謝靈運): 중국 남북조시대 송나라의 문신이며 시인. 사현(謝玄)의 손자로

영가 태수(永嘉太守)를 지냈으나 파쟁 때문에 유배 중에 처형됨. 자연을 노래한 산수시인(山水詩人)으로 높이 평가받음.

2) **낭연(朗然)**: 구슬이 서로 부딪쳐 내는 소리처럼 맑음.

129. 일곱 번째 시: 팔월 보름날 밤에[其七 八月十五夜]

坡仙問月幾時回	파선1)에게 달이 언제 뜨는지를 묻고
水調歌頭唱歌哀	물이 곡조 조절하니 부르는 노래 슬프구나
想像金山山上月	금산 위의 달을 상상해보니
白雲愁色妙高臺	흰 구름과 근심스런 빛이 높은 대에 묘하구나

주 1) **파선(坡仙)**: 송대의 문장가인 소동파를 높여 부르는 말.

130. 성묘[省墓]

哀哀天地苟生人	슬프구나! 날 낳으시느라 고생하신 부모님이시여!
謾向塋封拜掃頻	무덤 향하여 절하고 자주 비로 쓰는데
夢裡幾扳平日事	몇 번이나 평상시 꿈을 꾸었던가
儼然如奉德音眞	적게나마 덕음1)을 참으로 받드는 것 같네
林泉失色池臺變	숲 속 샘이 빛을 잃으니 연못가 누대도 변하고
梨栗逢秋雨露新	배와 밤이 가을 만나니 비와 이슬 새로워지는데
淚灑孤松心欲折	눈물 뿌린 외로운 소나무에 마음 끊기는 듯하고

鳴蟬不盡暮山嚬　　　매미 울음 다하지 않았는데 저문 산이 찡그
　　　　　　　　　　리네

주　1) 덕음(德音): 도리에 맞는 말.

131. 낙계에서 밤에 앉았으나 등불이 없어 반딧불이를 잡아 글 자를 보면서 두보가 지은 시에 화운하다[樂溪夜坐無燈得螢看字 仍和杜甫韻]

熠燿秋螢傍簷飛　　　반짝이는 가을 반딧불이 처마 주변에 날다가
謾自高低撲我衣　　　부질없이 절로 오르내리면서 내 옷을 치네
點點翻出籬外亂　　　점점이 뒤집혀 나오니 울타리 어지럽고
搖搖散入林間稀　　　집안으로 아른아른 들어오니 숲 사이에 드물
　　　　　　　　　　구나
幾教遠客愁看汝　　　몇 번이나 멀리서 온 나그네에게 너를 보게
　　　　　　　　　　하였더냐
好向書牕許借輝　　　서창을 향하여 빛나기를 허락하는데
正覺賦生皆有受　　　생명은 모두 하늘에서 받은 것 알았으니
只須功業莫同歸　　　모름지기 공명과 함께 돌아가지 마라

132. 북애공1) 묘소에 절하다[拜北崖公墓]

四十餘年雅望重　　　사십여 년간 훌륭한 명망이 높으셨고
風雲際遇荷宣陵　　　바람과 구름이 때를 만나 선릉의 은덕 입고

誠心至行留家籍　　　성심과 지극한 행동 가적2)에 머물게 했는데

謙節殊功炳國乘　　　겸손함과 절도 어린 특별한 공은 역사를 빛
　　　　　　　　　　내었네

一日六遷人皆艶　　　하루에 여섯 번 승진해도 사람들 모두 기뻐
　　　　　　　　　　했고

重峰尺疏德堪徵　　　덕이 있어 중봉3)이 올린 소4)로 부름을 받았
　　　　　　　　　　는데

最悲禮窆祇荒草　　　가장 슬픈 예로써 장사를 지낸 뒤 거친 풀만
　　　　　　　　　　남아 있고

埋却神碑石半崩　　　신도비5) 반쯤 묻히고 반쯤 부서졌네

(宗家無力未及立刻故云 종가에서 비석을 세울 힘이 없음을 이른 것이다)

주

1) **북애공**(北厓公): 한주공의 고조부 이증(李增)의 호. 조선 중기의 문신(1525~1600).
자는 가겸(可謙). 형조·예조·공조 판서와 대사헌, 의정부의 좌우 참찬 등을 지냄.
1589년(선조 22) 대사간으로서 정여립(鄭汝立) 모반 사건을 다스린 공으로, 이듬
해 평난공신(平難功臣) 3등이 되어 아천군(鵝川君)에 봉해짐. 임진왜란 후에는
나라의 기강을 바로세우기 위해 힘씀. 사후에 영의정에 추증되었으며 시호는
의간(懿簡). 청렴하여 가산을 돌보지 않아 재상의 반열에 있을 때에도 한사(寒士)
처럼 생활했으며 효도와 우애가 지극했음.

2) **가적**(家籍): 한 집안의 족보 또는 호적.

3) **중봉**(重峯): 조선 선조 때 문신 의병장 조헌(趙憲, 1544~1592)의 호. 본관은 배천(白
川). 임진왜란이 일어나자 옥천에서 의병을 일으켜 영규 등 승병과 합세해 청주를
탈환하고 전라도로 향하는 왜군을 막기 위해 금산전투에서 분전하다가 의병들
과 함께 모두 전사했음. 뛰어난 학자로 영의정에 추증됨.

4) **소**(疏): 임금에게 올리던 글.

5) **신도비**(神道碑): 왕이나 고관의 무덤 앞 또는 무덤으로 가는 길목에 세워 죽은
이의 사적(事蹟)을 기리는 비석. 대개 무덤 남동쪽에 남쪽을 향해 세우는데,
신도(神道)라는 말은 사자(死者)의 묘로(墓路), 즉 신령의 길이라는 뜻. 조선 시
대에는 2품 이상에 한해 세우는 것으로 제도화함. 문종 때 왕릉에 신도비를
세우는 것을 금지했고, 공신이나 석학(碩學) 등의 경우에만 왕명으로 신도비
를 세웠음.

133. 좌랑공1) 무덤에 절하다[拜佐郎公墓]

壬辰年間尙忍言	임진년의 일을 어찌 차마 말할 수 있을까
吾曾忠節質乾坤	증조부의 충절은 건곤이 아는 것을
將逃玉帳餘殘卒	장수가 도망간 옥장2)에는 잔졸만 남아 있고
力戰沙場作冤魂	모래밭에서 힘써 싸우시다가 원혼이 되셨는데
遺意叮嚀先祿語	반드시 녹을 먼저 하라는 말씀 남기시었고
衣冠收拾廣陵原	광릉3)에서 의관을 거두었네
朝廷亂後無旌美	난이 끝난 뒤 조정에서 공을 기리지 않았는데
孝子奉疏始立門	효자가 소를 올린 뒤 비로소 정문4)을 세웠다네

주

1) **좌랑공**(佐郎公): 조선 중기 문신 이경류(李慶流, 1564~1592) 한주공의 증조부. 자는 장원(長源). 호는 반금(伴琴). 의간공(懿簡公) 이증(李增)의 아들. 1591년(선조 24) 진사가 되었고, 그해 식년시 문과에 을과로 급제한 뒤 아버지의 관직에 따라 6품으로 승진하여 성균관 전적(典籍)과 사헌부 감찰(監察)을 거쳐 예조 좌랑이 됨. 임진왜란이 일어나자 병조 좌랑으로 상주전투에 참전했다가 전사함. 사후 홍문관 부제학에 추증되었고, 상주의 충신의사단(忠臣義士壇)에 제향됨. 경기도 성남시 분당구 수내동 산 1-2번지 분당중앙공원 안에 한산 이씨 묘역에 묘가 있는데, 전쟁 당시 시신을 찾지 못해 관복과 이불로 조성했음. 1727년(영조 3) 정려비가 세워졌는데, 비문은 이재(李縡)가 지음.

식년(式年) **문과**(文科): 식년시(式年試). 자(子), 오(午), 묘(卯), 유(酉) 등의 간지(干支)가 들어 있는 해인 식년마다 시행되었던 과거를 말함. 생원과(生員科), 진사과(進士科), 역과(譯科), 의과(醫科), 음양과(陰陽科) 등이 시행됨.

2) **옥장**(玉帳): 옥으로 꾸민 장막. 장수가 거처하는 곳.

3) **광릉**(廣陵): 한성부(漢城府). 조선 시대에 서울의 행정과 사법을 맡아보던 관아.

4) **정문**(旌門): 충신, 효자, 열녀 등을 표창하기 위해 그 집 앞에 세우던 붉은 문.

134. 반곡의 밤에 부르다[盤谷夜占]

月上疎枝曉轉凉	달이 뜬 성긴 가지에 새벽 기운 서늘한데
主人豪氣酒爲鄕	주인의 호기는 술을 고향으로 만드네
興來己踏山陰雪	흥이 나면 이미 산그늘 눈을 밟고
歲暮還斟金谷觴	해 저물면 또한 금곡1)의 술잔을 들지
霜老楓崖前夜色	서리에 늙어버린 단풍 절벽은 지난밤 빛이요
露銜蘭壑九秋香	이슬 머금은 난초 골짜기 가을의 향기 나네
高吟欲奏靈芝曲	소리 높여 읊어 영지곡2)이 되려는데
回首賫簹愧紫陽3)	운당4)으로 머리 돌리니 자양5)에게 부끄럽네

주
1) **금곡**(金谷): 중국 진(晉)나라 사람 석숭(石崇)이 이곳에서 주연을 베풀어 시를 짓지 못하는 이에게 벌주 서 말을 마시게 했다고 함.
2) **영지곡**(靈芝曲): 국가에 길사가 있을 때 부르는 상서로운 노래.
3) **회수운당괴자양**(回首賫簹愧紫陽): 문동(文同)처럼 한가롭고, 주희처럼 학문을 닦지 못함을 비유함.
4) **운당**(賫簹): 중국 산서성 양현의 산골 마을. 대나무가 많아 송나라 문동이 피운정(披雲亭)을 짓고 일생을 보냄.
5) **자양**(紫陽): 송나라 유학자 주희가 살던 곳.

135. 이구숙이 지은 시에 차운하다[次李久叔韻]

雲散天晴午景濃	구름 흩어진 맑은 하늘에 한낮 빛이 무르익고
嚶嚶谷鳥上芳叢1)	앵앵거리는 골짜기 새 꽃이 만발한 숲으로 오르는데
窺墻醉柳弄烟雨	담장 엿보는 푸른 버들 연우2)를 희롱하고

捲箔靑山搖鏡中	주렴 걷으니 푸른 산 거울 속에서 흔들리네
萬物有心眞境在	만물을 마음으로 보면 참 경계 알 수 있고
一身無事世緣空	한 몸 일 없으면 세상의 인연도 없는 것을
小堂淸味誰相問	작은 마루의 맑은 맛 뉘와 서로 물어볼까
酒後高歌向北風	술 마시고 북풍 향해 드높이 노래하네

주 1) **방총**(芳叢): 꽃이 만발한 풀숲.
2) **연우**(烟雨): 안개처럼 부옇게 내리는 비.

136. 내금을 구해 정순연에게 편지 보내다[簡鄭舜年覓來禽]

■ 짧은 글로 요약하다[小書]

해곡과 성서에서는 서로 소식을 알 길이 없었습니다. 이웃에 오셨다는 말을 들었으나 병으로 인해 만나기로 한 약속을 또 어기니, 자못 슬픕니다. 가을장마에 이황1)이 편안하십니까. 언제쯤 돌아올 기약이 있으십니까. 저는 다리의 병을 치료할 계획조차 없고, 점점 나빠져 더욱 고통스럽습니다. 어제 글방에 갔더니 여러 사람들이 그대의 글 솜씨가 섬세하다고 말하기에, 나도 존형2)을 치켜세웠습니다. 또한 감히 이 글을 써서 보내드리니, 받아보시고 크게 한번 웃어주십시오. 호랑이가 살구를 지키지 않았다면 나쁜 무리가 훔쳐갔을 것입니다. 그런데도 아껴야 하다니 이치에 맞지 않아 참으로 우습고 우스울 뿐입니다. 살구 한 광주리를 보내오셨으니, 빈 광주리로 돌려보낼 수 없어 내금을 보내드립니다. 서울에 머물 날이 많이 남았으니, 한번 만날 수 있기를 바랍니다.

海曲城西蹤跡相阻 聞枉隔墻病伏且違 迨自悵戀 卽惟秋霖履況淸

適 歸期在何間 末疾添苦無計 扳討懷思益惡 右錄昨往西舍 衆中皆
道尊手細故 某爲尊兄揚抑者也 敢此寫呈 覽來當爛笑也 盖守杏無
虎則旣賴門幹3) 復自慳惜終非眞境 想思到否 良呵良呵 一筐護去
不可空還耳 留洛倘遲 或可一握

名園寶樹說來禽	이름난 동산의 보배나무를 내금이라 이르는데
淺綠輕紅照晩林	옅은 녹색과 밝은 붉은색 가을 숲을 비추네
谷口風流寧自惜	골짜기 입구의 풍류는 참으로 애석하고
門前僕婢苦相禁	문 앞의 종들은 고통을 서로 참네
庭桃任餽貧人實	뜰 안 복숭아는 가난한 사람 먹도록 보내는 열매요
蜀顆須看野老心	촉나라 과일4)로 시골 늙은이의 마음을 읽네
最是馬卿多病渴	마경이 소갈 심해 이를 가장 최고로 쳤는데
一筐誰復償新吟	누가 시 읊는 곳에 한 광주리 가져왔나

주

1) **이황**(履況): 근황.

2) **존형**(尊兄): 같은 또래 사이에서 상대편을 높여 이르는 말.

3) **개수행무호즉기뇌문간**(盖守杏無虎則旣賴門幹): 당나라 신선 이팔백(李八百: 800년을 살아 전하는 이름)이 살구를 좋아하여 길가에 살구나무를 심어놓았는데 남아나는 것이 없었음. 이에 팔백이 도술로 호랑이를 불러 지키게 했다는 고사에서 나옴.

4) **촉나라의 과일**: 촉나라에서 나는 감귤은 맛이 좋아 해마다 조정에 조공으로 바쳤다고 함. 두보가 「감원(柑園)」에 "일명촉감(一名蜀柑)"이라고 씀.

137. 진관사에서 『연화경』을 집어 들었는데 '심(深)' 자를 얻어 시를 짓다[津寬寺拈蓮華經得深字]

三峰遙在白雲深	삼봉은 멀리 백운 깊은 곳에 있는데

望望招提向晚尋	초제를 바라보며 저물녘 찾아가네
萬壑秋聲搖客意	일만 골짜기 가을 소리 나그네 결심 흔들고
一牕疎雨定禪心	창가의 성긴 비는 선심1)을 안정시키는데
靑山似有逢迎喜	청산이 맞이하는 듯해 기뻐하며
白酒仍成謾浪吟	흰 술 마시며 멋대로 크게 읊네
最恨今宵無好月	오늘 밤 좋은 달빛 없어 가장 한이 되나
仙家物色鎖空林	신선 집 경치 한적한 숲에 잠겨 있네

주 1) **선심**(禪心): 선정(禪定). 마음을 한 가지 대상에 집중해 흔들리지 않는 고요한 마음 상태.

138. 두 번째 시: 자정과 함께 운을 나누고 '명(明)' 자를 얻어 시를 짓다[其二 與子貞分韻得明字]

東林暝靄薄禪扃	동쪽 숲 어두운 안개 절문을 휩싸고
雨打孤燈故不明	외로운 등불에 비 떨어지니 짐짓 밝지 못하네
月入頑雲猶有色	달이 짙은 구름 속으로 들어가나 오히려 빛나고
風鳴老檜却無情	바람이 늙은 전나무 울리나 도리어 무정한데
開牕最愛秋山靜	창문 열면 가장 사랑스러운 것은 고요한 가을 산이요
虛堂方存夜氣淸	빈 마루에 남아 있는 것은 맑은 밤 기운이구나
試和陽春一高詠	시험 삼아 양춘곡 한 번 높이 읊으니
鏗然1)金石滿空聲	갱연한 소리 허공에 가득하네

주 1) **갱연**(鏗然): 쇠붙이나 돌 따위의 단단한 물체가 부딪치는 소리나 거문고 따위를 타는 소리가 짜랑짜랑 맑고 고움.

139. 성에 들어가 사곡에 있는 유덕휘의 집에 머물면서 『격양집』1)에 나온 시운을 따라 짓다[入城宿社谷俞德輝家次擊壤集韻]

禁樹秋晴落月懸	궁중 나무에 맑은 가을 달 내려오다 걸려 있고
一燈淸夢夜如年	등불 하나에 맑은 꿈, 밤이 일 년 같구나
衣沾三角峰前雨	삼각봉 내리는 비에 옷이 젖고
路自文殊寺下川	문수사에서 개울 따라 내려가네
只覺此行非漫浪	다만 이 걸음이 자유롭지 못함을 깨달으나
豈須幽興異愚賢	어찌 그윽한 흥이 현우2)에 따라 달라질까
斯人最有逍遙處	이 사람이 가장 잘 소요하는 곳은
月窟天根玅又玄	월굴3)과 천근4)처럼 또한 현묘한 곳이라네

주
1) 『격양집(擊壤集)』: 『이천격양집(伊川擊壤集)』. 중국 송나라 때 시인 학자인 소옹(邵雍)의 시가 문집.
2) 현우(賢愚): 현명한 사람과 어리석은 사람.
3) 월굴(月窟): 달이 떠오르는 곳. 음기가 성한 곳.
4) 천근(天根): 하늘의 맨 끝을 상상하여 이르는 말. 양기가 성한 곳.

140. 덕휘가 강 위에 나갔다가 시를 지어 벽 위에 붙이다[德輝出江上題留壁上]

步到城西大隱廬	걸어서 성 서쪽 나가니 대은려1)가 있는데
九衢泥滑歎無車	아홉 거리 진창 미끄러우나 수레 없어 한탄스럽네
碧梧巢冷秋雨細	벽오동 집에는 가는 가을비 차갑고
黃菊花開曉月疎	노란 국화 필 무렵 새벽 달 성글구나

征馬未還湖上路 　 호수 위 길에는 나그네 말 돌아오지 않고
芳馨留濕几間書 　 꽃다운 향기 오직 궤 사이 책에 젖었는데
風流最看中閨饌 　 풍류는 부녀자의 반상 솜씨에 가장 잘 보이니
便喜茲行亦不虛 　 문득 이 걸음 또한 헛되지 아니함을 기뻐하네

주　1) 대은려(大隱廬): 은자의 집.

141. 이미 화산에서의 약속을 어긴 구숙이 봄에 볼 약속을 써서 보낸 시에 화운하다[久叔已違華山約以詩留春期却和]

雲裡層巒玉正堆 　 구름 속 층층이 산옥이 바로 쌓이는데
烟霞收拾短筇來 　 연하에 노닐고자 짧은 막대 짚고 왔네
巖風有意迎僧落 　 사나운 바람 스님 맞이해 쓰러뜨리려 하고
谷鳥無心喚客催 　 골짜기 새 무심히 나그네를 재촉하며 부르네
誰洗十年塵土想 　 누가 십 년 쌓인 속념을 씻어줄까
共斟九日菊花盃 　 함께 아흐렛날 국화주1)나 한잔 드세
悠悠自是浮生苦 　 멀고 먼 뜬세상의 고통이 이로부터인데
又恐春光只滿臺2) 　 또한 봄빛이 금세 가득해질까 두렵다네

주　1) 아흐렛날 국화주: 두보의 시 「구일기잠삼(九日寄岑參)」에서 비롯됨.
　　2) 우공춘광지만대(又恐春光只滿臺): 세월이 너무 빨리 흘러갈까 두렵다는 뜻.

142. 사진이 보인 시에 화운하다[和士珍示韻]

太華峰前月一簑 　 태화봉 앞에 달빛 한 도롱이요
秋光玉色共峨峨 　 가을빛과 옥빛이 함께 드높은데

楓疎古壑紅將晚　　　해묵은 골짜기 단풍 드무나 오래가고

松入浮爐翠更多　　　소나무에 어른대는 아지랑이 푸름을 더하는구나

捫蝨來逢王子語1)　　왕자를 만나 이 잡으며 이야기하고

問天安得謝公哦　　　하늘에 물으나 어찌 사공2)의 부르짖음 듣겠
　　　　　　　　　　　는가

盤溪昨夜歸來意　　　어젯밤 반계로 돌아가려 계획을 세웠으나

風雨西林又浪過　　　서림에 비바람 불고 또 파도가 이네

주　　1) **문슬내봉왕자어**(捫蝨來逢王子語): 진나라 왕맹(王猛)이 당시 권력자인 환온(桓溫)을
　　　처음 만났을 때 이를 잡으면서 시대를 논했던 고사에서 나옴.
　　2) **사공**(謝公): 중국 송나라 문신 곽상정(郭祥正). 단주지사(端州知事)가 되었으나
　　　벼슬에 뜻이 없어 현청산(縣靑山)에 은거했음. 시에 뛰어나 매요신(梅堯臣)에
　　　의해 이백의 후신에 비견됨.

143. 김중보의 집에서 국화를 감상하며 여러 사람이 지은 시운을 따라 짓다[金仲輔宅賞菊次諸子韻]

楚楚臨堦菊　　　쓸쓸한 섬돌에 핀 국화

閒閒灑酒人　　　한가로이 술로 사람을 씻네

共迎驢背客　　　함께 맞은 당나귀 등의 나그네

靑眼十分新　　　청안 십분 새롭구나

144. 돌아가는 길에 또 시를 얻다[歸路又得]

抱經開講室　　　경전 안고 강의실 열며

携酒對騷人　　　술병 가지고 시인 대하네

何物供詩料	어떤 물건이 시의 소재 제공할까
黃花特地新	외진 곳 새로 핀 노란 꽃이로구나

145. 달밤에 『대학』을 외우다[月夜誦大學]

秋色懸孤月	가을빛 외로운 달에 걸려 있고
寒光滴衆星	차가운 빛은 뭇별에서 떨어지는데
誦書有餘意1)	글 외우는 데 남은 뜻 있으니
開卷小燈青	책을 펼치자 작은 등불 푸르구나

주 1) 여의(餘意): 말끝에 함축되어 있는 속뜻.

146. 제석에 병들어 누워서[除夕病臥]

■ 임신해(1692)에 작은 옴에 걸려 발반1)했는데 날마다 심해졌다[小疫發班日色壬申]

紙窗風雪病無眠	종이창에 눈보라 치고 병들어 잠 못 이루는데
點檢中心更赧然	중심을 점검해보니 다시 얼굴 붉어지네
寧欲健如屠市子	차라리 시장의 백정이 되었다면
樗蒲酒肉送殘年	저포와 술과 고기로 남은 해 보냈을 것을

(樗樗蒲非我事者 乃去年 除夕之作 而今傷於久病 且有謂而言也 觀者詳之 저
포는 내 일이 아니라는 것은 작년 제석에 지은 시인데, 지금 오랜 병에 상하여
또한 일러본 말이다. 보는 사람은 살피도록 하라)

주 1) 발반(發班): 천연두나 홍역을 앓을 때 살갗에 빨간 반진이 돋아나는 상태.

147. 사진이 귤을 보내준 데 감사하다[謝士珍惠柑]

美人遺我橘柚香	벗이 나에게 향기로운 귤 보내주어
沾得乾喉冷似霜	씹으니 마른 목구멍이 서리와 같이 차가워지네
倘謂交情同此味	오히려 사귄 정이 이 맛과 같다고 말한다면
簡中淸淡幾何賞	그 가운데 맑음을 몇 번이나 맛볼 수 있을까

148. 제목 없이 생각나는 대로 읊다[謾吟]

病客吟詩在澗涯	병든 나그네 시 읊으며 도랑 가에 있는데
蒲團春日委形骸	봄날 부들자리에 육신만을 맡겼네
梨花落盡桃花發	배꽃 떨어지자 복숭아꽃 피고
綠草芳原色更佳	푸른 풀 향기롭고 빛 또한 아름다운 것을

149. 봄에 낙계에서 눈을 만나다[樂溪遇春雪]

大雪被林莽	큰 눈이 저 숲을 덮어서
垂垂成皓髭	주렁주렁 흰 수염처럼 보이네
若逢朝日照	만약 아침 햇살 비춘다면
猶得少年姿	다시 소년의 모습으로 돌아가겠지
所歎人生老	인생이 늙었음을 탄식함은
不能造化移	조화1)를 변화시킬 수 없기 때문인데
此愁排却處	이 시름 거절하고 물리칠 곳은

| 魚鳥似相知 | 물고기와 새 서로 아는 듯하네 |

 1) **조화**(造化): 만물을 창조하고 기르는 대자연의 이치. 또는 그런 이치에 따라 만들어진 우주 만물.

150. 세촌에서 즉석으로 특별한 시체를 부르다[細村口占別體]

騎牛渡溪水	소 타고 개울물 건너
童子携出林	아이들 이끌고 숲에서 나오는데
白雪在陰壑	흰 눈은 그늘진 골짜기에 쌓여 있고
靑氣生陽岑	푸른 기운은 산 양지 기슭에서 돋아나네
漏雲日半畝	구름 속에서 나온 해 반 이랑쯤 되고
投山好鳥音	산으로 날아가는 새소리 좋구나
我自任所止	가는 곳을 내 뜻에 맡긴다면
停鞭勿駸駸	채찍 멈춰 달리지 말게 할 것을

151. 구숙이 지은 시에 차운하다[次李久叔]

白雪新門里	흰 눈 쌓인 신문리에는
靑山廣壟居	푸른 산 넓은 언덕 있고
江湖渺歸檝	강과 호수에 아득히 노 저어 돌아오네
尊酒絶聯裾	술 항아리에 소매를 담갔다 꺼냈다
敏學三冬足	삼동에는 공부하기 좋으나
疎才百病餘	없는 재주에 온갖 병 넘쳐
浮生離別苦	뜬세상에서 만날 수 없는 괴로움은

欲往更無驢　　　　　가고파도 타고 갈 나귀가 다시 없네

152. 밤에 읊다[夜吟]

入夜人初定　　　　　밤이 되어 사람이 처음으로 안정되니
憑軒意自明　　　　　난간에 기대어 뜻을 스스로 밝히는데
寥寥籬犬吠　　　　　고요함 속에 울타리에서 개가 짖고
寂寂草虫聲　　　　　적적한 풀에서는 벌레 소리 들려오네
月到天中小　　　　　달은 하늘 가운데 이르러 작아지고
風從柳外淸　　　　　바람은 버들 따라 밖으로 맑아지는데
高吟有餘味　　　　　높이 읊는 것이 남긴 맛 있으니
獨坐抵三更　　　　　홀로 앉아 삼경을 기다리네

153. 모래 냇가에서 여러 사람 운에 화답하여 그들을 칭송하다
[和沙川諸子韻頌諸子]

■ 곧 사진 삼형제와 예경이 함께하였다[乃士珍三兄弟與禮卿也]

病夫臥東郭　　　　　병든 사내 동곽에 누웠는데
詩客集西林　　　　　풍류객은 서쪽 숲에 모여 들고
駿骨長楸步　　　　　준골1)들은 멀리서 와서
希音淸廟琴　　　　　청묘2)에서 금 타는 소리 들으려 하네
珠華元自色　　　　　구슬 꽃은 원래 제빛인데

川水亦云深	냇물은 또한 깊다고 말하고
慙我塵機迫	나를 얽매는 속념이 부끄럽구나
佳期阻德音	좋은 때 그대들의 소식이 막히는구려

 1) **준골**(駿骨): 준걸(俊傑). 재주와 슬기가 매우 뛰어남.
2) **청묘**(淸廟): 맑고 깨끗한 종묘. 조촐하고 고요한 곳.

154. 보광재[1] 사고를 보여준 유군사에게 시를 지어 주다[題葆光齋私稿示俞君四]

■ 그해는 신미년 겨울이다[當入辛未冬]

　나는 일찍이 보광 김자익이 시도 잘하고 선술[1]을 좋아한다고 들었다. 올가을에 파산으로 가서 박 선생을 뵈오니 선생이 나에게 "보광이 편지를 보내 그 무리에게 학문을 권한다고 하는데, 과연 그대도 그러하다고 들었는가"라고 물으시었다. 나는 아직 듣지 못했는지라 돌아와서 그 문인인 유군사에게 물어보니, 군사가 의심하여 말하기를 "그것은 헛소문이다"라고 했다. 뒷날 군사와 더불어 밤에 이야기할 때 "나의 스승은 오늘 학문을 처음 시작한 것이 아니다. 특히 좋아하는 것은 문자를 쓰지 않는 것이다. 요사이 그 집이 어려움을 겪어 편하지 못하므로, 글에 힘쓰지 못하고 있을 뿐이다"라고 말했다. 그리하면서 그 스승의 옛글을 보여주었다. 내가 그가 지은 시문을 보니, 시가 대체로 글보다 나아 풍기를 짐작할 수 있었다. 다만 서울과 시골이 서로 막혀 만나서 한 번도 토론하지 못한 것이 안쓰러울 뿐이다. 이리하여 율 한 수를 써서 군사에게 보이니, 그때가 신미년 가을이었다.

余嘗聞金葆光子益 能詩好仙術 今秋往拜 坡山朴先生 問余葆光移
書 其徒勸以學問云 果然而君亦聞之否 余未及聞矣 歸而問其門人
兪君四 君四訝其浪傳也 後與夜話言 吾師今日非始學問而所好者
在無字矣 近以其家屈於時 畏約不自安故 於向來詞華 不力焉爾 仍
視以其師舊稿 余觀其詩文 詩盖勝於文 風氣亦可想也 但洛峽相左
恨不得接床席一高論耳 遂題一律示君四 歲辛未冬書

涇渭東南合	경수2)와 위수3)는 동남에서 모이나
其來尚異源	그 흘러온 근원은 다르네
百年車在路	백 년 동안 수레 갈 길이 있었지만
幾處客投村	나그네 발길 이른 마을 몇 곳인가
純白思虛室4)	순백은 빈집을 생각나게 하고
重玄緬妙門	중현5)은 숨어 있는 묘문이라네
騷壇可高幟	문단에 높은 이름 날릴 수 있는데
何事棄空蕃	무엇 때문에 쓸데없다고 버리겠는가

1) 보광재(葆光齋): 김자익(金子益)의 호.
   자익(子益): 조선 시대 학자 김창흡(金昌翕, 1653~1722)의 자. 본관 안동. 호 삼연
   (三淵). 시호 문강(文康). 서울 출생. 영의정 수항(壽恒)의 셋째 아들. 이단상(李端相)
   에게 수학하고, 1689년(숙종 15) 기사환국(己巳換局) 때 아버지가 진도(珍島)의
   배소(配所)에서 사사되자 형 창집(昌集), 창협(昌協)과 함께 영평(永平)에 은거함.
   1721년(경종 1) 집의(執義), 세제시강원(世弟侍講院) 진선(進善)에 임명되었으나
   모두 사양함. 성리학(性理學)에 뛰어나 형 창협과 함께 이이(李珥) 이후의 대학자
   로 이름을 떨침. 신임사화(辛壬士禍)로 유배된 형 창집이 사사되자 지병(持病)이
   악화되어 그해에 죽음.
2) 경수(涇水): 중국 섬서성의 강 이름. 위수(渭水)가 맑은 데 비해 탁한 물의 대명사로
   쓰임.
3) 위수(渭水): 중국 황하강의 지류. 강태공의 고사로 유명함.
4) 순백사허실(純白思虛室): 공부가 경지에 이르면 빈집에서 순백의 빛이 난다고

한 허실생백(虛室生白: 도가의 글)에서 전함.

5) **중현**(重玄): 현빈과 현관. 도가에서 말하는 오묘한 장소와 깊고 묘한 이치로 들어가는 관문.

155. 용호로 가는 길에서 지어 덕휘에게 보이다[龍湖路得示德輝]

朝入駝駱里	아침에 타락 마을 들렀다가
暮向龍湖村	저물게 용호 마을을 향하네
城市方喧耳	도시에서는 바야흐로 귀가 시끄러운데
江山却爽魂	강산은 문득 혼이 서늘해지네
夕陽孤檝影	석양의 외로운 노 그림자
新月細爐痕	새로운 달은 보드라운 아지랑이 자취 남기네
俞子應高興	유자의 높은 흥에 응하여
相逢酒一尊	서로 만나거든 술이나 한잔하세

156. 저녁 때 내리는 비[暮雨]

暮向龍山去	저물게 용산을 향해 가노라니
稍驅倦馬行	조금쯤 말 모는 걸음이 게을러졌네
村多羣犬吠	마을에 여러 마리 개 짖어대고
林少數螢明	숲의 반딧불 수 적어도 밝구나
星覆前江濶	별빛 쏟아지니 앞 강 넓어지고
雲飛大野平	구름 사라지니 큰 들 넓게 펼쳐지는데
登樓望秋氣	누각에 올라 가을 기운 바라보니

| 寥落百年情 | 요락1)하여 백 년의 정 남았구나 |

 주   1) **요락**(寥落): 황폐하여 쓸쓸함.

157. 조여겸이 지은 시에 차운하다[次曹汝謙]

安得同心子	어찌 마음 같은 사람 얻어
共論千古情	함께 천고의 정을 논하랴
鵷鸞雲外志	원난1)은 구름 밖에 뜻이 있고
烏鵲葉間聲	까마귀와 까치는 잎 사이에서 소리 내네
但飮芳尊好	다만 꽃다운 술 마시기 좋은데
寧無雅曲淸	어찌 아름다운 곡조에 맑음이 없겠는가
叩門亦何者	문 두드리는 이 또한 누구인지
意氣見曹生	의기2)로 보아하니 조생이 분명하구나

주   1) **원난**(鵷鸞): 봉황의 일종으로 하늘 위에서 신선을 태우고 다닌다는 새.
       2) **의기**(意氣): 장한 마음.

158. 덕휘가 쓴 시에 차운하다[次德輝]

雨過靑山好	비가 그치니 푸른 산이 아름답고
風來午閣淸	바람 부니 한낮에 집이 맑아지는구나
糲藞生計足	매조미쌀과 나물로 생계가 족한데
榛棘道塗橫	덤불 가시는 길마다 가로막고 있네
冥海鵬將怒	어두운 바다에는 붕새 성내려 하고

高岡鳳欲鳴 　　높은 산등성이에는 봉새 울려 하는데
西城誰問我 　　서성에서 누가 나에 대해 묻거든
東谷最多情 　　동쪽 골짜기에서 가장 정이 많다고 이르라

159. 반지에서 여러 벗과 함께 모여 운을 불러 짓다[盤池與諸友 會呼韻]

喚君綠柳下 　　그대를 푸른 버드나무 아래로 불러
垂釣白蘋洲 　　백빈주1)에서 낚시 드리운다
林氣霏微雨 　　숲 기운 보슬보슬 이슬비 내리게 하고
蟬聲爛熳秋 　　매미 소리 눈부신 가을에
昔人濠濮趣 　　옛사람의 호복2)으로
今日洛波遊 　　오늘 서울 강물에서 논다
借問諸君子 　　비로소 여러 군자들에게 묻노니
如何各所求 　　무엇을 각각 구하고 있는가

주
　1) **백빈주(白蘋洲)**: 하얀 마름꽃이 피어 있는 물가.
　2) **호복(濠濮)**: 호와 복의 강 사이에서 노니는 생각이라는 뜻으로, 속세를 떠나 선경에 사는 심경을 말함.

160. 중흥사 돌문에서 자정에게 보이다[重興石門視子貞]

沙路白如雪 　　모랫길은 흰 눈 덮인 것 같고
雲峰青似藍 　　구름 봉우리는 쪽빛같이 푸르구나
削分思太古 　　깎이고 쪼개진 것에서 세월 느끼고

時見訪優曇	우담화1) 보고자 때때로 찾아오네
步步香生屐	걸을 때마다 신에서 향기 나고
回回玉作潭	돌고 돌아 옥으로 못을 만들었네
脚疲仍且坐	다리 피곤하여 또한 앉았으니
薄酒笑相酣	박주라도 웃으면서 서로 취하자

 1) **우담화**(優曇花): 우담발라(優曇跋羅). 인도에서 삼천 년에 한 번씩 핀다고 하는 상상의 식물.

161. 중흥사에서 송여규가 쓴 시에 차운하다[重興寺次宋汝奎]

秋雨重興寺	가을비 내리는 중흥사에서
芒鞋笑却迎	짚신 신고 서로 웃으면서 마중했네
水南三歲別	물 남쪽에서 삼 년 동안 이별했는데
山下一燈淸	산 아래 한 등불이 맑구나
老檜何無語	늙은 전나무는 왜 말이 없는지
寒蟾故不明	차가운 달은 짐짓 밝지 않은데
莫辭西上苦	서쪽으로 올라가는 수고를 사양하지 말게
去去白雲程	갈수록 흰 구름 자욱한 길이 되나니

162. 신일사에서 시희가 운을 불러 짓다[新日寺始喜呼韻]

水色山光一樣淸	물빛과 산 빛이 하나같이 맑은데
樹深添得早蟬聲	나무가 깊으니 일찍 온 매미 소리 더하는구나
綸巾白衲相迎處	윤건1)과 백납2)이 서로 맞이하는 곳에

頓滅人間火宅情　　　갑자기 인간 화택3)의 정이 사라졌네

주 1) 윤건(綸巾):비단실로 짠 두건(頭巾). 은자(隱者)가 쓰는데 촉한(蜀漢)의 제갈량(諸葛亮)이 등용된 뒤에도 계속 썼다 함.

2) 백납(白衲): 늙은 스님.

3) 화택(火宅): 불교에서 사바세계인 속세를 이르는 말.

163. 늦게 온 나비에 대한 감흥을 읊다[咏晚蝶感興]

吾知爾性樂春暉　　　나는 너의 성품이 봄빛 좋아하는 줄 아는데

何似春歸爾不歸　　　어찌하여 봄은 돌아가고 너는 남았느냐

終日荒園來又去　　　해지도록 거친 동산 오고가는 것은

尚疑草或芳菲　　　아직 꽃다운 풀과 꽃이 남았다고 의심함이냐

164. 사동에 피해 살며 덕휘의 집 하나를 빌려서 사는 회포를 쓰다[避寓社洞借德輝一齋居寫懷]

竹窓蕭灑照寒暉　　　대나무 창 쓸쓸한데 차가운 빛 비치는구나

一室圖書生事微　　　한 방의 도서에는 작은 일 생겨나니

荊妻憂病供軟粥　　　아내는 병을 걱정하여 묽은 죽 가져오고

稚女多戱詑斑衣　　　어린 딸은 색동옷 입고 어리광 부리는구나

萋萋芳草雙鸛立　　　무성한 방초에 두 마리 구관조 서 있고

鬱鬱深林衆禽歸　　　울울한 깊은 산속에는 여러 마리 새가 돌아가네

最恨離親今幾日　　　한스럽구나! 어머님을 떠나온 지 지금 며칠

째인가

只憑孤夢拜庭闈　　다만 외로운 꿈에 의지해 어머님을 뵙곤 하네

165. 두 번째 시: 해질녘에 높은 데 올라가서 그리워하며[其二 登高晩懷]

數月棲遑却未回　　여러 달 헤매고 다니느라 돌아가지 못하고
思家秋日獨登臺　　집 생각하며 가을날 홀로 대에 올랐는데
山城雲盡晴峰出　　산성에 구름 다하니 맑은 봉우리 나오고
谷樹烟生夕杵催　　골짜기 나무에 연기 일어나니 저녁 방아 재
　　　　　　　　　　촉하네

黃菊新栽三逕密　　노란 국화 새로 심어 세 길에 빽빽하고
白衣誰送一尊來　　흰 옷 누가 보냈는지 한 동이 술이 왔네
丈夫只信雄心在　　장부는 다만 웅대한 마음 있음을 믿고
撫劍高歌莫肯哀　　칼 어루만지며 높이 노래하고 슬퍼하지 말게나

166. 세 번째 시[其三]

昨夜金颺吹滿塘　　어젯밤 가을바람 연못에 불고
倚山秋日易斜陽　　산을 의지하니 가을날 석양이 쉽게 오네
手攀叢桂山阿色　　계수나무 잡고 오르니 산언덕 빛을 얻고
步拾幽蘭谷底香　　그윽한 난초 꺾으며 걸으니 골짜기 아래 향
　　　　　　　　　　기 나네

地上風波同灩澦	땅 위의 풍파는 염여1)와 같고
世中情態異炎凉	세간의 정은 염량2)이 다른데
詞華縱有相如賦	문장은 비록 상여3)의 부를 좇지만
恥作俳優悅漢皇	한황4)에게 아부함을 부끄러워하네

주

1) **염여**(灩澦): 염여퇴(灩澦堆). 중국 사천현 구당협 상류에 큰 암석이 있는 곳. 초와 촉의 문호.
2) **염량**(炎凉): 인정의 후함과 박함.
3) **상여**(相如): 중국 한나라 때의 문신이며 문인인 사마상여(司馬相如, B.C. 179~B.C. 117). 효문원령(孝文園令) 등을 지내고「자허부(子虛賦)」,「상림부(上林賦)」등 유명한 작품을 남김.
4) **한황**(漢皇): 중국 전한의 무제(B.C. 156~B.C. 87). 성은 유(劉) 이름은 철(徹), 묘호는 세종(世宗). 중앙집권을 강화하고 흉노를 외몽골로 내쫓는 등 여러 지역을 정벌함.

167. 이정숙이 쓴 운에 화답하다 [答李正叔韻]

風塵未見唱新詩	풍진에서 바빠 새로운 시 읊지 못하고
寄與窮村慰我思	궁한 마을에 부쳐 사니 내 생각 위로되네
笑裡有刀看世態	웃음 속에 칼이 있다 함은 세태를 말한 것이요
腹中生疾失良醫	뱃속에 병이 생겼는데 좋은 의원 잃었다네
此心惟見二三子	이 마음은 다만 제자들에게 보이고자
好意頻酬長短詞	좋은 뜻으로 자주 길고 짧은 글로 수작하는데
更荷年年人日作	다시 해마다 인일1)은 돌아오니
何須屑屑太傷離	어찌 구차하게 떠남을 크게 슬퍼할까

주

1) **인일**(人日): 음력 정월 초이렛날. 이날 객이 와서 묵고 가면 불운이 든다고 하여 외숙하지 않는 날.

168. 태묘1)를 배알하다[謁太廟]

■ 월과2)로 어떤 사람을 대신해서 짓다[月課題代人作]

鐘鼓喤喤奏厥聲　　　종과 북 우렁차 웅장한 소리로 아뢰니
天容穆穆致虔誠　　　천자의 모습에 목목3)하게 정성 다하네
於皇烈祖戎功在　　　황실의 열조4)는 무공으로 이루었으나
有道曾孫景福成　　　도리 다하는 증손들에게 큰 복이 되었네
禮饗靡爭三祼畢　　　예향5) 서두르지 않고 삼과6) 마치니
仁風無斁四方清　　　어진 풍속 변하지 않았고 사방이 맑구나
緝熙文典惟今日　　　다만 계속 문전7)을 닦고
更飭羣工各勵精　　　관리들 단속하여 마음 가다듬고 기운 내어
　　　　　　　　　　힘쓰도록 하라

> 주
> 1) 태묘(太廟): 종묘. 조선 시대에 역대 임금과 왕비의 위패를 모시던 왕실의 사당.
> 2) 월과(月課): 한 달에 한 번 제출하는 과제.
> 3) 목목(穆穆): 신중하고 공경스러움.
> 4) 열조(烈祖): 커다란 공로와 업적이 있는 조상.
> 5) 예향(禮饗): 예를 갖추어 빈객(賓客)을 대접함.
> 6) 삼과(三祼): 제사를 지내는 데 필요한 세 가지 절차. 강신(降神), 헌작(獻爵), 사신(辭神).
> 7) 문전(文典): 문법과 어법을 설명한 책.

169. 인정문1)에서 조회를 받다[受朝仁政門]

■ 위와 같음[上同]

曉闢金門一氣新　　　새벽에 금문 열리자 한 기운 새롭고

千官爭賀禁園春	많은 관리 다투어가며 금원2)의 봄을 축하하는데
優優禮法遵中夏	넉넉한 예법은 중국을 따른 것이고
濟濟衣冠拱北辰	많고 훌륭한 의관은 북두칠성을 껴안았네
瑞霞初含靑瑣柳	상서로운 노을 처음으로 푸른 버들 머금고
和風不動赤城塵	온화한 바람 적성의 먼지도 날리지 못하는데
親逢聖代治平象	성대의 태평한 세상에서 서로 만나
竊效華封3)祝帝仁	간절히 명나라가 봉한 임금의 어지심을 경하드리네

주
1) **인정문**(仁政門): 서울 종로구 와룡동에 있는 창덕궁 인정전(仁政殿)의 정문.
2) **금원**(禁園): 대궐 안에 있던 동산이나 후원. 일반 사람의 출입이 통제된 곳.
3) **화봉**(華封): 임금에게 장수(長壽), 부(富), 다남(多男)을 축원함.

170. 덕휘에게 주다[與德輝]

凜凜歲云暮	한 해가 무정하게 저물어가는데
北風何颼颼	북쪽 바람은 왜 이렇게 쌀쌀한가
幽人不敢寐	한가한 사람 잠 못 이루는데
明月照高樓	밝은 달 높은 누각에 비치네
雲鶴自深巢	구름 속 학은 절로 깊은 집 짓고
林鴉各命儔	숲 속 까마귀 각각 짝을 찾는데
攬衣起徘徊	옷을 걸치고 일어나 돌아다니니
遽然令我愁	갑자기 나에게 시름이 이네
嗟我同心子	슬프구나! 나와 뜻을 같이한 사람들은
遙在北城頭	저 멀리 북쪽 성 끝에 있구나

爾音豈金玉　　　　너의 소리가 어찌 금옥이 아닐까마는
詩以寄綢繆　　　　시로써 부치려 하니 얽히고설킨 바가 많구나
上言離別久　　　　첫 번째 말은 이별이 오래되었음이고
下言身心修　　　　다음 말은 몸과 마음 닦으라는 것인데
披之不敢釋　　　　펴서 보고도 감히 풀이하지 못하여
服膺永相謀　　　　가슴에 담아두고 영원토록 생각하려 하네
天道有環回　　　　하늘의 도리란 돌고 도는 것이며
大德如毛輶　　　　큰 덕이란 가벼운 털과 같은 것
惟民鮮克舉　　　　다만 이겨서 나아가는 백성은 드물고
君子肯夷猶　　　　군자들은 이것을 잘 참아내지
冥冥崦嵫色　　　　어둡고 어두움은 해지는 산 빛 같고
日月亦易遒　　　　세월도 또한 쉽게 가는 것이라네
良箴倘不絶　　　　좋은 꾀는 오히려 끊어지지 않으니
可慰孤陋憂　　　　고루한 근심을 위로할 수 있겠구나

171. 남쪽 들에서 본 바를 읊다[南郊所見]

松柏鬱森森　　　　소나무와 잣나무 빽빽하게 우거지고
烏鵲啼啞啞　　　　까마귀와 까치 악악거리며 울어댄다
秋風一何凉　　　　가을바람은 어찌 하나같이 서늘한데
孤兒哭荒野　　　　외로운 아이 거친 들에서 우는구나

172. 「미인칠곡」으로 시천 이한유가 쓴 시에 화답하다[美人七曲和 詩川李族漢遊韻]

■ 편지를 함께 쓰다[竝書]

엎드려 생각하건대 서늘한 가을에 부모님 모시는 몸이 아름답고 쾌적하십니까. 우러러 위로하는 마음 또한 간절합니다. 종계방1) 형님께서 맑게 지으신 글을 보니, 말의 뜻이 하늘에서 나온 듯 속가의 요요한 무리가 지은 바가 아닙니다.

일찍이 들어보니 말이란 학문의 넉넉함에서 나오니, 비단 옛날뿐 아니라 앞으로도 사람을 놀라게 하실 것입니다. 보내주신 글은 점점 아름다운 경지로 들어갈 것입니다. 시에서 말씀하시기를 "장부의 사업은 커서 의식에 있지 않다"라고 하셨으니, 더욱 사람으로 하여금 공경하고 좋아하게 합니다.

아! 이 도가 왜 일찍이 망했으며, 이 사람이 왜 일찍이 세상을 달리했습니까. 세상에 착한 일을 하는 자와 착하지 않은 일을 하는 두 가지 부류가 있으나, 모두 마침내 돌아가는 곳은 같습니다. 한세상을 돌아보며 매우 슬퍼한 지 오래입니다.

나의 형님께서 능히 크고 작으며 가볍고 무거움을 이와 같이 믿으시니, 참으로 호남의 호걸이라 하겠습니다. 이 어리석은 사람을 돌아보건대 바탕은 적고 배우지 못하였고 하물며 더러운 곳에서 들은 것이 적어 능히 스스로 빠져나가지 못하는데, 어찌 한바탕 근심으로 답답한 마음을 감당하겠습니까. 이 미인곡 일곱 장을 가지고 우러러 고상한 운치에 화답하며 올리니, 보시고 한번 미소 지으시기를 바랄 뿐입니다.

생각하옵건대 한겨레이면서 서로 못 보고 학문을 가지고 강론하지 못하니, 정과 의리가 과연 어떻다 할 수 있겠습니까. 멀고 먼 남북에, 다만 마음으로 보일 기약을 할 뿐입니다. 다만 바라옵건대 높고 깊게 연구를 마쳐 처음과 끝까지 은혜로운 덕음을 내리시기를 바라며, 경계의 말씀을 드립니다.

伏惟秋凉侍履佳適 仰慰且傃 從季方兄主 得見清製辭意 出入天人
非俗子擾擾輩也 曾聞以辭優游於學 非切猶古也 謂將有爲驚人耳
眼 來篇可謂漸入佳境也 其曰丈夫事業大不在衣食者 益令人可敬
可愛 噫此道何嘗亡 此人何嘗異 然有爲善者有爲不善者無他 皆二
者之出入也 回瞻一世 竊有慨然者久矣 吾兄能已知大小 輕重如此
信乎湖南有豪傑也 顧此愚質少而不學況陋寡聞不能自拔 何當一場
以陶湮鬱也 兹將美人曲七章 仰和高韻登覽可一笑耳 仍念以族而
不相見 以學而不相講 情與義果何如也 渺渺南北只可會心期而已
惟願崇深克究 終始時惠德音以提警焉

美人在南方	그리운 이가 남방에 있는데
相思隔雲端	서로 생각하지만 구름 끝이 막혀 있고
秋風一蕭瑟	가을바람 한 번 소슬하니
芳菊零露寒	향기로운 국화에 찬 이슬 맺히네

주　1) **종계방**(從季方): 부계 팔촌 이상의 형제.

173. 두 번째 시[其二]

| 美人惠瓊琚 | 벗의 경거1)가 은혜로우니 |

我心則有寬	내 마음 곧 너그러워졌고
山高水洋洋	산은 높고 물은 양양2)한데
神交在一彈	신교3)는 일탄4)에 있네

 1) **경거**(瓊琚): 아름다운 옥. 전하여 훌륭한 선물. 이 글에서는 시를 말함.
2) **양양**(洋洋): 한없이 넓은 모양.
3) **신교**(神交): 정신적으로 사귐.
4) **일탄**(一彈): 첫 번째 쏘는 실탄. 전하여 제일 먼저 내놓은 문제.

174. 세 번째 시[其三]

美人蘊雅意	벗의 뜻 아름답고 높아
伐檀戒素餐	벌단1)에 나오는 소찬2)을 경계하네
自言在陋巷	자언3)은 누항에 있어
其樂一瓢簞	표주박 하나면 즐거운데
只爲負素抱	다만 본래 포부 저버릴까 하여
却憂歲月單	문득 세월의 빠름을 근심하네

1) **벌단**(伐檀): 『시경』의 편명. 윗사람의 공으로 녹을 받음을 자극한 시.
2) **소찬**(素餐): 공로 또는 재능이 없이 높은 지위에 앉아 공으로 녹을 먹는 일.
3) **자언**(自言): 자기(自己) 스스로 자기(自己) 말을 함.

175. 네 번째 시[其四]

美人有令德	벗에게 아름다운 덕이 있으니
淸介播河間	맑은 고결함 하간1)에 뿌렸구나
精神入造化	정신이 조화에 들었는데

一氣豈秘慳	만물의 원기 보여줌에 어찌 인색한가
工夫無早晚	공부에는 이르고 늦음이 없으니
古今看一般	예와 지금을 한가지로 보네

주 1) 하간(河間): 개울이 가로지른 마을.

176. 다섯 번째 시[其五]

美人見大道	벗이 큰 도리 보여
身心得充完	심신을 완전히 채울 수 있었네
程子著論性	정이1)와 정호2)는 성론3)을 지었고
張氏垂證頑	장재4)는 변두리까지 고집스럽게 증명하였네
嘐然揖餘薰	그 뜻 커서 남은 향기에 예를 다하네
名利視入還	명리는 잠시 머물고 돌아가는데
行行倘靡已	오히려 구하는 마음 더해가고
安宅自不關	집에서 편히 있다 보면 괜찮아지겠지

주 1) **정이**(程頤): 중국 북송의 유학자(1033~1107). 자는 정숙(正叔), 호는 이천(伊川). 이기(理氣)의 철학을 처음 내세우고 유교 도덕에 철학적 기초를 부여함.

2) **정호**(程顥): 북송의 유학자(1032~1085). 자는 백순(伯淳). 호는 명도(明道). 아우 정이와 함께 이정자(二程子)로 불림. 도덕설을 주장하여 우주의 본성과 사람의 성(性)은 본래 동일하다고 보았음.

3) **성론**(性論): 성설(性說). 사람의 본성에 관한 중국의 철학 이론. 성선설(性善說), 성악설(性惡說), 선악혼효설(善惡混淆說) 등이 있음.

4) **장재**(張載): 중국 송나라의 문신 학자. 왕안석(王安石)의 신법(新法)에 반대하여 벼슬에서 물러난 뒤 정호, 정이에게서 배움. 송나라 유학의 기초를 세움.

177. 여섯 번째 시[其六]

美人探此理	벗은 이 이치 탐구하여
已知有回還	이미 갔다가 다시 돌아옴을 아는데
胸中一團和	가슴속 일단의 생기 있는 기색은
將欲蘇癃殘	병든 사람을 다시 살아나게 하네
强作豈若兹	억지로 지었다면 어찌 이와 같을까
其心應有安	그 마음에는 마땅히 편안함 있으리
路遠日已暮	길은 멀고 해는 이미 저무는데
急策莫卸鞍	급히 채찍질하며 안장을 벗기지 마라

178. 일곱 번째 시[其七]

美人在南方	벗이 남쪽에 있어
澗陸久盤桓	물과 육지 오래도록 머뭇거리며 서성였네
深藏不肯出	깊이 숨어 나오지 않고
泂然衆慮刪	멀어서 여러 사람 생각에서 잊혀버렸네
恢恢自樂地	넓은 땅에서 스스로 즐기기를
快若雲鵬搏	구름 붕새 쾌활하게 날개 치듯 했는데
而我漢西客	나는 한수 서쪽의 나그네 되어
倀倀任庸孱	갈팡질팡하다 용렬하고 나약함에 이르렀네
中夜起嘆息	밤중에 일어나 탄식하는데
不覺雙淚班	나도 모르게 두 줄기 눈물 흐르고
松桂誰相托	소나무, 계수나무처럼 누구와 서로 의지하나

迢遙不可扳	멀어서 닿을 수가 없네
眷眷天人說	천인1)의 말 간절해 잊지 못하니
使我欽且歎	나로 하여 공경하고 찬탄하게 하는데
聊以答其章	애오라지 그 글에 답하여
尚或照心肝	오로지 심간을 비추기 바라네

주 1) **천인**(天人): 선인(仙人)과 같이 도(道)가 있는 사람.

179. 사진에 대한 화답으로 두 수를 짓다[和土珍二首]

■ 편지에 요약하여 쓰다[竝書]

   눈 쌓이고 초승달이 뜨자 바야흐로 사모하는 정이 있어 글을 띄웠더니, 시와 글이 이르렀네. 편지 속에 언문으로 희롱한 글은 나를 후하게 가르치려고 하였으나, 병이 들어 게을러진 탓에 앞뒤를 분간하지 못하였네. 또한 곰곰이 생각해보니 생각은 글로 표현되는 것으로 정이 없다면 어찌 이와 같이 썼겠는가. 비록 병들어 게을러져도 다른 친구들에게 떠넘길 수는 없네. 그러나 한 마리 나귀도 쓸 수 없는데 병과 근심이 함께하였으니 좋은 때를 놓쳤고, 빚을 갚아야 한다고 생각했을 때는 몸은 이곳에 있지 않을 것이네. 어찌 쉽게 용서하겠는가. 희롱이란 지극히 진실한 것이지. 희롱이 없다면 사람으로 하여금 더욱 송구함이 많게 할 것이네. 이에 작은 정성 다해 고운 한 절 한 율을 갖추고 또한 고의 두 편을 지었는데, 그 한 편 또한 높은 운이네. 만약에 하나의 운으로 팔첩1)을 한다면 이것이 글의 싸움터가 될 것이니, 용사는 졸한 일을 하는 사람이 아니네. 이미 모자람을 알았는데, 반드시 시를 지어야 하겠는가. 앞뒤로 온 시 여덟 편에 세 편은 갚았고, 나머지 한 수는 고의로 써서 갚으려는데 어떠한가. 비굴하다고 생각하는가. 좋게 생각해주게.

행주의 주인은 이미 그대와 벗이 되었는가. 누지에 왔는데도 만나지 못했으니, 자못 슬프네. 학당의 시인들은 한둘이 아니겠지. 서로 마땅히 같은 소리로 화답할 것이네. 금옥은 스스로 보배가 됨이 마땅하고 당연히 사람들의 눈으로 알아볼 것을 허락하지 않을 것이니, 비부2)가 지목한다면 또한 어찌 그것이 보배인 줄 알겠는가. 병들어 가지 못한 일을 시로 대신한다면 한번 웃을 만하겠지.

積雪新月意方有慕 書帶詩至 以諺爲戲多見所得不慳 自憐病懶難先後也 且戀戀之懷發於辭 非情豈如此 是則雖病懶 不能讓於左右也 然一軀未立病憂相續 違良晤 逋珍債則身不處此 豈易恕耶 戲至固矣非戲令人悚懼尤萬萬 玆竭鄙誠以備古韻一絶一律 又成古意二篇 其一亦高韻也 若一韻八疊 自是白戰3)場勇士 非拙者事也 旣知牽率 又何必遂之4) 前後來詩八篇償其三 餘以一古意請贖之何如不以拙者鄙惟意是鑒焉 杏洲主人已來伴否 枉陋未拜迨用悵黯榻中騷人非一二 相應同聲和之 金玉宜自實 如不許人目鄙夫 亦安得而知其實也 病間有代步則可一破也

仙禽命儔侶	두루미 짝 부르기 명하니
徘徊蘭澤中	난택5) 가운데로 배회하네
於心不相厭	마음이 서로 싫지 아니한데
終歲亦何窮	해가 다하도록 어찌 이리 궁할까
時復奮其翎	때가 회복되면 그 날개 퍼덕이며
飄忽薄雲空	갑자기 공중으로 솟구쳐 올라

且將竝雙虬	또한 장차 두 마리 규룡6)와 나란히
蜿蜿步彩虹	꿈틀꿈틀 무지개로 걸어갈 것을
灼彼桃李叢	곱고 고운 저 복사꽃과 자두 떨기는
百舌鳴春風	지빠귀 울더니 봄바람 불어오고
所得各有然	얻는 바는 각각 인연이 있는데
其理孰能通	그 이치 누가 통했는가
君子必自究	군자는 반드시 스스로 연구하여
莫使我心蓬	마음에 번뇌가 자라지 말게 하라

주
1) 팔첩(八疊): 같은 운을 가지고 여덟 번 반복해서 쓰는 일.
2) 비부(鄙夫): 비루한 남자. 자신을 겸손하게 가리키는 말.
3) 백전(白戰): 문인들끼리 글재주를 겨루는 일.
4) **기지견솔우하필수지**(旣知牽率 又何必邃之): 시 잘 짓는 친구를 반어적으로 칭찬하는 말.
5) 난택(蘭澤): 난초가 자라는 연못.
6) 규룡(虯龍): 용의 새끼. 빛이 붉고 뿔이 없는 전설상의 동물.

180. 두 번째 시[其二]

步上西城闉	걸어서 서쪽 성문에 올라
遙望沙川磯	멀리 바라보니 돌서덜이 보이네
昔者風雪中	옛날 눈과 바람 가운데에서도
故人從此歸	친구는 이 길 따라 나아갔는데
我欲渡沙川	내가 모래와 냇물 건너려 해도
川水浩無梁	시냇물 넓으나 다리는 없었네
願作雙飛鴻	바라건대 두 마리 기러기 되어
與之以翶翔	함께 날았으면 하네

181. 높은 산을 노래하다[高山歌]

高山莫莫陵谷深	높은 산 막막하고 산골 깊은데
層氷積雪相嵯峨	층진 얼음, 쌓인 눈 서로 우뚝하고
大坂凍滑小坂折	큰 언덕 얼어 미끄럽고 작은 언덕 끊겼으니
我馬踡跼不能過	말이 절뚝거리며 걸어 나가지 못하네
僕夫且言多猛虎	종은 또한 사나운 범이 많다 하고
前路渺然亦可愁	앞길 아득하니 또한 근심스럽네
白日西匿色冥冥	밝은 해가 서쪽으로 숨으니 빛은 어두워지고
石蹲叢薄或驚眸	나무떨기 우거진 곳 돌에 걸터앉자 혹 놀란 눈동자 되는데
若非心中有可質	만약 마음 가운데 바탕 있지 아니했다면
孰能坦然無所憂	누가 능히 태연하게 근심하지 않을까
莫道此間猛虎惡	이곳에 호랑이가 사납다고 하지 마라
長安道上盡豺虎	장안의 길 위에선 모두가 이리와 범
噛人如齕草	사람 잡아먹기를 풀 씹듯 하니
我已將身得保護	나는 이미 몸을 빼내 보호하였네

182. 상엿소리[薤露歌]

■ 한마을에 살다 죽은 친구를 위한 만사[輓里舊也]

薤露晞此曲	상엿소리는 드물지
愁切誰能聽	시름 간절하나 누가 들어줄까

我爲君不感止	나는 그대 위하여 감히 그치지 못하는데
皎皎兮曉月傷我情	밝구나! 새벽달이여! 나의 정 상하게 하네
君是老德人	그대는 덕 있는 늙은이라
衣食亦頗饒	의식 또한 자못 넉넉했지
膝下有三子	슬하에 세 아들 있는데
風骨俱超超	기골이 모두 뛰어나
一子服耒耟	한 아들은 농사를 짓고
一子着朱衣	한 아들은 관리가 되었으며
季兒且豪遁	막내아들 또한 호쾌하게 놀아
不爲事務羈	사무에 얽매이지 않고
諸女復飄姚	딸들은 모두 곱고 아름다웠지
孰言非門楣	누가 문미1)가 아니라고 말할까
七十年間樂	칠십 년 동안 즐거운 것은
且和親嫡	친척들과 화목하게 지내는 것이었네
里閈爭嗟羨	마을 사람들이 다투어 부러워했는데
一朝君長逝	하루아침 그대 길이 가버리니
舍兹將安戀	이곳 버리고 장차 어디를 생각하는가
薤露晞人生	상엿소리 인생을 슬퍼하는 것 같은데
苦樂徒爾矣	고통과 즐거움은 헛되도다
露兮朝晞夕猶滋	이슬은 아침에 내렸다가 저녁에 다시 불어나니
人生安得能如此	인생 어찌 이와 같을 수 있을까
歌悽悽悵望北邙路	구슬픈 노래 부르며 북망산2) 길 슬피 바라보니
春風攬情情未已	봄바람이 정을 흔들어 정이 그치지 않는구나

주 1) **문미**(門楣): 창문 위에 가로 댄 나무.

183. 가을날 읊다[秋日吟]

漢陽城頭秋日暮	한양성 성 머리로 가을 해 저무는데
烏鵲群飛不知數	까마귀와 까치 수없이 무리지어 날아드네
借問今夜何處宿	비로소 묻노니, 오늘 밤은 어디에서 자려 하느냐
上林無限松柏樹	상림 끝없는 소나무와 잣나무에서 잔다고 하네
谷中采蘭韓州子	골짜기에서 난초 캐는 한주자는
幾日辭家憶鄕里	집 떠나고 며칠인지 고향 생각한다네
嚮風高歌歎棲棲	바람 향한 높은 노래에 안절부절 탄식하고
安得與爾化雙翅	어찌 너처럼 두 날개로 화할 수 있을까

184. 산영루에서 자정이 지은 시에 화운하다[山暎樓和子貞]

白雲下英英	흰 구름 뭉게뭉게 내리는데
所思在山陽	산양에 있을 때를 생각하네
日暮山路黑	해 저물고 산길 어두우니
何以陟彼岡	어찌 저 언덕 올라갈 것인가
低回步蘭皐	낮게 돌아 난초 언덕 걸어가니
花草秖自香	화초는 다만 절로 향기롭구나

風雨復凄凄	바람과 비에 다시 쓸쓸해지니
未或愜素情	혹 본래 감정과 맞지 않았는가
三歎咏靈芝	세 번 탄식하고 영지곡을 읊으나
誰言壁上名1)	누가 벽 위에 이름을 쓰라고 말하겠는가

1) **수언벽상명**(誰言壁上名): 공신 이름을 벽 위에 쓰는 일. 자신의 공을 알아줄 이가 없다는 말.

185. 문수사 석실에서 자정에게 보이다[文殊石室示子貞]

鬱鬱陵上松	빽빽한 것은 언덕 위 소나무요
馥馥澗中草	향기로운 것은 도랑가 풀이라
秋風霜露多	가을바람에 서리와 이슬 많으니
凋瘁亦不早	아침 일찍은 마르지 않네
空山誰與晤	빈산에서 누구와 더불어 말할까
君子旣惠好	군자는 이미 은혜를 좋아하지
神情自相期	마음으로 서로에게 스스로 기약했는데
言語各有道	말에는 각각 도리가 있지
有酒聊可飲	술이 있으면 애오라지 마실 수 있고
無醉且適抱	취하지 않으면 또 가서 안지
中所起躕躇	중간에서 머뭇거리다 일어나니
桂花仍不掃	계수나무 꽃 쓸지 못하였는데
蒼黃一俯仰	창황1)하여 한 번 내려다보고 쳐다보아도
斯人何所寶	이 사람이 왜 보배가 되었는가
照臨已昭昭	조림2)하심이 이미 밝고 밝은데
厥理豈蒙葆	그 이치 어찌 어둡기만 한가

且願善爲謔	또한 농담 잘하기를 원했으나
從古易悔懊	옛날부터 곧잘 뉘우쳤다네

주 1) **창황**(蒼黃): 창졸. 어찌할 바 없이 급작스러움.
2) **조림**(照臨): 해와 달이 하늘에서 비침.

186. 두 번째 시[其二]

南方有大鳥	남쪽에 큰 새 있어
一飛橫崑崙	한번 날면 곤륜산1) 가로지르지
朝浴扶桑水	아침에는 부상의 물에 목욕하고
暮棲崦嵫雲	저녁에는 엄자2)의 구름에 잠자며
往來四海間	사해 사이 오가면서
元氣自絪縕	타고난 기운 절로 인온한 것을
下視蓬蒿底	아래로 쑥이 자라난 바닥을 보고
鳩鳥亦相群	비둘기와 새도 무리가 되는데
旦自樂其意	다만 스스로 그 뜻 즐기며
何復笑紛紜3)	어찌하여 또 어지러움 비웃는가
丈夫志且大	장부의 뜻 또한 커서
我憶伊昔人	나는 저 옛사람 생각하는데
寄語同心子	나와 마음이 같은 자에게 말을 전해달라 부탁하노니
岐路莫浚巡	갈림길에서는 우물쭈물하지 마라
遠遊當急策	멀리서 노니는 것 또한 급한 계책인데
西山日欲曛	서산에는 해가 지려 하네

주 1) **곤륜산**(崑崙山): 중국 전설에 나오는 높은 산. 옥이 난다고 함. 전국시대 말기에는

서왕모(西王母)가 살며 불사(不死)의 물이 흐른다고 믿었음.

2) **엄자**(崦嵫): 중국 감숙성 천수현 서쪽에 있는 산 이름.

3) **분운**(紛紜): 여러 사람의 의논이 일치하지 아니하고 이러니저러니 하여 시끄럽고 떠들썩함. 세상이 떠들썩하여 복잡하고 어지러움.

187. 감흥[感興]

黑雲東南起	검은 구름 동남쪽에서 일어나
慘慘西北馳	슬프게 서북으로 달리고
天地忽沈冥	천지는 갑자기 어둠에 잠기며
金魄無光輝	금백1)은 빛을 잃어버렸네
殷靁壓曾堞	천둥소리 거듭 성가퀴를 누르고
松柏亦易摧	소나무, 잣나무 또한 쉽게 꺾이는 것을
摧之不可連	꺾이면 이을 수 없으니
頗爲君子哀	자못 군자가 슬퍼하는 것이고
哀情欲相告	슬픈 정서로 알리고자 하나
誰能向我聽	누가 내 말 들어줄 것인가
齊心豈敢望	마음 같이하기를 어찌 감히 바라겠는가
詈辱莫須輕	꾸짖고 욕먹는 것 가벼이 여기지 마라
秋夜獨歎息	가을 밤 홀로 탄식하게 되니
歎息心不平	탄식은 마음이 불편한 것이네

주 1) **금백**(金魄): 달을 달리 이르는 말.

188. 두 번째 시[其二]

亭亭碧梧桐	우뚝 솟은 푸른 오동나무
雙雙紫鳳凰	쌍쌍이 날아드는 자줏빛 봉황새
所托自有期	의지할 곳 이미 정해졌으니
清茂乃翺翔	무성한 숲으로 날아가겠지
歲暮霜雪繁	해 저무니 눈서리 자주 오고
舊巢忽飄顛	옛 둥지는 갑자기 바람에 날려 쓰러졌네
繒繳亦已施	화살 또한 이미 쏘았고
戈者不復憐	창 든 자도 또한 불쌍히 여기지 않는데
此患倘蚤知	이 근심 오히려 일찍이 알았더라면
爾豈捨崑崙	네 어찌 곤륜산을 버렸겠는가
崑崙幾千里	곤륜산은 몇 천 리인데
白雲在青天	흰 구름만 푸른 하늘 가득하고
矯矯赤松伴	곧게 우뚝 솟은 붉은 소나무 짝이 되어
相與長蹁躚	서로 더불어 길이 빙 돌며 날아다닐 것을

189. 세 번째 시[其三]

布衣無定居	포의1)는 사는 곳이 일정치 않아
棲棲市里間	시장과 농촌 사이에 살기도 하는데
自知簞瓢樂	소박하게 사는 즐거움 아나
敢謂回也賢	감히 안회2)의 어짊을 말할까
愚狂无小智	어리석고 미쳐서 작은 지혜도 없고

屈心諸少年	여러 소년들에게 마음 굽히기도 하지
朱門臨大道	높은 집 큰길가에 있는데
白日擁威權	밝은 해 권위를 더해주네
招邀日紛紛	부르고 맞이하느라 날마다 바쁜데
車馬延四廊	수레와 말은 네 가게에 늘어섰고
睚眦必相報	눈만 한 번 흘겨도 반드시 서로 갚으니
行路莫敢言	길 가면서 감히 말도 못하네
候者曲如鉤	사정을 탐지하는 사람은 갈고리 같이 굽었고
死者直如弦	죽은 자는 활줄같이 곧은데
愛死人皆然	죽은 사람 그리워하는 것은 모두 그러하지만
守直誰取焉	누가 도와 맡아서 지키겠는가?
所以善道絶	이러한 까닭에 선의 도 끊어지고
身名空自捐	몸과 명예가 쓸데없이 절로 버려지니
憬我中夜歎	한숨 쉬며 밤중에 탄식하니
洌洌流下泉	줄줄 눈물 흘러내리네
天地豈終極	하늘과 땅이 어찌 끝이 있겠는가?
此心長若懸	이 마음 길게 달려 있는 해와 같은데
黙念千古事	가만히 천고의 일 생각해보니
炯炯在眼前	번뜩번뜩 눈앞에 나타나고
物極必有反	사물은 끝에서 처음으로 돌아오는 것이니
吾信理所然	나는 그러한 이치를 믿네

 주
1) **포의**(布衣): 야인이 입는 옷. 전하여 벼슬하지 않은 선비를 비유함.
2) **안회**(顏回): 중국 춘추시대의 유학자(B.C. 521~B.C. 490). 자는 자연(子淵). 공자의 수제자.

190. 네 번째 시[其四]

悄悄白日暮	근심스럽게도 밝은 해 저물어
攝衣向南堦	옷 걷고 남쪽 섬돌에 올랐네
芳華猶未歇	아리따운 꽃 아직 다 지지 아니하여
可以慰我懷	나의 생각 위로할 수 있는데
折來將遠遺	꺾어 와서 장차 멀리 보내고자
出門步水涯	문을 나서 물가를 거니네
狂飈忽縱橫	사나운 회오리바람 갑자기 이리저리 부는데
吹去不復廻	불어 가서는 다시 돌아오지 않고
仰瞻日月光	우러러 햇빛과 달빛을 보니
不曾少遲佪	이른 것은 아니나 조금 늦게 돌아오네
丈夫自有爲	장부가 스스로 할 일 있어
及時當努力	때 되면 마땅히 노력해야 하는 것을
堯舜必得壽	요순도 반드시 장수를 누렸으니
於乎顯其德	아! 그 덕이 나타나는 것이겠지

191. 결명화1)에 대한 노래[決明花歌]

淸晨拾芳華	맑은 새벽 아리따운 꽃을 줍는데
零露濕我裾	방울 진 이슬 내 옷깃 적시네
豈不謂其濕	어찌 그것을 젖었다고 말할 수 있나
惟病可療且	다만 병을 치료할 수 있는 것을
盈筐思遠人	광주리에 담으며 먼 곳 사람 생각하니

問君今何如　　　묻노라, 그대는 지금 무엇을 하고 있는가
沈痼不蚤愈　　　오랜 병환 일찍이 낫지 아니하니
誰能住居諸　　　누가 능히 쉬지 않는 세월을 멈출 것인가
釀此以爲酒　　　이것으로 술 빚어
服之可痊蘇　　　마시면 병을 고칠 수 있겠지
青青還瞳子　　　밝은 눈동자로 되돌아오게 해주니
留摘十月初　　　두었다가 시월 초에 따려고 하네만
何當美人健　　　어찌 미인의 눈만큼 아름다워지겠는가
且與理詩書　　　그렇다는 말이 시서에 있을 뿐이네

주　1) **결명화**(決明花): 결명자. 차풀과에 속하는 일년초.

192. 한 쌍의 비둘기에 대한 노래[雙鳩歌]

雙鳩忽何至　　　한 쌍의 비둘기 갑자기 어디서 왔는가
欲止還飛去　　　머물려다가 갑자기 날아가 버렸네
畦上蘭方馥　　　꽃밭에는 난초 바야흐로 향기롭고
園南樹如許　　　동산 남쪽에는 나무도 그러한데
其來故有意　　　그 온 뜻이 있을 터이지
其去亦何所　　　그 가는 곳 또한 어디일까
恐有輕薄兒　　　아마도 경박한 아이 있어
弄丸暗相覬　　　탄자1) 던지며 가만히 희롱함이 두렵겠지
我則無心者　　　나는 무심한 사람이라
愴然久延佇　　　슬프게 오래도록 우두커니 서 있었네

주　1) **탄자**(彈子): 총알같이 둥근 물체.

193. 자정이 지은 시에 화답하다[和子貞]

秋氣逼空谷	가을 기운 빈 골짜기에 다가오는데
蘭惠猶芳菲	난초는 고맙게도 오히려 꽃을 피우고
之子去不顧	가는 사람 가서 돌아보지 아니하니
悠悠未言歸	멀리 가서 돌아오라고 말을 못하네
靈禽豈虛下	영금1)이 어찌 헛되게 내리겠는가
所以覽德輝	덕이 빛남을 보이려 함이지
嗜德更誰有	누가 또 덕을 즐기겠는가
向君一歔欷	그대 향하여 한번 탄식해보네

주 1) 영금(靈禽): 영조(靈鳥). 영묘한 힘으로 상서로움을 가져온다는 새. 흔히 봉황을 이름.

194. 두 번째 시[其二]

昨夜西津路	어젯밤 서쪽 나루터 길에서
駐車望平野	수레 멈추고 평야 바라보니
江漢下滔滔	한강은 넘실넘실 흘러가며
爲我不少捨	나를 위하여 조금도 멈추지 않네
美人隔雲端	벗은 구름 끝에 가로막혀 있어
凋愴懷高雅	슬프게도 높고 깨끗함을 생각하네
日暮回我車	날이 저물어 내 수레 돌리니
烏鵲空啞啞	까마귀와 까치 부질없이 악악거리네

195. 정월 초하룻날 느낀 바가 있어[元日有感]

十月辭北堂	시월에 북당1)을 하직하고
棲棲在東洛	바쁘게 서울 동쪽에서 살고 있는데
東洛無好事	서울 동쪽에 좋은 일 없고
憂思日相迫	걱정스런 생각 날마다 괴롭히네
西湖舁病婦	서쪽 호수에 병들어 실려 온 아낙네
寓此社里宅	여기 사리댁2)에서 잠시 붙어살고
遲回十餘日	십여 일을 늦게 돌아와
我病亦以劇	내 병 또한 극에 달했는데
呻吟誰復憐	신음 누가 또 가련히 여길까
日月但虛擲	해와 달을 다만 헛되이 보낼 뿐이네
菜衣久未整	채의3) 오랫동안 정돈하지 못하여
忽忽心不樂	문득 마음 즐겁지 않고
念言樂山下	생각해보니 낙산 아래 말하기를
今日歡意極	오늘 즐거운 뜻 극에 달했다고 했네
三兄奉慈顔	세 형님은 어머님 모시고
嫂氏亦侍側	형수씨 또한 옆에서 모시고 있네
稚弟猶誦史	어린 동생조차 역사를 외우고
阿咸亦多識	조카들 또한 아는 것이 많은데
長幼拜祠墓	어른과 어린이 사묘4)에 절하니
僾然應戚戚	어렴풋이 슬픔이 일어나네
胡爲獨有病	어찌하여 홀로 나에게 병이 있는가
悲喜皆相隔	기쁘고 슬픔이 다 서로 막혀 있네
此懷苦未定	이 고통스러운 생각 정하지 못하여

終朝以歎息　　　　아침이 다 가도록 탄식만 하네

주
1) **북당**(北堂): 부모의 거처.
2) **사리댁**(社里宅): ○○댁이라고 쓰는 부인네의 호칭.
3) **채의**(彩衣): 여러 가지 빛깔과 무늬가 있는 옷.
4) **사묘**(祀墓): 사당과 무덤.

196. 뜻을 부치다[寓意]

鳳凰在雲宵　　　　봉황이 구름 낀 하늘에 있어
何年下人間　　　　어느 해 인간으로 내려올 것인지
始謂世路坦　　　　비로소 세상길 평탄하다고 말하나
謾爲一翩翻　　　　생각 없이 한 번 날개를 퍼덕였네
誰知枳棘澁　　　　누가 가시 많은 줄 알았겠느냐
燕雀同間關　　　　제비와 새 함께 우짖고
彩翎欲摧殘　　　　채색 날개 꺾이려 하는데
靈音孰喜聞　　　　누가 영음1) 듣기 기뻐할까
拂塵將遠擧　　　　먼지 떨치고 장차 멀리 날아서
萬里向崑崙　　　　만 리 되는 곤륜산으로 가려고 하네

주
1) **영음**(靈音): 아름답고 기묘한 소리.

197. 둘째 형수님 묘에서[仲嫂墓]

■ **계유년**(1693) 봄[癸酉春]

森森松樹林　　　　무성한 소나무 숲

娟娟杜鵑花	곱고 고운 두견화 피었는데
如何我嫂氏	어찌할까 나의 형수씨
托此以爲家	이곳을 의탁하여 집으로 삼았네
平生志皎然	평생의 뜻 깨끗하였고
應爲猒世譁	응당 세상의 시끄러움 싫어하였으며
雖自有所樂	비록 스스로 즐기는 바 있다고 하나
能忘洛陽城	능히 낙양성을 잊었겠는가
城西舊契潤	성 서쪽에는 예부터 아는 이 많은데
仲子獨經營	중간 아들 홀로 경영하고
矧爾子阿聃	하물며 그 아들 아담
幼稺任孤惸	어려서 고아 되어 외로워졌네
聃指牕外桃	담이 창밖 복숭아나무 가리키며
言是吾母種	이것이 어머님께서 심은 것이라 말하는데
我嘗聞此言	내 일찍이 이 말을 듣고
不敢心內痛	감히 마음속이 아프지 않겠는가
精靈倘來往	정령1)은 아직도 오고 가고
冥道亦含慟	저승에서도 매우 슬퍼하시리니
萬事竟何如	만사는 끝내 어찌 될 것인지
儘是長夜夢	다만 이것은 긴 밤의 꿈이겠지

주 1) 정령(精靈): 죽은 사람의 영혼.

198. 두 번째 시[其二]

芊芊塚生莎	푸릇푸릇 무덤 풀이 돋아나고

馥馥澗有鬱	향기는 시내에 가득한데
如何我嫂氏	어이할까 나의 형수님이시어!
托此以爲室	이곳에 의지하여 집을 삼았네
明宅幸有依	좋은 집에서 다행히 의지할 데 있는 것은
先墓卽相密	윗대 산소가 곧 가까이 있다는 것일세
追陪必有喜	따라가서 모시는 일에 반드시 기쁨 있으리니
何如生者哀	어찌하여 산 사람이 슬퍼할까
哀此失怙人	슬프다! 이 믿음 잃어버린 사람은
所恥若彼罍	부끄러움 저 술잔처럼 많네
茫茫故山裡	아득한 옛 산속에
歲歲空竭來	해마다 빈손으로 왔다 가는데
先拜先考墓	먼저 아버님 묘에 절하고
又哭嫂氏塚	또 형수씨 무덤에서 곡을 하네
哭嫂豈無淚	형수씨를 곡하는데 어찌 눈물이 없을까
亦知有先慟	또한 안다면 먼저 아픔 있을 것을
獨立更何言	홀로 서서 다시 무슨 말을 할까
慘憺雲樹擁	참담히 운수1)가 가로막네

주 1) **운수**(雲樹): 구름이 걸릴 만큼 높은 나무.

권 3

시 詩

詩

1. 「초남사」로 원중보에게 화답하다[楚南辭和元仲輔也]

■ 짧게 요약하다[小書]

봄날 시하의 체도[1])가 평안하십니까. 지난날의 금옥과 같은 말씀에 성의로써 감사드립니다. 다만 병으로 곧 감사를 표시하지 못하고 또한 일찍이 병들어 이로의 무리와 화운하다가 고통이 잠깐 사라지자 이에 감히 이 파가[2])에 수작하니, 어찌 감히 영객[3])에게 웃음거리가 되지 않겠습니까.

春日侍履清適否向也 金玉音感盛意也 惟病不卽謝 且嘗病李盧輩
和韻 及前苦乍去 乃敢將此巴家釀之 豈不爲郢客笑耶

楚南有大樹	초나라 땅 남쪽에 큰 나무 있어
其葉大如盤	그 잎의 크기 소반과 같네
千期卽春秋	천기는 곧 춘추라

於以傲歲寒	그것으로 세한4)를 업신여기고
匠手不曾顧	목수가 일찍이 베지 않음을
亦自以爲歡	또한 스스로 기쁨으로 삼네
灼彼東園樹	곱구나! 저 동산의 나무여!
春來媚艶華	봄이 오니 꽃이 아리땁고 요염하여
足以喜衆目	대중의 눈을 기쁘게 할 수 있고
向人似競誇	사람을 향해 자랑스러움 다투는 듯
鷹風忽已厲	가을바람 갑자기 이미 사납게 불어
飂颸只寒樝	쓸쓸한 것은 다만 차가운 떼목이니
所懷在江畔	강가에서 그대를 생각하니
風氣是我曹	바람이 우리에게 불어오는데
願與謝東園	그대와 함께 동원을 떠나
楚南且逍遙	초나라 땅 남쪽에서 장차 소요하기 원하네

주 1) **시하(侍下)의 체도(體度)**: 부모를 모시고 사는 사람의 행동거지를 높여 이르는 말. 시리(侍履).
2) **파가(巴家)**: 시골 사람. 파인(巴人).
3) **영객(郢客)**: 영 땅의 나그네. 일정한 처소가 없이 떠돌아다니는 사람.
4) **세한(歲寒)**: 설 전후 추위라는 뜻으로, 몹시 추운 한겨울의 추위를 일컫는 말.

2. 정곡에서 연구로 짓다[貞谷聯句]

佳遊得此日(子貞)	이날에 아름다운 놀이를 얻으니(자정)
涼簟又西風	서늘한 돗자리에 또한 서풍이 부네
高樹新蟬語(久叔)	높은 나무에 매미 소리 새롭고(구숙)
斜陽宿鳥叢	석양에는 잠자는 새가 무리로 돌아오네

琴書千古意(己)	거문고와 책에 천고의 뜻이 있고(나)
樽酒一堂中	술 항아리는 마루 가운데 있네
後會知何處(正叔)	뒷날 모임은 어느 곳인 줄 알까(정숙)
淸宵月滿空(子貞)	맑은 밤에 달만이 공중에 가득하네(자정)

3. 중양절 다음 날 자정을 데리고 화산으로 가다가 말 위에서 비를 만나 연구를 짓다[重陽明日携子貞向華山馬上被雨聯句]

不作重陽拍肚愁(己)	중양절에 배 아픈 시름을 짓지 못하니(나)
雨中簑笠最風流	빗속에는 삿갓 쓰고 도롱이 입는 것이 가장 멋스럽네
歸雲拭出前山色(子貞)	구름 돌아가니 앞산의 빛이 씻은 듯 나오고 (자정)
斷霧留藏老樹秋	안개 끊어지니 감춰졌던 늙은 나무에 가을이 드네
童僕畏寒頻計路(己)	어린 종은 추위가 두려워 자주 길을 물어오고(나)
幽人乘興不知留	유인은 돋은 흥 그칠 줄 모르네
山靈若解吾行意(子貞)	산신령이 만약 우리들이 가려는 뜻을 안다면 (자정)
分付飛廉過上頭(己)	비렴1)에게 분부하여 머리 위를 지나게 할 것을(나)

주 1) **비렴**(飛廉): 바람을 일으킨다는 상상의 새. 머리는 참새와 같은데 뿔이 있고 몸은 사슴과 같으나 표범과 같은 얼룩무늬가 있으며, 꼬리는 뱀같이 생겼다고 함.

4. 저물녘에 진관사로 가면서 연구를 짓다[暮就津寬寺聯句]

纖雲初卷月輪斜(子貞)　　처음 실구름이 걷히자 둥근 달이 비꼈는데
　　　　　　　　　　　　(자정)

僧道諸天散法花　　　　불도와 제천[1]은 법화[2]를 풀어놓네

若向人間傳此事(己)　　만약 인간을 향해 이러한 일을 전한다면(나)

定驚仙窟不相遐(子貞)　끝내 신선굴이 서로 멀지 아니하여 놀랄 것
　　　　　　　　　　　　을(자정)

(語及任羣玉李久叔故末句戲及之 말이 임군옥과 이구숙에게 미쳤으므로 끝
에 장난삼아 언급하다)

> 주
> 1) 제천(諸天): 천상계의 모든 천신(天神).
> 2) 법화(法花): 불교에서 말하는 교화하는 이야기.

5. 진관사를 출발하면서 연구를 짓다[發津寬寺聯句]

虛窓生曙色(己)　　　　빈창에 새벽빛 나오고(나)

象佛放金光　　　　　불상은 금빛을 내보내네

雨洗丹崖淨(子貞)　　　빗물로 씻긴 붉은 언덕 깨끗하고(자정)

花含白露香　　　　　꽃은 흰 이슬 머금어 향기롭네

鍾鳴僧勸食(己)　　　종 울리자 스님들이 밥 먹기를 권하고(나)

日晏客催裝　　　　　해질녘 나그네는 행장을 재촉하네

前路漸佳境(子貞)　　앞길 점점 아름다운 경치로 접어드니(자정)

行筇覺不忙(己)　　　길 가는 지팡이 바쁘지 아니함을 느끼겠네(나)

6. 중흥사 석문에서 연구를 짓다[重興石門聯句]

芒鞋緩步出寒坰(己)	짚신 신고 천천히 걸어 추운 들판에 나오니(나)
白衲松間引去程	늙은 스님 소나무 사이로 가는 길 인도하네
初日玲瓏明半夜(子貞)	아침 해 영롱하니 한밤중이 밝은 듯하고(자정)
宿雲飛散過孤城	묵은 구름 나는 듯 흩어져 외로운 성을 지나가네
山禽有意迎人語(己)	산새들은 뜻있는 듯 사람 소리 맞이하고(나)
溪水無塵淡客情	개울물 티끌 없어 나그네 정 담담하네
我醉何如謝公興(子貞)	내 술 취함이 어찌 사공1)의 흥과 같겠소(자정)
石門留杖句還成(己)	석문에 지팡이 머무르니 시구 또한 지어지네(나)

주 1) **사공**(謝公): 중국 동진(東晉)의 재상(320~385). 자는 안석(安石). 효무제(孝武帝) 때 전진(前秦)의 부견(苻堅)이 쳐들어오자 이를 비수강(淝水江)에서 무찌름.

7. 문수사에서 비가 내리려고 해 숙박하며 연구를 짓다[文殊寺將雨宿聯句]

欲雨乾坤共一雲(子貞)	비 오려고 하늘과 땅 모두 구름인데(자정)
水光山色不相分	물빛과 산 빛이 서로 구분되지 아니하네
羽衣飄拂三淸外(己)	우의1) 입고 삼청2) 밖을 떨치고 날아가니(나)
笑視人間野馬羣(子貞)	웃으며 인간과 아지랑이의 무리를 보네(자정)

주 1) **우의**(羽衣): 새 깃털로 짠 옷으로 도사나 신선들의 옷을 말함.

8. 문수사 골짜기부터 비를 만나 걸어 내려오다가 연구를 짓다

[自文殊峴雨步下聯句]

暮雨空山裡(己)	텅 빈 산속에서 저물녘 비를 만나니(나)
行行自二人	가도 가도 변함없이 두 사람뿐이네
誰知吾意好(子貞)	누가 우리 뜻의 좋음을 알겠는가(자정)
惟愛兩心眞	다만 두 사람의 마음이 참됨을 사랑하네
鞋濕忘辛苦(己)	신은 젖어 신고를 잊고(나)
壺傾問酒鄰	술병 기울이고자 가까운 술집을 묻네
風流洛中少(子貞)	풍류는 한양에 적고(자정)
佳約更無因(己)	아름다운 약속은 다시 마련할 길 없구나(나)

9. 조지서[1]에 와서 노옹을 만나 전호[2]에 술을 얻다[到造紙署遇老翁典壺得酒]

晩向官村典罄壺	날 저물도록 관촌[3]으로 가는데 전호의 술 다 비우니
老翁白酒勝淸醐(己)	노옹의 탁주는 청주보다 좋구나(나)
人家歷歷平沙外	인가는 분명 모래펄 밖에 있는데
醉眼看如華子圖(子貞)	취한 눈으로 보니 화자[4]의 그림 같네(자정)

주 1) **조지서**(造紙署): 조선 시대 때 종이를 만드는 관청.

326_ 권3

10. 기다리면서 연구를 짓다[有待聯句]

待人人不至(子貞)   사람을 기다리나 사람은 오지 않고(자정)

魂夢只前宵   꿈속의 혼은 다만 지난밤 같네

臺暝蕩春樹(己)   누대가 어둑하니 봄 나무 흐린 듯하고(나)

沙晴濯楮橋   모래사장 밝으니 저교1)가 빛나네

風流村老勝(子貞)   풍류는 촌 늙은이가 훨씬 낫고(자정)

樵笛牧童驕   목동은 초적2) 잘도 부네

我友寧違約   내 친구 어째서 약속을 어겼을까

登山欲更招(己)   산에 올라 다시 부르고자 하네(나)

> 주
> 1) **저교**(楮橋): 닥나무로 된 다리.
> 2) **초적**(樵笛): 나무꾼이 부는 피리.

11. 정숙이 지은 시운을 따라 연구를 짓다[次正叔韻聯句]

■ 사곡에 들어간 뒤이다[入社谷後]

桂林楓壑夢中秋(己)   계수나무 숲 단풍 골짜기는 꿈 가운데 가을
　　　　　　　　　　　　　인데(나)

杖策何時更此遊   지팡이 짚고 어느 때나 이 놀이 다시 할꼬

一出山門多世事(子貞)   한번 산문 벗어나면 세상일 많은 것을(자정)

曉來泥路亦堪愁(己)　　새벽에 진흙길을 오니 또한 시름겹네(나)

12. 일재의 원중을 빌려 우거하며 생각나는 대로 읊다[借寓一齋園中謾吟]

步隨松桂樹　　　　걷노라니 소나무와 계수나무 따라오는 듯
手拂竹梧枝　　　　손에는 대나무와 오동나무 가지 스치는 듯
頓覺開愁抱　　　　한순간 쌓여 있던 시름 열림을 깨닫고
自知有妙思　　　　스스로 묘한 생각 있음을 알겠네
白鵝眠草熟　　　　흰 거위 풀 속에서 익숙하게 잠을 자고
幽鳥出林遲　　　　그윽한 새 숲에서 느릿느릿 나오는구나
捨此復何適　　　　이것을 버리고 다시 어디로 가리오
欲留歲暮期　　　　세밑까지 머물 것을 기약하네

13. 두 번째 시: 새벽에 일어나 여러 권의 책을 보다[其二 曉起閱羣書]

抱病北山下　　　　병들어 북산 아래에서
托心黃卷中　　　　마음을 황권1) 가운데 의지하네
鷄鳴天未白　　　　닭은 울었지만 날이 채 밝지 않고
睡起燭猶紅　　　　잠 깨니 촛불은 오히려 붉게 타는데
狂憶舞雩咏　　　　미친 생각으로 무우를 읊조리고
琴思舜殿風　　　　거문고는 순전2)의 풍모를 생각하네

| 此間眞樂地 | 이 사이에 참으로 즐거운 경지 있으니 |
| 可笑漆園翁 | 칠원의 늙은이3)를 웃게 할 만하네 |

주
1) **황권**(黃卷): 책. 좀을 막기 위해 황벽나무 내피(內皮)로 염색한 황색 종이를 써서 생긴 말.
2) **순전**(舜殿): 우제(虞帝)인 순임금이 거처하던 궁전.
3) **칠원의 늙은이**: 옻나무 동산의 관리. 장주(莊周)가 일찍이 몽(蒙)이라는 곳에 서 칠원의 관리를 했기 때문에 나온 말.

14. 세 번째 시: 적막하여[其三 寂寞]

寂寞坐風閣	적막하게 풍각에 앉아
沉潛閱古經	가만히 옛 경서를 보네
蕣花秋始發	무궁화는 가을에 비로소 꽃이 피고
榴子晚猶成	석류 씨는 오히려 늦게라야 여무는데
庭滿濂溪草	뜰에는 염계1)의 풀이 가득하고
牀橫栗里觥	상 위에는 율리의 술잔이 가로놓였네
庶忘爲客苦	바라건대 객고를 잊기 위해
頗得邐棲情	둔서2)의 정을 두루 얻고자 하네

주
1) **염계**(濂溪): 중국 호남성 도현에 있는 시내. 송나라 때 주돈이가 살던 곳으로 주자의 호.
2) **둔서**(邐棲): 세상을 피해 은거함.

15. 네 번째 시: 저물녘에 읊다[其四 暮吟]

| 城上秋光冷 | 성 위에 가을빛 차가우니 |
| 柳邊行者稀 | 버들 가에 행인이 드무네 |

庭虛風滿樹	뜰이 텅 비니 나무에 바람 가득하고
山靜月侵扉	산이 고요하니 달이 사립문을 범하네
燈前市村近	등불 앞에는 저자와 마을이 가깝고
羅聲禁苑歸	순라1) 소리는 금원으로 돌아가는데
堦蘭留晚臭	뜰의 난초는 늦게까지 향기를 남겨
步下紃芳菲	걸을 때 꽃다운 향기 계속 이어지네

주 1) **순라**(巡邏): 조선 시대 때 도둑, 화재 등을 막는 순라군이 도성 안을 돌아다니던 일. 술래의 원말.

16. 다섯 번째 시: 소연[其五 翛然]

翛然林木裡	소연1)히 숲 속에서
閑坐小梧陰	작은 오동나무 그늘에 한가로이 앉노라
色淨連孤竹	숲 빛 깨끗하니 고죽에 이어지고
葉深待好禽	잎사귀 짙으니 어여쁜 새 기다려지네
藥畦欣雨潤	약초밭은 비에 젖는 것을 즐기고
花砌惡霜侵	꽃 섬돌은 서리의 침범을 싫어하는데
日暮多愁思	날 저무니 근심스러운 생각 많아
呼兒酒細斟	아이 불러 자주 잔질하네

주 1) **소연**(翛然): 사물에 얽매이지 않는 모양을 형용한 말.

17. 여섯 번째 시: 팔월 보름날 밤에[其六 八月十五夜]

이날 밤 이정숙 형제가 청했으나 병들어 멀리 나갈 수 없었기 때문에 못 가고, 마을의 여러 사람을 불렀으나 오는 사람이 없었다. 고요한 책상에서 무료해하다가 드디어 신을 신고 문밖으로 나가 작은 다리 위를 거닐었다. 이때에 사람들의 소리가 조금 가라앉고 여러 소리가 점점 멈췄다.

이미 달이 떠 맑은 빛이 얼굴에 비춰 친한 친구를 만난 것 같았으니 시름과 병이 함께 흩어져 버렸는데, 어찌 오늘 밤 달빛이 다만 나를 위해 좋겠는가. 몸이 이 지경에 있으니, 문득 하늘이 홀로 나로 하여금 누리게 하는 것 같았다.

그리하여 몇몇 시구를 얻어 바로 퇴고하고 있을 때 촌부 한 사람이 앞에 나와서 "밤중에 행차가 장차 어디로 향하시렵니까"라고 물었다. 내가 "너는 누구인데 내가 가는 곳을 묻느냐"라고 하자 촌부는 머리를 숙이고 다시 말을 하지 못한 채 나를 따르면서 가지 않았다.

마침내 함께 사문 밖으로 가니 토대1)가 있고, 그 위에 잔풀이 있어 깔고 앉을 만하였다. 좌우에 모래 빛 또한 깨끗하였으므로 앉아 사방을 바라보니, 동남쪽의 안계2)가 탁 트여 또한 멀리 보였다. 촌부가 담배와 술 한 잔을 내왔는데 가느다란 향 연기가 또한 쓸쓸하게 정취와 하나가 되었다. 밤이 다하여 책상으로 돌아와서 기록한다.

是夜李正叔兄弟有速 而病不可遠出故不能赴 招洞中諸子而亦無來
者 寥寥齋榻 意思無聊 遂整履出門逍遙小橋上 時人聲稍定羣籟漸
歇 已而月出 淸光照面如得故人 愁病俱散 豈今夜月色 只爲我好 而
身在此境 却似天公獨享我也 遂得數句 正在敲推之頃 有一村夫來
前曰 方夜行次將步何向 余曰 爾何爲者 問吾行也 村夫低頭不復言
隨我不去 遂與往社門外 有土臺其上細草可藉 左右沙色又淨潔 仍
坐而四望 東南眼界亦遠矣 村夫進烟酒一盃 細細香烟 亦瀟然一致

也 夜闌歸齋榻記之

待月東橋立	달 뜨기를 기다리느라 동교에 서 있으니
依依高樹枝	무성하게 나뭇가지 높구나
俄然大地遍	아연 대지를 두루 돌아다니니
灑落萬人知	깨끗함을 모든 사람이 다 아는구나
白霧收何去	흰 안개는 걷혀 어디로 갔는가
青山靜不移	푸른 산은 고요히 옮겨가지 않는 것을
村夫猶解意	촌부는 오히려 내 뜻을 알고
步步却相隨	걸음마다 문득 나를 따르네

1) **토대**(土臺): 흙으로 쌓아 올린 대(臺).
2) **안계**(眼界): 눈으로 바라볼 수 있는 범위.

18. 이정숙 형제에게 보내다[寄李正叔兄弟]

■ 시와 편지를 함께 쓰다[竝書]

막힌 골짜기에 쭈그리고 엎드려 있자니 말을 받들기가 쉽지 아니하고, 가을날 추위에 떨면서 생각은 더욱 깊어집니다. 지난날 나의 종이 맏형님께서 말 위에서 전한 소식을 가져왔는데, 받아보니 아름다운 모임을 여기에 의거해 상상할 수 있었습니다. 집안 식구들은 걱정이 없다고 하니 위로하는 마음을 바치고 또 바칩니다.

어젯밤 모임은 몇몇 시인이 조화의 재주를 부렸는지 알지 못하겠습니다. 그러나 옥도끼와 신인의 손이라 할지라도 그 교묘함의 우위를 반드시 양보했을 것입니다. 이때에 병든 사람 또한 지팡이를 짚고 달

속의 여러 신선을 바라보고 있었으니, 마치 정곡에 있는 여러 군자의 시름과 고통을 알 것도 같습니다.

병이 들어가니 말석을 더럽히지 못하고 공경스럽게 풍류를 보면서 부질없이 이 사장1)을 위해 한 말씀을 전하겠습니다. 두 분께서는 각각 웃으시는 것이 마땅할 것입니다. 아래 파가의 영객을 피하지 못한 것을 기록하니 더욱 한번 웃지 않을 수 없을 것이므로, 모름지기 영중곡2)을 지었습니다.

縮伏窮巷 奉晤未易 秋日慘慄思想益深 昨日鄙僕 得伯氏驪上傳語來 示佳會據此可想 渾室無憂也 奉慰奉慰 昨夜之會 未知幾箇騷人弄造化 玉斧神手必讓其巧矣 此時病夫亦倚杖而望月宮羣仙 似爲貞谷諸君子愁苦耳 病不能跡忝末席 欽瞻風流 謾爲此詞場一轉語 兩足下各當發笑也 下錄巴家不避郢客者 尤不免一笑而所以要郢中曲也

謾移圮上舃	한가로이 흙다리 위로 신을 옮기고
仍杖社前藜	지팡이 의지하여 마을 앞거리 나가니
白白烟沙細	희디흰 연사3)는 가늘고
蒼蒼露草齊	푸르고 푸르게 이슬 머금은 풀 가지런하네
隣期人易誤	가까운 기회는 사람이 그르치기 쉽고
高會病難躋	소중한 모임엔 병들어 가지 못하는데
深夜詠歸興	깊은 밤 흥겹게 읊으며 돌아가니
明燈在舊棲	밝은 등은 옛 살던 곳이었네

1) **사장**(詞場): 시인과 문사(文士)들이 시문을 짓고 우열을 나누는 곳.
2) **영중곡**(郢中曲): 음란한 영 땅의 사람들이 부르던 노래. 별로 가치가 없다는 겸사.

    3) **연사**(烟沙): 내가 낀 모래톱.

19. 병중에 당질¹⁾인 병상²⁾에게 보이다[病中示堂姪秉常]

多病新春發	병이 많은데도 새봄은 시작되고
君來慰眼前	그대 와서 눈앞에서 위로해준다
自聞誦周雅	주아³⁾를 외운다는 말 절로 들리니
每羨向諸天	제천⁴⁾을 향하여 항상 부러워하는데
淸淨留人好	깨끗하여 사람들이 머물기 좋아하고
沉潛講道專	깊이 잠겨 오로지 도만을 강론한다
門闌凋落盡	문중이 다 조락⁵⁾하였으니
努力莫遲延	노력하기를 늦추지 마라

주
  1) **당질**(堂姪): 사촌 형제의 아들. 종질(從姪).
  2) **병상**(秉常): 이병상. 조선 문신(1676~1748). 자는 여오(汝五), 호는 삼산(三山).
     1729년 대사헌이 되고 이어 형조 판서, 공조 판서, 판돈령부사를 지냈음.
  3) **주아**(周雅): 『시경』의 한 체제. 삼경(三經) 중 하나.
  4) **제천**(諸天): 천상계의 모든 천신(天神).
  5) **조락**(凋落): 쇠하여 보잘것없이 됨.

20. 풍년을 빌다[祈穀]

■ 다른 사람이 달마다 하는 과제를 대신 짓다[月課代人作]

木帝行春令	목제¹⁾께서 봄의 명령 행하시니
犧羊報嗇功	양을 희생으로 바쳐 색공²⁾을 갚네
萋萋興好雨	우거진 풀은 알맞은 비에 일어나고

習習吹條風	살살 부는 바람 가지에 불어오는데
豈爲公田腴	어찌 공전3)만 비옥할까
聊期萬姓同	애오라지 만백성이 같기를 기약하네
神明應有鑑	신명4)께서 마땅히 보살펴줄 것이니
從此占年豊	이로부터 풍년을 점칠 수 있으리라

21. 다른 사람의 부인에 대한 만장을 짓다[挽人內詩]

於赫先王裔	아! 빛나는 선왕의 자손으로
于歸相國門	상국의 문중으로 시집오셨네
旣修閨壼德	이미 부녀자의 덕을 닦으셨으니
誰間舅姑言	누가 시부모 말씀을 이간질할까
倚伏驚心處	의복1)은 마음을 놀라게 하는 곳이고
存亡若手翻	존망은 손바닥 뒤집는 것과 같네
夫君要我輓	부군께서 나에게 만사를 요청하시더니
題罷淚成痕	글을 마치자 눈물이 떨어지네

22. 정토사에 있으면서 구일[1]에 당율[2]에 화운하다[在淨土寺九日和唐律韻]

抱病秋風滯古臺	병들어 가을바람에 옛 누대에 머무는데
眼前時菊未全開	눈앞 국화는 아직도 완전히 피지 않았네
歸雲洗滌山容秀	구름 돌아가니 산 모습 씻은 듯 빼어나고
好月澄清水面來	좋은 달빛 맑고 깨끗한 수면으로 비쳐오는데
空靜還如僧入定	공정[3]하니 또한 스님이 선정에 든 것 같고
林深却羨鳥知回	숲 깊으니 문득 새가 돌아올 줄 앎이 부럽구나
離家令節方愁思	집 떠나니 좋은 명절에 고향 생각으로 근심스러운데
誰送東籬刺使杯	누가 동쪽 울타리에 자사[4]의 잔을 보낼까

> 1) **구일**(九日): 음력 9월 9일. 중양절. 남자들은 시를 짓고 집에서는 국화전을 먹고 놀았음.
> 2) **당율**(唐律): 당시(唐詩)의 한 가지. 악부에 등재되어 거문고로 탈 수 있는 곡조.
> 3) **공정**(空靜): 비어서 고요함.
> 4) **자사**(刺使): 중국 한·당 시대에 주(州)의 관장. 전하여 지방 고을의 수령을 말함. 태수.

23. 수재[1] 원중가와 이별하며 북청[2] 임소로 근친을 보내다[別元秀才仲嘉覲北靑任所]

■ 여러 친구가 지은 시운을 따라 짓다[次諸友韻]

霖霖冷雨過前山	질척거리는 차가운 비 앞산을 지나고
征馬蕭蕭欲出關	정마는 쓸쓸하게 관문을 나가려 하네

路遙嶺雲人北去	길이 머니 산마루 구름 사람 따라 북으로 가고
月明江漢雁南還	달이 밝으니 한강의 기러기 남으로 돌아오는데
鷺湖烟樹傷心別	노호3)의 안개 낀 나무는 이별에 애태우고
鳥道霜林滿目斑	새 길의 서리 숲엔 눈 가득 아롱졌네
從識遠遊應好句	지식인 따라 멀리 노닐 때는 좋은 글귀가 마땅하니
吟邊彩筆豈容閒	읊조리며 그림 붓을 부지런히 놀리네

주
1) **수재**(秀才): 예전에 미혼 남자를 높여 이르던 말.
2) **북청**(北青): 함경남도 북동부에 있는 읍.
3) **노호**(鷺湖): 백로가 노니는 호수.

24. 또한 첩운1)으로 고치다[又疊改一韻]

西亭曉色對秋山	서쪽 정자 새벽빛 가을 산을 맞이하고
天爲離人好雨關	하늘은 떠난 사람 위해 관문에 좋은 비 내리
嶺樹重尋前度路	산마루에 나무 거듭 앞길을 찾고
驛梅應記舊遊顔	역 앞 매화는 마땅히 옛날 놀던 얼굴을 기억하는데
此行豈是勞形役	이 걸음이 어찌 몸만 수고롭게 하겠는가
勝賞仍兼舞彩斑	좋은 경치 보면서 이내 고까옷 입고 춤을 추겠지
別後排愁須信字	이별한 뒤에 시름 버리고 소식 기다리며
南來雁足莫敎閒	남쪽으로 오는 기러기에게 편지 전할 일 잊지 말게

주
1) **첩운**(疊韻): 한시에서 같은 운자(韻字)를 거듭 씀.

25. 수재 김중보가 내게 나귀를 보내 청하였으므로 가보니 화분
    에 국화가 사방으로 피었는데 그의 작은 아버지인 진사 김중
    유1)와 진사2) 이자동과 수재 이대래와 진사 송자화3) 등 여러
    사람이 와서 모여 있었다. 이자동과 이대래는 새로 알게 된
    사람이므로 마침내 운자를 나누어서 '화(花)' 자를 얻었다[金秀
    才重輔送驢要之 之則盆菊方發 其叔金進士仲裕李進士子東李秀才大來宋進士
    子和諸人來會 子東大來乃新知也 遂分韻得花字]

故人隱住三淸家	옛사람이 숨어 살던 삼청의 집
枕上留開十月花	베개 위에 시월의 꽃이 머물러 피었는데
嫩葉曾経春雨潤	어린 잎 일찍이 봄비를 맞았고
晚香寧許老蜂銜	늦은 향기는 늙은 벌이 들어옴을 허락하네
陶翁不飮非眞趣	도연명이 마시지 않는 것은 참다운 맛이 아니고
楚客雖醒飡落葩4)	초객5)이 비록 깨어났으나 떨어진 꽃을 먹네
幸得新知仍刮目	다행히 새로운 친구 얻어 눈 치뜰 만하고
裁詩不待手頻叉6)	시를 지으니 여러 번 깍지 끼길 기다리지 않네

(時病喉斷酒頸聯云 이때에 목에 병이 나서 술을 끊었으므로 목이 연했
다고 말했다)

주 1) **중유**(仲裕): 조선 시대 시인이며 학자인 김성후(金盛後, 1655~1713)의 자. 본관은
       안동(安東)이며, 자는 중유, 호는 초창(蕉窓). 송시열(宋時烈)의 문인. 사마시에
       합격한 뒤에 천거로 참봉, 주부, 사평, 정랑 등을 지냄. 높은 벼슬에 오르지는
       못했으나 학문이 깊어 당대 학자들과 교유가 폭넓었음.
    2) **진사**(進士): 조선 시대 과거의 예비 시험인 소과(小科) 복시에 합격한 사람에게
       준 칭호.
    3) **자화**: 조선의 문신 송정명(宋正明, 1670~1718)의 자. 본관 여산(礪山). 자 자화(子和),

호 지와(止窩). 호조 참판 송징은(宋徵殷)의 아들. 1699년 정시 문과에 병과로
급제, 이조정랑 등의 청요직을 두루 거쳐 경상도·충청도·전라도 관찰사 등을
역임함.

4) **초객수성식락피**(楚客蹢躅食落䔄): 나그네가 세월이 흘러, 봄이 지나감을 느꼈다는 말.

5) **초객**(楚客): 집 없이 떠돌아다니는 나그네.

6) **수빈차**(手頻叉): 당(唐)나라 시인 온정균(溫庭筠)이 시를 민첩하게 잘 지었는데,
손으로 깍지를 여덟 번 끼는 동안 여덟 수의 시를 지었으므로, 그를 온팔차(溫八
叉)라고 불렀다는 고사에 빗댄 표현.

26. 정토사에서 이예경에게 화답하다[在淨土寺和李禮卿]

■ 일찍이 효백의 처소에서 자정이 지은 것을 보았을 뿐이다[曾於孝伯所以子貞所作
觀之耳]

山風吹游子	산바람이 나그네에게 부니
秋思日悽清	가을에 날마다 처량하고 맑아짐을 생각하는데
塵交異臭蘭1)	속세의 사귐은 난초 향기와 다르고
世言同采苓2)	세상 말처럼 복령3) 캐는 것과 같네
寒皐掇時菊	가을 언덕에 때맞춰 국화가 피어나
自信有芳馨	스스로 꽃다움과 향기 나는데
惟爾得此意	다만 네가 이 뜻을 아는 것은
永言寄神精	길이 정신이 맑아서라고 하겠네
那堪隔雲霞4)	어찌 구름과 노을이 막혀 있음을 감당할까
伐木空丁丁	나무 베는 소리 부질없이 탕탕거리네

주 1) **진교이취란**(塵交異臭蘭): 왕희지가 금란계를 만들어 친구 사귀는 길을 알린 뒤부터
절친한 사귐을 금란의 사귐이라고 함. 세상의 사귐과 절친한 사귐이 다름을 뜻함.

2) **세언동채령**(世言同采苓): 복령 캐기가 힘든 데서 전하여, 말하는 일의 어려움을 뜻함.

3) **복령**(茯令): 소나무의 땅 쪽 뿌리에 기생하는 버섯.

4) **나감격운하**(那堪隔雲霞): 거리가 멀어 자주 만날 수 없지 않겠느냐는 뜻으로 반문하는 말.

27. 스스로 읊다[自詠篇]

自詠還自笑	스스로 읊다가 도리어 웃고
嘐嘐若有思	큰 뜻에 생각이 있는 듯한데
傍人顧問之	옆 사람이 돌아보고 물으나
我亦不自知	나 또한 스스로 알지 못하네
恍惚俄傾間	황홀한 잠깐 사이에
唐虞一往來	당나라와 우나라가 한 번 오고 가
茅宮土以堦	띳집에 흙으로 계단을 쌓으니
蓂葉方始開	명엽1)이 바야흐로 처음 피어났네
垂拱是2)何人	팔짱을 낀 이 어떤 사람인가
慶雲抱天回	경사로운 구름이 하늘을 안고 돌아오네
居然反而省	편안하게 돌이켜 살펴보니
豈非心所存	어찌 마음에 둔 바가 아니겠는가
傍人已睡牢	옆 사람 이미 잠이 깊었으니
自詠誰與聞	스스로 읊은들 누가 더불어 듣겠는가

> 주
> 1) **명엽**(蓂葉): 일명 명협(蓂莢). 요임금 때 조정의 뜰에 난 서초(瑞草)의 이름. 초하룻날부터 매일 한 잎씩 나서 자라고, 열엿새 째부터 날마다 한 잎씩 져서 그믐에 이르므로, 이것으로 달력을 만들었다고 함. 달력 풀 또는 책력 풀이라고도 함.

28. 도중에서[途中]

漢上纔回棹	한강 위에 잠깐 뱃머리 돌리고
郵亭暫卸鞍	우정에 잠시 안장을 풀었네
背風渚柳白	바람 등지니 물가에 버드나무 희고
向日山楓丹	해를 향하니 산에 단풍 붉은데
物自無心處	사물은 절로 무심해지지만
人還有意看	사람은 또한 뜻있게 보네
有無終不礙	있고 없는 것이 끝내 장애가 되지
分曉最爲難	분명히 밝히기란 가장 어려운 일이네

29. 미륵당[彌勒堂]

　월천현1) 북쪽에 돌미륵이 있는데 거사가 재물을 모아 집을 마련했다. 내가 스스로 즐겨서 고향으로 돌아갈 때, 지나가는 사람들이 그 옆에서 쉬기도 하고 또는 긁어 흠집을 내기도 하고 혹은 침을 뱉으며 욕을 하기도 하고 마음대로 구경하며 희롱하는 것을 보았다. 정자가 사람에게 등지고 앉지 못하게 한 것을 생각하게 했다. 이소2)의 뜻이 아마도 이와 같이 합당치 못했다.

月川峴之北 有石彌勒 因居士化財 有棟宇也 余自樂鄕歸 見行者聚

憇其側 或砭刻之或唾罵之 恣其玩弄 如思程子不令人背坐 泥塑之
意 恐不當如是也

何年此象設	어느 해 이 상을 만들었으며
誰爲棟梁新	누가 그 집을 새로 지었는가
黙黙臨長路	말없이 긴 길에 임해 있고
津津閱過人	끊임없이 지나는 사람을 보네
賢愚雖不別	착하고 어리석음은 비록 구별되지 않지만
嗔笑似相因	성내고 웃는 것은 서로 원인이 된 것 같네
黃石非頑物	누런 돌이 완고한 물건이 아니라
猶能敎漢臣	오히려 능히 한나라의 신하를 가르쳤네3)

1) **월천현**(月川峴): 경기도 성남시 수정구 상적동과 금토동 사이에 있는 고개. 달리내
고개.
2) **이소**(泥塑): 이소인(泥塑人). 흙으로 만든 사람의 형상.
3) **한나라의 신하를 가르치다**: 황석공이 장량(張良)에게 병서를 주어 천하통일의
꿈을 이루게 함.

30. 수재 원중가를 북청의 임소로 근친 보내면서[送元秀才仲嘉覲北 青任所]

서문에 다음과 같이 말하였다. "원자가 청해를 향해 가는구나. 때마침
내가 병들어 절이나 마을에 있으면서 이미 몸으로 찾아가 만나지 못하고
또한 글로써 묻지 못하니, 어찌 옛사람의 노제는 지내면서 조음1)하는
뜻을 버리겠는가. 스스로 싸우느라 여가가 없구나."

그 전날 밤에 원자가 마을 가운데 여러 사람과 더불어 백곡 둘째 형
님의 집으로 와서 나를 찾으면서 "내 장차 멀리 가나 계통2) 혼자만 나

에게 한 번도 오지 않으니, 크게 박하고 또한 게으르구나. 계통이 공손히 받아들인다면 감히 다시는 사양하지 못할 것이다"라고 말했다.

그러나 원자는 탁 트인 사람이다. 이미 그 까닭을 얻고도 또한 깊이 죄를 묻지 아니하고 여러 사람과 다른 운을 보이면서 나에게 말을 구하니, 내가 어찌 말을 하랴. 그러나 말하지 아니하면 어찌 그 죄를 줄일 수 있겠는가.

이런 연유로 그 얼굴 찡그림을 본받아 말하니, 칠언이 두 수이고 스스로 지은 오언이 두 수다. 다만 이것이 또한 말로써 하는 것이라고, 술과 물건으로 하는 것만 못하다고 하겠는가.

序曰元子 有靑海之行矣 適我病而居又于寺或于鄕 旣不能躬而將之 亦不能書以候焉 豈古人舍軷而祖飮之義耶 方自訟之不暇矣 疇昔之夜 元子與里中諸子 來我仲氏白谷之第 呼我以言曰 我將適遠 獨季通不我一過焉 太薄且懶也 季通恭以受之 不敢復爲辭也 然元子豁如也 旣得其由則 亦不以深罪 以諸子別韻 視以求我言 我言奚爲 然不言奚以蠲其罪 是以言其效嚬者七言二 自成者五言二 但此亦以言也而 謂以酒以物之 不若否也乎

病夫臥不出	병든 사나이 드러누워 나가지 못하니
行子却來尋	가는 이가 문득 찾아왔네
屑屑豈塵態	설설3)함이 어찌 속세의 태도인가
欣欣卽古心	흔흔4)함이 곧 옛사람 마음인데
宜斟桑落酒	마땅히 상낙주5) 잔에 부어
莫作渭城吟	위성음6)을 짓지 말게나
嶺海前期濶	재와 바다에 앞기약이 머니

| 那堪濕雨襟 | 어찌 두 옷깃 젖음을 감당할까 |

31. 두 번째 시[其二]

勸盡盃中酒	권하는 술잔을 다 마시니
殷勤別有言	은근하게 이별의 말이 있구나
官齋猶靜寂	관청은 오히려 고요하고
書史可燖溫	서사를 배워 따뜻하게 품을 수 있었는데
篤實君能事	그대는 능히 독실하니
風情爾豈存	그대에게 어찌 풍정1)이 있겠는가
妙年難再得	묘년2)은 두 번 얻기 어려우니
此語莫相諼	이 말을 서로 잊지 말게나

32. 당질 병상에게 보내다[寄堂姪秉常]

■ 편지와 시를 함께 쓰다[竝書]

이때에 함께 정토사로 가서 재1)를 마치고 여오는 진관사로 갔다. 이미 스스로 "갈 길을 헤아리지 못하겠다"라고 했다. 또한 책을 읽는 것이 아픈 목에 방해가 되지 않았으니 '막힌 목이 뚫렸나'라고 생각하였다. 서로 떠나간 지 이십 일이 지났는데, 그 사이 추서2)를 과연 다 읽었는가. 나는 고향의 즐거움에 젖어 있다가 겨우 입성하였으나 병든 모양은 한결같으니, 다른 것은 족히 말할 것이 없다. 절문의 광경은 옛날 내가 다 돌아본 것으로, 다시 그대와 함께하지 못함이 한스럽구나.

어찌 마음이 가고 정신이 달려가지 않겠는가. 말미에 임서3)가 뜻이 맞아 기록해서 애오라지 그대에게 부친다.

時同往淨土 罷時汝五則往津寬寺 已自謂行不計脚矣 亦能讀不妨
喉而 塞者通耶 相離浹兩旬 其間鄒書果訖工否 生滯在樂鄕 纔已入
城 而病狀一樣他不足道 寺門光景昔我所歷歷者 恨不復與君共之
安得不心往而神馳也 尾錄臨書適意到 聊爲寄之

蓮寺分携日	연사에서 헤어지던 날
君仍入華山	그대는 바로 화산으로 들어갔는데
白雲生北牖	흰 구름 북쪽 창에서 생겨나고
紅樹倒前闌	붉은 나무 앞 난간에 쓰러져 있네
應接非能事	응접이 능한 일 아니고
研窮卽勝觀	연구하고 궁리함이 곧 좋은 구경거린데
想隣松月色	생각하며 소나무에 걸린 달빛 이웃해
猶作別人看	오히려 다른 사람이 되어보네

1) 재(齋): 절에서 부처에게 드리는 공양.
2) 추서(鄒書): 춘추전국시대 때 추(鄒)나라에서 태어난 맹자가 지은 글.
3) 임서(臨書): 보고 그대로 베껴 쓴 글.

33. 계유년(1693) 시월 초하룻날 목은 선생 영당에 분향하고 문을 나오니, 또한 세상에 슬픔이 있는 것을 억누르고 숨기며 애오라지 이렇게 읊었다[癸酉十月初一日牧隱影堂焚香出門 掩抑有慨於世者聊以是詠焉]

衣鉢初從海外傳	의발은 처음부터 바다 밖에서 전해졌고
心如皎日道如天	마음은 밝은 해 같고 도는 하늘과 같네
流淸孰討眞源去	맑게 흐르는 진원을 누가 찾아갈까
擧世隨波亦可憐	온 세상이 물결처럼 따라가니 또한 가련한 것을

34. 고령사에서 수창할 때 자정이 지은 시에 화운하다[高靈寺酬唱和子貞韻]

歲暮生涯寺作家	해 저무는데 물가의 절을 집 삼아 생활하니
自知心賞付雲霞	스스로 구름과 노을을 좋아하는 마음 알았네
僧添盆水供朝靧	스님은 항아리에 물 담아 아침에 낯 씻을 물 제공하고
童折松枝煮挽茶	아이는 솔가지 꺾어 차를 달이는데
夜雨全凋樓外樹	밤에 온 비는 시들었던 누 밖의 나무 살렸고
秋光莊浮澗中花	가을빛은 산골 물을 꽃으로 장식하였네
茅庵石室皆堪隱	모암1)과 석실 모두 숨어살 만한데
何處囂塵一點加	어느 곳에서 속세의 한 점 먼지가 오겠는가

주　1) 모암(茅庵): 띠로 만든 암자.

35. 두 번째 시: 각각 첩운으로 지은 연구[其二 各疊聯句韻]

昨夜嚴風吹此樓	어젯밤 사나운 바람 이 누각에 불더니
朝來雲雪滿空流	아침에 운설 내려 하늘 가득 흐르네
初非蠟屐名山興	납극 신고 명산 흥 처음 아니니
仍作青驢灞水游	이내 푸른 나귀 타고 파수1)에서 노니네
谷鳥沙禽皆好語	골짜기 새와 모래 새는 즐겁게 지저귀는데
淡烟寒磬更新愁	맑은 연기와 차가운 석경2)은 다시 새로운 시름이네
今行祇爲耽幽寂	이번 길은 다만 그윽하고 고요함을 즐길 뿐인데
不礙禪僧一榻留	선승이 한 평상에 머무는 것 막지 말았으면 하네

주
1) **파수**(灞水): 중국 장안 부근을 흐르는 위수의 지류. 여기서는 한강.
2) **석경**(石磬): 돌경. 아악기의 하나인 돌로 된 경쇠.

36. 세 번째 시: 거듭 '가(家)' 자 운에 화답하다[其三 疊和家字韻]

誰言風格合騷家	누가 풍격1)이 시인에 합치된다 말했는가
愧我詩情薄似霞	부끄럽구나! 나의 시정 박하기가 노을 같네
千古銷愁惟有酒	천고의 시름 녹이는 것은 술뿐이나
一年調病解煎茶	한 해 동안 병을 조섭하며 차 달이는 법 익혔네
思騫北海扶搖翼	북해로 가는 부요2)의 날갯짓을 생각하고
厭看東園頃刻花3)	동원에서 잠시 핀 꽃 실컷 보는데
回首西方美人遠	머리 돌리니 서방의 벗은 멀리 있고

眞功須向卷中加　　　참된 공부는 책 속에서 배우네

1) **풍격**(風格): 사람의 풍채와 품격.

2) **부요**(扶搖): 힘차게 움직여 일어남.

3) **사헌북해부요익 염간동원경각화**(思鶱北海扶搖翼 厭看東園頃刻花): 뜻은 웅대하나 뜻을 펼 시간은 잠시 핀 꽃을 실컷 볼 만큼 짧음을 비유한 말.

37. 네 번째 시: 또한 거듭 짓다[其四 又疊]

欲取茲山作我家	이 산 가져다 내 집 짓고자 하니
仙宮縹緲隱明霞	신선의 집 아득하여 분명하게 노을 속에 숨었는데
行携道友談雲水	도우1)를 끌고 가며 구름과 물을 말하고
歸與禪僧點雪茶	돌아가서는 선승과 더불어 설다2)를 마시네
斷壑泉流飛作雨	끊어진 골짜기 흐르는 샘은 날아서 비가 되고
遠林楓葉落疑花	먼 숲 단풍잎 떨어지니 꽃인가 의심하는데
同君爲卜棲遲計	그대와 함께 서지3)할 계획 점쳐보니
已覺閑情十倍加	이미 한가로운 정 열 배나 더함을 느끼네

1) **도우**(道友): 도의로 교제하는 벗.

2) **설다**(雪茶): 눈 녹은 물로 달인 차.

3) **서지**(棲遲): 벼슬을 하지 않고 세상을 피(避)하여 시골에서 삶.

38. 다섯 번째 시: 거듭 '루(樓)' 자 운에 거듭 화답하다. 자정이 문장을 논한 것에 답한 것이다[其五 疊和樓字韻 答子貞論文章也]

高似元龍百尺樓	시는 원룡1)과 백척루같이 높고

文章獨許建安流	문장은 홀로 건안류2)와 비슷하네
魯山自有宣尼望	노산3)에는 선니4)의 풍속 남아 있고
禹穴何勞太史游5)	우혈6)은 어찌 태사7)의 붓을 수고로이 할까
子夏門庭猶異道8)	자하9)의 문정10)과는 길이 다르고
杜陵詩律亦窮愁	두릉11)의 시율에는 또한 시름이 없는데
此中無限好田地	이 가운데 무한히 좋은 경지 있으니
努力應須與爾留	노력한다면 그대와 함께 그 경지에 머무를 수 있을 것이네

주

1) **원룡**(元龍): 도잠의 자.
2) **건안류**(建安流): 한나라 건안(建安) 연간에 문학으로 이름을 떨쳤던 공융(孔融) 등이 남긴 유풍(流風).
3) **노산**(魯山): 공자가 살던 곳.
4) **선니**(宣尼): 공자의 이칭. 벼슬인 문선왕(文宣王)과 자인 중니(仲尼)를 따서 말함.
5) **우혈하로태사유**(禹穴何勞太史游): 우임금이 9년 동안 계속된 홍수를 다스려서 백성의 거처를 안정시킨 일을 태사들이 여러 곳에 기록으로 남겼다는 뜻임.
6) **우혈**(禹穴): 하나라 우임금이 거처하던 곳.
7) **태사**(太史): 나라의 법규 기록을 맡은 벼슬.
8) **자하문정유이도**(子夏門庭猶異道): 자하는 말을 잘했고, 자정은 글을 잘 씀을 비유한 말.
9) **자하**(子夏): 중국 춘추시대의 유학자(B.C. 507~B.C. 420). 본명은 복상(卜商). 공자의 제자로 십철(十哲) 중 한 사람. 시와 예에 능통했음.
10) **문정**(門庭): 대문이나 중문 안에 있는 뜰.
11) **두릉**(杜陵): 두보의 시를 산릉에 비유하여 일컫는 말.

39. 여섯 번째 시: '가(加)' 자 운을 거듭 네 번 쓰고 또한 뜻으로 두 번을 쓰다[其六 四疊加字亦再疊之意]

前後文章有幾家	고금에 문장가가 몇 사람이나 있었던가

自言奇氣各凌霞	스스로 남다르다 말하면서 노을처럼 아름답네
淺深盡是歸糟粕1)	깊이가 다만 조박2)과 같은데
新舊何曾較墨茶3)	새것과 옛것을 어찌 먹과 차에 비유하였을까
山抱瓊瑤應有色	산이 구슬을 안았으니 마땅히 빛이 나고
樹培根本自開花	나무의 뿌리를 북돋우니 절로 꽃이 피는구나
光陰倏忽誰能住	세월이 빨리 가는데 누가 능히 멈추겠나
篆刻微工莫浪加	전각의 작은 재주 쓸데없이 더하지 마라

1) 천심진시귀조박(淺深盡是歸糟粕): 글의 내용이 깊이가 없는 지게미와 같음.
2) 조박(糟粕): 학문, 서화, 음악 등에서 옛사람이 다 밝혀 지금은 새로운 의의가 없음을 이름.
3) 신구하증교묵다(新舊何曾較墨茶): 새것은 먹처럼 흐리고, 옛것은 차처럼 맑음을 뜻함.

40. 일곱 번째 시: 세 번 거듭 '루(樓)' 자 운을 쓰다[其七 三疊樓字]

客心寥落倚層樓	나그네 쓸쓸하게 높은 누각에 기댔는데
谷鳥爭鳴水亂流	골짜기 새 다투어 지저귀니 물이 어지럽게 흐르네
尊酒今成高嶺會	항아리에 술 이미 익어 고령의 모임이 되고
詩篇尙記白雲游	아직 시편 기록하여 흰 구름에 노는데
醉來放詠還成習	취하여 소리 내어 읊는 것은 또한 습관이 되고
到處携君卽破愁	가는 곳마다 그대와 함께하니 곧 시름이 없어지네
世事悠悠何足說	세상일 아득한데 어찌 말로 할 것이며
手攀叢桂共淹留	세월을 잡을 수 있다면 모두 멈춰 있고자

하겠지

辛未秋游三角　　　　신미년(1691) 가을에 삼각산에서 놀다

41. 여덟 번째 시: 네 번 거듭 운자를 써서 짓다[其八 四疊]

溪上巍巍萬歲樓(寺樓名)　개울 위 높고 높은 만세루(사루의 명칭)에
夕陽金碧影相流　　　　석양의 황금색과 푸른빛이 서로 엉켜 흐르네
嶺高僧(二字缺)邊語　　　산마루 높으니 스님은 (두 자가 빠지다) 가에
　　　　　　　　　　　서 말하고
波淨人從鏡裏游　　　　물결 맑으니 사람은 거울 속에서 노는 것 같
　　　　　　　　　　　은데
醉夢醒時孤鶴唳　　　　꿈에 취했다 깨어나니 외로운 학 울고
瓊琚吟處老蛟愁　　　　경거1) 읊는 곳에 늙은 교룡2) 시름하네
隔林吹笛更淸絶　　　　숲을 건너 들려오는 피리 소리 더욱 청절3)한데
恍惚仙儔此境留　　　　황홀한 신선의 무리 이곳에 머무르네

주　1) **경거**(瓊琚): 아름다운 옥(玉)이라는 뜻으로, 훌륭한 선물을 이르는 말.
　　2) **교룡**(蛟龍): 상상 속에 등장하는 동물의 하나. 때를 못 만나 뜻을 이루지 못한
　　　　영웅호걸을 비유적으로 이르는 말.
　　3) **청절**(淸絶): 더할 수 없이 맑음.

42. 아홉 번째 시: 자정이 쓴 「노두」1) 시운에 화답하다[其九 和子貞
　　用老杜韻]

虛谷迢遙托遠心　　　　빈 골짜기 아득하니 먼 마음 의탁하고

樓臺隱隱衆星臨	누대는 가물가물 별들이 임한 듯
雲生翠岫看翻覆	구름은 푸른 산에서 생겨나 보는 사이 뒤집히고
月到靑天問古今	달은 푸른 하늘에 이르러 예와 지금을 묻네
丈室恰宜吾病養	장실2)은 내가 병을 요양함에 마땅하여 흡족하고
禪居豈受世塵侵	선거3)가 어찌 세상 먼지의 침입을 받을까
年來久謝騷壇事	해가 가는 동안 오래도록 소단의 일 사양했더니
只爲逢君費苦吟	다만 그대를 만나 시 읊으며 시간 보내네

주
1) **노두**(老杜): 두보. 두목(杜牧)을 소두(小杜)라 부르는 데 상대하여 이르는 말.
2) **장실**(丈室): 사방이 열 자 되는 방. 절에서 주지의 거실.
3) **선거**(禪居): 중이 선을 수행하는 곳.

43. 우연히 여오가 쓴 시축 중 운에서 느낀 바가 있어 따라 짓다

[偶次汝五軸中韻有所感也]

淸夜開尊意若何	맑은 밤 술 항아리 여니 뜻이 어떠한가
自知豪氣酒中多	스스로 술 가운데 호기 많음 알았는데
風塵不染心猶赤	풍진에 물들지 않으니 마음 오히려 붉고
事業期收髮未皤	사업에 거두기를 기약하니 귀 꼬리가 희지 아니했네
慣看蒼鷹悲上蔡	푸른 매가 상채1)에서 슬퍼함을 익히 보고
由來白蟻夢南柯	세월 따라 흰개미가 남가2)의 꿈을 꾸는데
東門聞有先歸客	동문으로 객이 먼저 돌아갔다고 들었으니

肯許同携製薜蘿3)　　　즐거이 함께 끌고 가서 벽라4) 지을 것을 청하네

주
1) 상채(上蔡): 지명.
2) 남가(南柯): 나무의 남쪽 가지. 당나라 때 순우분(淳于棼)이 자기 집 남쪽에 있는 늙은 회화나무 밑에서 술에 취해 자다가 꿈을 꾸었는데 대괴안국(大槐安國)의 남가군(南柯郡)에서 20년간이나 부귀영화를 누리다가 깼다는 고사에서 나온 말. 인생의 속절없음을 의미함.
3) 긍허동휴제벽라(肯許同携製薜蘿): 관직을 구하는 벗에게 함께 산에 들어가 묻혀 살도록 권유하겠다는 뜻.
4) 벽라(薜蘿): 덩굴이 있는 풀. 전하여 은자의 옷. 만초(蔓草).

44. 자정에게 화답하다[和子貞]

歲晏心不夷　　　해가 늦으니 마음 편치 못하고
躑躅起遐思　　　늦게 일어나 멀리 생각하는데
西望咏招隱　　　서쪽을 바라보며 초은1) 읊고
之子與雅致　　　그대와 더불어 맑은 운치 가지려 하네
提携欲何向　　　끌고서 어느 곳을 갈 것인가
鶴林秘蕭寺　　　학림에 비밀스러운 절이 있는데
笑謝風塵客　　　웃으면서 풍진의 나그네 거절하니
去入巖壑邃　　　들어갈수록 바위 골짜기 깊어지네
尋雲陟層榭　　　구름이 첩첩 층계 이룬 집 찾아
振衣挹清水　　　옷 털고 맑은 물 마시려는데
秋蘭猶自保　　　가을 난초는 오히려 스스로 보호하고
靈卉或未墜　　　신령스러운 꽃은 아직 떨어지지 아니했네
禽鳥遺好音　　　새는 좋은 소리 남기고
翶翔適其意　　　날개 퍼덕이며 그 뜻에 맞는 곳으로 나는데

相與觀所尙	서로 더불어 높은 곳 보며
懷素以忘累	가슴속에 쌓였던 허물 잊어버리네
榮名豈可求	영화와 명예를 어찌 구할 수 있을까
舍車成白賁	수레를 버리고 백비2) 만들 것을

45. 두 번째 시[其二]

西嶺何所有	서쪽 재에는 무엇이 있는가
松栢挺霜標	소나무와 잣나무 서리 맞아도 빼어나고
冬夏一色茂	겨울과 여름에도 한 빛으로 무성하여
幹葉不曾彫	줄기와 잎이 일찍이 마르지 않았네
君子抱幽貞	군자는 그윽한 정절을 안고
悟物托淸高	깨달은 사람은 맑고 높은 곳 의지하는데
晤歌白雲顚	밝은 노래에 흰 구름 넘어가고
彌望滄海濤	아득한 바람은 창해에 이는 물결일세
天地豈終極	하늘과 땅이 어찌 마침과 끝이 있을까
風物雜淳澆	풍물은 순수함과 잡됨이 섞여 있는 것을
令德思前脩	착한 덕은 앞에 닦은 이들을 생각하고
嘉言尙昭昭	아름다운 말은 오히려 밝고 빛나는데
蒼壁立千仞	푸른 절벽은 천 길에 서 있고
大鳥蔽九霄	큰 새는 구소1)를 가리네
宿舂豈近征	방아 찧는 꿈꾸었다고 어찌 정부가 돌아올까
千里不相遙	천 리라도 서로 멀다 생각하지 않고

頻頻懷未已	끊임없이 자주 생각이 나는데
松聲更颼颼	소나무 소리 다시 수수히 들리네

주 1) 구소(九霄): 하늘. 구천(九天). 가장 높은 하늘.

46. 양직(윤지호)이 산에 들어온 뒤로 이미 여러 번 편지를 보내왔는데 그 말이 매우 아름다웠으나 다만 병들어 한 번도 회답을 못하고 이별하고서 끝내 잊지 못하여 고의 한 수를 짓다

[養直(尹志浩)入山以來 已有累章其言孔嘉 但病不能一報 臨散不敢終孤 爲題古意一首]

幽人在後谷	숨어 사는 사람 뒤에 골짜기 있는데
山深雲雪蒼	산은 깊고 구름과 눈이 푸르네
久有淸漳疾	오랫동안 맑은 장질1) 있어
所學自就荒	배운 것이 절로 거칠어지네
皎皎白駒鳴	교교하게 흰 망아지 울고
有客自遠方	나그네 있어 먼 곳에서 오는데
上堂奏陽阿	당에 올라가 양아2)를 연주하니
此曲誰能詳	이 곡을 누가 능히 이해할까
其言直而溫	그 말이 곧고 따뜻하며
其意抑以揚	그 뜻에는 억양3)이 있네
眷眷勉令德	부지런히 착한 덕을 닦도록 힘쓰게
不啻起余商	나 혼자의 힘은 아니라네
良箴豈易得	좋은 잠언을 어찌 쉽게 얻겠나
庶幾永相將	바라건대 영원토록 서로 가지세

| 所以重金玉 | 금과 옥보다 중히 여겨 |
| 佩之不敢忘 | 가지고 다니며 감히 잊지 말기를 |

1) 장질(瘴疾): 산천(山川)의 악기(惡氣)로 생기는 병. 풍토병.
2) 양아(陽阿): 노래 곡조.
3) 억양(抑揚): 혹은 억누르고 혹은 찬양함.

47. 고령사 누대에 올라 연구를 짓다[高嶺寺登樓聯句]

故人尊酒一登樓(子貞)	친한 사람 술동이 가지고 한번 누에 오르니 (자정)
山木蒼蒼萬壑流	산의 나무 푸르고 푸르러 만 골짜기에 흐르네
望眼遙隨荒野盡(己)	바라보는 눈은 멀리 거친 들을 따라 다하고(나)
白雲高逐倦禽游	흰 구름은 게으른 새 쫓으면서 노니네
此間不可無君語(子貞)	이 사이에 그대의 말 없을 수 없으니(자정)
醉裡何曾有客愁	취한 가운데 어찌 나그네의 시름 있을까
脚底烟霞飛不去(己)	다리 밑 연기와 노을은 날아가지 못하는데(나)
未闌欲下更遲留(子貞)	다하지 못하고 내려가려다 다시 머무르네 (자정)

48. 두 번째 시: 수구암에서 연구를 짓다[其二 守口庵聯句]

載書出城市(子貞)	책을 싣고 성시로 나오니(자정)
遐想在雲林	멀리 구름 숲에 있을 때 생각이 나네
路指塵園樹(己)	길은 진원1)의 나무를 가리키고(나)

寺高鷲嶺岑　　　　　　절은 취령2)산에 높이 있네

丹霞飛馬首(子貞)　　　붉은 노을을 말머리에서 날고(자정)

淸瀑洒塵襟　　　　　　맑은 폭포 속된 흉금을 씻어주네

僧許入蓮社(己)　　　　스님이 연사3)로 들어올 것을 허락하니(나)

山分駐華陰　　　　　　산이 꽃나무 그늘에 나뉘어서 머무르네

藥爐行處有(子貞)　　　약 달이는 향로는 가는 곳마다 있는데(자정)

狂態病中侵　　　　　　미친 태도는 병 가운데로 침입하네

撫劒靑霞氣(己)　　　　칼을 어루만지니 청하4)의 기운 있고(나)

登樓白雪吟　　　　　　누에 올라 백설조를 읊네

眼前無俗物(子貞)　　　눈앞에는 속된 물건 없고(자정)

絃上有高音　　　　　　거문고 줄 위에는 높은 소리 있네

淚入金臺遠(己)　　　　왕궁이 멀어지자 눈물 흐르고(나)

歌悲蜀道嶔　　　　　　노래는 촉도의 험함을 슬피 노래하네

笑非文似者(子貞)　　　글 같지 않다고 웃는 자가(자정)

徒賞詠歸心　　　　　　한갓 감상하며 돌아가는 마음을 읊네

縢馥開黃券(己)　　　　향기는 누런 책에서 피어나고(나)

新芒淬碧鐔　　　　　　새로 만든 칼에는 새파란 날이 섰네

足期曼倩史(子貞)　　　만천5)의 사기를 기약할 수 있을까(자정)

功視謫仙針　　　　　　공은 적선6)의 바늘에서 나타나네

懸燈聽夜雨(己)　　　　등불 걸어놓고 밤의 빗소리 듣고(나)

揮塵到晨參　　　　　　주장 휘두르며 신참7)에 이르네

講舌茶頻沃(子貞)　　　설법하는 혀는 차로 자주 적셔주고(자정)

詩腸酒不禁　　　　　　시의 창자는 술을 금하지 못하네

靜後山愈好(己)　　　　고요함 뒤에 산은 더욱 좋아지고(나)

閑來境更深　　　　　　한가함 오니 경지 더욱 깊어지네

永懷興國語(子貞)	오래도록 나라 일으킬 말 생각하니(자정)
頗似百源尋	자못 백 가지 근원 찾는 것과 같네
相顧各言志(己)	서로의 뜻을 각각 말하고는(나)
抽毫替褻箴(子貞)	붓을 뽑아 설잠8)을 대신하네(자정)

주
1) **진원**(塵園): 먼지동산. 속세를 말함.
2) **취령**(鷲嶺): 불교에서 부처가 설법하는 곳. 경주의 산 이름.
3) **연사**(蓮社): 백연사(白蓮社). 중국 동진(東晉)의 중 혜원이 402년에 만든 염불 수행 결사(結社).
4) **청하**(青霞): 푸른 놀. 푸른빛.
5) **만천**(曼倩): 아름다운 사위나 남자.
6) **적선**(謫仙): 신선이 인간으로 내려옴. 여기서는 이백의 별명.
7) **신참**(晨參): 불교에서 행하는 아침 예불.
8) **설잠**(褻箴): 헤어진 옷을 꿰맴. 잘못된 것을 고침.

49. 세 번째 시: 눈에 대해 연구로 짓다[其三 賦雪聯句]

密霰篩篩下(己)	빽빽한 싸락눈 슬슬 내리고(나)
凝雲凍不飛	엉긴 구름 얼어서 날지 못하네
龍門分雅賞(貞)	용문1)의 아름다운 경치 감상하니(자정)
剡曲讓淸輝	염곡2)의 맑고 빛남이 양보한 것 같네
鴉颶撣風落(己)	펄럭이던 까마귀는 사나운 바람에 떨어지고 (나)
山藏翠黛稀	산에 저장된 것은 푸르고 검은 것이 드무네
一歌招隱士(貞)	노래 한 곡조로 은사를 불러내니(자정)
叢桂更依依(己)	계수나무 떨기 다시 무성해지네(나)

주 1) **용문**(龍門): 중국 황하 상류에 있는 산 이름. 또는 그곳을 통과하는 여울목으로

잉어가 거슬러 올라가면 용이 된다고 함.
2) **염곡**(剡曲): 진나라 왕자유가 눈 내리는 밤 대규를 찾아간 뒤 눈에 대하여 시를 읊은 곡조.

50. 네 번째 시: 수재 윤재성이 쓴 운에 화답하다[其四 答尹秀才在誠韻]

佳句忽憑錫杖來(貞)	석장이 오니 좋은 글귀 나오고(자정)
病夫雙眼一番開	병든 사나이 두 눈이 번쩍 뜨이네
白雲啼盡嚶嚶鳥(己)	흰 구름 울며 보내는 것은 앵앵거리는 새요(나)
樓上看山更好哉(貞)	누 위에서 산을 보니 다시 좋구나(자정)

51. 다섯 번째 시[其五]

手執靑藜杖	손에 청려장 짚고
登高欲賦詩(己)	높이 올라가 시를 짓고자 한다네(나)
雲消看日白	구름 사라지니 해 밝게 보이고
塵起覺風吹(養直)	일어나는 먼지에서 부는 바람을 느끼네(양직)
海濶孤帆小	바다가 넓으니 외로운 돛 작아 보이고
山長獨馬遲(己)	산이 길어 말이 홀로 더디네(나)
飄然發一嘯	표연히 한 가락 휘파람 불어도
淸意少人知(養直)	맑은 뜻 아는 이 드물구나(양직)

52. 제목 없이 연구로 짓다[無題聯句]

飯鍾才罷倚高樓(養直)	식사 종 겨우 그치자 높은 누에 의지하고 (양직)
落日蒼茫水亂流	지는 해 아득한데 물은 어지러이 흐르네
獨鳥閑雲俱有態(子貞)	외로운 새 한가로운 구름 모두 맵시 있고 (자정)
輕爐積岫盡供眸	가벼운 아지랑이 아른거리는 산은 눈에 다 보이지 않네
僧迎月色初鳴磬(己)	스님은 달빛을 맞이하여 처음 경쇠 울리고 (나)
客怕寒威更攬裘	나그네 추위 두려워 다시 가죽옷 껴입네
德不孤兼興不淺(養直)	덕이 외롭지 아니함과 겸하여 흥 얕지 아니하니(양직)
於斯便覺竹房幽(子貞)	이에 문득 대나무 집의 그윽함을 깨닫네(자정)

53. 고령사에서 수구암으로 옮겨서 임시로 살다[在高嶺寺移寓守口庵]

橐裡群書手一筇	전대 속에는 여러 권의 책, 손에는 막대 하나
西林朝別暮東峰	아침에 서쪽 숲 이별하고 저물게 동봉에 오니
山禽引我尋前路	산새가 나를 인도하여 앞길 찾아주고
終日低飛不少慵	종일 조금도 게으름 피우지 않고 낮게 나네

54. 고령사에서 자정이 먼저 파주 관아로 돌아가다[高嶺寺子貞先歸 坡衙]

知有今朝別	오늘 아침 이별이 있을 줄 알았지만
猶懸去夜燈	오히려 지난밤 등불은 그대로 달려 있네
天明向赤壁	날 밝으면 적벽으로 향하는데
前路戒層氷	앞길에 층층이 있을 얼음을 조심하게나

55. 두 번째 시[其二]

始結三冬約	처음에 삼동의 언약을 맺었는데
還因一病違	도리어 한번 병들어 약속을 어겼네
前期灘上月	앞서 약속은 여울 위의 달 같으니
留與把淸輝	머물렀다가 맑은 빛이나 알아보게

56. 소를 몰고 시곡으로 향하다[騎牛向柴谷]

雪裏騎牛出	눈 속에 소를 몰고 나와
山中與子來	산중에서 그대와 함께 오네
相將叩角興	서로 뿔 두드리며 흥을 돋우니
回語白雲隈	말 돌릴 사이에 흰 구름 굽이 드리우다

57. 고령사로 가는 길에 자정이 지은 시운을 따라 짓다[高嶺途中次子貞]

寒驢步步無力	절룩대는 당나귀 걸음마다 힘이 없고
行子招招不待	가는 그대 부르고 불러도 기다리지 않네
囊底燒梨一粒	주머니 속에는 익힌 배 한 알뿐이니
安能使我勞解	어찌 나로 하여 수고로움 풀어줄 수 있을까

58. 고령사에서 자정이 쓴 시운을 따라 짓다[高嶺寺次子貞韻]

送子出山去	그대가 산을 나가도록 보내니
山頭留白雲	산머리에는 흰 구름만 머물러 있는
華陰許走馬	꽃그늘에 말달리기 허락하고
尊酒失論文	술 항아리 앞에 글 논함도 잊었네
忽忽幽情少	갑작스럽게 그윽한 정 적어지고
悠悠世事紛	아득하게 세상일 시끄러운데
玉簫緱嶺月	구령1)의 달 보며 옥소 부니
誰與倚樓聞	누구와 더불어 누에 기대어 들을까

주 1) 구령(緱嶺): 고개 이름.

59. 고령사에서 시곡을 향하면서 연구를 짓다[自高嶺向柴谷聯句]

騎着黃牛過石川(養直)   누런 소 몰아 타고 석천을 지나는데(양직)

回頭古寺思依然 　머리 돌려 바라보니 옛 절 생각 의연하네
老僧別我雲邊去(己) 　늙은 스님 나를 구름가로 보내 이별하고(나)
白鳥迎人水上翩 　하얀 새 사람 맞아 물 위에서 훌쩍 날아오르네
亂樹寒烟荒野外(養直) 　어지러운 나무 차가운 연기 거친 들 밖에 있
　　　　　　　　　　 고(양직)

急風飛雪暮山前 　급한 바람 날리는 눈 저문 산 앞이네
年來去住無南北(己) 　해마다 오가는 것 남과 북이 없는데(나)
今夜不知何處眠(養直) 　오늘 밤 어디에서 잠들지 알 수 없네(양직)

60. 광탄에서 새벽에 파주 관아로 향하다[自廣灘曉向坡衙]

征人曉起掃車霜 　나그네 새벽에 일어나 수레의 서리 치우면서
仰看星河尚有光 　우러러 은하수 보니 아직도 빛이 있네
官路悠悠行不息 　벼슬길 멀고멀어 가면서도 쉬지 못하는데
白烟生處古槐蒼 　흰 연기 나는 곳에 옛 홰나무 푸르네

61. 독성당 주인에게 보내다. 주인의 성은 김, 이름은 각이다. 의술에 뛰어나고 나이는 여든두 살인데 얼굴은 사십 남짓으로 보인다. 분매1)가 있어 앞에 가서 보니 꽃이 난만하게 피어 있었다[贈獨醒堂主人 主人姓金名塙 善醫術 年八十二 顏色如四十餘 有盆梅 至前 爛熳開花矣]

梅花消息雪中傳 　매화 소식 눈 속에 전하면서

綠髮童顏一色妍　　검고 윤택한 머리, 어린아이 같은 얼굴 한 빛
　　　　　　　　　으로 곱구나
滿室韶光皆自得　　방 가득한 밝은 빛은 모두 절로 얻은 것
不知窓外有寒天　　창밖에 차가운 하늘 있음을 알지 못하네

주　1) **분매**(盆梅): 화분에 기른 매화.

62. 길을 가는 중에[途中]

漠漠孤村傍石蹊　　막막하고 외로운 마을 방석 길가에 있고
行人指點夕烟迷　　행인이 가리키는 곳 저녁연기 아득한데
黃昏積雪埋歸路　　황혼에 눈 쌓여 돌아갈 길 묻혔으나
老馬能尋已過蹄　　늙은 말 능히 이미 지나간 자취 찾네

63. 고요히 앉아[靜坐]

雪和朝日映書牕　　눈이 아침 해에 섞여 서창에 비치는데
眼目能添分外光　　눈에는 분에 넘치는 빛이 더하네
爲整幽襟開玉牒　　그윽한 옷깃 정돈하며 옥첩1)을 여니
簡中眞有學仙方　　그 가운데 참되게 선술 배우는 방법 있구나

주　1) **옥첩**(玉牒): 불교나 도교의 경전.

64. 사진에게 차운하다[次士珍]

岳南歸客有新篇	재 남쪽 돌아가는 나그네 새로운 글 있어
雁足西傳古寺邊	기러기 발에 묶어 서쪽 옛 절 가로 전하네
回首銅江風雪怒	머리 돌려 바라보니 동강에 눈바람 성내는데
夢魂安得逐征旆	꿈과 혼이 어찌 명정1)을 쫓아낼 수 있을까

주 1) **명정**(銘旌): 죽은 사람의 관직과 성씨 등을 적은 기.

65. 정구숙이 지은 시운을 따라 짓다[次正久叔韻]

■ 편지와 시를 함께 쓰다[竝書]

계림과 고령사 사이에 강한1)이 있어 그리움을 알 수 있다. 동짓달 하현2) 무렵에 처음으로 고령사에서 내려와 다행히 기다리던 맏형님과 둘째 형님께서 보낸 편지를 받았으나, 여행에서 겨우 돌아와 한번 만나뵙지 못한 일이 한스럽다.

영원의 기쁜 모임에서의 강설과 자료는 그 즐거움이 무궁한데, 하물며 꿈을 기록한 아름다운 문장은 정과 사랑이 지극하여 꿈에 나타난 것임이랴. 또한 이와 같이 반복함이 오래되어 꿈이 아니고 참일 것이니, 이 또한 꿈이겠는가.

내가 지금 가는 길에 다만 고요함을 취하여 병을 다스리고자 하니, 글을 본 뒤에 병을 다스릴 것이다. 본 것은 모두 『노론』3)에 있는데 여러 편을 다보지 못하고 병세가 더욱 심해져서 이곳으로 돌아왔다. 그 밖에 사람을 대해 할 말이 없으니 참으로 가련한데, 맏형님과 둘째 형님께서 어떤 글을 보내셨는지 알 수가 없다.

약을 써서 차도가 있는가. 당당하게 친가로 돌아가 서로 한번 만날 수 있겠는가. 자정 역시 병으로 파직하고 파주 관아로 돌아갔으며 양직은 성으로 돌아와 어제 내 집에 왔는데, 모두 편지만 보고 돌아갔을 뿐이다. 정신이 아득하여 다 갖추어 쓰지를 못하겠다.

鷄山距高嶺江漢間之 戀思可知也 子月將下弦始下嶺 幸承望前伯
仲手書 所恨征斾纏回一晤 未及所喜 鶺原歡會講舌兼資 其樂無窮
也 況記夢佳章 情愛所極發於夢寐者 又如此披復久之 非夢若眞此
又夢耶 某今行只爲取靜調恙 則看書已後於調恙矣 所覽盖在魯論
而 未究數編病情益苦 遂舁而歸 此外無可說向人者 良可憐也 未知
伯仲各治何書 藥事差有了 當當歸親庭 可相一叩否 子貞亦病罷往
坡衙 養直入城昨來鄙所 見歛書歸耳 神眩不具

見子詞源已浩如	그대 글의 근원이 이미 멀고 넓은 것 보았는데
想知文史足三餘	생각해보니 문장과 사기4)가 삼여5)에 넘침을 알았네
莊園蝴蝶終成幻	장주가 나비가 된 일도 끝내 환상뿐인 것을
眞面何時共對書	어느 때 참면목으로 함께 글을 볼까

 주

1) **강한**(江漢): 강수와 한수. 곧 중국의 양자강과 한수강을 아울러 말함.
2) **하현**(下弦): 음력으로 매월 22~23일의 달의 모양. 활을 엎어놓은 모양임.
3) 『**노론**(魯論)』: 『논어(論語)』. 공자의 언행과 제자들과의 문답 내용을 기록한 유교 경전. 사서(四書)의 하나로 중국 최초의 어록(語錄).
4) **사기**(史記): 역사의 기록.
5) **삼여**(三餘): 학문을 하는 데 가장 좋은 세 가지 여가를 말함.

66. 임진강을 건너며[渡臨津]

晚發坡平府	늦게 파평부1)를 떠나
來登赤壁舟	와서 적벽의 배를 탔네
波連東峽水	물결은 동협의 물로 이어지고
流入古喬州	흐름은 옛 교주2)로 들어가는데
落日荒蘆外	해는 거친 갈대 밖으로 떨어지고
孤雲大野頭	외로운 구름은 큰 들 끝에 머무르네
英豪今寂寞	영웅과 호걸은 지금 적막한데
空想昔人游	쓸데없이 옛사람의 노님을 생각하네

주
1) **파평부**(坡平府): 경기도 파주의 옛 이름.
2) **교주**(喬州): 강화도의 옛 이름.

67. 임군주에게 보이다[示任君冑]

柴扉孤掩嶽西林	가시사립 외로이 닫혀 있는 뫼의 서쪽 숲에
夜色蒼蒼小院深	밤빛 창창하여 소원에 깊구나
山影滿庭人不到	산 그림자 뜰에 가득한데 사람 이르지 않고
柳邊新月却相尋	버들 가 초승달 보며 문득 서로 찾네

68. 또 '림(林)' 자 운을 써서 짓다[又用林韻]

森森夜氣落前林	삼삼1)한 앞 숲에 밤기운 떨어지고
窓外三更雪正深	삼경 창밖에 눈 바로 깊구나

忽憶梅花何處發　　갑자기 매화가 어디서 필까 생각하고
西湖風月夢中尋　　서호2)의 풍월을 꿈속에 찾는구나

1) **삼삼**(森森): 나무가 빽빽이 우거져 무성함.
　　2) **서호**(西湖): 중국 항주(沆州)에 있는 전당호의 다른 이름.

69. 약사1)에서 눈을 맞고 돌아오는데 느낌이 있어[自藥肆冒雪歸有感]

十二橋頭雨雪繁　　십이교 머리에 눈비가 자주 오는데
何人驅馬出西門　　어떤 사람 말을 몰아 서문으로 나가는가
應將袖去経綸手　　마땅히 소매에 넣어온 경륜수2)를
不似空留道德言　　쓸데없이 머무르니 『도덕경』3)의 말과는 다
　　　　　　　　　르구나

1) **약사**(藥肆): 약방(藥房).
　　2) **경륜수**(経綸手): 많은 경험을 가진 능력 있는 손.
　　3) 『**도덕경**(道德經)』: 중국 춘추전국시대의 철학자 노자가 지었다는 도교 경전.
　　　약 5,000자. 상·하 2편으로 구성됨.

70. 약사에서 놀며[游藥肆]

蹇驢游藥肆　　절며 가는 나귀로 약사에 노니니
茅屋似山居　　띳집이 흡사 산집과 같은데
病近丹爐火　　병들어 단 굽는 화로 가까이하고
方尋素門書　　방편으로 소문1)의 글을 찾네
先春梅已破　　먼저 봄 매화는 이미 피었는데

冷臘柳將舒　　　　납일 추위 때도 버드나무 피려고 하네

黙筭今年事　　　　가만히 올해 일 생각해보니

光陰馬上除　　　　세월을 말 위에서 보내네

71. 사진이 지은 시운을 따라 짓다[次士珍韻]

■ 편지와 시를 함께 적다. 그때 사진은 관음사에 있었다. 이 절은 내가 사진과 함께 옛날 놀던 곳이다. 또한 칠언절구 한 수를 짓다[竝書 時士袗在觀音寺 寺是余與珍舊游處 又有七絶一首]

영사에 있을 때 한 장의 글과 한 수의 시를 얻었고 집에 돌아와서는 글과 약간의 시사를 얻었는데, 말이 모두 근지[1]하였네. 하늘의 해를 볼 뿐만 아니라 하물며 옛날 함께 살던 즐거움이랴.

중년에 와서 인사의 변동과 요사이 떨어졌다가 찾으려던 한을 역력하게 말하고 나니 사람을 감동시킴이 많았네. 두세 번 읽고 보니 모르지는 아니했으나 소식 온 뒤에 해가 이미 다했고 추위의 위엄이 비로소 사나운데, 어르신께서는 취미생활을 하시고 더욱 편안하신가.

산방에서 공부하는 사람들은 모두 글을 읽고 있지만 나 같은 사람은 먼저 병부터 조섭해야 하니 병을 고치고 글을 나중 보려고 했는데, 병이 더하여 업혀 서울 집으로 돌아와 날마다 의원과 함께 도규[2]를 담론할 뿐이었네. 세월이 따라주지 않아 하는 일이 이같이 되었으니 끝내어찌 수습해야 할지 알지 못하겠네.

인하여 귀하의 독실함을 생각하고 또한 능히 강건한 가피[3]를 가졌으니 지금부터 무엇인들 이루지 못하겠는가. 내가 보니 큰 군자의 나갈 바는 반드시 더욱 정밀하고 높아야 하거늘 이도 저도 아니라서 한 가지도 얻지 못하였으니 진실로 한탄할 만하네.

내가 병든 사이에 본 것은 다만 이 노론 두어 편뿐이고 범서4)는 지난날부터 아직 의심을 완전히 파하지 못하여 비록 통금5)하지는 못하나, 어찌 주객과 완급의 분별이 없겠는가. 엎드려 덕음을 받으니 더욱 바른길이 탄탄함을 알겠네. 좌상의 여러분께서도 병든 사람을 묻지 아니하시니 족히 글 읽는 일밖에는 다른 여가 없음을 알겠으므로 위로하고 또 위로하네.

在嶺寺得一書一詩 歸家又得書若詩辭 語俱勤摯 不啻覿天日也 況昔歲同居之樂 中年人事之變 與近日離索之恨 歷歷說來感人多矣讀之再三能不黯然信後歲色已闌寒威始稜 丈室窝趣益珍否 山房負笈人 皆爲讀書而 如某調病先之 病蘇書可後而病又添之 昇歸京舍日與醫者 談刀圭而已 歲月不與所業如此 未知終何收拾也 仍想以足下之篤實 又能強健加彼持此以往 何所不成耶 自見大君子所趣 必益精益高而 不淂一扣良可歎也 某病間所看 只是魯論數編而 梵書向來疑團尚未全破 雖不能痛禁 豈無主客緩急也 伏承德音 益知正路之坦坦也 座上諸足下無問病夫 足知讀事之不暇他也 可慰可慰

清游尚憶舊香臺	아직도 맑게 놀던 옛 향대 생각하여
几屐聯翩恣往來	궤극6) 연이어 날리며 마음대로 오고 가네
身在翠微乘灝氣	몸은 취미7)에서 끝없는 기운 타고
歌成白雪酌深盃	노래는 백설이 되어 깊은 잔에 쏟아지는데
悲歡哀哀雲千變	슬픔과 기쁨은 이어져 구름의 천변과 같고

聚散恩恩歲七回　　모이고 흩어짐은 총총하여 한 해 일곱 번이네

多羨諸郞重到意　　여러 낭관8)들 거듭 온 뜻 부러움 많고

六経勤向靜中開　　육경9) 부지런히 읽으니 고요한 가운데 열리네

1) 근지(勤摯): 부지런히 잡음. 또는 자극함.

2) 도규(刀圭): 가루약을 뜨는 숟가락. 의술(醫術).

3) 가피(加彼): 신불(神佛)의 가호(加護).

4) 범서(梵書): 인도의 책. 불교 경전.

5) 통금(痛禁): 대단히 금함. 엄금(嚴禁).

6) 궤극(几屐): 궤장과 신발.

7) 취미(翠微): 먼 산에 엷게 낀 푸른 기운.

8) 낭관(郞官): 종5품에서 종6품까지의 정랑과 좌랑.

9) 육경(六経):『역경(易經)』,『서경(書經)』,『시경(詩經)』,『춘추(春秋)』,『예기(禮記)』,
『악기(樂記)』. 유가의 여섯 경전.

72. 윤양직이 지은 시운을 따라 짓다[次尹養直韻]

病餘瘦骨不禁寒　　병든 파리한 몸 추위 금할 수 없어

穩伴香梅度夜漫　　편안한 친구 향기로운 매화와 긴 밤 보내네

南郭未回千里駕　　남곽은 아직 천 리 여행에서 돌아오지 않고

西村空負一樽歡　　서촌은 쓸데없이 한 항아리의 기쁨을 지는데

幽愁撩亂籠中鳥　　그윽한 시름은 어지럽게 퍼덕이는 조롱 가운
데 새요

壯志低回1)櫪上驥　　장한 뜻은 머리를 숙이고 도는 마구간의 나
귀라네

說與此懷惟數子　　더불어 이 생각 말할 수 있는 사람은 몇뿐
이니

論交常在兄弟間　　이 논리로 교유함은 항상 형제간에 있네

(南郭指子貞西村指養直也 남곽은 자정을 가리키고, 서촌은 양직을 가리킨다)

주 1) 저회(低回): 머리를 숙이고 생각에 잠겨 천천히 거닒.

73. 제석에 재미 삼아 사진이 지은 시운을 따라 지었는데 이때 사진이 약속을 해놓고 오지 않았다[除夜戱次士珍 蓋珍有期不至也]

旅館仍多病	여관에 의지하니 병 많고
佳期負可人	좋은 기회 저버리는 사람 옳다고 할까
排愁吟到曉	시름 물리기 위해 새벽까지 읊고
强飮坐迎春	억지로 마시며 앉아서 봄을 맞네
交態看非古	교제하는 태도 보니 옛사람 아니고
文章各自新	글 짓는 것은 각각 저마다 새로운데
世情應爾爾	세상의 정이 마땅히 너희들 같다면
寧歎影爲隣	차라리 그림자로 이웃 삼아 탄식하리라

74. 이구숙이 지은 시운을 따라 짓다[次李久叔韻]

■ 갑술년(甲戌, 1694)

離情脈脈漢南遙	이별하는 정 바라보니 한수 남쪽 멀고
不意東來折簡邀	뜻하지 않게 동쪽으로부터 끊어진 소식 오네
最惜病餘無脚力	가장 애석한 것은 병 때문에 다리 힘 없는 것

佳期虛負上元宵　　　좋은 기약 헛되게 버리는 상원1)의 밤이구나

주　1) **상원**(上元): 정월대보름.

75. 새벽에 내리는 비[曉雨]

枕上蘧然客夢興　　　베개 위에서 나그네 놀라 깨고
牕間明滅照愁燈　　　창 사이엔 명멸하는 시름의 등 비치네
無端曉雨催時節　　　아무 까닭 없는 새벽 비 시절을 재촉하고
消却前溪幾尺氷　　　녹아버린 앞개울에는 얼음 몇 자이려나

76. 비가 지나다[雨過]

雨過池塘細浪生　　　비가 연못을 지나니 작은 물결 일어나는데
風前楊柳弄柔輕　　　바람 앞에 버드나무 부드럽고 가벼움 희롱하네
開簾月色明如晝　　　주렴 걷으니 달빛 낮같이 밝아
領得山人分外淸　　　산사람이 분수 밖의 깨끗함 얻었네

77. 서재에 마침 일직하는 자가 오다[書齋適有日者至]

默坐書齋靜我思　　　묵묵히 앉은 서재에 내 생각 고요하고
一生榮辱復奚疑　　　한평생 영화롭고 욕되니 다시 무엇 의심할까
行藏自有恢恢地　　　행장1)에는 저절로 넓고 큰 면이 있으니

不必區區問瞽師　　　반드시 구구하게 고사2)에게 물을 필요없네

주　1) 행장(行藏): 나가서 일을 행함과 들어가서 숨는 일.
　　2) 고사(瞽師): 소경 악사(樂師). 점쟁이.

78. 이것저것을 읊어 여섯 수가 되다[雜咏六首]

■ 어느 날 처 외숙인 신 상사1)께서 오셨는데 운을 불러 시 쓰기를 재촉하므로 붓을 달려 썼다. 남에게 협박을 받아서 쓰게 된 것이니 이는 바로 배우의 태도이므로 나도 모르는 사이에 스스로 웃음이 난다[一日妻外叔愼上舍來 呼韻促成走筆書 之 爲人所迫發 此俳優之態 不覺自笑也]

首陽雙節挹夷齊　　　수양산 두 절개인 이제2)에게 읍하네
兼愛遺風亦不低　　　겸하여 유풍3) 사랑하니 또한 낮지 않네
自奉圭璋仍剡首　　　스스로 규장4)을 받들어서 죽음에 이르렀는데
誰將朱翠巧饞臍　　　누가 주취5)를 가지고 교묘하게 음식을 탐할까
方田确确纔三寸　　　작은 자갈밭으로 겨우 생명 이어가고
小雨濛濛足一犁　　　몽몽6)한 뱃속 검은 소 한 마리로 갈 수 있네
歲月消磨天祿閣　　　세월은 천록7)의 집에서 사라지고
眞人有意杖靑藜　　　진인의 뜻이 있어 청려장을 짚네
(右咏墨 위의 시는 먹을 읊은 것이다)

口吐香烟一縷斜　　　입으로 향연 토하니 한 줄기 비끼고
箇中淸味十分加　　　그 가운데 맑은 맛이 십분 더하는구나
論文細雨當杯酒　　　논문은 가는 비의 잔술에 해당하고
留客春宵勝石花　　　봄밤에 나그네 머물러 돌꽃보다 낫네

裊裊遏雲8)橫短篴　　모락모락 막힌 구름 아름다운 단적9) 소리 가
　　　　　　　　　　로지르고
錦錦吸氣伏蒼蛇　　아롱아롱 마신 기운 푸른 뱀 엎드렸는데
神農嘗草猶難遍　　신농10)이 맛본 풀은 오히려 약이 되지 못하고
永與金光可並誇　　영원히 금빛을 자랑할 만하네
(右詠南靈草　위의 시는 담배를 읊은 것이다)

光明曾掛笠西天　　빛은 일찍이 축서11) 하늘에 걸렸는데
千百元因一寸絃　　천백 가지 근원이 한 치의 줄로 이어지네
水底蛟龍多變化　　물 밑에 이무기는 변화가 많고
長虹犯日照幽燕　　긴 무지개 해 가려서 유연12)에 비치네
(右詠燈火　위의 시는 등불을 읊은 것이다)

鐵城圍遶四邊咸　　철성13)에 둘러싸여 사변이 다 같으니
固以嬴秦百二函　　진실로 영진14)에 백이15)의 상자 같네
列足仍成三國勢　　발 벌려 삼국의 형세 이루니
孰爲存楚孰亡凡　　어느 것이 남은 초가 되고 어느 것이 망한 범
　　　　　　　　　　이 될까
(右詠鐵爐　위의 시는 쇠로 만든 화로를 읊은 것이다)

天挺人豪東海東　　하늘이 인걸을 동해 동쪽에 내시니
優游一世萬緣空　　한세상 우유16)하며 만 가지 인연 비었네
仁山智水眞吾樂　　인자는 산, 지자는 물이라 참다운 나의 즐거
　　　　　　　　　　움인데
肯向風塵走軟紅　　즐거이 풍진을 향해 젊은 시절 달리네

(右咏志 위의 시는 뜻을 읊은 것이다)

騷壇赤幟是劉邦　　　소단의 붉은 깃발 이것이 유방17)이라
趙魏燕韓次第降　　　조, 위, 연, 한이 차례로 항복했네
班馬皆爲麾下士　　　얼룩말 탄 병사는 모두 휘하의 장졸이고
郊寒島澁視窮龐　　　찬 들과 외로운 섬에서 궁한 방덕공18)을 본
　　　　　　　　　　다네

(右咏文章 위의 시는 문장을 읊은 것이다)

1) **상사**(上舍): 선비의 존칭. 생원이나 진사 시험에 합격한 사람.
2) **이제**(夷齊): 은나라 충신 백이(伯夷), 숙제(叔齊). 나라가 망한 뒤 수양산에 들어가
　　굶어죽음.
3) **유풍**(遺風): 옛사람이 남긴 풍도(風度).
4) **규장**(圭璋): 예식 때 장식으로 쓰이는 귀한 옥. 고귀한 인품.
5) **주취**(朱翠): 붉고 푸른 빛. 봄철의 아름다운 경치.
6) **몽몽**(濛濛): 비, 안개, 연기 따위가 자욱함.
7) **천록**(天祿): 하늘이 주는 복록.
8) **알운**(遏雲): 흘러가는 구름을 막는 노래라는 말로, 정말로 아름다운 노랫가락.
9) **단적**(短篴): 짧은 피리.
10) **신농**(神農): 중국 고대 삼황(三皇) 중 두 번째 황제. 영농법을 가르침.
11) **축서**(竺西): 천축국(天竺國). 지금의 인도.
12) **유연**(幽燕): 중국 북쪽 지방의 유주(幽州)와 연(燕)나라.
13) **철성**(鐵城): 견고한 성. 고성(固城)의 옛 이름.
14) **영진**(嬴秦): 진나라. 진나라 임금의 성이 영(嬴)씨이므로 영진이라 함.
15) **백이**(百二): 지세가 험준하여 다른 나라보다 백배의 힘이 있음.
16) **우유**(優游): 한가로운 모양.
17) **유방**(劉邦): 한나라 시조인 패공(沛公)의 이름.
18) **방덕공**(龐德公): 중국 현산 남쪽 면수 가에 살았는데 한 번도 성내로 들어간
　　적이 없었음. 스스로 논밭을 가꾸고 쉬는 때에는 의관을 정제하고 바르게 앉아
　　거문고를 뜯으며 글을 읽고 즐겨 그 모습이 안온했음.

79. 맏형님, 둘째 형님, 셋째 형님이 쓰신 운을 따라 시를 지어 맏형님에게 바치다[次伯仲叔韻上伯氏]

■ 이때 맏형님은 어머님을 모시고 낙계에 계셨고, 나는 병들어 한양 집에 머물고 있었다[時伯氏侍慈堂在樂溪余病留京舍]

山人謾興把詩裁	산사람이 만흥을 잡아 시 지으니
細酌林泉無事杯	임천에서 일 없이 세작1)을 드네
生計自甘耕野苦	생계가 자못 달고 들에 밭 가는 것 고통스러우나
塵機曾不入心來	속세의 기회 일찍이 마음에 들어오지 않는데
堂中舞彩慈顔喜	고당에서 아롱 옷 입은 춤에 어머님 기뻐하시고
氷底敲魚稚子回	얼음 밑에 노는 고기 어린 자식 돌아보네
況是弟兄湛樂夜	하물며 이 형제가 즐거움에 잠긴 밤에
一場諧笑動風雷	한바탕 웃음소리 바람과 천둥을 움직이네

주 1) 세작(細酌): 적은 양의 술이나 조금 마시는 것을 뜻함.

80. 두 번째 시[其二]

好會徒憑紙上傳	좋은 모임 다만 종이를 인해서 전할 뿐
更嗟塵世踽高天	다시 진세에 높은 하늘을 슬퍼하는데
人情汲汲皆登壟	인정에 급급하여 모두 이익만을 취하고
吾道悠悠歎逝川	우리 길 멀고 멀어 냇물같이 흐름을 탄식하네

一局乘除棋度日	한 판 승부는 바둑으로 날을 보내고
半生眞率酒爲年	진솔한 평생에 술로 해를 보내는데
孤吟擬續塤箎曲	외로이 읊어 훈지1)의 곡 이을까 하나
拙手多慚五鳳牋	못난 재주로 좋은 편지지 펴기 부끄럽네

주 1) 훈지(塤箎): 나팔과 저. 전하여 형제 사이의 우애를 말함.

81. 세 번째 시[其三]

數朶芙蓉繞彩霞	두어 떨기 부용은 비단 노을 둘러치고
文香峰下是吾家	문향봉 아래 이것이 내 집일세
數間茅屋依山曲	두어 칸 띳집은 산굽이에 의지하고
半畝芳塘接澗涯	반이랑 꽃다운 못 도랑 가에 접해 있네
桐葉初圓宜宿鳳	오동잎 처음 둥그니 봉새 쉬기 마땅하고
柳條新暗可藏鴉	버들가지 새로이 어두우니 갈까마귀 숨을 수 있어
春來拂袖好歸去	봄이 오면 소매 떨치고 돌아가기 좋은 것을
已喜棲遲勝浣花	이미 오래 살아 완화1)보다 나음을 기뻐하네

주 1) 완화(浣花): 두보의 고택이 있던 곳.

82. 네 번째 시[其四]

| 病滯長安舍 | 병들어 장안 집에 머무는데 |
| 孤燈照夜寒 | 외로운 등불이 차가운 밤 비추네 |

丘原違酒掃	묘소가 멀어 찾아뵐 약속 어그러져
菜服阻陪歡	채색 옷으로 기쁘게 모실 일 막혔네
餞歲屠蘇酒	해를 보낼 때는 도소주 마시고
感春細菜盤	봄을 느끼는 것은 소반의 보드라운 채소임을
眞元如有復	진원1)이 회복되면
當卽促歸鞍	마땅히 곧 재촉하여 말머리 돌리리

주 1) 진원(眞元): 진기(眞氣)와 원기(元氣).

83. 밤비[夜雨]

滴滴空簷夜雨聲	방울방울 빈 처마에 밤비 소리 나니
一年春意暗中生	한 해 봄뜻이 어두움 속에 생긴다
明朝無限池邊柳	밝은 아침 무한한 것은 못가의 버들이요
可耐東華久客情	동쪽 나라 오랜 나그네의 정 감당하리

84. 이사진에게 편지를 쓰며 임군주, 이자심1)에게 두 수를 보이다[簡李士珍兼示任君胄李子深二首]

  지척인데도 자주 만나지 못하니 어찌 각각 지키는 바가 있음이랴. 그러나 시물2)은 사람을 충동하니 능히 슬프지 아니하겠는가. 그러므로 글을 하편과 같이 보내네. 백곡으로부터 돌아오는 길에 우연히 아는 사람을 만나 아울러 근정을 허락하고 겸하여 명구의 가르침을 요하였으니 군주와 자심도 또한 부득불 한번 크게 웃을 것이다. 이미 웃게 되거든 미치고 비굴한 태도를 본받지 말게나.

咫尺不數數 豈各有所守 然時物觸人 能不悵 然故以辭發之下篇 自
白谷歸路 偶占者並以聽斤正 兼要明龜之錫3)焉 君冑子深 亦不得不
一大笑之 旣笑之无效狂屈之態也

久病無新意	오랜 병에 새 뜻 없어
逢春尚舊慵	봄을 만났으나 아직도 옛 게으름이 있는데
柳拖輕雨細	버들에는 가는 비 가볍게 때리고
松蠹白烟重	소나무 곧으니 흰 연기 거듭 쌓이네
待月開高牖	달을 기다려 높은 창문 열었고
看山拄短筇	산을 보느라 짧은 막대로 버티는데
懷人此夜苦	사람 생각하니 밤이 괴롭고
愁思忽塡胸	시름에 갑자기 가슴 저미네

1) **자심**(子深): 이진원(李眞源)의 자. 1676년생. 본관 전주.
2) **시물**(時物): 당시의 사물.
3) **명구지석**(明龜之錫): 거북의 분명한 잠. 밝게 가르친다는 뜻.

85. 두 번째 시[其二]

驅馬來南里	말을 몰고 남쪽 마을로 와서
回鞭向北園	돌아갈 채찍은 북원으로 향하는데
星隨烽火出	별 따라 봉화도 나오고
鴉雜暮烟翻	갈까마귀에 섞여 저문 연기 뒤집히네
池冷風生樹	못물 차가우니 바람이 나무에서 나고

山虛月滿村	산이 비니 달이 마을에 가득한 것을
韶華知不遠	봄빛 머지않음을 아니
楊柳欲垂門	버들이 문에 드리우고자 하네

86. 보름날 밤 군주의 집에서 고운을 따라 두 수를 짓다[元夜君冑宅次古韻二首]

■ 밤에 홀로 앉아 무료해하다가 사진이 문밖에서 불러 군주의 집으로 갔다[是夜獨坐無聊 士珍在門呼之遂往君冑]

料峭餘寒入夜凝	조금 엄한 남은 추위 밤들어 엉키고
游人共指月初升	노는 사람 함께 달 처음 뜨는 것 가리키는데
佳期笑倚門前柳	아름다운 기약 웃으며 문 앞 버들에 의지하고
好句來懸壁上燈	좋은 글귀 생각나 벽 위에 등잔 달았네
尊酒今宵宜盡醉	항아리 술 오늘 밤에 마땅히 다 취하여
樓臺何處可高憑	누대 어느 곳 높아 의지할 수 있을까
春來病脚愁無力	봄이 오니 병든 다리 힘이 없어
十二虹橋踏未能	십이홍교1)를 능히 밟지 못할까 시름하네

주 1) **십이홍교**(十二虹橋): 중국 자성현(蔗城縣)의 십이교. 무지개처럼 아름답다고 함.

87. 두 번째 시[其二]

快飲賢人酒	유쾌하게 어진 사람 술 마시고

仍成烈士歌	인하여 열사의 노래 부르네
春雲披錦障	봄 구름 비단 장막 드리운 것 같고
明月湧金波	밝은 달 금물결에서 솟아나는데
吾道難容大	우리의 도는 커서 용납하기 어렵고
流年倏已多	흘러간 세월은 빨라 이미 많이 지났네
高吟須盡意	높이 읊으면서 모름지기 뜻을 다할 뿐
莫問夜如何	밤이 어찌 되었는가 묻지 마라

88. 이튿날 아침 군주가 강요하여 앞에 썼던 시운을 거듭 써서 재미 삼아 짓다[申朝君胄强之戲而疊前韻]

中宵梅月照澄凝	밤중에 매화 달은 등잔에 비춰 엉기고
來索東家酒數升	가서 찾은 동쪽 집에는 술이 두어 되라
薄薄不須辭一醉	얇디얇아 모름지기 한 번 취함 사양하지 않고
寥寥仍自剔孤燈	고요함을 인하여 스스로 외로운 등불 돋우네
共憐戲笑非爲虐	함께 어여삐 여기며 희롱하니 웃음은 자학이 아니고
更許心期足可憑	다시 마음을 허락하여 기약하니 믿을 수 있겠네
白雪相酬知好意	흰 눈에 서로 좋은 뜻 알아 수작하고
樽前着語我猶能	술 항아리 앞에서 착어1)는 오히려 나만 능한 것을

주 1) 착어: 음운(音韻)을 틀리게 발음하거나 말뜻에 어긋나게 말하는 것.

89. 반곡에 있는 초당은 장인께서 예전에 사시던 집이다[盤谷草堂 岳君舊居也]

風流寂寞草堂春	풍류가 적막한 초당의 봄에
月色蕭條暎素塵	달빛 쓸쓸하여 흰 먼지처럼 비추네
暗誦三都聲未闋	가만히 삼도를 외워 아직 마치지 못했는데
燈前側耳更何人	등 앞에 귀 기울이는 이 다시 어떤 사람인가

병인년(1686) 여름에 장인을 모시고 이곳에 왔다. 장인께서 "그대는 좌사삼도부1)를 아는가"라고 물으시었는데 "알지 못합니다"라고 하니, 장인께서 "좌사는 십 년 동안 이 부를 지었는데 일생의 정신이 모두 여기 있느니라. 어찌 한번 기이하게 보지 않겠는가"라고 말씀하셨다. 내가 곧 배우기를 청하니 공께서 육신의 『주해』를 주시면서 "이것을 보면 배우지 아니하여도 될 것이다"라고 말씀하셨다. 나는 받아 편 뒤 예닐곱 번을 읽었다. 그날 밤이 되어 달이 밝기에, 누에 의지하여 외우고 있었다. 공께서 초당에서 주무시고 계셨는데 그 읽는 소리를 들으시고 쉬움을 의심하시어 초청을 시켜 내가 책을 펴고 읽는지 탐색하게 하시고는, 등잔 켜기를 명하시고 나를 앞에 불러 외우게 하셨다.

그 뒤에 시서에 급하여 다시 살펴보지 못했는데 지난겨울 병들어 산사에 머물면서 동행이 문선 한두 권을 가져와 펼쳐본즉, 자못 옛 면목이 있었다. 올봄에 이곳에 머물며 어느 날 밤 달빛이 뜰에 가득해 일어나 걸으면서, 인하여 두어 구절을 기억해 외우다가 오열함을 느끼지 못했다. 돌이켜 생각해보니 장인의 묘초가 이미 묵었다. 옛집은 황량해지고 영막2)은 소리가 없다. 누가 다시 이 소리 듣고서 기뻐할까. 슬프구나!

丙寅夏余陪岳君於此 岳君問君爲左思三都賦乎曰未也 岳君曰左思
十年搆此賦 一生精神盡在此矣 何不一爲奇觀也 余卽請學公授六
臣註解曰 看此可不學矣 余受而繹之讀六七遍 乃至其夜月明 余倚
樓而誦 公在草堂就寢聞其誦而訝其易 使樵靑探余開卷否也 仍命
擧燈招余前而誦之 其後急於詩書不復繙看 去冬病滯山寺 同行有
文選一二 披覽則頗有舊面目矣 今春留此一夜月色滿庭 起而步之
仍記誦數句 不覺嗚咽 回念岳君之墓草已宿矣 舊宅荒凉靈幎幽聞
誰復喜聞此聲耶悲哉

주

1) **좌사삼도부**(左思三都賦): 중국 진나라 때 시인 좌사가 쓴 시로 사조(詞藻)가 장려
(壯麗)함.
2) **영막**(靈幎): 빈소를 가리는 흰 막.

90. 유공보를 애도하다[悼兪公輔]

■ 공보의 영연도 또한 반곡에 있었다[公輔靈筵亦在盤谷]

池上觀魚已幾年	못 위의 고기 본 지 이미 몇 년이던가
卽今遺跡只寒烟	지금 남은 자취 다만 찬 연기뿐인 것을
門前過客空垂淚	문 앞을 지나는 나그네 공연히 눈물짓고
儻有英靈亦愴然	아직도 영령 있어 또한 슬프네

91. 이자심이 지은 시에 차운하여 그가 보도록 시를 보내다[次李子深見贈]

前宵密雪照林明	지나간 밤 쌓인 눈이 숲을 비춰 밝은데

朝雨茅簷更有聲　　아침 비 띠로 이은 처마에 다시 소리 내는구나
萬象靜觀方自樂　　만상을 고요히 보면 절로 즐겁고
愛君能得箇中情　　그대 사랑하여 능히 얼마만큼 정 얻겠는가

92. 신자정이 읊은 시통1)에 화답하다[和愼子貞咏詩簡]

淇上孤生節　　강 위에 외로이 생긴 대나무
虛中不受塵　　속 비어도 먼지가 끼지 않았는데
自從元白出　　절로 원진2)과 백거이3) 때부터 있던 것을
披腹待騷人　　시인과 문사가 마음 열기를 기다리네

주
> 1) **시통**(詩筒): 친구에게 보내는 시를 넣는 대통.
> 2) **원진**(元稹): 당나라 때의 문신(779~831). 15세에 명경과(明經科)에 급제하여 감찰어
>   사(監察御使) 등을 지내고 시에 능하여 백거이(白居易)와 이름을 나란히 함.
> 3) **백거이**(白居易): 당나라 때의 문신(772~846). 수많은 시를 지었는데 그중 장한가
>   (長恨歌) 비파행(琵琶行)이 유명함. 만년에는 시, 술, 거문고를 벗 삼고 유유자적하
>   며 불교에 심취함.

93. 백곡을 떠나며[發白谷]

長安春雪爛成泥　　장안에 봄눈 녹아 진흙 되고
滿路涔涔作大谿　　길 가득 잠잠1)해 큰 개울 되었어라
僕蹣跚2)盈一膝　　어린 종 한 무릎 빠져서 비틀거리고
羸驢躑躅滑雙蹄　　파리한 나귀 허리 굽히며 살금살금 걷다가
　　　　　　　　　두 발굽 미끄러지네
郭南新柳舍烟細　　성 남쪽 새 버들 가는 연기 머금고

漢上晴巒出霧齊　　한수 위 맑은 산 가지런히 안개 벗는데
自喜前途城市遠　　스스로 앞길 즐기니 도시는 멀어지고
翩翩沙鳥近人啼　　날아오른 모래펄의 새가 사람 가까이서 우네

주
1) 잠잠(涔涔): 비가 많이 오는 모양.
2) 반산(蹣跚): 비틀거리며 걷는 모양.

94. 관왕묘[關王廟]

肅肅關王廟　　엄숙한 관왕1)묘
丹靑照一區　　단청이 한 구역 비치네
壯心知佐漢　　장한 마음으로 한나라 도울 줄 알았고
遺恨失呑吳　　남긴 한은 동오를 치지 못함이오
氣盖千秋下　　기개는 천추에 내리고
名流左海隅　　이름은 바다 왼쪽 구석까지 흘렀네
宸章光更燦　　왕의 글은 빛이 다시 찬란한데
游客却踟躕　　노니는 나그네 문득 머뭇거리네

 주
1) 관왕(關王): 삼국시대 촉한의 명장인 관우(關羽, ?~219). 유비, 장비와 의형제를 맺고 적벽전에서 조조의 군대를 격파하는 등 많은 공을 세웠음.

95. 밤에 가다[夜行]

白日隱山驛　　밝은 해가 산으로 숨은 역에서
黃昏渡月川　　황혼의 달 비친 내를 건너는데
馬驚星在水　　말은 물속의 별 보고 놀라고
人指月生天　　사람은 달이 하늘에 떴다고 가리키네

何處吾家樹	어느 곳이 내 집의 나무인가
先分野店烟	먼저 야점1)의 연기 분별하는데
慈堂應不寐	어머님께서는 마땅히 잠 못 드시고
待我小燈前	나를 작은 등불 앞에서 기다리시리라

주　1) 야점(野店): 시골에 있는 가게.

96. 『상촌집』1)에 차운하다[次象村韻]

暮雪漫空野色微	저물녘 눈 하늘에 가득하고 들 빛 아득한데
輕寒遠樹勤春菲	가벼운 추위에 먼 나무도 부지런히 봄 향기 뿜네
歸來似覺淵明是	돌아온 것은 연명이 옳음을 깨달은 것과 같고
變化方知伯玉非	변화는 바야흐로 백옥2)이 잘못 고침을 안 것이네
山鵲些些棲欲定	메까치 짹짹거리며 잠자리 정하려는데
村烟羃羃曳還飛	마을 연기 자욱하게 끌리다 다시 날리네
將看洞壑饒花鳥	깊고 큰 골짜기에 꽃과 새 넉넉함을 장차 볼 것이니
對此良朋亦不稀	이같이 좋은 벗 대하기 또한 드물지 않네

주　1) 『상촌집(象村集)』: 조선 선조부터 인조 때의 문신 학자인 신흠(申欽)의 시문집.
1629년(인조 7) 아들 신익성(申翊聖)이 간행함. 권두에 이정구(李廷龜), 장유(張維),
김상헌(金尙憲)의 서문이 있고, 권말에 최명길(崔鳴吉), 이민구(李敏求)의 발문이
있음.

　　2) 백옥(伯玉): 중국 진나라의 무신 서예가 위관(魏瓘, 220~291)의 자. 여류 서예가
위삭(衛鑠)의 아버지로 태보(太保) 등을 지내고 장지(張芝)의 서체를 이어받음.

97. 스스로 노래하다[自歌]

■ 이날은 어머님 생신이다. 술자리가 끝나자 「철승계일가」[1]를 부르고 이내 이 시를 짓고 또한 스스로 노래를 불렀다[是日慈堂初度也 酒罷唱鐵繩繫日歌 仍賦此又自歌之]

彩服趨庭喜	때때옷 입고 뜰을 서성이니 기쁘고
溪亭縱目奇	개울 정자에 눈을 두니 기이한데
白雪封春樹	흰 눈은 봄 나무 가두었고
淸歌奉壽巵	맑은 노래는 장수의 잔 받들었네
長繩當繫日	긴 끈으로 마땅히 해를 묶어
至樂不違時	지극한 즐거움 때를 어기지 않기를
祇近先人壟	다만 가까이 선인의 무덤 있어
中藏百年悲	백 년의 슬픔 간직하네

 1) 철승계일가(鐵繩繫日歌): 효자가 부모님의 늙음을 아쉬워하며 쇠사슬로 해를 묶어 넘어가지 못하게 함을 읊은 노래.

98. 눈을 읊되 정과와 셋째 형님이 운을 불러 짓다[咏雪正果叔氏呼韻]

滿盤堆似蜀山圖	돌에 가득 쌓여 촉산[1]도 같고
兩手搏成箇箇珠	두 손으로 뭉쳐 만든 것은 낱낱이 구슬이라
崖蜜滴來添冷滑	애밀 떨어지니 차가움과 미끄러움 더하고
刀圭[2]吞去却淸癯	약을 마셔 쉬니 문득 파리함이 맑아지네
梅嚼火口猶難解	매화는 화구 머금어도 오히려 피기 어렵고

酒入詩腸未可濡	술은 시장으로 들어가나 젖지 않는데
欲向尙翁分此味	신선을 향하여 이 맛 나누고자 하니
玄霜一粒勝耶無	현상3) 한 알보다 좋지 아니한가

주
1) **촉산**(蜀山): 사천성과 섬서성 사이에 있는 험한 산.
2) **도규**(刀圭): 옛날에 가루약을 뜨던 숟가락.
3) **현상**(玄霜): 선약(仙藥)의 이름.

99. 조카 희가 부른 시운으로 짓다[阿喜呼韻]

靑燈影亂雪牕懸	푸른 등 그림자 어지럽고, 눈은 창에 걸렸는데
遠岫蒼蒼望似烟	먼 산이 아득하여 바라보니 연기 같구나
塵世向來無好地	진세를 향해 오니 좋은 땅 없고
雲林歸臥有壺天	구름 걸친 숲 돌아누우니 호중1)의 하늘일세
山梅野柳同春得	산 매화와 들 버들은 함께 봄을 얻었고
澗瑟松竿2)入夜傳	계곡 물소리 송간으로 들어 한밤중에 전해지네
時脫葛巾仍漉酒	때마침 벗은 갈건으로 술을 거르고
三盃傾盡任陶然	석 잔을 다 마시며 취흥에 맡기네

주
1) **호중**(壺中): 신선 호공(壺公)의 고사에 의하여 별천지, 선경(仙境) 등의 뜻으로 쓰임.
2) **간슬**(澗瑟): 시냇물이 흐르는 소리를 비파 소리에 비유함.

100. 조카 희가 쓴 시운을 따라 짓다[次阿喜韻]

■ 한 번 부르고 한 번 화답하니 또한 하나의 운치가 되다[一唱一和亦一致也]

| 前夜紛紛雪 | 간밤에 흩날리며 내리던 눈 |

今朝習習風	오늘 아침 산들산들 부는 바람
樹搖迷野馬	나무 흔들려 아지랑이 어지럽히고
溪暖動沙虫	개울 따뜻하여 모래 벌레 움직이네
抱膝琴仍在	무릎에 거문고 안고 그대로 앉아
開尊酒不空	술 항아리 여니 술은 비지 않았는데
咏歸沂上興1)	읊고 돌아오는 기수의 흥은
聊與小兒同	애오라지 작은 아이들과 함께했네

> 주 1) **영귀기상흥**(咏歸沂上興): 『논어』「선진(先進)」편 중 증점(曾點)이 거문고[瑟]를 켜다 말고 일어나 '막춘(莫春)'에 기수(沂水)에서 목욕이나 하고 바람 쐬며 노래나 부르겠다고 한 데서 비롯된 말.

101. 두 번째 시[其二]

東牕朝日上	동창에 아침 해 뜨니
香炷篆烟斜	향 심지에 전자1) 같은 연기 피어오르네
病欲逢春歇	병은 봄을 만나 쉬고자 하나
丹應入鼎些	단약2)이 마땅히 솥에 들어간 건
山雲流作雨	산 구름 흘러 비가 되고
林氣聚成霞	숲 기운 모여 노을이 되는데
竹榭留歸客	대나무 정자에 돌아가는 객 머물러
呼童煮白茶	아이 불러 흰 차를 달이게 하네

> 주 1) **전자**(篆字): 전서(篆書). 한자 글씨체의 일종.
> 2) **단약**(丹藥): 장생불사의 신선이 된다는 영약(靈藥). 선단(仙丹).

102. 세 번째 시[其三]

不願華山一半分	화산 하나를 반으로 나누기 원치 않아
病夫於此謝塵紛	병든 사내 여기서 속세의 시끄러움 보내고자 하네
苔上斷砌間時見	이끼 위에 끊어진 섬돌을 틈만 나면 보고
氷落春池靜處聞	봄 못에 얼음 녹는 소리 정처에 들려오네
溪外晴雲方勃鬱	개울 밖에 갠 구름 무성히 일어나고
林端淑氣轉氛氳	숲 끝에 맑은 기운 분온1)하게 변하는데
晚來睡起都無事	늦잠에서 일어나니 도무지 할 일 없고
酒熟前村且可醺	술 익는 앞마을 또 가히 냄새를 풍기네

주　1) **분온**(氛氳): 기운이 왕성하게 오르는 모양.

103. 네 번째 시[其四]

寂寂松扉掩	고요히 소나무 사립짝 닫혀 있고
呦呦野鹿鳴	유유하게 들 사슴 우는구나
岸馥青春到	언덕 향기에 푸른 봄 이르고
沙空白日明	빈 모래밭에 밝은 해 밝았네
細蒿時可採	가는 쑥은 캘 때가 되었고
輕浪幾何生	가벼운 물결 몇 번이나 일었는지
幽興誰相助	그윽한 흥 누가 서로 도울까
阿咸好句成	아함1)이 좋은 글귀 지었네

주　1) **아함**(阿咸): 남의 조카를 높여서 부르는 호칭.

104. 다섯 번째 시[其五]

永日閑無事	오랫동안 한가롭고 일이 없어
春風自一觴	봄바람에 절로 한잔하네
高山同我靜	높은 산 나와 함께 고요한데
流水爲誰忙	흐르는 물은 누구를 위하여 분주한가
簷接蒼崖短	처마가 접하니 높은 절벽 짧고
門垂翠柳長	문에 드리운 푸른 버드나무 긴데
脩然林下趣	소연한 숲 속의 풍취는
魚鳥共相忘	새와 물고기 함께 서로 잊어버리는 것을

105. 여섯 번째 시[其六]

十年東洛倦遊情	십 년 동안 서울 동쪽 게으르게 노닌 정은
好是村醪細細傾	기분 좋게 이 촌 막걸리 자주자주 기울이네
栗里松篁三逕在	율리의 송황1)은 세 길이 있고
釣臺烟月一竿淸	낚시터의 연기 어린 은은한 달빛은 한 대 낚싯대 비추네
含陽薺麥知時綠	양기를 머금은 냉이와 보리는 때를 알아 푸르고
破雪蒿蒲盡意生	눈을 뚫은 쑥과 부들 다 돋아날 뜻이 있구나
回首舞雩佳可往	머리 돌리니 무우가 아름다워 가히 갈 만해
更敎春服趁今成2)	다시 봄옷으로 갈아입히고 나들이하네

주　1) 송황(松篁): 소나무와 대나무.
　　2) 갱교춘복진금성(更敎春服趁今成): 증자의 아버지 증점이 봄에 제자들을 봄옷으로

갈아입히고 무우(舞雩)에서 춤추고 놀다 돌아왔다는 고사에서 따옴.

106. 일곱 번째 시[其七]

林亭客去夕陽紅	숲 정자에 나그네 가니 석양이 붉고
門掩溪邊細柳風	문 닫힌 개울가 바람에 나부끼는 버들이라
愁裡區吟同野老	시름 나누어 읊은 것은 시골 늙은이와 같고
興來蓑笠訪漁翁	흥이 들자 사립1) 쓰고 늙은 어부 찾아가네
山光半入虛簷落	산 빛 반쯤 들어오다 빈 처마에 떨어지고
水色搖分兩岸通	물빛 흔들려 둘로 나뉜 언덕 통하네
富貴悠悠君莫道	부귀는 멀고 먼 것을 그대는 말하지 말게나
白雲深處意無窮	흰 구름 깊은 곳에 뜻이 무궁한 것을

주 1) **사립**(蓑笠): 도롱이와 삿갓.

107. 여덟 번째 시: 산에 올라서 짓다[其八 登山作]

暇日登山好	한가한 날 산에 오르니 좋고
雲霞媚午天	구름과 노을 한낮에 아름답네
白殘林外雪	흰 것이 남은 것은 숲 밖의 눈이고
靑起寺邊烟	푸르게 솟아남은 절가의 연기로세
獨鶴巢松穩	외로운 학 소나무에 편안히 깃을 틀고
羣羊化石眠	양 떼는 화석처럼 잠 들었네
王喬如可遇	왕교1)를 만날 수 있다면
丹訣豈無傳	단결2)을 어찌 전할 수 없겠는가

1) 왕교(王喬): 중국 후한 때의 문신. 업현(鄴縣)의 수령을 역임. 신술(神術)이 있었
    다고 함.
    2) 단결(丹訣): 도가에서 단약을 만드는 비결.

108. 아홉 번째 시[其九]

池上春雲宿不歸	못 위에 봄 구름 자느라 돌아가지 않다가
霏霏作雨濕人衣	부슬부슬 비가 되어 남의 옷 적시는구나
起看林木生新態	일어나 보니 숲 속 나무 새로운 자태 생기고
坐愛溪山在翠微	앉아서 시내와 산이 취미 속에 있음을 사랑하네
濁酒數盃留客席	탁주 두어 잔에 나그네 자리에 머물고
滄浪一曲釣魚磯	창랑1)한 곡조 낚시터에서 고기 잡는데
男兒出處皆平地	남아의 나아갈 곳은 다 평지이니
莫把閒情到世機	한가로운 정취로 세상 기회 잡으려 말게나

주 1) 창랑(滄浪): 푸른 물빛. 한수 하류를 이름.

109. 열 번째 시[其十]

喚客蒲團睡	손님 불러 부들방석에 잠재우니
參差谷鳥吟	시끄럽게 골짜기 새가 우네
憑軒舒一嘯	난간에 의지해 한 가락 휘파람 부니
高樹有餘音	높은 나무에 여음이 있네
檜色山山老	전나무 빛은 산마다 늙었고
溪流岸岸深	개울 흐름은 언덕마다 깊도다

自知幽興極	스스로 그윽한 흥취 지극함을 알아
更理五絃琴	다시 오현금1)을 타네

주　1) **오현금**(五絃琴): 다섯 줄로 된 거문고. 중국 순임금이 만들었다고 하며 칠현금의 전신임.

110. 형님들은 모두 먼저 시내 밖으로 가시고 나만 뒤에 왔다[諸兄主先往溪外余後至]

出林開大野	숲을 나서니 큰 들 열려
隔水望諸兄	물 건너 형님들을 바라보네
馳馬少年習	말 달리는 건 소년 때 습관이고
求田逸士情	밭 구하는 것은 일사1)의 정인데
壯心方自負	장한 마음으로 무릇 자부하여
吾輩豈終耕	우리 무리 어찌 끝까지 농사만 짓겠는가
堯舜君民後	요순시대 이후의 백성이라
歸來咏太平	돌아가서 태평이나 읊으세

주　1) **일사**(逸士): 뛰어난 선비.

111. 들불[野火]

班馬溪邊坐釣磯	얼룩말 타고 개울가에 와 낚시터에 앉으니
垂楊影裏見柴扉	수양 그림자 속에 가시 사립짝 보이누나
田翁放火春原上	밭일하는 늙은이 불을 놓아 봄 들판을 태우며
或恐群虫不盡飛	혹 뭇 벌레 다 날아가지 아니할까 두려워하네

112. 조카 희를 시켜 원고를 취해 비교해보다[使喜姪取藁批之]

病中鬱鬱只吟詩	병중에 답답하여 다만 시만 읊으니
爲是排愁不爲奇	이는 시름 물리기 위함이요 기이함은 아니라네
戲使姪兒論巧拙	희롱 삼아 조카아이를 시켜 교묘하고 졸렬함을 논하니
騷壇袞鉞1)本無私	소단의 위엄 본래 사사로운 정이 없는 것을

 1) 곤월(袞鉞): 임금이 위엄을 나타내기 위해 의장(儀仗)으로 사용하던 은색의 나무 도끼.

113. 희가 지은 시운을 따라 짓다[次喜韻]

春風入谷雪初殘	봄바람 골짜기로 들어오니 눈이 처음 녹고
梧几蘆簾戴鶡冠	오동나무 궤와 갈대발에 갈관1)을 썼네
秋嶺鳥還雲外樹	추령의 새는 구름 밖 나무로 돌아오고
驛橋人渡柳邊灘	역 다리에서 사람이 버들가 여울을 건너는데
詩情汗漫空千首	시정이 한만2)하여 쓸데없이 천 수를 짓고
和氣絪縕自一團	화한 기운 인온3)하여 스스로 한 무리 되네
花塢雨餘仍細撿	꽃 언덕에 비 남으니 가는 풀 돋아나고
羣芳已減九分寒	뭇 꽃은 이미 추위를 구분이나 덜었구나

 1) 갈관(鶡冠): 파랑새의 깃으로 만든 관.
2) 한만(汗漫): 되는 대로 내버려 둠.
3) 인온(絪縕): 구름, 안개 등이 자욱한 모양.

114. 두 번째 시: 달을 읊다[其二 咏月]

彎得虛弓滿一弦	빈 활에 줄 거니 반달이 되고
長風吹去掛中天	강한 바람에 실려 가 중천에 걸렸구나
樓前先得千峰照	누각 앞 일천 봉우리 먼저 비추고
域內均分萬國懸	고을 하늘마다 두루 떠 있는데
爲問婆娑緣底影	묻노라, 가냘픈 그림자는 무엇 때문이고
不知斤鑿在誰拳	누구의 솜씨로 자르고 깎아 다듬어졌는지 알 수 없고
東生西入應常道	동쪽에 떠서 서쪽으로 지는 것이 상도1)인 것을
磨上終非蟻子牽	개미가 갊아서가 아니라 닳아서 줄어든다네

주 1) **상도**(常道): 항상 지켜야 하는 일반적인 도리

115. 세 번째 시[其三]

十里溪山望不窮	십 리 계산 바라보니 끝이 없고
依然坐我畵圖中	전과 다름없이 나는 그림 가운데 앉았노라
僧邊樹暗霏霏雨	절가의 나무 어두운데 부슬부슬 비 내리고
鷗外波生細細風	갈매기 밖에 파도 이니 솔솔 부는 바람이라
釣瀨狂歌逃漢帝	낚시 여울 광가1)는 한제를 도망가게 했고
竹牕淸夢見周公	대나무 창의 맑은 꿈은 주공2)을 보았구려
千秋淚洒其人朽	그가 죽어 천추에 눈물 뿌리니
只有心期可許同	다만 심기 있어 가히 같다고 허락하네

주 1) **광가**(狂歌): 곡조나 가사와 상관없이 마구 소리쳐 부르는 노래.

116. 네 번째 시[其四]

淸晨倦簾箔	맑은 새벽 주렴 걷으니
春意忽氳氤	봄뜻이 갑자기 인온1)한데
兩岸連村暗	두 언덕에 이어진 마을 어둡고
烟巒入戶新	산 연기 집으로 들어오니 새롭구나
東皐移翠栢	동쪽 언덕에 푸른 잣나무 옮겨놓고
南澗采靑蘋	남쪽 도랑 청빈2)을 캐는데
自在啼山鳥	자재3)한 산새 울음이여
同閒是逸民	한가한 것은 이 땅의 편안한 백성이라

주
1) **온인**(氳氤): 날씨가 화창하고 따뜻함.
2) **청빈**(靑蘋): 푸른 개구리밥.
2) **자재**(自在): 속박이나 장애가 없이 자유로움.

117. 다섯 번째 시[其五]

垂楊枝枝弱	수양버들은 가지마다 약하고
明霞處處生	밝은 노을 곳곳에서 생기는데
雨過山有色	비 지나가니 산이 빛나고
風靜樹無聲	바람 고요하니 나무도 소리 없네
臨池階舊築	못에 이르니 옛날 쌓은 섬돌 있고
斸麓屋新成	산기슭을 끊고 새로 집을 지었는데

鶴夢晴牕下　　　학의 꿈은 맑은 창 밑에서 개니

何曾到洛城　　　어찌 일찍이 낙성에 이르렀는가

118. 여섯 번째 시[其六]

着我幽居水石間　　　내가 물과 돌 사이 유거에 집착하여

甛泉肥土不要盤　　　단 샘과 기름진 땅에 반이 필요치 않은데

一編羲易沈潛處　　　한 권 『희역』 침잠한 곳에

蕭蕭天君列四官　　　엄숙하신 천군1)이 사관2)을 배열했네

주　1) **천군**(天君): 하늘의 주재자. 상제.
　　2) **사관**(四官): 동서남북 천문(天門)의 수문장.

119. 일곱 번째 시[其七]

幸成良夜會　　　다행스럽게 좋은 밤에 모임 이루어

仍揭讀書檠　　　이내 글을 읽으려 등잔 걸었네

榻外歸雲影　　　평상 밖으로 구름 그림자 돌아가고

松間亂水聲　　　소나무 사이에는 물소리 어지러운데

地偏人不到　　　땅이 외지니 사람 이르지 아니하고

林逈月初明　　　숲이 머니 달이 처음 밝네

扶杖亦幽意　　　막대 짚고 또한 그윽한 뜻 있어

高吟獨倚楹　　　높이 읊으면서 홀로 기둥에 의지하네

120. 또 차운하다[又次]

孤館鳴琴坐	외로운 여관에 거문고 울리며 앉으니
淸澗和潺湲	맑은 시내는 고요하고 잔잔히 화답하네
鳥夢烟中柳	새는 연기 속 버들에서 꿈꾸고
僧歸雨中巒	스님은 빗속에 산으로 돌아가네
藥良身可健	좋은 약은 몸을 굳건히 하고
機盡意長閒	기회가 다하면 뜻은 길이 한가한 것을
樵篴更何處	나무꾼의 피리 다시 어디서 들려오는가
村童日暮還	마을 아이가 해 저무니 돌아오네

121. 집안 형인 이계형의 「초당」에 차운하여 문득 부치다[次李族兄季馨草堂韻却寄]

聞道新成鋤隱堂	도를 듣고 깨달아 새로이 서은당을 지었다 하는데
知君高意在韜光	그대 높은 뜻 도광1)하고 있음 알았네
雨中黃犢驅耕野	빗속에 누런 송아지 몰아 밭 갈러 가고
靜裏靑編讀滿床	고요함 속에 푸른 실 엮은 죽간 상에 가득한데
山護柴門迎曉色	산이 삽짝 보호하여 새벽빛 맞이하고
水穿花徑送斜陽	물은 꽃길 뚫어 석양을 보내네
秋來稻熟芳醪足	가을 오자 벼가 익고 향기로운 술 만족스러우니
莫厭招邀共擧觴	부르고 맞이해 함께 잔 드는 일 꺼리지 말게나

(鋤隱其堂名也 서은은 그 당의 이름이다)

1) 도광(韜光): 빛을 감춘다는 뜻으로, 학식이나 재능을 감추고 남에게 알리지 않음.

122. 희가 지은 시운에 따라 짓다[次喜韻]

逶迤鵬沙谷	구불구불 비스듬한 한사의 골짜기는
南開溪水邊	남쪽 개울 물가로 열려 있네
捲簾千嶂雨	주렴 걷으니 천첩 산에 비 내리고
垂柳數家烟	버들 드리우니 몇몇 집에서 연기 나네
林愛青鳩隱	숲을 사랑하여 염주비둘기 숨고
沙憐白鷺眠	모래 어여쁘니 백로가 잠을 자네
琴書多古意	거문고와 글에 옛 뜻이 많아
朝暮自怡然	아침과 저녁으로 절로 이연1)하네

1) 이연(怡然): 기뻐하는 모양. 이이(怡怡).

123. 여러 형과 함께 『기아』1)에 차운하여 봄눈을 읊다[與諸兄次箕雅韻咏春雪]

林雪蕭蕭下	숲에 눈이 사락사락 내리고
松風歷歷清	솔바람은 굽이굽이 맑구나
青山渾白盡	푸른 산은 하얗게 흐리고
荒野一看乎	거친 들은 평평해 보이네
草掩新春色	풀이 덮으니 봄빛이 새롭고

溪留去夜聲 개울은 지난밤 소리 그대로인데

東君猶有力 동군 오히려 힘이 있어

和氣暗中生 온화한 기운 어두운 중에 생겨나네

주 1)『기아(箕雅)』: 조선 중기 문신이며 문인인 남용익(南龍翼)이 편집하고 간행한 시선집(詩選集). 14권 7책. 신라에서 조선 인조 때까지의 시를 추려 수록함.

124. 또 운자를 나누어 '행(行)' 자를 얻어 짓다[又分韻得行字]

南來咏罷出門行 남으로 오며 읊기를 마치고 문 나서서 가니

肯是吟哦太瘦生 즐겁게 높이 읊는 소리 가장 파리한 데서 생기네

病裏檢書惟我事 병 속에 책 보는 것은 다만 나의 일이고

袖中看劒亦高情 소매 속 칼을 보는 것은 또한 높은 정인데

紅塵消息莊園夢 홍진의 소식은 장주의 꿈이요

白日酣歌栗里觥 밝은 날에 감가1)는 율리의 잔이라

坐到(一字缺)宵猶不寐 앉아서 밤까지 이르러도 오히려 잠들지 못하니

滿池春月照樓明 물 가득한 못 봄 달이 누에 비추어 밝구나

주 1) 감가(酣歌): 술을 마시고 흥에 겨워 노래를 부름.

125. 학을 머물게 하다[留鶴]

三四雲中鶴 구름 속 서너 마리 학

聯翩羽翼齊 연이어 퍼덕이며 나래 가지런히 하네

高懷本滄海	높은 회포는 바다에 있는데
何事卽吾溪	무슨 일로 우리 개울에 왔느냐
欲識潛山勝	잠산의 뛰어남을 알고자 한다면
應固處士棲	마땅히 진실한 처사의 집이리라
安巢松已種	편안히 깃들 소나무 이미 심어져 있지만
寧使混群鷄	어찌 뭇 닭들과 섞일 수 있으랴

126. 소를 타다[騎牛]

野牛騎不慣	들소 타는 게 익숙하지 아니하고
山徑更攲斜	산길 또한 기울고 비뚤었는데
徐似停歸楫	천천히 갈 때는 돌아가는 배를 멈춘 것 같고
馳如在小車	달릴 때는 작은 수레에 있는 것 같네
衝林看走鹿	숲을 향하니 달리는 사슴 보이고
飮水散驚鰕	물 마시니 새우 놀라 흩어지는데
何處最閒暇	어느 곳이 가장 한가로울까
繫之垂柳家	버드나무 드리운 집에 매어 두자꾸나

127. 또 조카 희가 지은 시운을 따라 짓다[又次喜姪韻]

城郭吾無往	나는 성곽에 간 일 없고
林泉客自疎	임천에 나그네 절로 드문데
高懸徐孺榻	높이 걸린 것은 서유의 상이고

剩喫周顒蔬	씹어도 남는 건 주옹1)의 채소로세
松竹宜封植	소나무와 대나무는 마땅히 흙을 돋아 심고
荊榛已翦除	무성한 잡목은 이미 잘라 없앤 것을
晚來詩思好	밤 되니 시 생각 더욱 좋고
橋上一青驢	다리 위엔 한 마리 푸른 나귀뿐이네

주 1) **주옹(周顒)**: 중국 남북조 시대 제나라의 문신. 공치규(孔稚圭)와 함께 종산(鍾山)에 은거하고 있었는데 황제가 부르자 나아가 벼슬하다가 다시 돌아가려고 하니 공치규가 「북산이문(北山移文)」을 지어 거절했다고 함.

128. 두 번째 시[其二]

春宵寂寂野禽啼	봄밤 적적한데 들새 울고
人意居然靜自齊	사람의 뜻 지낼수록 자연히 고요하여 절로 가지런하네
留待白雲山上下	흰 구름 산 오르내리도록 머물러 기다리고
招呼明月水東西	밝은 달 부르니 물의 동서에 있네
愁來美酒寧辭醉	시름 오는데 어찌 좋은 술 취하는 것 사양할까
病後新詩却懶題	병든 뒤 새로운 시 짓는 게으름 물리쳤네
彈得瑤琴誰共聽	요금을 얻어 타본들 누가 함께 듣겠는가
只教雙鶴過前溪	다만 쌍학으로 하여 앞개울 지나게 하네

129. 세 번째 시[其三]

收心宜靜坐	마음 거두고 고요히 앉아

明理在窮経　　　　이치 밝히려 경서를 연구하는데
水色樓前白　　　　물빛은 누각 앞에서 희고
山容竹外青　　　　산 모양은 대나무 밖에서 푸르구나
簡編徒滿榻　　　　책은 다만 서탑에 가득 쌓여 있고
箴警好題屏　　　　『잠경』1)은 병풍 제목이 되기 좋구나
此子無心久　　　　이 사람 무심한 지 오래되어
沙禽或下庭　　　　사금2)이 가끔 뜰에 내려오기도 하네

주　1) 『잠경(箴警)』: 잠언을 기록한 책. 잠계(箴戒).
　　2) 사금(沙禽): 물가 모래에 사는 새.

130. 한수 나루에 이르다[到漢津]

去日氷江不盡流　　　날이 가도 언 강 다 흐르지 못하여
來時綠水如油　　　　올 때 푸른 물이 지금은 기름과 같네
岸容出沒沾三尺　　　언덕 모양은 들쑥날쑥 석 자나 젖어 있고
嶽色清新滿一舟　　　산 빛은 맑고 깨끗하여 한 배 가득이라
白鳥飛過楮子島　　　흰 새 날아 저자도1) 지나고
蒼鴉啼雜讀書樓　　　푸른 까마귀 울음소리 독서루에 섞이는데
逢人爲問長安事　　　사람 만나 장안의 일 물어보니
昨夜東南赤氣浮　　　어젯밤 동남쪽으로 붉은 기운 떴다 하네
(聞朝報近日觀臺連奏赤氣如火光云故云 조정의 보고를 들어보니 요사이 관
상대에 계속해서 붉은 기운이 불빛같이 떴다고 하므로 말한 것이다)

주　1) 저자도(楮子島): 한강 하류에 있는 섬.

131. 이자심 댁에서 '춘(春)' 자를 얻어 짓다[李子深宅得春字]

抱病吟詩懶	병드니 시 읊기 게을러
尋君縱目新	그대 찾으니 새로운 눈 뜨이네
清明三月節	청명은 삼월의 절기인데
楊柳萬家春	버드나무 만가에 봄이라오
花欲城邊暗	꽃은 성 주위를 뒤덮으려 하고
山全雨後嚬	비온 뒤 산은 완전히 찡그리네
聞尊應有待	술이 준비되었다 하니
不是冶游人	이게 바로 유인1) 아니던가

주 1) 유인(遊人): 일정한 직업 없이 노는 사람.

132. 이웃 사람을 찾아가다[訪隣人]

何處是君家	어느 곳이 그대의 집인가
谷深垂柳暗	골짜기 깊고 늘어진 버들 어둡구나
緣川到中庭	개울을 따라 뜰에 이르니
明月上層檻	밝은 달이 층계 난간에 올랐다네

133. 삼월에 핀 매화[三月梅]

淡淡西山獨樹梅	담담한 서산에 홀로 선 매화나무
嫣然一笑出墻開	방긋 한 번 웃으며 담을 열고 나왔네

無人解惜先春色　　먼저 온 봄빛 애석해하는 사람 없고
桃李蹊邊衆客來　　복숭아 꽃, 자두 꽃 좁은 길가로 많은 손님이
　　　　　　　　　　오네

134. 윤양직이 지은 시에 붓을 달려 차운하다[走次尹養直]

春光集西園　　봄빛 서쪽 동산에 모이니
金柳拂千絲　　금빛 버들 천 가지를 흔드는구나
閉門覈玄旨　　문 닫고 현묘한 뜻 살피는데
寂寂問者誰　　적적하여 묻는 자 누구인가
向者子能來　　지난날 그대 능히 찾아와
花下暫躊躇　　꽃 아래서 잠시 머뭇거렸지
譚論頗精確　　담론이 자못 정밀하고 확실했고
心肝許相知　　흉금으로 서로 마음 안다고 인정했네
憂患誤人意　　근심은 사람의 뜻 그르치고
離愁漾前池　　이별한 시름 앞 못에 일렁이네
相思六日餘　　서로 생각한 지 엿새쯤 되었는데
獲爾瓊琚詩　　그대의 옥구슬 같은 시를 받았구나
旣感故情厚　　이미 옛정 두터움 알았는데
況有申旦期　　하물며 내일 아침 기약 있음이랴
舁病踵後塵　　병들어 업혀가는 사람 뒤에 먼지 나는데
庶不負佳時　　자못 아름다운 때 저버리지 못하리라

135. 이정숙 댁에서 두견을 구경하다가 '화(花)' 자를 얻어 짓다[李正叔宅賞杜鵑得花字]

　동산 가운데 참꽃나무 대여섯 그루 있어, 높이는 한 길이 넘고 가지는 무성하였다. 이때 꽃이 난만하게 피었는데 주인어른이 나를 맞이하여 그 아래 앉히면서 "이 나무는 내 할아버지 백헌공께서 심은 것으로 심은 햇수를 기억하지 못한다. 참꽃나무가 늙고 이렇게 자란 것은 서울 가운데서도 드문 일이기에 내가 지금 그 주위를 가다듬어 두어 뿌리가 다시 절로 나서 숲이 되니, 더욱 이것이 좋은 일이다. 그대는 나를 위하여 시를 짓지 않겠는가"라고 말하니 사양할 수 없어 결국 '화(花)' 자로 시를 지었다.

園中有杜鵑花五六叢 高可丈餘枝幹繁茂 于時開發爛熳主丈邀我坐其下曰　此吾祖白軒公所種　而種之不記年矣　杜鵑之老大如此者洛中所罕　吾今新其砌+墻數叢　又自生成林尤是一勝也　君何不爲我賦詩乎　不能辭遂賦花字詩

名園新築墻	이름 있는 동산에 새로 자리 닦아
相國舊栽花	상국께서 옛날에 심은 꽃
蒼老年難記	창로1)하여 해를 기억하지 못하니
紅繁色競誇	붉고 성한 빛깔 다투어 자랑하네
歲成員外飮	해마다 원외2)의 술 마심 이루고
時駐故人車	때로는 친구들의 수레도 머무르는데
愛惜甘棠意	사랑스럽고 아깝구나! 감당3)의 뜻으로
題詩到日斜	시 지으니 해질 녘이 되었네

주

1) **창로**(蒼老): 무척 오래되고 예스럽게 느껴지는 일.

2) **원외**(員外): 벼슬 이름. 충원(充員)을 위해 임시로 만든 자리.

3) **감당**(甘棠): 팥배나무. 백성이 시정자로서의 덕을 앙모하는 주나라 소공(召公)의 고사에서 전함.

136. 이튿날 아침 정숙 형제가 부쳐온 운에 답하다[翌朝答正叔兄弟寄來韻]

綠枝紅蕚覆淸尊	푸른 가지 붉은 꽃, 맑은 술 항아리 덮고
階面苔新日正溫	계단에 새 이끼 끼니 날이 바로 따뜻한데
細酌寧辭花下勸	꽃 아래서 권하는 세작 어찌 사양할까
西城不覺已黃昏	서쪽 성 이미 황혼이 드리운 것 느끼지 못했네

137. 두 번째 시[其二]

幾時離索抱幽懷	몇 번이나 떨어져 찾으며 그윽한 회포 안았던가
幸趁春光與子偕	다행히 그대와 함께 봄빛을 뒤쫓았구나
爲報園花須善護	동산의 꽃 잘 보호하라 알려주고
明朝吾復理靑鞋	이튿날 아침에 나는 다시 청혜1)를 정리하네

주

1) **청혜**(靑鞋): 삼이나 노 따위로 짚신처럼 삼은 신.

138. 밤에 앉아 운을 불러 짓다[夜坐呼韻]

世酣蝸角戰	세상은 와각의 싸움에 취하고
門掩郭西天	문은 성곽의 서쪽 하늘 가리는데
夜色來花外	밤빛은 꽃 밖에서 오고
輕香落酒邊	가벼운 향기는 술 가에 떨어지네
雲低山欲雨	구름 낮으니 산에 비 내리려 하고
溪暗草生烟	계곡 어두우니 풀에서 연기 나는구나
自覺閒情足	스스로 한가로운 정에 만족함 느끼나
黃金絶少年	재물이 우정을 끊어버리네

139. 오래도록 가물다 비가 와서[久旱得雨]

寂寂西林夜	적적한 서림의 밤에
霏霏小雨時	때마침 부슬부슬 가랑비 내리네
落花不須惜	꽃이 져도 모름지기 아깝지 아니하고
惟喜麥田滋	다만 보리밭 불어남이 기쁘네

140. 손님이 찾아오다[客來]

虛齋一長嘯	빈집에서 한 번 길게 휘파람 부니
何處客來思	어느 곳에 손님이 생각나서 오는가
莫放園中馬	동산 가운데 말을 풀어놓지 말게나

還愁不飽葵　　　　　　또한 근심스러운 것은 아욱을 배불리 먹지
　　　　　　　　　　　　못함일세

141. 병정이 지은 시운을 따라 짓다[次秉鼎詩]

自來城郭倦吟詩　　　　성곽으로부터 오느라 시 읊기 게을렀는데
每憶茅堂對爾時　　　　항상 띳집에서 그대 대할 때를 생각하네
溪脉細穿新北砌　　　　개울의 맥은 가늘게 새로운 북쪽 섬돌 뚫고
花叢移匝舊東籬　　　　꽃떨기는 옛 동쪽 울타리까지 두루 이르렀네
臨軒酌酒雲相勸　　　　헌함에 임하여 잔질하며 구름과 서로 권하고
隱几看山雨更奇　　　　안석에 기대 산을 보니 비가 다시 신기하구나
松鶴近來無恙否　　　　소나무의 학은 요사이 병이나 없는지
只今歸思夢魂知　　　　지금 돌아갈 생각은 꿈속의 넋만이 알 것을

142. 두 번째 시[其二]

家在鷳沙谷　　　　　　집은 한사곡에 있고
身留漢北城　　　　　　몸은 서울 북성에 머물렀는데
旅游無好況　　　　　　나그네 길에 좋은 일 없고
春事未歸情　　　　　　봄 일로 벗을 만나지 못했네
南陌花饒發　　　　　　남쪽 두렁에 꽃이 많이 피고
西津草亂生　　　　　　서쪽 나루에는 풀이 어지러이 돋아
最爲愁絶處　　　　　　가장 시름 끊을 만한 곳은

垂柳已鶯聲　　　　　　늘어진 버드나무에 이미 꾀꼬리 소리 들음일세

143. 세 번째 시[其三]

疾病吾方懶　　　　　　병들어 나 지금 게으른데
滄浪爾獨淸　　　　　　푸른 물결이여, 너는 홀로 맑구나
磯頭春雨過　　　　　　낚시터에 봄비 지나니
竿外夕陽明　　　　　　낚싯대 밖 석양이 밝네
雲抱蒼巖重　　　　　　구름은 푸른 바위 거듭 감싸는데
霞齊白鳥輕　　　　　　노을은 흰 새같이 가볍게 나네
剩將濠上趣　　　　　　족히 물 위에 미치니
回笑世中情　　　　　　돌아서서 세상의 정을 웃어보네

144. 네 번째 시[其四]

閏年時不早　　　　　　윤달 든 해라 때 이르지 않고
三月綠初肥　　　　　　삼월의 푸름 처음으로 살찌네
江草離愁細　　　　　　강풀은 시름 벗어나 가늘고
鄕雲客夢微　　　　　　고향 구름은 나그네 꿈에 아롱지네
花思開某樹　　　　　　꽃 생각은 어느 나무에 피었을까
塵惡染人衣　　　　　　사나운 먼지 사람의 옷을 더럽히네
且問新栽竹　　　　　　또한 묻노라 새로 심은 대나무는
幾枝正壓扉　　　　　　몇 가지나 바로 사립문을 가리웠는가

145. 다섯 번째 시[其五]

山人曉起啓巖扉	산사람 새벽에 일어나 바위 삽짝 열고
繞屋春光草木菲	집을 도는 봄빛에 초목이 향기롭네
恰恰丘阿鶯自在	흡흡1)한 언덕에는 꾀꼬리 자유롭고
喃喃簷箔燕初歸	남남2)하게 처마 발에 제비 처음 돌아오는데
晴風步屨花堆岸	갠 바람 신 신고 꽃 언덕 걸어가며
暇日彈冠水暖沂	한가한 날에 갓 털고 따스한 물가로 가네
壇上援琴吾道在	단 위에 거문고 잡는 우리의 도 있으니
漢陰奚復說心機	찬 그늘이 어찌 다시 심기를 말하려나

주
  1) **흡흡**(恰恰): 새 우는 소리.
  2) **남남**(喃喃): 수다스럽게 재잘거림.

146. 여섯 번째 시[其六]

昨夜東亭路	어젯밤 동쪽 정자로 가는 길에
相携坐樹陰	서로 끌고 나무 그늘에 앉았는데
落花紅浪淺	지는 꽃에 붉은 물결 얕고
飛鶴白雲深	나는 학이 흰 구름 깊이 들어가네
岸幀風微度	언덕에 있는 깃발에 바람 가볍게 스치고
傾壺日欲沈	잔 기울이니 해가 지려 하는데
覺來山雨急	깨닫고 보니 산에 비 급히 와서
猶臥郭西林	오히려 성의 서쪽 숲에 누웠어라

147. 일곱 번째 시[其七]

郭西無好事	성 서쪽에 좋은 일 없어
愁思集春晨	봄 새벽에 시름 모으네
味道惟羲易	도의 맛은 다만 희역1)뿐이고
開懷豈俗人	생각을 여니 어찌 속인이겠는가
風波平陸起	풍파는 평지에서 일어나고
雲物仰觀頻	구름을 자주 쳐다보는데
何日鹿皮几	어느 날 사슴 가죽 궤에
歸隱葆吾眞	돌아가서 나의 참됨 숨길 것인가

주 1) 희역(羲易): 복희씨가 만든 선천역(先天易).

148. 여덟 번째 시[其八]

一病支離漳水涘	장수1) 물가에서 병들고 지루하여
三春虛負武陵桃	삼춘 동안 무릉의 도화 헛되이 저버렸는데
人情灩澦誰能涉	출렁거리는 사람의 정 뉘 능히 건널까
世事圍棋互着高	세상일 바둑 같아 서로 높은데 붙이고자 하네
新月照牕難做夢	초승달이 창에 비치니 꿈에 들기 어렵고
白雲遶戶謾拈毫	흰 구름 문을 두르니 부질없이 붓을 잡는데
研窮別是忘愁處	연구함은 따로 시름 잊는 곳으로
卷裡精微細似毛	책 속의 정미2)함이 가는 털과 같은 것을

주 1) 장수(漳水): 산서성에서 발원하여 사북성을 거쳐 운하로 흘러들어 가는 강. 여기
서는 한강.

2) **정미**(精微): 정밀하고 미세함.

149. 아홉 번째 시[其九]

已向溪邊立講堂	이미 개울가에 서 있는 강당을 향하여
繞階流水亦滄浪	섬돌을 돌며 흐르는 물 또한 푸른 물결이네
別來歲月花狼藉	이별한 뒤 세월은 꽃처럼 여기저기 흩어지고
南望雲烟樹渺茫	남쪽 바라보니 구름 연기에 나무가 묘망¹⁾한데
楚客春愁渾不奈	괴로운 나그네 봄의 시름 모두 어찌할지
秦城曉雨乍生涼	진성²⁾의 새벽 비에 잠깐 동안 서늘함 생기네
谷梨淡白今應發	골짜기에 담백한 배나무는 마땅히 피련마는
剩笑風塵滯我狂	풍진에 빠져 사는 나를 비웃듯 소식 없네

주 1) **묘망**(渺茫): 넓고 멀어서 바라보기에 아득함.
2) **진성**(秦城): 만리장성. 중국 역대 왕조가 변방을 방어하기 위해 축조한 성. 진시황제가 완성함.

150. 열 번째 시[其十]

桃李花開盡	복숭아꽃, 자두 꽃 피었다가 다하고
桑楡葉始繁	뽕나무, 느릅나무 잎 처음으로 무성하네
塵情吾未返	속세의 정 나는 아직 돌리지 못했는데
閑事爾能論	한가로운 일을 너는 능히 논하겠나
日月壺中物	해와 달은 병 가운데 사물이요

溪上畫裏村	시내 위는 그림 속 마을이라
歸期頻叩問	돌아갈 기약 자주 물어보니
言掃竹林軒	죽림1)의 헌함 쓴다고 말하네

 1) **죽림**(竹林): 진나라 초 노장 사상을 숭상하던 칠현이 놀던 곳. 은자가 사는 곳.

151. 열한 번째: 시 이곳에 올라 시를 얻다[其十一 此登臨得之]

三月山高尙凜寒	삼월이라 산 높아 아직 추운데
臨風爲整切雲冠	바람 만나 절운관1)을 정돈하네
春江遠勢東南合	봄 강의 먼 형세는 동남에서 합쳐지고
甲第新居左右看	크고 넓은 집은 새로이 좌우에서 보이는데
車馬闐闐通五劇	수레와 말 분주하게 다섯 거리 통하고
盃觴處處泛回湍	술과 잔은 곳곳에서 여울이라
翻然2)大鳥翀霄漢	큰 새 날개 뒤집고 하늘 높이 올라가
下視鷦鷯亦自安	아래로 초료3)가 또한 절로 편안함을 보네

1) **절운관**(切雲冠): 관(冠)의 일종. 위를 높여 구름도 끊을 수 있다는 데서 나온 말.
2) **번연**(翻然): 펄럭이는 모양.
3) **초료**(鷦鷯): 붉은머리오목눈이. 휘파람샛과의 하나.

152. 열두 번째 시[其十二]

山齋日夕矣	산속 서재에 날이 이미 저물어
獨坐酒中之	홀로 앉아 술잔 기울이는데
客意同奔馬	나그네 뜻 달리는 말과 같고

鄕愁若亂絲	고향 생각 어지러운 실과 같네
小塘流水慢	작은 연못에 흐르는 물 넘치고
高樹倦禽遲	높은 나무에 게으른 새 더딘데
欲奏峩洋曲	아양곡1) 연주하고자 하여
千秋憶子期	오랫동안 종자기2)를 생각하네

주 1) **아양곡**(峩洋曲): 백아(伯牙)가 타던 거문고 곡조. 종자기가 이 연주를 듣고 "높이가 산 같고 넓기가 바다 같다"라고 한 데서 붙인 이름.

2) **종자기**(鍾子期): 중국 초나라 사람. 거문고의 명인이던 백아의 친구. 종자기가 죽자 백아는 자기의 음악을 이해하는 이가 없음을 한탄하여 거문고 줄을 끊고 다시는 타지 않았다고 함.

153. 열세 번째 시[其十三]

白日照雙闕	밝은 해가 쌍궐1)에 비치는데
赤城霽色濃	붉은 성 개니 빛이 짙구나
山河壯國勢	산과 하수는 국세의 웅장함이요
花柳帶春容	꽃과 버들은 봄을 띤 얼굴이라
自負靑霞氣	스스로 푸른 노을 기운 지고
空思紫閣峰	헛되이 자각봉을 생각하네
登臨情不極	올라와 임하니 정이 끝이 아닌 것을
南望杖黎筇	남쪽을 바라보며 청려장 짚네

　같은 뜻으로 열세 편을 지었는데 노씨와 이씨의 까다로운 시법에 따르기가 매우 어려웠다. 그런대로 열심히 읊는 사이에 개울 위의 경치가 시야에 들어와서 나도 모르게 바지를 많이 걷어 올렸다. 육사형

이 말한 "고향 생각이 점점 깊어진다"에서 내 어찌 벗어날 수 있는가. 열세 편 가운데 한 수는 고향 생각을 읊은 게 아니라 경치를 읊은 것이다.

一意十三篇 又困盧李苛法2) 牽率甚矣 但費吟之餘 溪上之景 如在眼中令人 不覺翹翹褰裳 陸士衡所謂鄕思轉深 吾豈能免也 其中一首盖出於遇境非鄕思也

1) **쌍궐**(雙闕): 궁전 앞 양쪽에 높이 세운 누관(樓觀).
2) **노이가법**(盧李苛法): 당나라의 노륜과 이익은 인척 간으로 이들이 시율을 평론하는 방법을 만들어 지금도 사용되는 고정법(考正法)의 모체가 됨.

154. 한스러운 꽃을 없애다[銷恨花]

■ 잡체시[雜體]1)

恐韓休知帝容瘦	한휴2)가 알까 두려워 황제의 얼굴 파리해지고
插銷恨花妃子嬌	한의 꽃 꽂으며 녹이는 비자3)의 아름다움이여
帝容瘦天下肥	제의 얼굴이 파리해지면 천하가 살이 찌고
妃子嬌胡馬驕	비자가 아름다우면 호마4)가 교만해지네
馬嵬坡下千般恨	마외파5) 아래 천 가지 한은
雖有桃花萬點可能銷	비록 복숭아꽃 만 점이 있다 해도 능히 사그라뜨릴 수 있을까

1) **잡체시**(雜體詩): 한시에서 요체, 회문, 측기 등과 같이 운율, 수사, 구법상의 변체(變體)로 생각되는 문체로 쓴 시를 통틀어 이르는 말.

2) **한휴(韓休)**: 당나라 경조(京兆) 사람으로 현종 때의 재상. 성품이 강직하여 현종에
게 잘못이 있을 때마다 직언을 했음.

3) **비자(妃子)**: 궁중의 여관(女官). 여기서는 양귀비.

4) **호마(胡馬)**: 안녹산(安祿山)의 반군(叛軍).

5) **마외파(馬嵬坡)**: 당 현종이 안녹산의 난으로 도망하다가 군신들의 반란으로 양귀
비를 살해한 곳.

155. 감흥[感興]

蚩蚩人間世	어리석고 어리석은 인간 세상에
羣物徒紛紛	모든 물건이 다만 분분할 뿐
朱門車馬塡	높은 집에 수레와 말 메워짐은
逐臭如蠅蚊	냄새 쫓는 파리와 모기 같구나
何曾有所羞	어찌 일찍이 부끄러움 있을까
反以爲忻忻	도리어 기뻐하고 있는 것을
巢父洗其耳	소보1)는 그 귀를 씻었고
范蠡辭其君	범려2)는 그 인군 하직했네
人心各異致	사람의 마음은 각각 다른 뜻 있고
微物亦猶薰	미물이라도 선악이 있거늘
已矣吾何言	됐다, 내 무슨 말을 하겠느냐
高歌望白雲	노래 높이 부르며 흰 구름 바라보네

주

1) **소보(巢父)**: 소보는 중국의 전형적인 은사(隱士)로, 요(堯) 임금에게 왕위를 물려주
겠다는 말에 귀가 더러워졌다면서 영천(穎川)에서 귀를 씻은 허유(許由)를 보고
끌고 온 소에게 그 더러운 물을 먹일 수 없다면서 상류로 가서 물을 먹였다는
인물.

2) **범려(范蠡)**: 춘추시대 때 월(越)나라 구천(句踐)을 도와 오나라를 멸한 뒤 서시(西施)
라는 미인을 조각배에 태우고 바다로 나갔다는 인물.

156. 봄바람[東風]

東風吹山壑	동쪽 바람 산골짜기에 불고
枯樹發榮華	마른 나무 영화가 피어나네
元元皆飮澤	모두모두 다 혜택을 입은 것인데
區區自相誇	구구하게 서로들 스스로 자랑하는구나
天地本無私	천지란 본시 사사로움이 없어
生育同邇遐	낳고 기르는 것은 멀고 가까움과 같네
雨露旣已滋	비와 이슬에 이미 충분히 불어났는데
雷霆忽復加	천둥과 번개가 갑자기 다시 더하는구나
明明天中月	하늘에 뜬 밝고 밝은 달
肯爲頑雲遮	잔뜩 낀 구름이 기꺼이 가로막네

157. 복숭아꽃[桃花]

杏花初落桃花開	살구꽃 처음 지자 복사꽃 피고
曉日凝粧照石臺	단장한 아침 해 석대를 비추는구나
安得滿移鸚谷水	어찌하면 한곡의 물 가득 옮겨
更敎漁子却迷回	어부 다시 돌아오지 못하게 할까

158. 봄을 보내다[送春]

節序看看盡	봄은 어느덧 다 가는데

何爲添我愁　어찌 내 시름만 더해 가는가
丈夫多事業　장부가 할 사업 많으니
且可及時謀　또한 때에 미치어 꾀해야 할 것을

159. 모든 일[萬事]

萬事難可期　만 가지 일을 기약하기 어렵고
浮雲變狗衣　뜬구름 구의처럼 변하는데
胡爲樑上燕　어찌 들보 위 제비만이
終日向人飛　종일토록 사람을 향해 나는가

160. 풀 이끼[苔草]

苔草初生細　풀 이끼 처음 날 때는 가늘다가
芊芊漸沒階　점점 자라면서 계단을 덮어버리는데
不鋤憶周子　김매지 않은 주자를 생각하며
千載悁幽懷　천년이나 그윽한 회포 품었네

161. 병중에 절로 흥에 겨워[病中謾興]

淹滯風塵裏　풍진 속에 엄체1)하여
茫茫蓬島游　아득한 봉도를 노니네

靈芝何處秀	영지는 어느 곳에 자라는가
此疾幾時休	이 병은 어느 때나 나을는지
虞帝過期壽	우제는 목숨에 기한을 지났고
秦皇竟一丘	진황도 한 언덕의 흙이 되었을 뿐
蒼蒼吾自信	창창한 나의 믿음으로
莫向白雲求	흰 구름처럼 일없는 사람 되지 말기를

 1) **엄체**(淹滯): 앞길이 열리지 않아 세상에 나서지 못하고 파묻혀 있음.

162. 밝은 달[明月]

明月城樓夜	밝은 달 성루에 비친 밤에
梨花爛熳春	배꽃 난만한 봄이로구나
軒車纔息駕	헌거1)는 잠시 멍에를 멈추었고
歌鼓忽生隣	노래와 북소리 갑자기 이웃에서 나는데
文物時凌漢	문물은 한나라 때를 능가하고
繁華地似秦	번화한 땅은 진나라와 같네
太平難索像	태평의 모양 찾기 어려워
耕鑿任天眞	경착2)은 천진3)에 맡기네

 1) **헌거**(軒車): 왕이 타는 수레.
2) **경착**(耕鑿): 밭 갈고 우물 파는 일.
3) **천진**(天眞): 불생불멸의 참된 마음.

163. 유선시(遊仙詩)

白雲在嵩嶺	흰 구름 높은 잿마루에 있고
丹荑産靈谿	단이1)는 영계2)에서 자라는 것을
所託各有處	의탁한 것은 각각 다르나
幽態兩相齊	유연한 태도는 둘이 서로 같네
此子好奇潔	이 사람 기이하고 깨끗함 좋아하여
不肯混塵泥	티끌과 진흙 속에 섞임을 즐기지 않는데
抱節霜雪除	절개로써 가혹한 속세를 버렸고
寄懷林壑棲	숲 속 거처에서 회포를 부치네
憶昔安期生	옛날 안기생3)을 생각하니
人言千歲公	사람들 말하기를 천년을 산 사람이라는데
賣藥東海上	동해 위에서 약을 팔고
儵忽雲霞中	구름과 노을 속으로 홀연 사라지기도 하네
留書謝秦璧	글을 남겨 진나라 벼슬 사양하니
蓬島渺難窮	봉래도란 멀어서 찾기 어려운 것을
思之不可見	생각해도 볼 수가 없고
但使心神通	다만 심신만이 통할 수 있네

 1) **단이**(丹荑): 신선들이 먹는 약초의 이름.

2) **영계**(靈谿): 곽박(郭璞)이 자주 찾던 중국의 청계산.

3) **안기생**(安期生): 중국 진시황 때의 선인(仙人). 시황이 동쪽으로 순유(巡遊)할 때 그와 사흘 밤을 함께 이야기하고 황금과 백벽(白璧)을 주었는데 다 두고 가면서 "천년 후에 나를 봉래산(蓬萊山)에서 찾아달라"라는 글을 남겼다고 함.

164. 꾀꼬리 소리[鶯語]

曲肱臥風閣	팔을 베고 바람 부는 누각에 누웠으니
鶯語耳邊來	꾀꼬리 소리 귓가로 오는구나
細細初藏柳	자주자주 처음 버드나무에 숨었다가
飛飛更上臺	날고 날아 다시 대 위로 오른다
空園掠蝶巧	빈 동산에 나비의 아름다움 스치고
幽谷喚人催	그윽한 골짜기 재촉해 사람을 부르네
睡起還乘興	잠에서 깨어 다시 흥을 타고
相隨到水漻	서로 따라서 물가로 간다

165. 봄일[春事]

春事居然綠已陰	봄을 지내는 동안 푸름 이미 그늘지고
騷人何處更新吟	시인 어느 곳에 다시 새로 읊조리는가
墻頭蝶散餘花落	담 가에 나비 흩어지니 남은 꽃은 지고
簾外鶯啼細柳深	주렴 밖에 꾀꼬리 우니 가는 버들 깊어라
漢水樓臺前夜雨	한수 누대에 지난밤 비가 왔고
廣陵雲樹故園心	광릉의 운수 고향 생각나는데
安排豈必徒空語	편안하게 물리침이 어찌 반드시 헛된 빈말이 겠는가
且信幽懷賴素琴	또한 그윽한 회포 믿고 소금1)에 의지할 것을

주 1) **소금**(素琴): 장식이 없는 짤막한 거문고.

166. 사월 초파일에 등불을 자세히 보다[四月八日觀燈]

漢陽城裏萬人家	한양성 안 만인의 집에
九陌燈光與月華	구맥1)의 등빛이 달과 더불어 화려하구나
河漢下來銀闕迥	은하수가 내려왔으나 은궐2)은 멀고
星橋橫徹綵雲斜	별 다리가로 뻗었으니 채색 구름 비꼈는데
笙歌妙曲風流擅	저 소리의 묘한 곡조 풍류를 움직이고
車馬香塵意氣誇	수레와 말 향기로운 먼지 의기를 자랑하네
聖代卽今多雨露	성세3)인 지금은 많은 우로지택4)으로
四方歡樂也無差	사방이 기뻐하여 차이가 없구나

주
1) **구맥**(九陌): 한나라의 서울인 장단의 성안에 있던 아홉 개의 큰길.
2) **은궐**(銀闕): 달을 뜻함.
3) **성세**(聖世): 어진 임금이 다스리는 세상.
4) **우로지택**(雨露之澤): 이슬과 비의 덕택이라는 뜻으로, 왕의 넓고 큰 은혜를 이름.

167. 산속에 지은 누각에서 달을 바라보다[山閣見月]

臥得牕間月	누워서 창 사이로 얻은 달
平看柳上來	바로 바라보니 버드나무 위로 떠올라
蘸池波更淨	연못에 잠겨 물결 다시 맑고
籠岸色相猜	농 언덕의 빛이 서로 시기하네
蹔綴浮雲暗	잠시 구름 떠 어둠으로 이어지고
旋瞻寶鏡開	되돌아보니 보배롭고 귀한 달 모습 드러내네
虧盈雖萬變	이지러졌다 찼다 비록 만변할지라도
圓魄未曾乖	보름달은 일찍이 어그러짐이 없도다

168. 산속에 지은 정자에서 여름을 보내며[山亭夏日]

綠柳輕陰夏日遲	푸른 버들 엷은 그늘 여름 해는 더디고
山樓倒影¹⁾入淸池	거꾸로 비치는 산의 누각 그림자 맑은 못에 들었는데
滿園蝴蝶尋春色	동산 가득 나비가 봄빛을 찾고
一樹丁香更有期	한 그루 정향이 다시 열매 맺을 때를 기다리네

주 1) **도영**(倒影): 해질 무렵 그림자나 거꾸로 비친 그림자를 이름.

169. 봄이 가다[春去]

春去鳴禽山暗暗	봄이 가고 새가 울어 산은 암암한데
晩來游蝶草油油	나비는 늦게 와 놀고 풀은 반질반질하구나
條桑斫盡成蠶歲	뽕나무 가지 다 베어 일 년 누에 기르고
柳絮飄顚又麥秋	버들개지 날리니 또한 맥추¹⁾라

주 1) **맥추**(麥秋): 음력 4월을 달리 부르는 말. 보리가 익어 수확하기 시작할 때라는 뜻.

170. 제목 없이 생각나는 대로 시고¹⁾를 쓰다[謾題詩藁]

今年所得是何事	올해 소득은 어찌 된 것인가
只有床頭百首詩	다만 상머리에 백 수의 시만 있구나
肯是吟哦好雕飾	즐거이 이를 소리 높여 읊고 다듬기 좋아하는데
只憐憂病不相離	다만 가련하고 근심스러운 것은 병이 떠나지

아니함일세

1) **시고**(詩藁): 시의 초고(草稿). 또는 시의 원고.

171. 서탑(書榻)

綠樹禽聲深谷裏	푸른 나무 새소리 깊은 골짜기 속에
柴門寂寞客來踈	손님 드무니 사립문 적막하네
嬋娟池上三叢竹	곱디고운 것은 못 위의 세 그루 대나무요
整頓床頭萬軸1)書	정돈된 것은 책상머리 만 개 축의 글일세
石鼎茶烟飛細細	돌솥에 차 연기 솔솔 날고
莊園枕蝶任蘧蘧	장자는 꿈에 나비 되어 거거2)했는데
就中愛讀儒林傳	특히 그중에 『유림전』3)을 애독하니
千載遺言摠起余	천재4)에 남긴 말 모두 나를 일으키네

주 1) **만축**(萬軸): 만 개의 시축.
    2) **거거**(蘧蘧): 장자가 나비가 되어 천하를 자유롭게 날아다니는 모양.
    3) **『유림전**(儒林傳)』: 유도(儒道)를 닦는 학자들의 전기(傳記).
    4) **천재**(千載): 천년. 아주 오랜 세월을 비유함.

172. 친구를 찾아가다[訪友]

興來訪佳友	흥이 와서 아름다운 벗 찾으니
山閣更淸幽	산집이 다시 맑고 그윽하구나
花下一樽酒	꽃 아래 한 동이 술
仍成半日游	이로 인하여 한나절 놀이 이루어졌네

173. 저절로 흥이 나다[謾興]

覆屋靑松樹	집을 가린 것은 푸른 소나무요
窺墻綠柳枝	담장을 엿보는 것은 푸른 버들가지라
此中無限意	이 가운데 무한한 뜻은
山鳥倘能知	산새가 오히려 알고 있다네

174. 말 위에서[馬上]

楊柳陰邊信馬過	버드나무 그늘 가에 신마1)가 지나가고
曲池風靜不生波	굽은 못 바람 고요하니 물결이 일지 않네
荷初出水靑錢疊	연꽃 처음 물에 오르니 청동 돈 포개 놓은 듯하고
萍欲侵沙綠屬拖	부평초 모래에 나오니 푸른 융단 펴놓은 듯한데
漁笛雨來南渚少	비 오니 어부의 피리 소리 남쪽 물가에 드물고
樵歌日暮北山多	날 저무니 나무꾼 노래 북산에 많구나
物情剩與閑相稱	물정2)이 남아 한가롭게 서로 부르니
更上危樓費一哦	다시 위태로운 누에 올라 한 번 읊음으로 허비하네

주 1) 신마(信馬): 소식을 전하는 말. 또는 말이 가는 대로 맡겨둠.
　　2) 물정(物情): 세상일이 돌아가는 실정이나 형편, 세인의 인심이나 마음 상태.

175. 세상에서 일어나는 온갖 일[世事]

世事看棋局	세상일은 바둑판 보는 것 같고
人情對九疑	사람의 정을 대하면 구의를 대하는 듯하네
無心山上檜	무심한 산 위의 전나무
爲我好風吹	나를 위해 좋은 바람 불어주네

176. 저물녘 내리는 비[暮雨]

暮雨霏微滿一園	저물녘 부슬부슬 내리는 비 한 동산 가득하니
薔薇花下閉重門	장미꽃 아래 여러 겹 문은 닫혔는데
詩書潤色香成毬	시와 서에 윤택한 빛 향기로 결실 맺고
非菜參差酒凸樽	푸성귀는 가지런하고 술 항아리는 채워지네
葉裏鶯兒愁翅濕	잎 속 꾀꼬리는 날개 젖을까 시름하고
樑間鷰子任風翻	들보 사이의 제비는 부는 바람에 몸을 맡기네
簷鈴苦破思鄕夢	처마 끝 맺힌 빗방울은 고향 꿈을 괴로이 깨우며
點滴芭蕉夜更繁	방울방울 떨어지니 파초가 밤에 다시 자라나네

177. 술을 대하여 두보의 「만흥」이라는 절구에 차운하다[對酒次杜甫謾興絕句]

■ 오로지 그 말을 써서 그 뜻을 돌린다[全用其語而反其意]

三月已破四月來	삼월 이미 가고 사월이 오니
此生二十四夏回	이 생애 스물네 번째 여름이 돌아왔네
且思這裡無窮事	또한 그 속에 무궁한 일을 생각하고
莫道生前有限盃	생전의 술잔에 한계 있다 말하지 말게나

　늙은 두자미[1]가 말한 무궁한 일이 어떤 일인지 알지 못하나, 죽은 뒤의 일을 말하는 것이라면 어찌 의리에 무궁한 세월이 한계가 있다고 애석해했겠는가. 여기서 말한 죽은 뒤의 일은 아마 두보도 생각할 수 없었을 것이다. 그에게도 공명 밖에 다른 것은 없었던 모양이다. 생각해보니 두보는 일찍이 자기를 직설[2]에 비유했는데 낮은 벼슬아치로 늙었으니, 어찌 이 탄식이 나오지 아니했겠는가. 그 뜻 또한 진실로 슬프구나.

老杜所謂無窮事 未知何事 謂之身外 則豈自惜於義理 無窮歲月有限者耶 此而謂身外 不惟不可恐 杜子未嘗及也 其亦功名而已耶 且想杜子嘗自比於稷契 困青袍於白首 則安得不發此嘆也 其意諒亦哀哉

178. 사월에 즐거운 말로 이하가 지은 시운을 써서 짓다[四月樂辭 用李賀韻]

翠栢蒼松偃雙盖	푸른 잣나무, 푸른 소나무 기울어 쌍으로 덮고
脩然涼氣徧軒外	소슬하고 서늘한 기운 난간 밖에 두루 있는데
晴雲暖日何氤氳	갠 구름 따뜻한 해는 어찌 이다지 인온한가
綠柳啼鶯共在門	푸른 버들, 우는 꾀꼬리 모두 문에 있네
小溪流水弄漣漪	작은 개울 흐르는 물은 잔물결 희롱하고
一樹梨花不盡飛	한 그루 배꽃은 다 흩어지지 않았구나
莫敎風雨易參差	세상 비바람에 뜻을 꺾지 마라

179. 어떤 사람에게 보내다[贈人]

白雲山上起	흰 구름 산 위에서 일어나고
彩鵲山下飛	채색 까치 산 아래로 나는데
良友方共讌	좋은 벗 있어 지금 함께 잔치하니
不醉莫催歸	취하지 않거든 돌아갈 길 재촉하지 말게나
人情貴見素	사람의 정은 바탕을 보기 어렵고
嬉戱終有違	희롱의 말은 끝내 어김이 있는 것을
所以比淡水	교제를 맑은 물에 비유하는바
爲其長若斯	좋은 점은 오래가는 것
天下豈無人	천하에 어찌 사람이 없으랴
向君可致辭	그대를 향하여 치사1)하는 바이네

주 1) **치사**(致辭): 풍류(風流)에 맞춰 올리는 찬양의 말.

180. 남산이 맑아 한 문공[1]의 시체를 본받아 짓다[南山晴效韓文公體]

南山晴北渚淸	남산이 개니 북쪽 물 맑고
荷葉田田出	연잎 여럿 물 위에 떠오르고
松桂覆層城	소나무와 계수는 층성[2]을 덮네

 1) **한 문공**(韓文公): 당나라 문인 정치가 한유(韓愈, 768~824)의 시호. 자는 퇴지(退之). 호는 창려(昌黎). 당송팔대가의 한 사람으로 사륙변려문을 비판하고 고문(古文)을 주장했음.

2) **층성**(層城): 곤륜산의 가장 높은 곳을 지칭하는데, 즉 하늘이라는 의미.

181. 깊은 밤[夜深]

夜深羣動息	깊은 밤에 뭇 움직이는 것은 쉬고
山靜掩柴關	산이 고요하니 사립문 닫았는데
點易寧知倦	주역을 점쳐 어찌 게으름 알까
吟詩只管閒	시를 읊음은 다만 한가로움과 관계될 뿐이네
淸明心自在	청명한 마음은 절로 생기고
査滓日應應刪	찌꺼기는 날마다 마땅히 버려야 하는 것을
作銘題座右	명문을 지어 자리 오른쪽에 써놓고
聊證向來頑	애오라지 지난날의 잘못을 뉘우치네

182. 배월[1]사 사언[拜月詞四言]

疇昔之夜	지난밤

宴坐書室	서실에 고요히 앉아
開戶視之	문 열고 보니
月乃始出	달이 처음 떴다가
於焉正中	어느새 한가운데에 올라
大地同色	대지가 같은 빛이 되었네
明來擧酒	밝음이 오자 술잔 들면서
燕敖一席	한 자리가 떠들썩하게
且酌且歌	술 마시며 또 노래도 하니
其樂只且	그 즐거움이 다만 또 하구나
忽自南陸	갑자기 남쪽 뭍에서
靑霧翳如	푸른 안개 덮은 듯
類烟稍重	연기처럼 점점 무거워지다가
方雨還輕	바야흐로 비 내리자 다시 가벼워졌네
漸聚成幕	점점 모여들어 막을 이루다가
滓穢太淸	더러움 걷히자 크게 맑았고
團團素影	둥글고 둥근 흰 그림자
若暈若缺	둥근 듯 또한 이지러지듯
初猶朦朧	처음엔 몽롱2)하다가
旣又抹漆	이윽고 또 옻칠한 것과 같네
滿座變容	자리 가득한 손님 얼굴빛 변하여
回遑不惛	두루 돌아보며 돌아가기를 서두르고
客乃分散	손님들 이내 흩어지며
請卜來宵	내일 밤 오기를 청하였네
于時夜央	이미 밤이 깊어
獨寄西牖	홀로 서창에 기대서서

思見其光	그 빛을 보고 생각하며
竚立者久	우두커니 오래 서 있었네
天已向曙	하늘은 이미 동이 트고 있으나
尙愈晻曖	날은 더욱 어두워져
因至十日	십 일이 되도록
不雨不霽	비가 오지도 개지도 않았네
陰陰陋巷	습기 차고 축축한 더러운 마을이라
嘆息彌襟	탄식을 가슴에 가득하네
惟此靈魄	다만 이러한 영백3)이
豈終霾霮	어찌 끝내 흙비에 잠기겠는가
適屆斯夕	마침 이 밤이 되어
風色格格	바람 기색 잦아들어
須臾解散	모름지기 잠시 뒤 사라지니
玉宇澄碧	옥우4)는 맑고 푸르러
淸光依舊	맑은 빛은 예와 같이
域中普照	성 가운데 널리 비췄네
喜而出門	기뻐서 문을 나서니
衣裳顚倒	급하여 의상이 뒤집히니
感荷天地	천지에 감하6)하면서
思與衆觀	여러 사람과 함께 보기를 생각했네
爰名舊侶	옛 친구 이름 부르며
以續前歡	앞의 즐거움 이어가고자 하니
游豈無情	놀이가 어찌 정이 없을 수 있는가
樂實孔多	즐거움이 실로 많았네
抑又有言	또한 할 말이 있는데

其言維何	그 말이 무엇인가
溟涬始牙	어둠이 처음 싹터
二儀乃生	음양이 생겨
日爲陽精	해는 양의 정기가 되고
月爲陰精	달은 음의 정기가 되어
並麗于天	함께 하늘에 비치면서
迭出而臨	번갈아 임하니
昭昭赫赫	매우 밝고 아주 빛나서
不忒古今	예나 지금이나 다르지 않았네
而民皆仰	백성들은 다 우러러보고
跬步靡跌	반걸음도 미끄러짐 없었는데
憎彼妖氛	저 불길한 분위기가
乘時礙閼	때를 막음을 미워했네
願言箕師	원하건대 기사7)는
颭以示猛	사납게 용맹함을 보이시라
掃去霧屯	안개 무리 쓸어버리고
四海常淨	사해를 항상 깨끗하게 할 것이며
兩耀得所	두 빛이 장소를 얻어서
萬世不悖	만세에 거스르지 말게 하소서
我言旣訖	할 말을 다하였으니
稽首而拜	머리 조아리며 절 올리네

주
1) **배월**(排月): 한 달에 얼마씩 정하여 여러 달에 걸쳐 나누어 줌.
2) **몽롱**(朦朧): 달빛이 흐린 모양.
3) **영백**(靈魄) : 영혼과 넋.
4) **옥우**(玉宇): 천제가 사는 곳. 곧 하늘. 옥으로 아로새겨 지은 집이라는 뜻으로 아름다운 전각(殿閣)을 일컫는 말.

183. 청류당 너른 바위에서 밤에 짓다[聽流堂盤石夜占]

一道鳴泉石上流	한 줄기 우는 샘이 돌 위로 흐르는데
細穿楊柳入蓮洲	가늘게 버들 뚫으며 연주1)로 들어간다
游人只向洲邊去	노는 이들 다만 물가를 향해 가다가
蹤跡何曾到此頭	자취가 어찌 일찍 이곳에 이르렀는가

주 　1) **연주**(蓮洲): 연이 자라는 물가.

184. 송화에 대해 시운을 불러 짓다[松花呼韻]

澹泊花開一樹松	담박한 꽃 한 그루 소나무에 피어
群芳凋盡始鬅鬆	모든 꽃 다 떨어졌건만 처음처럼 수북하더니
風篩碎碎黃金粉	바람에 부수어져 황금가루 날리네
雨洗亭亭碧玉峰	비에 씻겨 우뚝 솟아 벽옥봉이 되었는데
晩色只爲君子愛	만색1)은 다만 군자가 사랑하는 것이니
淸陰應恥大夫封	맑은 그늘 마땅히 대부2)에 봉함을 부끄러워 하겠지
更憐佳實供仙訣	또한 가련하다! 아름다운 열매 선결3)에 바치니
白髮寧愁鏡裡容	백발이 어찌 거울 속의 얼굴일까 시름하네

주 　1) **만색**(晩色): 해질 무렵의 경치, 철이 늦은 때의 경치.

185. 약을 찧으며 그 약의 이름을 써서 율시를 지었는데『본초강목』1)에서 벗어나지 않는다[搗藥成律使其字 不出本草藥名]

冬夏連沈患	겨울과 여름에 이어 병들어
人生便藥奴	인생이 문득 약의 종으로 변했네
甘香思薯蕷	단 향기는 서여2)를 생각하고
酸味合茱萸	신맛은 수유3)와 맞는데
芐芍當通血	지황과 작약은 피를 통하는 데 마땅하고
歸芎乃澤膚	천궁과 당귀는 피부를 살찌게 하네
安知心力苦	어찌 심력의 고통을 알까
根本使全蘇	초목의 뿌리는 완전히 되살아나게 하네

주

1) 『**본초강목(本草綱目)**』: 1590년에 중국 명나라의 이시진(李時珍)이 지은 연구서.

2) **서여(薯蕷)**: 마의 뿌리. 산약(山藥).

3) **수유(茱萸)**: 쉬나무 열매. 기름을 짜서 머릿기름으로 씀.

186. 비 온 뒤[雨後]

楊柳川邊暮雨晴	버들 냇가에 저문 비 개고
綠陰垂處白烟橫	푸른 그늘 드리운 곳에 흰 연기 가로놓였네
閑情不減花時好	한가로운 정 줄지 않아 꽃 때가 좋고
長養薰風滿袖淸	길이 훈훈한 바람 길러 소매 가득 맑게 하리

권 4

시 詩

詩

1. 괴석이 풀 사이에 버려진 것을 보고 생각나는 대로 쓰다[見怪石委棄草間謾書之]

■ 갑술년(甲戌, 1684)

自是湖山質	이는 호산의 전유물인데
胡然城市中	어찌하여 성시 중에 있는가
傀儡呈異狀	허수아비처럼 이상한 모양 드러내고
造化費神功	조화로운 신의 공력을 허비하였네
昔作林庭寶	옛날에는 숲 속의 보배였던 것이
今爲草樹蒙	지금은 풀과 나무로 덮였으니
物情應顯晦	물정이란 마땅히 드러나기도 하고 숨기도 하는 것이거늘
寧問主人翁	어찌 주인 옹에게 묻는가

2. 꿈[夢]

鄕園傳信札	고향에서 편지 전해와
山舘掛孤燈	산관에서 외로운 등잔 걸었는데
看盡還成夢	다 보고 난 뒤 도리어 꿈이 되어
依然在廣陵	의연히 광릉에 있는 것 같네

3. 우연히 산마을에 이르다[偶到山村]

獨松雲際直	외로운 소나무 구름 가에 곧고
危路草間斜	위태로운 길 풀 사이에 비꼈는데
爲我蒼蒼色	나를 위하는 푸르고 푸른빛이
翻然到爾家	훌훌 날아 너의 집에 이르렀네

4. 버드나무[柳]

兩行烟柳夾樓臺	두 줄 연기 버들 누대를 감싸고
翠色濛濛雨洗埃	푸른색 몽몽한 비에 먼지 씻겨 있네
乳燕流鶯穿影去	어린 제비와 나는 꾀꼬리는 그림자 뚫고 가고
高車駟馬拂枝來	고차1)의 사마2)는 가지 스치며 오는데
輕花似雪飄空廓	눈과 같이 가벼운 꽃, 빈 성곽에 흩날리고
細葉如刀巧剪裁	가는 잎은 칼로 공교하게 다듬은 듯하고

| 最惜金絲雖百丈 | 가장 애석한 것은 비록 금실 수백 길이나 |
| 河橋未挽別人回 | 하교에서 이별하는 이 돌아오게 잡지 못하는 구나 |

1) **고차**(高車): 덮개가 높은 훌륭한 수레.
2) **사마**(駟馬): 하나의 수레를 끄는 네 마리 말.

5. 반계로 사진을 찾아갔는데 그가 출타하여 우두커니 오랫동안 서 있었다[盤溪訪士珍 士珍出他 竚立者久]

偶乘佳興入盤溪	우연히 아름다운 흥 타고 반계로 들어가니
茂樹清湍韻色齊	무성한 나무 맑은 물에 운색1)이 가지런하다
悵望主人何所向	주인 있는 곳 알 수 없어 슬프게 바라보니
衣邊夕露已凄凄	옷 가에 내린 저녁 이슬 이미 처처2)하구나

1) **운색**(韻色): 운치의 빛. 경치.
2) **처처**(凄凄): 찬 기운이 있고 쓸쓸함.

6. 반계에서 통소 소리를 듣다[盤溪聽簫]

蒼蒼雲石共岧嶢	푸르고 푸른 구름과 돌 함께 우뚝 솟았는데
隔水何人動玉簫	물 건너 누가 옥통소 부는가
月裡一聲山欲裂	달 속 한 소리에 산 무너질 듯하니
怳疑仙鶴下層霄	황홀하여 신선의 학이 높은 하늘에서 내려왔나 의심한다

앞에 쓴 두 수는 사진을 서서 기다리면서 지었다. 다음 날 아침 글을 사진에게 보이면서 겸하여 간략하게 화답을 청하는 편지를 써서 말하기를 "지난밤 산정에서 한 이야기에 어찌 나머지 생각이 없겠는가. 돌아갈 길에 의지할 것은 버드나무뿐이네. 꽃을 보고 지은 시의 좋은 뜻이 도리어 평지풍파를 일으켜 골탕 먹은 바가 되었으니 탄식과 애석함을 능히 금할 수가 없구나. 이에 계상에서 기다릴 때 지은 시를 기록하여 두 절을 얻었으므로 굽어보고 곧바로 화답하기 바라네"라고 하였다.

明朝書示士珍 兼簡以請和簡云 去夜山亭之話 豈無餘懷 歸路依依者楊柳耳 看花賦詩之好意 反作平地風波所汨蕩 嘆惜迨不能禁也 玆錄溪上佇待時 所得二絶塵浼盛覽 覽卽和焉

7. 단오에 느낀 회포[端午日感懷]

五五當佳節	오월 오일 아름다운 절후 만나
人人作好游	사람마다 놀이하기 좋아하는데
獨憐多病客	홀로 가련한 병 많은 나그네
不耐戀鄕愁	고향 생각하며 시름 참을 수 없네
望慕心空折	바라보고 생각하는 마음 속절없이 꺾이고
離親路更脩	어버이 떠나온 길 다시 다스리며
悄然無意緖	아무 뜻 없어 기운 없이
斜日立芳洲	석양 방주1)에 서 있네

주 1) **방주**(芳洲): 꽃 피는 물가. 봄날의 물가.

8. 자라나는 나뭇가지처럼 사방으로 퍼져 통하다[條達]

臂上纏絲襲陋風	팔뚝 위에 엉킨 가지 거친 바람 엄습하니
休言續命有神功	신공이 명을 이어준다고 말하지 마라
願將一線補龍袞	원하나니 한 줄기 도움으로 임금님 보필하여
萬姓同歸壽域中	만백성이 함께 수역1)으로 돌아가게 하소서

주　1) **수역(壽域):** 오래 살 수 있는 즐거운 경지를 비유적으로 이르는 말.

9. 밤에 앉아서[夜坐]

黙黙會心處	묵묵히 마음을 모으는 곳에서
恢恢應事時	폭넓게 일을 처리할 때라
會心或麤率	모은 마음이 혹 추솔1)하면
應事必參差	일 처리가 일관되지 못하다
麤率猶難覺	추솔함은 오히려 깨닫기 어렵지만
參差方可知	가지런하지 못함은 쉽게 알 수 있으니
旣知當有悔	이미 마땅히 후회 있을 줄 알았거든
寡悔要無私	후회가 적으려면 사사로움이 없어야 하느니라

주　1) **추솔(麤率):** 거칠고 차근차근하지 못함.

10. 이자심에게 부치다[寄李子深]

漢陽歸客催行邁	한양에 돌아가는 나그네 갈 길 재촉하는데

詩_445

遠向靑山倍愴情　　멀리 푸른 산 바라보니 슬픈 정이 갑절이네
欲知他日相思意　　다른 날 서로 생각하던 뜻 알고자 한다면
千里吳州片月明1)　천 리 길 오주에 뜬 조각달이 밝으리라

　복숭아꽃 흐르는 물 사이로 초대하니 옷을 걷고 일어났다. 다만 병들어 노는 데 도움은 못되었고 집에는 딸의 초례2)가 있는데 홀로 좋은 기회 등지고 돌아와 흰 구름만 바라볼 뿐이다. 두려운 것은 내가 마지못해 뱃머리를 돌리는 어부 같음이네. 그리한다면 속세 사람보다 낫다고 하겠는가.

招之於桃花流水之間令人攝衣而起也　但病不利於游屐且家有醮女之
禮　孤負佳期回　望白雲而已　第恐漁子不得不回舟則　能勝似塵中人耶

 1) **천리오주편월명**(千里吳州片月明): 이백의 「송장사인지강동(送張舍人之江東)」에서 강동으로 가는 벗에게 "오주에서 달을 보거든 천 리 밖에서 나를 생각하오"[吳州如見月　千里幸相思]라고 한 데서 비롯됨.
　　　　　오주(吳州): 오나라의 고을. 우리나라에서는 남쪽 지방이라는 뜻으로 쓰임.
　　2) **초례**(醮禮): 전통적으로 치르는 혼례식.

11. 까치 소리[鵲聲]

雙鵲飛來報好音　　까치 두 마리 날아와 좋은 소식 전하고는
喳喳終日滿前林　　짹짹거리며 하루 종일 앞 숲에 가득하네
傍人盡道逢佳兆　　옆 사람 모두 좋은 징조 있으리라 말하는데
曾謂災祥在彼禽　　일찍이 재앙과 상서가 저 새에게 있다고 말했던가

12. 반지에서 이중약 형제를 만나 이야기한 뒤 파하다[盤池遇李仲約兄弟話罷]

與子相逢芳草洲	그대와 방초 물가에서 서로 만나니
菱歌一曲對淸流[1]	마름 캐는 노래 한 곡조가 맑은 흐름을 대하는구나
靑山欲暮分歸路	청산이 저물려 하여 돌아갈 길 나뉘니
明月西園獨上樓	서원에 달 밝아 홀로 누에 올라 있다

주   1) 능가일곡대청류(菱歌一曲對淸流): 사람들이 연을 캐며 노래를 부르는 소리와 냇물 가의 경치가 잘 어우러진 광경을 읊음.

13. 성에 들어가다[入城]

雨過長安景色新	비가 장안 지나니 경색이 새롭고
虹橋十二水粼粼	무지개다리 십이수가 맑디맑구나
層樓鳳翥臨朱郭	누대의 봉황 날아 붉은 성에 임해 있고
甲第星羅拱紫宸	갑제는 별처럼 흩어져 자신전[1]을 감싸네
垂柳千門弄淸曉	천 문에 드리운 버들 맑은 새벽 희롱하고
殘花萬點散餘春	만 점 꽃이 떨어져 늦봄 흩어지네
翻翻車馬朝回處	아침에 수레와 말이 돌아오는 곳에서 분주히
爭道鑾坡第一人	길을 다투는 사람은 난파[2]에서 제일인자라오

주   1) 자신(紫宸殿): 천자가 정사(政事)를 보는 궁전.
     2) 난파(鑾坡): 예문관(藝文館). 조선 시대에 사명을 짓는 일을 맡아보던 관아.

14. 반곡에서 옛날을 생각하다[盤谷感舊]

山館一寥寂	산관은 한결같이 고요하고
堦庭半草菜	층계 앞 뜰에는 풀과 나물이 반반이라
數叢紅芍藥	두어 떨기 붉은 작약
今日爲誰開	오늘 누굴 위해 피었느냐

15. 구기자나무[枸杞]

滿堦何所有	뜰에 가득한 것이 무엇인가
枸杞綠亭亭	구기자나무 푸르고 우뚝하구나
枝合仙人杖	가지는 합쳐져 선인장 같고
根盤瑞犬形	뿌리는 상서로운 개 모양으로 엉켜 있네
嫩芽開病肺	새싹은 폐의 병 열어주고
佳實制頹齡	아름다운 열매는 늙음 막아주는데
養性應須此	성품 기르는 것이 마땅히 이와 같아야 하니
休爲采茯苓	복령 캐는 일을 멈추라

16. 작약 두 그루가 하나는 붉고 하나는 희다[芍藥二叢一紅一白]

名花依古砌	이름난 꽃 옛 섬돌에 의지하여
爛熳護茅菴	난만하게 피어 모암을 보호하네
越女紅羅袂	월녀1)의 붉은 나삼2) 소매인가

吳姬白紵衫	오희3)의 흰 적삼인가
爭娟媚曉日	효일4)에 아름답고 고움 다투는데
呈態倚輕爐	드러난 자태 가벼운 아지랑이 의지하였네
不是宜山客	이것은 산객을 위한 것이 아니고
端爲衆所探	단정함은 여러 사람이 찾게 하고자 함이네

17. 해당화[海棠花]

偶到名園眼忽開	우연히 이름난 동산에 오르니 눈이 갑자기 뜨이는데
海棠花發小溪隈	해당화는 작은 개울 모퉁이에 피어 있네
欲描空谷佳人態	빈 골짜기 가인의 자태 묘사하려 하나
安得坡翁健筆來	어찌 파옹1)의 건장한 붓을 얻어올 수 있겠는가

18. 고향을 생각하다[思鄕]

郭外山齋欲暮天	성 밖 산재에는 해가 저물려 하고
客中愁緒正茫然	나그네 시름 끝에 바로 망연해지네

千絲弱柳經朝雨　　천 가닥 여린 버들에 아침 비 지나가고
一道飛雅帶夕煙　　한 길 나는 까마귀 저녁연기 띠고 있네
時到鄕園惟有夢　　때마다 꿈에서만 고향 땅에 이르네
累披親札却無眠　　여러 번 어버이가 보내신 편지 펼쳐보고 잠
　　　　　　　　　못 이루는데
回頭江漢波聲遠　　머리 돌리니 한강 물결 소리 멀어지고
此夜思歸度似年　　이 밤 돌아갈 길 생각하니 한 해가 다 가는 것
　　　　　　　　　같구나

19. 밤에 반지를 지나다[夜過盤池]

凉氣馬前柳　　말 앞의 버드나무에서 서늘한 기운 나오고
淸香池上荷　　못 위의 연꽃에선 맑은 향기 일어나네
千門皆寂寞　　천 문이 다 적막한데
誰識此中過　　이곳 지나감을 누가 알까

20. 비 온 뒤[雨後]

山高星掛樹　　산이 높으니 별은 나무에 걸리고
溪近水鳴扉　　개울이 가까우니 물은 사립문에서 우는데
靜裡成孤坐　　고요함 속에 외로이 앉아 있으니
秋螢亂點衣　　가을 반딧불이 옷에 어지러이 붙네

21. 칠월 열엿새 밤에 군주 댁에서 여러 벗과 함께 분운1)하여 홍사능2)에게 주다[七月十六夜於君冑宅與諸友分韻贈洪士能]

逢君山閣夜	그대를 만난 산각의 밤에
秋月漢陽城	가을 달 밝은 한양성이어라
江海神期遠	강과 바다의 신은 만날 수 없고
文章勝會成	문장의 좋은 모임은 이루어졌는데
郢中無故友	영 가운데 아는 벗 없고
琴上有新聲	거문고 위에 새로운 소리 나네
此曲更誰識	이 곡을 다시 누가 알아줄까
松風爲我清	솔바람 나를 위해 맑기만 하구나

주

1) **분운**(分韻): 운자(韻字)를 정하고 여러 사람이 나누어 집어서 잡힌 운자로 한시를 짓는 일.

2) **사능**(士能): 조선 중기의 문신 홍치중(洪致中, 1667~1732)의 자. 본관은 남양. 호는 북곡(北谷). 원만하고 자상한 성격으로 노론은 물론 소론의 영수인 이광좌 (李光佐)와도 친교가 깊었음.

22. 또 운을 나누는데 '소(蘇)' 자를 얻다[又分韻得蘇字]

赤壁高游說大蘇	적벽의 고유1) 대소2)가 말했는데
分留風月與吾徒	풍월을 나누어 우리에게 남겨주네
涼風乍動生郊樹	서늘한 바람 잠깐 동하다 들 나무에서 불어 오고
明月初盈照漢都	밝은 달 처음 차서 한성을 비추는데
樓上賦詩餘七子	누각 위 일곱 사람이 지은 시 남아 있고

池邊飲酒可千壺　　　　못가에서는 천 동이의 술을 마실 수 있네
此中亦占前人興　　　　이 중에 또한 옛사람의 흥을 점하니
自是英雄道不殊　　　　당연히 영웅의 길과 다르지 않구나

주 1) 고유(高游): 세속을 떠나 한가롭게 노니는 것.
　　2) 대소(大蘇): 소식(蘇軾)을 높여 이르는 말.

23. 일초정에서 연구를 짓다[一草亭聯句]

步出柴門月滿溪(己)　　　걸어 사립문 나오니 달은 개울에 가득하고(나)
溪東幽客過溪西(久叔)　　개울 동쪽 그윽한 나그네 개울 서쪽 지나가네(구숙)

風鳴砌竹秋聲近　　　　바람에 섬돌의 대나무 우니 가을철 바람 소리 닮았고
露濕庭松夜氣凄(正叔)　　이슬에 뜰의 소나무 젖으니 밤기운이 서늘하네(정숙)

攜向小園憑草閣(士珍)　　작은 동산 이끌려 가 풀집에 기대니(사진)
且開深酌摘蔬畦(正叔)　　잘 익은 술 열고 밭의 나물 따오네(정숙)
村南好友尋聲至(仲約)　　마을 남쪽 좋은 친구 소리 따라 이르고(중약)
座上騷人得意題(休休)　　좌상의 시인들은 시 지을 뜻 얻네(휴휴)
看字草間螢作燭(久叔)　　글자 보느라 풀 사이에 반딧불로 촛불 삼고(구숙)

咏詩林下鳥驚栖(道輝)　　숲 아래서 시 읊으니 둥지 새 놀랐네(도휘)
揮玉麈淸談細(衡仲)　　옥주를 휘두르자 청담이 이어지고(형중1))
健倒金樽醉眼迷(休休)　　금동이 기울여 취한 눈 아득하네(휴휴)
風致較來推我伯(仲約)　　풍치 비교해보니 나와 백중2)이 다투고(중약)

美肴催具要山妻(士珍)　좋은 안주 갖추고자 산처3)를 재촉하네(사진)

同游述作思陶謝(子深)　같이 놀며 글 지으니 도잠과 사영운을 생각
　　　　　　　　　　　하고(자심)

異代淸狂笑阮嵇(道輝)　다른 시대의 청광4)인 완해5) 생각하며 웃네
　　　　　　　　　　　(도휘)

塵緖任他雲出岫(己)　　속세의 일 다른 이에게 맡기니 구름 산에 나
　　　　　　　　　　　오고(나)

道情羞殺草生谿(公望)　도의 정 부끄럼 없으니 풀이 계곡에서 나오
　　　　　　　　　　　네(공망)

男兒一會眞良計(子深)　사나이의 한 번 모임 참으로 좋은 계획인데
　　　　　　　　　　　(자심)

莫把歸心促曉鷄(公望)　돌아갈 마음 재촉하는 새벽닭 잡지 마라(공망)

주
1) **형중**(衡仲): 조선 중기 위항시인 백이상(白頤相)의 자. 호는 국담(菊潭). 본관은 수원.
2) **백중**(伯仲): 형과 아우. 실력이나 솜씨가 막상막하임.
3) **산처**(山妻): 자기의 아내를 타인에게 겸손하게 말할 때 쓰는 호칭.
4) **청광**(淸狂): 마음이 썩 깨끗하여 청아한 맛이 있으면서도 그 언행이 상규에서
　　어긋남, 또는 그 사람.
5) **완해**(阮嵇): 진(晉)나라 때 죽림칠현 중 완적(阮籍)과 해강(嵇康).

24. 일초정에서 또 구숙이 지은 시에 차운하다[草亭又次久叔韻]

此意方未已　　　시를 아직 다 짓지 못하였는데

蟾光不肯低　　　달빛은 머물려 하지 않네

見君風氣好　　　그대의 풍기1) 좋은 것 보고

留與壁間題　　　머물러서 벽 사이에 써두고자 하네

주　1) **풍기**(風氣): 풍도(風度)와 기상을 아울러 이르는 말.

25. 정수와[1])에서 여러 벗에게 차운하다[靜修窩次諸友韻]

秋氣居然生老梧　　가을 기운 거연히 늙은 오동에서 나오고
良辰美景眼中俱　　좋은 때 아름다운 경치 눈 속에 갖추었네
苦吟竟日還相笑　　괴로워 종일 읊다가 도리어 서로 웃고
快飮牀頭酒一壺　　상머리에서 즐거이 마시니 술이 한 동이라

주　1) 정수와(靜修窩): 임군주의 집.

26. 두 번째 시[其二]

滿座皆能飮　　앉은 이 모두 다 잘 마시니
風流我輩人　　풍류는 우리들의 것인데
獨醒君莫訝　　홀로 깨어 있음을 그대는 의아해하지 마라
和氣自如新　　화목한 분위기 절로 새로워지는구나

27. 여오가 그 무리들과 내 집에 들렀는데 어느 날 최백통이 파직되어 송산[1])으로 갔다기에 자리에 있다가 글로 이별하다[汝五與其徒傲于吾家　一日崔伯通罷往松山　余適在座謾書以別]

朝日雲間出　　아침 해가 구름 사이에서 나오니
淸光照我樓　　맑은 빛이 내가 있는 누각을 비추는데
騷人方有興　　시인은 바야흐로 흥이 있으니
吾子欲何游　　그대는 어느 곳으로 놀러 가고자 하는가

未了前宵意	지난밤의 뜻을 마치지 못했으니
巨堪此別愁	이 이별의 시름을 견디기 어렵네
成功當及早	마땅히 재기를 서둘러야 하니
一去莫遲留	그곳에서 오래도록 머무르지 마라

주   1) **송산**(松山): 평안북도 북서쪽 끝의 의주(義州).

28. 새로 세운 울타리[新籬]

京宅久荒廢	서울 집이 오랫동안 황폐하여
墻垣失守圍	담장이 둘레 지킴을 잃었네
折薪秋嶺下	추령 아래서 땔나무 꺾어
昨者載之歸	어제 싣고 돌아왔는데
密植仍成限	빽빽이 심어서 경계 이루니
中虛却有扉	중간이 비어서 문득 사립문이 되었네
狂夫休怕了	미친 지아비를 두려워하지 마라
只爲定門畿	다만 문에 경계를 지은 것이니

29. 홍사능과 이별하여 밀양의 임소로 근친을 보내다[別洪士能覲密 陽任所]

■ 편지와 시를 아울러 짓다[竝書]

모임 약속을 못 지키고 갑자기 영 밖의 이별이 갑작스럽게 이루어지니 어찌 여울물처럼 빨리 흘러가고 한 번쯤 떠남을 알리고자 하지 아니하였을까. 마침내 군주의 처소에 갔다가 내일 아침 떠난다는 말을 듣고 창망함을 감당할 수 없었네. 이미 떠나 고별을 못한다면 말없이 이 짧은 글을 부치지 못하겠구나. 누각에 오르는 날 나를 생각할 수밖에 없을 것이니 모름지기 화답을 보내 두 곳에서 마음에 걸린 생각을 펴게 하라. 구구한 특별한 뜻은 종이에 다 쓸 수가 없네. 길은 멀고 날은 추우니 진중하게 단속하여 바라는 바를 헛되게 하지 마라.

未成團會之約 遽作嶺外之別 豈以津水之電面 不思一者之告行耶 適到君冑所 聞行在明朝不任悵惘 旣未進別 則不能無言寄此短篇 登樓之日不得不思我 須賜和寄以抒兩地之懸懸也 區區別意非紙可 布 路遠時寒 珍嗇所冀不罄

西園一分鑣	서쪽 동산에서 한 번 말발굽 나누니
塵路共驅馳	먼지 길을 함께 달려왔다
汩汩竟何事	여러 잡다한 일을 어느 때 마칠까
歲序忽嬗移	세월은 순서대로 홀연 이어져 바뀌니
維時孟冬末	때는 시월 말이라
雲雪氣寒冱	구름과 눈으로 기운 차가워지는데
吾子將安之	그대 장차 어디로 가려는가
彩服適南土	색 고운 옷 입고 남토로 가겠지
鯉對兼遠游	이대[1]와 원유[2]는
君行則勝致	그대 가면 흥치가 날 것인가
但是西河上	다만 이 서하 위에
叵耐抱離思	이별의 생각 안고 슬픔을 못 참겠네

去登嶺南樓	가서 영남루에 오르게 되면
寒梅正嬌妊	추위에 피는 매화 바로 아름다우리니
對此一挈香	이 한 잔의 향기를 대하거든
能不憶遠者	능히 멀리 있는 사람 생각하지 않을까

<blockquote>
주 1) 이대(鯉對): 공자의 아들 이(鯉)가 뜰을 거닐다 공자를 만나 문답함. 전하여 공부하는 일.

2) 원유(遠遊): 수학(修學)이나 수업을 위해 먼 곳에 감.
</blockquote>

30. 아이를 씻긴 것은 동짓달 초엿새다[洗兒至月初六日也]

三朝洗浴見眞形	아이가 태어난 지 삼일 되는 날 목욕시켜 참 모습 보니
天理居然父子情	천리 거연한 부자의 정일세
我有一言爲爾祝	너를 위해 빌어줄 한마디 있으니
行如顏閔壽如彭	행동은 안회와 민손1) 같고, 수명은 팽조2) 같으라

<blockquote>
주 1) 민손(閔損): 노나라 학자. 공자의 제자. 어릴 때 계모 밑에서 자랐는데 공문십철(孔門十哲) 중에서 효행(孝行)으로 이름이 남.

2) 팽조(彭祖): 중국 고대의 선인(仙人). 『장자(莊子)』에 등장하는 인물로 700~800세를 살았다고 함.
</blockquote>

31. 이 공망 구숙, 윤덕보가 공부하는 곳으로 부치다[寄李公望久叔 尹德甫做所]

驢背高吟雪滿城	나귀 등에서 높이 읊고 눈은 성에 가득한데

去來疑是子猷行	오고 가는 것이 자유1)의 행차 아닌가 의심한다
袁門不掃知何意2)	원문3)을 쓸지 않은 것은 어떤 뜻인지 알겠으나
爭似華堂合席情	어찌 화당에서 함께한 정만 같으리

1) **자유**(子猷): 왕휘지. 이 글에서는 자유가 문득 대규를 찾아갔으나 만나지 않고 돌아온 고사를 말함.
2) **원문불소지하의**(袁門不掃知何意): 공부에 매진하느라 바깥출입을 하지 않음.
3) **원문**(袁門): 열리지 않는 문. 후한 사람 원굉(袁閎)이 아버지가 죽자 죄인을 자처하고 집에 토실(土室)을 만들어 출입문을 내지 않고 그 안에 살면서 처자의 출입도 금했다는 고사에서 나옴.

32. 역이 있는 마을[驛村]

青烟漠漠孤村	푸른 연기 막막한 외로운 마을에
白雪荒荒大野	흰 눈 거칠게 날리는 큰 들이로다
坐對竈前凍僕	앉아서 부엌 대하니 종은 추워하고
臥看櫪上嘶馬	누워서 마구간 바라보니 말이 우네

33. 눈 온 뒤 한강을 지나니 봄 얼음이 아직도 두껍다[雪後過漢江春冰尙厚矣]

■ 을해년[乙亥, 1695]

| 滿地瓊瑤馬踏過 | 땅에 가득한 구슬을 말이 밟고 지나가니 |

怳然身似渡銀河	아득하여 몸은 은하수를 지나는 것 같다
且看南渚春先暖	또한 남쪽 물가에 따뜻한 봄이 먼저 오는 것 보니
明日登舟可放波	내일 아침 배 타고 강을 건널 수 있으리

34. 봄눈[春雪]

新陽照幽谷	새봄 그윽한 골짜기 비추니
春氣繞我室	봄기운이 내 방을 감도는구나
禽鳥送好音	새는 좋은 소리 보내오고
熙熙動時物	희희1)하게 제철 생산물이 움직이네
狂飇忽間作	미친바람 갑자기 틈틈이 불고
霏霏下霰雪	부슬부슬 싸락눈 내리는데
飄空尚看花	허공에 날리니 꽃처럼 보이다가
落地卽成水	땅에 떨어지자 곧 물이 되었네
時候善變化	때와 기후가 좋게 변하니
天意實難揣	하늘의 뜻을 참으로 헤아리기 어렵구나
無乃和所極	이에 조화의 극치를 알 수 있을까
不節亦乖理	절기 또한 이치에서 어긋남이 없구나
寄言行樂輩	행락하는 이들에게 말하노니
爲歡且循軌	즐겁더라도 또한 법도를 따르게나

주 1) 희희(熙熙): 화목한 모양.

35. 양직의 집에서 연회를 마치고, 정숙 형제, 계수 등 여러 사람과 공망이 있는 곳에 가 저녁에 담화하다가 구숙에게서 차운하다[自養直家旣罷 與正叔兄弟季受諸人入公望所到 夕談話次久叔韻]

招邀文酒樂玆辰	불려 와서 글과 술로 이때를 즐기는데
靑眼尊前摠可人	술동이 앞에서 청안으로 보니 모두 좋은 사람이지
日暮西園歸更好	해 저무는 서쪽 동산 돌아가기 더욱 좋고
翛然林鳥自相親	날갯짓 하는 숲의 새들은 절로 서로 사이 좋네

36. 자정이 쓴 「종남산에 오르다」에 차운하다[次子貞登終南詩]

詩到見何語	시가 이르는 곳 보고 무슨 말 하겠나
終南昨往來	종남산에는 어제도 갔다가 왔네
三春好花柳	삼춘1)에는 꽃과 버들 좋고
幾處畫樓臺	몇 곳에 그림 같은 누대 있어라
汗漫吾曾過	등한시하며 나는 일찍이 지나갔는데
登臨子更催	그대가 올라가기를 다시 재촉하네
應接非高興	응하나 흥이 높지 않으니
靜裏且啣盃	고요한 가운데 또 술을 마시네

주 　1) **삼춘**(三春): 봄의 석 달. 맹춘(孟春), 중춘(仲春), 계춘(季春)을 이름.

37. 자정과 더불어 밤에 앉아 운을 불렀다[與子貞夜坐呼韻]

雲宿前簷故不歸	자는 구름은 처마 앞에서 일부러 돌아가지 않고
溪添新雨洗荊扉	개울은 새 비 더하여 가시 사립 씻었는데
琴書整頓成孤坐	거문고와 책을 정돈하고 외로이 앉았으니
數箇流螢巧點衣	몇 마리 반딧불이 교묘하게 옷에 붙네

38. 또 두운1)에 차운하다[又次杜韻]

井上老槐高十尋	우물 위 늙은 홰나무 열 길이나 높은데
夜來疎雨滴蕭森	밤사이 숲에 가랑비 쓸쓸하게 내렸구나
霧中殘燧時看火	안개 속 남은 봉수2) 때로 불이 보이고
枝上驚禽尚有音	가지 위 놀란 새 여전히 소리 내네
剩喫書牕三夏苦	서창에서 맛본 삼하3)의 고통
誰知吾輩百年心	우리들의 백 년간 마음을 누가 알아줄까
淸飇一掃蒸陰去	맑은 바람 한 번 불어 증음4)이 사라지니
獨上高樓爽滿襟	홀로 높은 누에 올라 가슴 가득 상쾌하네

주
1) **두운**(杜韻): 두보의 시율에 쓰인 운자(韻字).
2) **봉수**(烽燧): 높은 산마루에 봉수대를 지어놓고 위급 상황을 알리는 봉화(烽火).
3) **삼하**(三夏): 4월, 5월, 6월. 여름 세 달.
4) **증음**(蒸陰): 찌는 듯한 음기(陰氣). 무더위.

39. 두 번째 시[其二]

暝色生高樹	어두운 빛 높은 나무에서 생겨나고
虛簷夜雨懸	빈 처마에 밤비 달렸는데
燈前詩語好	등 앞에서 시어가 좋아
相看不能眠	서로 보면서 잠 못 이루네

40. 세 번째 시[其三]

十日炎霖苦	열흘 동안 더위와 장마 괴로웠는데
居然此夜淸	거연히 이 밤은 맑기만 하구나
迎風懷已爽	바람 맞이하니 가슴 이미 시원하고
見月句還成	달을 보니 글귀 또한 지어지네
暝柳烟中矗	어두운 버드나무 연기 속에 우뚝 섰고
流川雨後盈	흐르는 시냇물 비 온 뒤 가득 차는데
菊籬兼蕙畹	울타리 국화와 혜초 밭에
閑趣勝淵明	한가한 취미는 도연명보다 낫네

41. 네 번째 시[其四]

靑山白石著吾廬	청산백석이 내 집에 붙어 있어
縱是京華俗慮踈	이에 따라 서울의 속된 생각 드물구나
靜夜携朋揮玉麈[1]	고요한 밤 친구를 이끌고 고요히 담화 나누니

滿牕明月淨琴書　　　창 가득한 밝은 달은 거문고와 글을 맑게 하네

주　1) **휘옥진**(揮玉塵): 옥 불자(玉塵)는 아름다운 먼지떨이를 가리키는데 진나라 사람이
　　청담을 나눌 때 불자를 휘둘렀던 데서 온 말로 조용히 담화하는 것을 뜻함.

42. 반지의 연을 감상하다[賞蓮盤池]

緣溪步入洞門開　　　개울 따라 걸어 들어가니 동문 열려 있어
自愛淸香引客來　　　스스로 맑은 향기 사랑하여 손님 끌어오네
一曲菱歌沙渚白　　　한 곡조 능가1)에 모래톱이 희고
招呼明月勸深盃　　　밝은 달 부르면서 깊은 술잔을 권하네

주　1) **능가**(菱歌): 마름을 뜯는 사람이 부르는 노래.

43. 만부1)로 귀근2) 가는 이자심을 보내다[送李子深歸覲灣府]

蕭瑟河梁雨　　　쓸쓸한 하량3)에 비 오는데
征車不蹔留　　　가는 수레 잠시도 멈추지 않는구나
斑衣催戲舞　　　아롱 옷 입고 희롱의 춤 재촉하니
佳句憶淸游　　　아름다운 글귀에 맑은 놀이 떠올리네
行踏灣關雪　　　가서 만관4)의 눈을 밟고
回看漢樹秋　　　돌아와서는 한양 나무의 가을을 보는데
南圖應有意　　　남쪽을 도모함에 응당 뜻이 있으리니
歸去莫悠悠　　　돌아오는 길 너무 오래 걸리지 말게나

주　1) **만부**(灣府): 의주(義州)의 별칭.
　　2) **귀근**(歸覲): 외지에 있는 자식이 본가에 있는 부모를 뵈러 감.

44. 의주 부윤1) 이 공 덕성이 흑모포를 보내와 감사하다[謝灣尹2)

李公德成惠黑毛布]

使君有嘉惠	사군3)의 아름다운 은혜가 있어
惠以黑毛布	고맙게도 검은 모포를 보내주었네
開封動凝光	봉함 뜨으니 엉긴 빛 움직이고
織織生雲霧	올마다 구름과 안개 생겨나는데
篋錦徒相饋	상자 속 비단 다만 서로 보내나
綈袍未足取	제포4)는 족히 받을 수 없네
不有江州守	강주5)의 군수가 있지 않았다면
焉識東籬趣	어찌 동리6)의 취미를 알았으랴
持之向金市	가지고 저자로 가서
沽酒仍致饍	술도 사고 또한 안주도 사고
於焉命儔侶	어느새 무리들을 시켜
終夕極譚讌	저녁 끝날 때까지 이야기와 잔치가 이어졌네
美味鼓詩腸	아름다운 맛은 시장을 울리고
紅潮漲愁面	홍조7)가 시름하는 얼굴에 넘치네
相去千餘里	서로 거리가 천여 리나 되는데
尚可示繾綣	아직도 견권8)한 정을 볼 수 있구려
推喜一境澤	기쁨으로 한 고을에 은혜 미치고
滲漉在人遍	사람들 모두에게 두루 스미게 하여
方今惠政急	지금 은혜로운 정치 시급하니

| 願公益自勉 | 바라건대 공께서 더욱 스스로 힘써주기를 |

주
1) **부윤**(府尹): 조선 시대의 지방 관아인 부(府)의 우두머리. 종2품 문관의 외관직.
2) **만윤**(灣尹): 예전에 의주(義州) 부윤(俯尹)을 달리 이르던 말.
3) **사군**(使君): 지역 행정관청의 우두머리.
4) **제포**(綈袍): 두꺼운 명주로 만든 솜옷.
5) **강주**(江州): 중국 강서성 남창현. 도연명이 처음 강주군수가 되었을 때 국화를 많이 심었던 일에서 전하여 국화가 많다는 뜻임.
6) **동리**(東籬): 국화를 심은 밭.
7) **홍조**(紅潮): 취하거나 부끄러워하여 붉어진 얼굴빛.
8) **견권**(繾綣): 간곡하게 정성을 들이는 모양.

45. 이이보가 남으로 귀근 가기에 이별하며 계방에게 보이다[別李頤甫南觀兼示季方]

河漢肅以沍	하한1)은 엄숙하게 얼어 있고
雲雪氣嵯峨	구름과 눈의 기운 드높기만 한데
游子欲何向	그대 어느 곳을 향해 놀러 가려 하는가
南登詠白華	남쪽으로 백화루에 올라 읊을 테지
趨庭已催意	뜰에 나아갈 뜻을 이미 재촉하고
出宿卽命僕	나와서 머물며 곧 종에게 명하였네
跋涉豈深憂	발섭2)한들 어찌 근심이 깊을까
定省誠所篤	정성3)은 참으로 두터워야 하는 것을
升堂獻拜舞	마루에 올라 절과 춤을 드리고
聯衾且和湛	한 이불 속에 잠드니 또한 화목하고 담담하였지
詩禮可同學	시와 예를 함께 배웠고
義理應共探	의리를 함께 찾는 데 응하였네

自喜有茲樂	스스로 기뻐하니 이러한 즐거움 있는데
但令惱友生	다만 친구들이 번뇌하게 하네
交親十年間	사귀어 친한 지 십 년이나 되었는데
未曾送遐征	일찍이 멀리 보낸 일이 없구나
今晨忽違異	오늘 새벽 갑자기 서로 어긋나니
誰與展嬿婉	누구와 더불어 좋은 이야기 펼칠 건가
山川阻且長	산천은 막히고 또한 길어
怊悵前期遠	앞기약 멀어짐 슬퍼하네
含情不能言	정을 머금었으나 능히 말을 못하고
跂余空相望	갈림길에서 속절없이 서로 바라보네
願勉日新志	바라건대 날마다 뜻 새롭게 함에 힘써
音塵慰疏曠	소식 보내 성글고 아득함을 위로하게나

주
1) **하한**(河漢): 남북으로 길게 보이는 은하계를 강에 비유한 말.
2) **발섭**(跋涉): 산을 넘고 물을 건너서 길을 감.
3) **정성**(定省): 밤에는 이부자리를 보살피고, 아침에는 안부를 물음. 자식이 부모를 섬기는 도리.

46. 원소1)절에 달을 밟다[元宵踏月]

■ 병자년[丙子, 1696]

長安大道月如練	장안의 큰길은 달과 같이 이어지고
樽酒相逢第二橋	항아리의 술로 두 번째 다리 위에서 서로 만났네
焉得綵虹移我步	어찌 무지개다리 얻어서 내 걸음을 옮겨줄까

廣陵寺裡永今宵 　　　광릉사 속에 오늘 밤 영원하라

1) **원소**(元宵): 정월 보름날 밤.

47. 사람을 대신해 이생 확을 만사하다[代人挽李生穫]

■ 이생은 용호 사람이다[龍湖人]

夫君抱眞樸 　　　그대는 순진하고 소박함을 품어
古貌仍古心 　　　옛 모습 그리고 옛 마음이었네
言訥還有味 　　　말은 어눌하나 또한 맛이 있었고
行篤亦可欽 　　　행동은 독실하여 또한 공경할 만했으며
生涯付江湖 　　　강호에 부쳐 살고
世事任浮沈 　　　세상일은 부침에 맡겼네
貧窶豈足妨 　　　가난하고 군색함이 어찌 족히 방해될까
崇壽能自得 　　　높은 수명을 스스로 얻을 수 있었지
庭蘭縱不繁 　　　뜰의 난초는 비록 성하지 못하나
遺馨尙可續 　　　남긴 향기는 오히려 이어질 수 있으리
於我渭陽親 　　　나와는 외가의 친척으로
惟公獨歸然 　　　다만 공이 홀로 우뚝하였네
常恨市鄕隔 　　　항상 도시와 시골이 막힌 것 한하였고
未能抒纏綿 　　　능히 얽힌 것을 풀어내지 못했네
僑寓慰人意 　　　우거하면서 남의 뜻을 위로했고
簷屋幸相連 　　　처마와 집은 다행하게도 서로 이어졌지
自喜孤露人 　　　돌볼 사람이 없어 스스로 즐거워 해

從玆有依倚	이에 서로 의지함이 있었는데
誰知大化遷	누가 크게 변하여 옮겨갈 줄 알았을까
泉塗永爲閟	황천길이란 영원히 닫혀 있는 것을
蕭條舊軒楹	옛날 마루기둥은 쓸쓸하고
悵悵何所追	갈 길 잃어 마음 아득한데 어느 곳으로 따라갈까
明甕旣卜兆	명당을 이미 점쳤으니
慘怆命靈輀	참담하게 영이1)를 명하는구나
東郡適行役	동쪽 고을에 마침 행역2) 있어
相紼亦有違	서로 상여 줄 끄는 것조차 어기었으니
此恨豈終極	이 한이 어찌 끝이 있을까
哀淚滿征袍	슬픈 눈물이 나그네의 도포에 가득하네
回頭唱薤詞	머리 돌려 해사3)를 부르니
白楊何蕭蕭	백양나무는 왜 이리 쓸쓸한가

주
1) **영이**(靈輀): 관(棺)을 실은 수레, 영구차.
2) **행역**(行役): 나랏일. 노역하는 일.
3) **해사**(薤詞): 사람이 죽었을 때 부르는 만가(輓歌).

48. 군주와 자심에게 부치다[寄君冑子深]

擁郭千株柳	성곽은 천 그루의 버들이 둘렀고
臨軒一局棋	헌함에는 바둑판 하나 놓여 있네
郵筒傳好意	서찰 통이 좋은 뜻을 전했는데
花下有前期	꽃 아래서 앞서 한 기약이 있다더군

49. 자심과 꽃 아래서 마시다가 운을 부르다[飮子深花下呼韻]

招邀卜良晝	좋은 날을 점쳐서 부르고
談笑倚芳叢	담소하며 꽃이 만발한 풀숲에 의지했네
草展重裀綠	풀은 펼쳐져 푸른 담요가 깔린 듯하고
花圍步障紅	꽃이 둘러싸 걸음마다 붉음이 가로막는데
鳴禽喧暖日	우는 새는 따뜻한 날을 지저귀고
游蝶畏高風	노니는 나비 높은 바람 두려워하네
醉眼微生纈	취한 눈에 조그만 불꽃 되어
悠然夕照中	유연히 석양 속에 서 있네

50. 군주와 당시의 여러 벗에게 부쳐 보이다[寄示君冑時仲諸友]

欣然一咲過西池	기쁘게 한 번 웃고 서쪽 못 지나가니
還作山陰興盡歸	또한 산에 그늘지자 흥 다해 돌아가네
獨掩柴門仍不寐	홀로 사립문 닫고 잠 못 이루는데
梨花如雪滿庭飛	배꽃이 눈같이 뜰에 가득 내리네

51. 유월 열사흗날 밤 군주와 더불어 시류1)를 보며 평론하다가 임창계 덕함2) 형이 금강산 길에서 김보광 자익에게 보낸 절 구를 풍송3)하던 중 존망을 생각하며 함께 걸으며 그 운으로 회포를 풀다[季夏十三夜 與君冑評閱詩流 仍及林滄溪德涵兄 金剛路贈金葆 光子益絕句諷誦之 餘感念存沒遂共步 其韻以寄懷]

皎皎高情厭世間　　교교4)한 높은 정은 세간을 싫어하니

不然英魄詎長還　　그렇지 못하다면 꽃다운 혼이 어찌 길이 돌
　　　　　　　　　　아갈 수 있을까

方今時事紛如許　　바야흐로 지금의 일은 저와 같이 어지러운데

應喜安身在碧山　　편안한 몸 벽산에 있음을 마땅히 기뻐하네

주
1) **시류**(詩流): 시의 흐름. 시의 말.

2) **덕함**(德涵): 조선 중기 문인 임영(林泳, 1649~1696)의 자. 호는 창계(滄溪). 대사헌을
　지냄.

3) **풍송**(諷誦): 글을 읽고 시를 읊음.

4) **교교**(皎皎): 희고 깨끗한 모양.

52. 원래 있던 운을 부치다[附原韻]

怪君淸氣出眉間　　괴이하다! 그대의 맑은 기운 미간에서 나와

說道金剛已往還　　금강산을 이미 갔다 왔다고 말하였네

爲問洞天明月色　　위하여 묻노니 동천의 밝은 달빛은

永郎今夜宿何山　　영랑1)이 오늘 밤 어느 산에 잠잔다고 하던가

(林滄溪 임창계)

주
1) **영랑**(永郞): 신라 때 동해안에서 노닐던 신선.

53. 차운[次韻]

謾留歎唾散人間　　부질없이 글 남겨서 인간 세상에 흩어놓으니

紫府幡幢早已還　　자부1)로 명망을 일찍이 돌렸구려

孤墳獨有啼猿守　　외로운 무덤 홀로 남아 원숭이 울며 지키고

衰草荒烟月照山　　　풀은 쇠하고 연기 거친데 달만 산을 비추네

(林君胄 임군주)

1) **자부**(紫府): 대궐. 황궁.

54. 군주의 책상 아래에서 시「단구1) 선암에 한 조각 괴이한 돌이 있다」를 보고 한 절구를 지어서 군주와 사진과 자심에게 화답하라고 요구하다[見君胄案下有丹丘仙巖一片怪石 仍成一絶要君胄士珍子深和之]

移自仙巖最上巓　　　선암2) 최상봉에서 가져온 뒤로

幾年床下秘雲烟　　　몇 해나 상 아래에 그 자취 숨겼는가

精光夜夜干星斗　　　정광3)은 밤마다 북두성을 범하고

會見媧皇鍊補天　　　여왜4)와 천황씨5)회견하여 하늘을 돕지

1) **단구**(丹丘): 신선이 산다는 곳. 충청북도 단양(丹陽)을 달리 이르는 말.
2) **선암**(仙巖): 단양에 있는 암벽 이름. 단양팔경의 하나.
3) **정광**(精光): 환한 빛.
4) **여왜**(女媧): 중국의 천지창조 신화에 나오는 여신. 사람 얼굴에 뱀의 몸을 함.
5) **천황씨**(天皇氏): 중국 태고 시대의 전설적인 인물. 삼황(三皇)의 으뜸.

55. 칠월 초이튿날 매미 소리를 듣고, 또한 세 사람에게 화답을 요하였다[初秋二日聽蟬亦要三子和之]

睡起初蟬第一聲　　　잠 깨자 첫 매미 첫 소리 들리고

入簾新氣十分淸　　　주렴으로 들어오는 새로운 기운 십분 맑도다

休言微物無靈覺　　　미물에게 신령스런 깨달음 없다고 말하지 마라

也自知時盡意鳴　　　또한 절로 때 알아서 뜻을 다해 우는 것을

56. 팔월 열엿샛날 밤에 이의주의 부름을 받고 공망, 사진, 중약,
자심, 사아¹⁾, 숙하와 함께 팔각정에 올라 달을 보며 잔을 잡
으면서 지난밤을 헛되게 보낸 것이 애석해 기망²⁾의 둥근 빛
을 읊는 것이다[仲秋十六夜爲李義州見招　同公望士珍仲約子深士雅叔夏
登八角亭酌月把盃　盖惜前宵之虛過而亦取旣望之圓光也]

昨雨佳辰過　　　어젯밤 아름다운 때 지나가니
今宵月正圓　　　오늘 밤 달이 정말 둥글구나
開雲何待管　　　구름 열리는데 어찌 붓을 기다리겠는가
流影已盈天　　　흐르는 그림자는 이미 하늘에 가득하네
好意山中酒　　　좋은 뜻은 산중의 술이요
晴光郭外烟　　　맑은 빛은 성 밖의 연기라
燈高仍極目　　　등이 높아 이내 눈여겨보니
豪興更無邊　　　호기스러운 흥 끝이 없구나

1) 사아(士雅): 조선 시대 문신 안진석(安晉石, 1644~1725)의 자. 본관은 순흥.
2) 기망(旣望): 음력 매달 16일.

57. 또한 구숙이 지은 시운을 따라 두 절구를 짓다[次久叔韻二絕]

佳期晼晚碧梧秋　　　아름다운 기약 저물어 푸른 오동 가을이라
悵望南雲嶺海悠　　　슬프게 바라보는 남쪽 구름에 고개와 바다
　　　　　　　　　　　멀기만 한데

尊酒盤溪籬外雨　　항아리의 술은 반계 처마 밖의 비가 되어
挑燈幾撿昔年儔　　몇 번이나 등잔을 돋우며 옛 짝의 글을 살
　　　　　　　　　피네

58. 두 번째 시[其二]

泮水槐黃設禮圍　　반수1)의 늙은 홰나무 예위2)의 역사 말해주
　　　　　　　　　는데
海禽何處欲高飛　　바닷새 어느 곳에서 높이 날고자 하느냐
前期每閱書中語　　먼저 항상 책 속의 내용을 찾아보고
算得行旌不日歸　　셈해보니 돌아갈 날 머지않았네

주　1) **반수**(泮水): 반궁(泮宮)의 동과 서의 문 남쪽에 호(濠)를 파서 빙 돌린 물. 전하여 성균관.
　　2) **예위**(禮圍): 한나라 때 상서성(尙書省)의 다른 이름. 금원(禁苑) 가까운 건례문(建禮門) 안에 있었으므로 예문이라 이름. 전하여 과거 시험.

59. 사진 구숙과 더불어 자심 댁에서 마시다[與士珍久叔飮子深宅]

經歲分南北　　해를 지내도 남북에 갈렸다가
秋風會洛陽　　가을바람에 서울로 모였구려
遣兒催秉燭　　아이를 보내 촛불 켜도록 재촉하고
呼酒急登床　　술을 불러 급히 상에 올렸네
況値良辰近　　하물며 양신1)이 가까워졌는데
寧孤此夜長　　어찌 외로이 이 긴 밤을 보낼까

| 只嫌浮世事 | 다만 뜬세상 일을 꺼리는데 |
| 猶自細思量 | 오히려 스스로 자세하게 생각해 헤아려보네 |

주 1) 양신(良辰): 좋은 때. 가절(佳節).

60. 이보 형제가 함께 사마1)에 올라 진안의 임소로 귀근 갔기에 보내다[送頤甫兄第同登司馬歸覲鎭安任所]

■ 짧은 서문을 함께 쓰다[竝小序]

이와 구가 나란히 진사2)가 되었는데, 구는 또한 종장3)에서 장원하였다. 장차 신은4)을 가지고 경사를 바치고자 아버님이 계시는 월랑의 임소로 보냈는데 무릇 지자는 마땅히 말이 있어야 할 것이고, 말 또한 갖추지 못하여 초라할 수만은 없다. 나는 마침내 상사와 병고로 뜻 없이 앉아 읊으니 다만 그 성대한 일을 모른 척할 수는 없었으므로 율시 하나를 지었다. 그 말은 비록 간략하나 그 뜻을 소홀하게 할 수가 없었다. 자심이 먼저 서문을 지어 자세히 밝혔으므로 내가 또한 자세히 쓸 수가 없었다. 다시 무슨 말을 하겠는가.

頤久並擧進士 久又魁於終場 將以新恩獻慶 于大庭月浪之任所 則凡知者送之宜有語 語亦不可草草也 某適坐喪病無意吟咏 但不可孤其盛事 有此一律焉 其語雖略其意則亦不可以略而忽之也 且區區未盡者 子深序先獲之是猶我也 復何複焉爾

| 兄弟同蓮榜 | 형제가 함께 연방5)에 올라 |

斑衣向縣闈	때때옷 입고 현위6)로 향하는데
門閭爭獻慶	마을 어귀에는 다투어 경사를 드리고
湖嶺亦生輝	호남과 영남에 또한 빛이 나네
世役今初半	세상의 맡은 일 처음이 곧 반인데
心工此可哉	마음공부는 이만하면 좋구나
溪南已寂寞	계남7)이 이미 적막하나
休使素期違	본래 약속을 어기지 마라

주

1) **사마**(司馬): 소과(小科). 생원과. 진사를 뽑던 과거.
2) **진사**(進士): 과거의 한 과목에 급제하여 임관될 자격이 있는 사람. 소과 시부(詩賦)에 합격한 사람.
3) **종장**(終場): 과거의 마지막 단계로 인품에 대한 시험. 초장은 예비시험으로 시와 부를 짓게 하고, 중장은 본시험으로 대책문(對策文)을 짓게 함.
4) **신은**(新恩): 과거에 새로 급제한 사람.
5) **연방**(蓮榜): 과거 합격자를 발표하는 방(榜).
6) **현위**(縣闈): 현의 청사(廳舍).
7) **계남**(溪南): 이보 형제가 살던 마을 이름.

61. 자심 댁에서 마시는데 사진 형제와 시중의 숙질과 하동 권순이 모였다[飮子深宅士珍兄弟時仲叔姪權河東諄會]

來醉西家酒	서쪽 집에서 술에 취해 와
能排凍雪寒	능히 얼음 눈 추위를 물리쳤네
浮生難一會	뜬세상에 한 번 만나기 어려운데
今夕幸深歡	오늘 저녁 다행스럽게도 매우 즐겁구나
只任升沉在	다만 승침1)에 따라서 사니
寧愁道路難	어찌 삶의 어려움을 시름하랴
良宵知不負	좋은 밤을 알고는 저버리지 못하니

要待月盈闌　　　　　모름지기 달이 다 찰 때까지 기다리자

1) 승침(昇沈): 인생에서 잘됨과 못됨.

62. 중약 댁에서 그 네 형제와 마시는데 자심과 홍도진이 왔으므로 '거(居)'자를 얻었다[飮仲約宅其四昆季 子深洪道陳來得居字]

選日招邀角里居　　　날을 가려 각리1)의 집으로 부르니
故人詩興問何如　　　옛사람의 시흥이 어떠한지 묻는데
囊中有價先沽酒　　　주머니 속에 돈이 있어 먼저 술을 사고
廚下無供只嚼蔬　　　부엌에 안주 없어 다만 나물을 씹네
淸影2)月臨山閣逈　　　청영에 달 임하니 산집이 멀고
暗香梅近紙牕虛　　　그윽한 매화 향기 가까워 종이창을 여는데
浮生一醉寧容惜　　　뜬세상에 한 번 취함이 어찌 애석하랴
況復光陰逼歲除　　　하물며 세월이 또한 세제3)를 재촉하네

1) 각리(角里): 상산사호(常山四皓) 중 하나. 각리 선생이 살던 곳. 은자의 거처.
2) 청영(淸影): 솔, 대 등(等)의 그림자를 운치(韻致) 있게 일컫는 말.
3) 세제(歲除): 섣달 그믐날 밤.

63. 또한 연구로 겨우 세 운을 부르고 잠시 자고 일어났는데 제공들은 이미 글을 지어 마쳤으니 어찌 그리 빠른가[又聯句僅呼

三韻 假寐而起 諸公已卒篇 何其速也]

城西暇日好筵開　　　성 서쪽 여가 날에 좋은 자리 열어두고
佳客招邀次第來(陳)　　아름다운 손님 부르니 차례로 온다(진)

一榻清游同李郭	한자리에서 이 씨와 곽 씨가 함께 청유1)하고
百年交契似陳雷(約)	백 년의 교유는 진뢰2)와 같다(약)
塵間混跡頻看劒	세상의 혼란한 자취는 자주 싸우는 것이고
歲暮消愁只有盃(己)	세모에 시름 지우는 것은 다만 술뿐이라오(나)
多病自憐司馬渴3)	병이 많으니 사마상여의 소갈병을 스스로 가련히 여기네
吟詩爭許謫仙才(陳)	시를 읊으며 적선의 재주와 다툰다(진)
荊山白璧空懷璞	형산4)의 흰 구슬을 박옥이라 여기게 하고
燕市黃金未築臺(己)	연시5)에는 황금으로 축대를 쌓지 못한다(나)
我輩豈爲蓬底物	우리들이 어찌 봉저6)에 살까
柔陽尚復管仲灰7)(己)	따스한 볕 오히려 관중8)의 타는 마음 돌린다(나)
暫時落拓寧須歎	잠시 낙척9)함을 어찌 탄식하며
浮世功名亦可咍(陳)	뜬세상 공명은 또한 웃을 일이구나(진)
堪笑嗣宗疎禮法	종사를 잇는 성긴 예법은 웃어버리고
任他方朔善調護(珍)	타 지방에 임명되었으니 삭선10)하고 조호11)하게나(진)
時逢好友開幽抱	때로 좋은 벗 만나거든 숨긴 생각 열어두고
且喜芳樽洽舊醅(深)	또한 향기로운 술 항아리 기뻐하며 묵은 막걸리에 만족하라(심)
篇就不愁金谷罰	글을 지을 때는 금곡벌12)을 근심하지 말고
醉來長作玉山頹13)(陳)	옥산이 무너지게 취해보세(진)
丁丁禁漏寒宵永	땡땡 물시계 소리에 차가운 밤 길어지고
苒苒流光逝水催(珍)	염염14)히 흐르는 빛, 가는 물 재촉한다(진)
明月入樓宜嘯咏	밝은 달 누대에 들어오니 마땅히 시를 읊고

青山近宅絶塵埃(深)	푸른 산 집에 가까우니 속세와 끊겼구나(심)
三冬雪色侵寒竹	삼동의 눈빛은 차가운 대나무에 숨어들고
一夜春色着舊梅(陳)	하룻밤 봄빛은 옛 매화에 붙는구나(진)
此日逢迎眞幸耳	이날의 만남 참으로 다행스러운 일인데
良宵談讌最佳哉(陳)	좋은 밤 이야기 잔치 가장 아름답구나(진)
歡情款款觥籌錯15)	기쁘고 즐거워 느릿느릿 술잔과 산가지가 뒤섞이고
長夜漫漫斗柄回(深)	긴 밤 지루하게 북두성이 돌고 있네(심)
會待明春芳草出	모임은 명년 봄 방초 나올 때 기다리고
佳期重卜小池限(珍)	아름다운 기약은 거듭 작은 못가로 정하시게(진)

주
1) **청유**(淸遊): 아담하고 깨끗하며 속되지 아니하게 놂.
2) **진뢰**(陳雷): 후한 시대 진중(陣中)과 뇌의(雷義) 사이의 두터운 우정.
3) **사마갈**(司馬渴): 사마상여(司馬相如)는 한 무제 때의 사부가로 항상 소갈병을 앓음.
4) **형산**(荊山): 중국 호북성 남장현 서쪽에 위치한 산. 초나라 사람 변화(卞和)가 옥을 올렸는데 박옥(璞玉)을 왕에게 올려 속였다는 이유로 두 발이 잘리고 나중에야 인정받았던 보옥(寶玉)이 나온 곳.
5) **연시**(燕市): 중국 북경. 황금이 나지 않음.
6) **봉저**(蓬底): 가난한 사람이 사는 집.
7) **유양상복관중회**(柔陽尙復管仲灰): 관중이 환공을 돕는 데 신경을 쓰느라 항상 마음이 타서 재가 된다는 내용.
8) **관중**(管仲): 제나라 재상. 이름은 이오(夷吾). 환공(桓公)을 도와 중원의 패자(霸者)로 만들었음.
9) **낙척**(落拓): 어렵거나 불행한 환경에 빠짐.
10) **삭선**(朔膳): 예전에 각 도에서 나는 물건으로 차려서 매달 초하루에 임금께 드리는 수라상을 이르던 말.
11) **조호**(調護): 매만져 잘 보호함.
12) **금곡벌**(金谷罰): 진(晉)나라 석숭(石崇)이 금곡(金谷)에서 잔치를 베풀어 빈객(賓客)들에게 시를 짓게 하고 시를 짓지 못하면 벌주(罰酒)로 술을 마시게 함.

13) **옥산퇴**(玉山頹): 용모가 수려한 사람이 술에 취하여 몸을 가누지 못함.

14) **염염**(苒苒): 초목이 무성한 모양, 가볍고 부드러운 모양, 시간이 점점 흘러가는 모양.

15) **굉주착**(觥籌錯): 굉주교착(觥籌交錯). 벌로 먹이는 술의 술잔과 잔의 수를 세는 산가지가 뒤섞인다는 뜻으로, 연회가 성대함을 비유적으로 이르는 말.

64. 자심에 차운하다[次子深韻]

才子方高會	재자들이 바야흐로 고회를 열었는데
吟毫不蹔停	읊고 쓰기를 잠시도 멈추지 않는구나
調高皆白雪	높이 읊는 것은 모두 흰 눈이요
題寄卽玄亭	써서 부치는 곳은 곧 현정1)이라오
頓起三年渴	갑자기 삼 년간 시의 목마름 생각나
能揩兩眼靑	두 눈을 문질러 맑은 눈 되네
後塵2)嗟未躡	지난 뒤 이는 먼지 슬프게도 아직 밟지 못하여
倚杖立閒庭	막대 짚고 한가로이 뜰에 서 있네

주
1) **현정**(玄亭): 높은 정자.
2) **후진**(後塵): 사람이나 거마(車馬)가 지나 간 뒤에 일어나는 먼지.

65. 형중 윤득임1)의 고의에 화답하다[和尹衡仲得任古意]

幼年志意大	어릴 때부터 뜻이 커
所嗜在典籍	좋아하는 것은 책이었네
未究道義奧	도의의 깊은 뜻 다 연구하지 못하고
或近文字役	혹은 문자의 일을 가까이하였는데

思之若有得	생각하면 얻음이 있는 것 같았으나
發言還成癖	말을 하면 또한 병이 되었네
常談不足取	항상 말은 부족하였는데
盈箱復奚益	상자에 가득한 글이 무슨 소용 있을까
旣爲知者笑	이미 아는 자의 웃음거리 되었으니
休論文章格	문장의 품격을 논하지 말게나
風塵一昏濁	풍진이 한 번 혼탁하여
大車觸其阨	큰 수레가 그 험함에 부딪혔는데
造門彼何人	문을 지은 이, 저 어떤 사람인가
氣宇殊未窄	기우2)가 좁지 않은 것 같네
升堂奏陽阿	당에 올라 양아곡을 연주하니
古情兩無隔	예와 지금에 모두 막힘이 없었는데
初非明月珠	처음에는 명월주가 아니었으나
肯嫌暗夜擲	즐거이 어두운 밤에 던져짐을 꺼리랴
新章入牙頰	새로운 글은 입 속으로 들어와서
空裏散金石	공중 속에 금석을 흩은 듯한데
人心貴相得	사람의 마음이란 서로 얻기 귀한 것
歲暮永無射	해 저무니 오래도록 싫음이 없구나

주 1) 득임(得任): 조선 중기 문신(1672~?). 자는 형중. 본관은 해평.
　　2) 기우(氣宇): 도량(度量)과 기국(器局).

66. 자심 댁에서 약휴, 형중, 대년이 모여 마시면서 사람을 시켜 운을 부르게 하다[飮子深宅珍約休衡仲大年會 令人呼韻]

病後靑山靜不孤	병 뒤에 푸른 산 고요하나 외롭지 않고

客來新酒滿尊沽	손님 오니 새로운 술 항아리에 가득 사왔다네
笙歌餞歲樓南北	생황과 노래로 누대의 남북에서 해를 보내고
雲雪横城樹有無	눈구름 성에 비끼니 나무가 있는 듯 없는 듯한데
金谷詞筵嚴律令	금곡의 글하는 자리에 율령이 엄하고
龍門華饍憶公廚	용문의 화려한 반찬, 궁의 주방 생각하게 하네
半酣猶作清狂態	반쯤 취했어도 오히려 청광 흉내 내어
如意揮來擊唾壺	여의봉 휘두르며 와서 타호를 치는구나

67. 또한 엄주1)가 지은 시에 차운하다[又次弇州韻]

清尊迎北海	맑은 술 항아리 북해를 맞이하고
君子誦南山	군자들은 남산장2)을 외우네
梅動先春意	매화는 동하여 먼저 춘의를 나타내고
松含傲雪顔	소나무는 눈을 업신여기는 표정을 짓네
更燈宵易盡	다시 등불 돋우니 밤은 쉽게 가고
投轄3)客難還	비녀장을 뽑아 던지니 손님 돌아가기 어렵구나
共許風流勝	함께 풍류의 좋음을 인정하여
塵情且不關	속세의 정으로 또한 관여하지 말게나

주
1) **엄주**(弇州): 중국 명나라의 문학자 왕세정(王世貞, 1526~1590)의 호인 엄주산인(弇州山人). 자는 원미(元美). 고문 복고운동의 중심인물로 격조를 소중히 여기는 의고주의를 주장했음.
2) **남산장**(南山章): 남산지수(南山之壽). 무궁한 종남산처럼 무한한 수명장수를 축원하는 말.
3) **투할**(投轄): 서한(西漢)의 진준(陳遵)이 주연을 열고 빈객들이 모이면, 수레의 비녀장을 우물 속에 던져 급한 일이 있어도 가지 못하게 했다는 고사에서 비롯된 말.

68. 또 운을 부르다[又呼韻]

寒梅馥馥襲人衣	추운데도 매화 향기 사람의 옷 파고들고
花下居然喚客歸	꽃 아래 거연히 돌아가는 손님을 부르네
問子高情何所似	묻노니 그대의 높은 정 그 무엇과 같은가
滿山松雪一柴扉	산에 가득한 소나무와 눈 사이로 사립문 하나 있구나

69. 즐겁게 다섯째 형님¹⁾ 속의 시「목가산」을 추화²⁾하다[追和樂而五兄涷木假山詩]

君子貴眞不貴假	군자는 참됨을 소중히 여기고 거짓을 가벼이 여기는데
胡爲置此高軒下	어찌해 목가산³⁾을 높은 처마 아래 두었는가
得非庭戶遠游趣	뜰 문 멀리서 노는 취미가 있는 것이 아니니
無乃方外好事者	방외⁴⁾의 일을 좋아하는 자가 만든 것이 아니겠는가
自言我心在世守	내 마음은 대대로 지키는 데 있다고 스스로 말하나
爲補先公舊所有	선공이 옛날 가졌던 것을 보전할 뿐이지
辛勤洗拂江海間	신근⁵⁾하게 강과 바다 사이를 청소하나
異形嵬峩骨且瘦	우뚝하고 이상한 모양에 뼈대마저 파리하구나
新峰添得舊峰色	새 봉우리가 옛 봉우리 색을 더하고
不憂平泉賣樹石⁶⁾	평천의 나무와 돌 팔려는 근심 사라지는데

腐根尺寸蒼翠足　　　썩은 뿌리에도 한 치의 푸름으로 족하니
更覺化翁太戱劇　　　조화옹의 가장 큰 희극임을 알겠네
何時噓出凄凄雨　　　어느 때 거짓말처럼 찬비가 쓸쓸히 내려
灑向人間濕鹵鳥　　　세상의 때 묻은 신발을 씻어줄까

주　1) **다섯째 형님**: 한주공의 6대조인 한성군(漢城君, 휘는 秩)의 동생인 찬성공(贊成公,
　　　휘 稱)의 6대손인 속(涑, 1647~1720). 자 낙이(樂而), 호 수암(樹庵). 돈령부 도정(都
　　　正)을 지냈으며 병연(秉淵)의 아버지.
　　2) **추화**(追和): 뒤따라 화답함.
　　3) **목가산**(木假山): 모양이 산처럼 생긴 자연목.
　　4) **방외**(方外): 속세를 떠난 곳. 신선계.
　　5) **신근**(辛勤): 어렵고 고생스러움.
　　6) **평천매수석**(平泉賣樹石): 당나라 이덕유(李德裕)가 기이한 초목과 돌이 가득한
　　　평천장을 짓고 나서 "이곳을 파는 자는 나의 후손이 아니며, 꽃 하나 돌 하나라
　　　도 남에게 주는 자는 아름다운 자손이 아니다"라고 한 데서 비롯됨.

70. 설날에 아기를 씻기다[元日洗兒]

人生壽福係穹蒼　　　인생의 수복은 맑고 푸른 하늘에 달렸는데
豈敢區區有所望　　　어찌 감히 구구하게 바람이 있을까
倘賴天靈能永命　　　오히려 하늘의 영험함 힘입어 생명 길어지고
擬將家學訓倫常　　　장차 가학으로 인륜과 상도 가르칠 생각하네

71. 우연히 사람을 위하여 운을 부르고 억지로 짓기를 재촉하여
　　이에 초서1)로 쓰다[偶爲人呼韻促成仍强草]

小齋山雪鮮　　　작은 집에 산 눈 빛나고

瀟灑絶塵汚	깨끗하여 먼지와 더러움 끊어졌는데
醉倚爐頭眠	취하여 화롯가에 의지해 잠을 자니
獰風不敢侮	사나운 바람이 감히 업신여기지 못한다

 1) 초서(草書): 십체(十體)의 하나. 필획을 가장 흘려 쓴 서체로 획의 생략과 연결이 심한 것이 특징임.

72. 낙촌에 있으면서 맏형을 모시고 밤에 이야기하다가 마을 사람 중 글 읽는 사람을 불러 『기아』에 차운하다[在樂村陪舍伯夜話 因招里中讀書諸人 次箕雅韻]

■ 글 읽는 사람은 조카 병정, 병일과 안의보이다[諸人乃鼎姪秉一安宜甫也]

憂病三冬盡	병을 근심하느라 삼동이 이미 다갔는데
逢迎是日閒	만나고 맞이하는 이날은 한가롭네
雪華棲半岸	눈꽃은 언덕의 반을 덮고
春風到前山	봄바람은 앞산까지 왔는데
漉酒尊仍滿	술 거르니 항아리에 이미 가득차고
當歌客未還	노래할 때 되었으나 손님 아직 돌아오지 않네
夜來詩更好	밤이 되니 시 다시 좋아지고
雲樹靜柴關	나무에 구름 끼니 사립문 고요하네

73. 두 번째 시[其二]

| 林外紅塵鬧 | 숲 밖의 세상 시끄럽고 |

壺中白日閒　　병 속의 밝은 해 한가로운데
細聲添小澗　　가는 소리 작은 시내 더하고
新雨變寒山　　새로운 비에 차가운 산 변해가네
藥種時來潤　　약 심을 때는 비에 땅이 젖고
花心暗裏還　　꽃 소식은 살며시 돌아오는데
琴書談舌爛　　거문고 타고 서담을 나누느라 입이 마르고
曉色上雲關　　새벽빛은 운관1)에 오르네

주　1) **운관**(雲關): 하늘에 오르는 첫 관문.

74. 세 번째 시[其三]

酒盡君休去　　술이 다했다고 그대 가지 마라
詩成意亦閒　　시를 이루고 나니 뜻 또한 한가롭구나
星河低曠野　　은하수는 넓은 들에서 낮아지고
雲雪照空山　　구름 눈은 빈산 비추네
溪鴨春聲動　　비오리는 봄 소리에 움직이고
村人夜火還　　마을 사람 밤에 불 들고 돌아오는데
留歡眞勝趣　　머무르는 기쁨 참으로 좋은 취미이니
分付不開關　　분부하여 관문 열지 못하게 하라

75. 네 번째 시[其四]

借問歸京日　　서울로 돌아갈 날 묻노니

能成這義閒	이와 같은 긴 한가함을 이룰 수 있을까
宜行應世路	마땅히 세상길 따라가야 하고
佳處是春山	아름다운 곳은 이 봄 산이라오
琴酒宜朝暮	거문고와 술은 아침저녁으로 마땅하고
耕樵任往還	경초1)는 가고 옴에 맡기는데
今宵尤絶景	오늘 밤 더욱 좋은 경치는
仙鶴唳松關	두루미 송관에서 울고 있는 것이지

주　1) **경초**(耕樵): 농부와 초부(樵夫). 농사일과 땔나무하는 일.

76. 다섯 번째 시[其五]

讀書吾輩事	독서는 우리들의 일이지만
偸隙暫時閒	틈을 내어 잠시 한가로움을 얻지
渾浩耽聽水	크고 넓어 물소리 탐하고
淸幽愛看山	맑고 그윽하여 산 보기 좋은데
此心長自在	이 마음은 길이 자재함 있고
天道幾回還	하늘의 도는 몇 번이나 돌아왔던가
口誦非眞趣	입으로 외우는 것은 참된 멋 아니니
論譚亦妙關	토론과 이야기 또한 묘한 관문이지

77. 여섯 번째 시[其六]

塵事渾忘却	속세의 일 다 잊어버리고

招邀好是閒	불러서 맞이하는 이 한가로움 좋아하네
白殘溪外雪	하얗게 남은 것은 개울 밖 눈이고
靑出屋前山	파랗게 드러나는 것은 집 앞의 산이라
夜久更燈促	밤이 오래되니 등불 다시 돋우고
壺乾覓酒還	술병 마르니 술을 찾아 돌아오네
君歸煩一顧	그대 돌아가거든 번거롭겠지만 한 번 돌아 보라
淸月入荊關	밝은 달이 가시 현관으로 들어올 것이니

78. 다음 날 저녁 또 걸으면서 소일하다가 제자들이 독서하는 모당으로 돌아와 『기아』에 차운하다[翌夕又步自消日 所還諸子讀書 茅堂 次箕雅韻]

點破村烟細	마을 연기 가늘어지다 점점이 흩어지고
雙攀老檜靑	쌍으로 뻗어 오른 늙은 전나무 푸르네
白雲留客好	흰 구름 있어 나그네 머무르기 좋고
晴雪傍人明	갠 눈은 사람 곁에서 밝은데
萬竅時生響	온갖 구멍에는 때로 소리가 나고
群巒各靜形	뭇 봉우리들은 각각 고요한 모습이네
臨流更歎息	흐름을 임하여 다시 탄식하니
千古仲尼情	아주 오랜 중니의 정이라오

79. 두 번째 시[其二]

步溪流宿白	개울가 걷노라니 흐르는 별 희고
開戶壁燈靑	문을 여니 벽에 등불이 푸른데
耿耿心臺淨	경경1)한 마음이 맑아지고
潺潺耳界明	잔잔한 귓가가 밝아지네
詩談欣有味	시 이야기는 기쁜 맛 있고
交態在忘形	사귀는 태도에는 망형2)이 있는데
來日春江路	내일 봄 강가 길에서
那堪送別情	어찌 이별의 정 감당할까

주 1) 경경(耿耿): 마음에서 사라지지 않고 염려가 됨.
2) 망형(忘形): 매우 기뻐하여 정상적인 상태를 벗어나는 것을 이르는 말.

80. 안의보 유별시1)에 차운하다[次安宜甫韻留別]

郊扉邂逅又逢春	교비2)에서 해후하니 또 봄이 오고
靑眼相看故意新	청안으로 서로 보니 이에 뜻이 새롭구려
臨別爲君何所贈	이별 임해 그대 위해 무엇을 보냈던가
願從黃卷更留神	바라건대 황권3) 따라 다시 정신 머물기를

주 1) 유별시(留別詩): 길 떠나는 사람이 머물러 있는 사람에게 작별하며 지은 시.
2) 교비(郊扉): 시골 농가의 사립문.
3) 황권(黃卷): 책을 달리 이르는 말. 예전에는 책이 좀먹는 것을 막기 위해 종이를
황벽나무 잎으로 물들인 데서 비롯된 말.

81. 말 위에서 구점1)하다[馬上口占]

春雲一朶馬前飛	봄 구름 한 줄기 말 앞에 날아오고
時拂吟鞭緩緩歸	때로 채찍질하며 읊으면서 느릿느릿 돌아가는데
重到鄕關知不遠	거듭 고향에 이르니 멀지 않음 알겠고
暫遊京洛賞芳菲	잠시 서울에 머무르며 향기롭고 고운 꽃과 풀 감상하네

주 1) **구점**(口占): 즉석에서 시를 지어 읊음.

82. 성에 들어간 뒤 옛 운을 써서 낙촌에서 공부하는 여러 사람에게 이별의 뜻을 펴다[入城後用舊韻寄樂村讀書諸人敍別意]

馬出鷳沙谷	말이 한사곡1)에서 나와
回頭秋嶺靑	머리 돌리니 가을 언덕 푸르구나
春風吹水淺	봄바람은 얕은 물에서 불고
寒日漏雲明	차가운 해는 구름 뚫고 밝아온다
未盡姜衾樂	강금2)의 즐거움 다하지 못했는데
仍分謝樹形	나뭇가지처럼 나뉘어서 떠나간다
前江深幾許	앞 강의 깊이는 얼마나 될까
難槪此時情	이때의 정을 억누르기 어렵네

주 1) **한사곡**(鷳沙谷): 한주공이 살던 곳의 이웃 마을.
2) **강금**(姜衾): 형제간에 덮고 자는 이불. 후한 시대 강굉(姜肱)이 아우들과 화목하게 지내며 어머니를 섬겼는데 늙도록 각자의 아내와 자지 않고 함께 이불을 덮고 자며 어머니의 마음을 위로한 고사에서 전함.

83. 두 번째 시: 옛 놀이를 하다[其二 敍舊游]

偶然溪上遇	우연히 계상에서 만나
同做一堂閒	함께 한가한 한 집에서 공부했네
客自歌金縷	나그네는 절로 금루1)를 노래하고
人皆倒玉山	사람들은 모두 옥산처럼 무너지니
辰良寧不樂	때 좋은데 어찌 즐겁지 아니할까
夜永却忘還	밤이 기니 문득 돌아갈 길 잊어
何處供詩料	어느 곳에서 시의 재료 제공할까
春風滿竹關	봄바람이 대나무 사립에 가득하네

주 1) 금루(金縷): 금빛 실.

84. 세 번째 시: 옛 놀이를 생각하다[其三 憶舊游]

相別己五日	서로 이별한 지 이미 닷새
難忘一夜閒	하룻밤도 한가롭게 잊기가 어렵구나
風塵飛紫陌	바람과 먼지 도성의 큰길에 날리는데
松雪夢靑山	소나무의 눈은 푸른 산의 꿈이겠지
守寂君猶住	고요함을 지키니 그대 아직 머무르고
尋春我未還	봄을 찾아 나는 돌아가지 못하는데
遙憐新月色	멀리 초승달 빛 어여삐 여겨
書戶不曾關	서호1)를 일찍 닫지 못했네

주 1) 서호(書戶): 서창(書窓). 서재의 문.

85. 네 번째 시: 졸렬함을 탄식하다[其四 歎拙]

嘆我來西郭	내가 서곽에서 와
紛紛無暫閒	분분하여 잠시도 한가로움 없음을 탄식하네
波濤多苦海	파도는 고통스러운 바다에 많고
雲月異鄕山	구름과 달은 고향의 산과는 다르구나
世事乖心易	세상일에 마음 무너지기 쉽고
淸游伴夢還	맑은 놀이 친구는 꿈으로 돌아가네
羨君川上讀	그대가 내 위에서 글 읽음을 부러워하니
寂寂閒蓬關	적적하여 봉관1)이 한가롭겠지

주 　1) **봉관(蓬關)**: 가난한 사람의 집. 은자의 집.

86. 다섯 번째 시: 배움에 힘쓰다[其五 勉學]

妙歲螢牕役	어린 나이에 공부하는 일을
期君莫等閒	기필코 그대는 등한시하지 마라
光陰隨逝水	광음은 흐르는 물 따라가고
富貴解氷山	부귀는 얼음산처럼 풀리니
矻兀休爲苦	우뚝하게 힘을 써 수고를 쉬지 말 것이며
窮亨亦互還	궁함과 형통함은 또한 서로 바뀌리라
男兒惟信道	사나이는 다만 도리를 믿어
勤讀是眞關	부지런히 글 읽는 것만이 참다운 관문이지

87. 여섯 번째 시: 또한 살 곳을 찾을 생각에 마음이 맺혀 있다[其六 又結以索居之懷]

澗靑溪碧欲抽春	도랑 푸르고 시내 푸르러 봄이 싹트려 하네
靜裡琴書道味新	고요함 속 거문고와 책은 도미[1]가 새로운데
別後虛齋淸不寐	이별한 뒤 빈집 맑아 잠들지 못하고
滿牕松竹月精神	송죽에 걸린 달의 정신, 창에 가득하네

주 1) **도미**(道味): 도덕의 참뜻.

88. 열한 번째 형이 매화를 읊은 시에 차운하여 제합에 부치다[次十一兄梅詩因寄題閣]

別有君家第一春	그대 집에 따로 제일의 봄 있어
雪中芳信幾枝新	눈 가운데 꽃 소식 몇 가지나 새로웠나
氷魂淸襲孤篁外	얼음 같은 혼 맑게 외로운 대숲 밖 침입하고
疎影斜宜淺水濱	성근 그림자 마땅히 얕은 물가에 비스듬히 비치네
香厭暖風飛送蝶	향기 싫어하는 따뜻한 바람에 나비 날려 보내고
色憐寒月帶來人	빛 어여쁜 차가운 달이 사람 데리고 오는데
叮嚀童子勤看護	동자에게 부지런히 간호하라 부탁하고
我亦騎驢賞咏頻	나 또한 나귀 타고 읊으며 자주 감상하네

89. 김도이가 홍도진, 홍양신, 도장 홍세태¹⁾를 이끌고 모임에 도
착했고, 이천래가 따라와 고시에 차운하다[到金道以携之洪道陳洪
良臣洪世泰道長會 李天來追至次古韻]

■ 도이는 중보가 새로 쓰는 자이다[道以仲輔改字也]

朝接川南話	아침에 개울 남쪽에서 만나 이야기하다
尋君到夕暉	그대를 찾아 저녁볕에 이르렀네
新流清碉細	새로 흐르는 맑은 개울 가늘고
殘雪玉山圍	남은 눈 옥 같은 산 둘렀는데
酒欲深盃飲	술은 큰 잔으로 마시려 하고
詩誰健筆飛	시는 누가 건필²⁾을 날리는가
滄浪應好語	창랑이란 참으로 좋은 말인데
繫馬且忘歸	말을 매어두고 또한 돌아갈 길 잊었구나

(滄浪道長號也能詩有名久矣而 今日始相逢故云云 창랑은 도장의 호이다. 능
히 시로 유명한 지 오래되었으나 오늘 처음 만났기에 이른 말이다)

주
1) **홍세태**(洪世泰): 조선 중기 시인(1653~1725). 본관은 남양. 자는 도장(道長). 호는
창랑(滄浪). 유하(柳下) 위항문학의 발달에 중요한 역할을 했고 중인층 문학을
옹호하는 천기론(天機論)을 전개함.
2) **건필**(健筆): 글씨도 잘 쓰고 시문을 잘 지음.

90. 또한 홍 도장에게 '친(親)' 자를 얻어서 각각 지어 보내다[又贈
洪道長得親字各賦]

滄浪君逸士	창랑군은 훌륭한 선비이고

江漢我畸人	한양에서 나는 볼품없는 사람
尊酒三淸會	항아리의 술이 있는 삼청회에서
文章一笑親	문장으로 한번 웃으며 가까이하네
樓高吟白雪	누각이 높으니 백설조를 읊조리고
溪暖愛新春	개울이 따뜻하니 새봄이 사랑스러운데
自此知音1)在	이로부터 날 알아주는 이 있으니
何妨命駕2)頻	어찌 자주 길 떠날 차비하는 데 방해될까

1) **지음**(知音): 자기(自己)의 속마음까지 알아주는 친구(親舊).
2) **명가**(命駕): 길을 떠나기 위하여 하인에게 수레와 말을 준비하게 함.

91. 해서 감사 이 공이 지은 시에 추신1)하여 보내다[追海西伯李公詩]

■ 서를 함께 쓰다[並序]

제가 공을 보고 안 지 십수 년이 되었습니다. 지난해 정묘년(1687) 겨울에 공께서 내산의 수령으로 나가실 때 제게 보내는 글을 요구하셨고, 가셨다가 기사년(1689)에 돌아오셔서 경오년(1690)에 해주 수령이 되셨습니다. 또 해가 바뀌어 돌아오셔서 갑술년(1694)에 다시 의주부윤으로 나가셨습니다. 병자년(1696) 여름에 조정으로 돌아오셨는데 겨울에 해서의 안찰사로 나가실 때 또 제게 신어2)를 요구하셨습니다. 이 어찌 이별함은 많고 모임은 드문 것으로 진실로 족히 희허3)하며 탄식할 일이 아니겠습니까.

대개 기사년(1689)으로부터 계유년(1693)에 이르도록 때와 사람이 어긋났다면 서해에 수령으로 간 것은 좌천이라 할 수 있습니다. 동래의 수령은 왜놈들이 이익을 다투고 공손하게 복종하지 아니하니 모름지기 유능한 사람이 되어야 할 것입니다. 그런데 공은 성품이 순박하시고 정직하시므로 천은을 입고 품계가 올라서 가게 되셨으니 이는 주상께서 공을 잘 아신 것입니다. 북로⁴⁾는 출입하는 곳으로 길을 열고 닫는 일은 왕명에 따라야 하는데 의주의 부윤이 되시어 중임을 맡으셨으니 주사⁵⁾가 공으로서 명을 잘 따른다고 하여 조정이 공을 뽑은 것입니다. 하물며 감사의 직분은 곧 옛날의 방백이거늘 어찌 가히 사람마다 감당할 수 있겠습니까. 주사가 공을 첫째로 천거하고 주상이 그 천거함을 재가하였으니 공께서 명을 받던 날로부터 은우⁶⁾에 감격하여 마음속으로 도보⁷⁾를 맹세하시고 집을 떠나 멀리 가는 것을 슬퍼하시지 말고 기쁜 마음으로 부임하셔야 할 것입니다.

사사롭게 친한 사람으로 보면 어찌 이별하는 정이 구구하고 희허하다고 하지 않겠습니까. 그러나 공께서는 해서로 나가셨고 해서로부터 돌아와서는 반드시 안에서 쓰이지 아니함을 저는 알았습니다. 만주로 나가셨다가 돌아와서는 다만 기성⁸⁾과 송조⁹⁾의 관리가 되시고 또 해서에서 나오셨으니 사람의 의혹이 심하지 않겠습니까.

말하자면 공께서는 변방과 국경을 지키는 책략만 있고 임금을 도울 인재를 쓰고 버릴 계책이 없다는 것을 저는 믿지 못합니다. 공을 일찍이 조정 안에서 시험한 적이 있었는데 다만 대각¹⁰⁾에 있을 때 언론이 방정하여 사람들이 다 눈을 씻고 보았습니다.

그러므로 주상께서 강명¹¹⁾하여 교화력이 있음을 인정하여 품계를 뛰어넘어 임용하였고 이로부터 가까이 두고 왕의 실수를 막게 하였습니다. 위로는 임금의 덕을 빛내고 아래로는 공사를 엄숙하게 구분하도록 공에게 권장하였으니, 모든 신하가 공이 그렇게 하기를 마음 졸이며 기다렸습니다.

주상이 이렇게 중히 공을 임명한 것은 변방을 막고 조정 안의 가까운 사람 사이에 간사함을 물리치는 일은 나중에 할 일로 여겼기 때문이라고 저는 생각하지 않습니다. 정치란 조정 안에서 나와 나라 밖까지 미치는 일이므로, 반드시 유능한 인재를 얻고 나서야 나라의 보전에 근심이 없어지고 밖에서 하는 일이 끝이 되고 안의 일은 시작되는 것입니다.

창자 속의 병을 다스리지 아니하고 먼저 피부 밖의 병증을 다스리는 자는 있을 수 없습니다. 조정에서 앞뒤가 이와 같으니 사람들이 마땅히 의혹을 가질 것입니다. 그러나 저는 가만히 생각해보니 옛날에 한 나라 효선제[12] 때에 사람을 씀에 반드시 먼저 밖에서 시험하고 뒤에 안으로 불렀습니다.

그러므로 주읍[13]은 북해 태수에서 대사농[14]이 되었고 공수[15]는 발해 태수에서 수형도위[16]가 되었으며 조광한[17], 윤옹귀[18], 황패[19]와 같은 여러 사람도 밖으로부터 나와 쓰이지 아니함이 없었습니다. 당나라 상곤[20]은 이필[21]을 먼저 자사로 시험하기를 청하여 인간에 이익과 병이 됨을 두루 알게 한 뒤에 크게 썼으니 이 또한 정치하는 자의 한 가지 도리입니다.

어찌 오늘 주상과 조정이 이렇게 되기를 원하지 않았겠습니까. 또한 제가 생각해보니 임용함은 남에게 있고 충성을 다함은 나에게 있으니 엉킨 뿌리가 이미 날카로운 칼을 만나야만 끊어지듯이 이것은 저와 공이 오늘날 함께 힘쓸 일입니다. 해가 갈수록 점점 기근이 더하는데 황해도는 더욱 심하니 주상께서 지금 근심하는 바는 늙은이와 어린이는 굶주림에 쓰러져 죽고 양민들이 도적이 되는 것입니다. 충성을 다하여 나라의 근심을 없애는 것이 제가 공께 크게 바라는 바이니 공께서는 그것에 힘쓰기 바랍니다. 허희탄식하며 슬퍼하는 정으로 시를 올립니다.

某見知於公十數年 于茲矣歲丁卯冬 公出鎮萊山索余贐文 而去己
巳還 庚午出守海州 歲改而還 甲戌出尹灣州 丙子夏還朝 冬出按海
西節 又索余贐語 是何分離之多 而會合之希也 固足以歆歔於邑者
耶 蓋自巳至癸時與人違 則海之守可謂下游矣而 鎮於萊也則島夷
爭利不遜鎮服 必須其人而 公以僕正蒙天褒 陞階而往 主上知公矣
尹於灣也則地當北路 鎮鑰是倚職準命德 委任是重而籌司 以公膺
命朝廷簡公矣 況監司之職 卽古之方伯也 豈可人人而當之乎 籌司
首薦公 主上可其薦 公受命以來 感激恩遇誓心圖報 不以離家遠闕
爲感而 忻然往赴

顧其私好之人 豈足以分離之情 區區歆歔也哉 然公出於海而自海
還也 吾亦知其必不用於內而 及其出於灣而自灣還也 只爲騎省訟
曹之官而又出於海西 則豈人之惑不甚矣乎 謂公有籌邊守藩之略
而無補袞捨遺之策則 吾不信焉公之嘗試於內者 惟臺閣而言論方正
人皆拭目 所以主上賜剛明風力之獎而 超資以用則自此而 置諸近
列禆其遺失 上以光君德 下以肅人情者 屈指可待而 主上之任用如
此 謂關防屏翰之重 不必後於內朝近密 之職則吾又不信焉 夫政出
於內而治及 於外故內必有人然後 外保無虞則 外末也內本也
未有不治腸裏之疾而 先救膜外之症者而 朝廷之先後如此 人之惑
固宜也 然某竊又思之昔漢孝宣之世 用人必先試於外而 後進於內
故朱邑 由北海爲大司農 龔遂由渤海爲水衡都尉 若趙廣漢尹翁歸
黃霸諸人 亦莫不由外而進用 唐之裳袞請以李泌先試刺史 周知人
間利病然後大用 此亦爲政者之一道理也 豈今日主上與朝廷之意
有取於斯歟抑吾有所諗焉 任用在人盡忠在我 盤根旣遇利器可別
此則我公今日之所力勉也 也荐歲飢饉海路尤甚 老羸塡壑良民化賊
此則主上今日之所憂也 盡我之忠紓 國之憂 是愚之大有望於公者

公其勉之哉 歔歔於邑之情以詩鳴

首陽山下路悠悠	수양산 아래 길은 아득히 먼데
玉節前冬向此州	옥절22)로 지난겨울 이 고을 향하였네
惆悵東西今幾月	동서로 갈라져 한탄하며 슬퍼한 지 지금 몇 달째인가
臘梅春柳摠離愁	납매23)와 봄버들이 이별하는 슬픔이지

1) **추신**(追贐): 먼 길을 떠난 친척, 지인에게 뒤에 노자와 전별시를 보내는 일.
2) **신어**(贐語): 전별할 때 주는 시 또는 글.
3) **희허**(欷歔): 흑흑 흐느낌. 또는 두려워하는 모양.
4) **북로**(北路): 서울에서 평안도와 함경도로 통하는 길을 이르던 말.
5) **주사**(籌司): 비변사. 조선 시대에 군국의 사무를 맡아보던 관아.
6) **은우**(恩遇): 감동하여 분발함. 대단히 감동함.
7) **도보**(圖報): 남에게 받은 은혜 갚기를 도모함.
8) **기성**(騎省): 산기성(散騎省). 위나라 때 문을 맡은 관아.
9) **송조**(訟曹): 소송을 맡아 처리하는 곳. 오늘날의 법원.
10) **대각**(臺閣): 조선 시대에 사헌부와 사간원을 통틀어 이르던 말.
11) **강명**(剛明): 성질이 곧고 두뇌가 명석함.
12) **효선제**(孝宣帝): 중국 전한의 황제(B.C. 91~B.C. 49). 이름은 순(詢).
13) **주읍**(朱邑): 한나라 서(舒) 땅 사람. 어릴 때 동향(桐鄕) 아전이 되어 백성들의 존경을 받았음.
14) **대사농**(大司農): 전한 말 부화(賦貨)의 일을 맡은 벼슬.
15) **공수**(龔遂): 중국 한나라의 문신. 백성을 잘 다스린 관리의 전형으로 칭송됨.
16) **수형도위**(水衡都尉): 한나라 때 세무를 맡은 벼슬.
17) **조광한**(趙廣漢): 한나라 사람. 간신을 찾아내고 숨은 죄를 적발하는 능력이 뛰어남.
18) **윤옹귀**(尹翁歸): 한나라 사람. 청렴한 것으로 유명함.
19) **황패**(黃霸): 전한 때의 문신. 뛰어난 정사를 펼쳤고 승상(丞相)의 지위에 오름.
20) **상곤**(常袞): 당나라 경조사람. 벼슬은 대종 때 문하시랑(門下侍郞). 작위는 하내군 공(河內郡公).
21) **이필**(李泌): 당나라 재상. 신동으로 이름을 떨치고 네 황제에 걸쳐 큰 영향력을

행사함.

22) **옥절**(玉節): 옥으로 만든 부절(符節). 절(節)은 믿음의 징표. 옥부(玉符).

23) **납매**(臘梅): 납월에 피는 노란 매화.

92. 조치규에 대한 만사[挽曺稚圭]

■ 윤삼월 십사일[閏三月十四日也]

西嶺有嘉樹	서쪽 고개에 아름다운 나무 있는데
秀色鬱以森	빼어난 빛 울울하여 빽빽한 숲 되었네
翠條芳嫩折	푸른 가지 향기롭고 고와서 꺾이며
朱蕚艷澤深	붉은 꽃 곱고 윤택함 깊었구나
方將待雨露	바야흐로 비와 이슬 기다려서
珠顆結滿林	구슬 같은 열매 숲 가득 맺히려는데
天飆未秋烈	하늘 바람 가을 아닌데도 사나워
慘悷雪霜淫	참담한 눈과 서리에 빠져버렸네
培植豈不厚	심고 가꾼 정이 어찌 두텁지 아니하랴
傾覆忽相尋	헤어졌다가 갑자기 서로 찾았는데
老朽固常理	늙어서 썩는 것은 이치이나
拱夭實難諶	명은 실로 헤아리기 어렵구려
回跖易脩短	안회와 도척1)도 수단2)이 바뀌었으니
復自傷古今	다시 예나 지금이나 그것을 슬퍼하네

1) **도척**(盜跖): 춘추시대의 큰 도적. 현인 유하혜(柳下惠)의 아우로 수천 명을 데리고 천하를 횡행함.

2) **수단**(脩短): 수요(壽夭). 오래 살고 일찍 죽음.

93. 두 번째 시[其二]

始君臥床日	처음 그대 상에 눕던 날
我乃適寢門	나는 마침 침문1)에 있었지
少僣匪沈慮	작은 기다림 깊은 심려 아니었지
含笑只戲言	웃음 머금고 다만 희롱의 말이라
豈謂轉眄頃	어찌 눈 한번 돌릴 사이에
風燭焂已翻	바람 앞 등불이 홀연 뒤집혔는가
高山自峩峩	높은 산은 절로 아아2)하니
此曲誰與論	이 곡조 누구와 더불어 논할까
疾劇君呼我	병이 심할 때 그대 나를 불러
去後我夢君	간 뒤에 그대 내 꿈에 나타나니
乃知中心愛	이것으로 심중에 사랑임을 알았고
死生猶不諼	죽고 삶에도 오히려 잊지 못하였네
遺珠響塵篋	유주3)는 세상에 묻혔으나
餘跡在文垣	남은 자취는 문원4)에 남아 있고
吉凶如糾纏	길과 흉이 실타래처럼 엉켜
黙念聲更呑	묵묵히 생각하며 다시 소리 삼키네

1) **침문**(寢門): 사랑으로 드나드는 문.

2) **아아**(峩峩, 峨峨): 험준한 모양. 풍채가 늠름한 모양.

3) **유주**(遺珠): 세상에 미처 알려지지 아니한 훌륭한 인물이나 시문.

4) **문원**(文垣): 문단(文壇). 홍문관 또는 예문관의 별칭.

94. 세 번째 시[其三]

春渚雨蕭蕭	봄 물가에 부슬부슬 비 내리는데
丹旐啓遠期	붉은 깃발은 먼 기약을 열었구나
舍此華屋處	이 좋은 집 버리고
去去向何之	가며 가며 어느 곳 향하는가
慈母哭中堂	어머님은 중당에서 우시고
孀婦吽虛帷	상부는 빈 휘장 바라보며 울부짖는데
宗祧竟誰主	종가의 제사를 마침내 누가 주관할까
阿叔矢相依	숙부를 믿고 서로 의지하네
江流爲鳴咽	강물도 위하여 오열하고
禽聲爲參差	새소리도 위하여 제각각인데
精英倘不寐	정영이 아직도 잠들지 못하여
靈輴亦躑蹰	영순1) 또한 머뭇거리네
惟應泉扃下	다만 마침내 황천의 빗장 아래
聊慰望子悲	애오라지 자네를 바라보며 슬픔으로 위로하는데
編曲愧達觀	곡조를 지어 달관함이 부끄럽고
飮泣臨路歧	울음을 마시며 기로에 서 있네
暗記遼陽夢	가만히 요양의 꿈 생각해보니
唱斷薤露詞	부르던 상엿소리 끊어지네

(稚圭嘗夢作 遼陽獨鶴飛2)之句 치규가 일찍이 꿈에 '요양독학비'라는 글귀를 지은 적이 있다)

주
1) **영순**(靈輴): 상여. 빈거(殯車).
2) **요양독학비**(遼陽獨鶴飛): 요양에서 학이 홀로 남.

95. 구월산[1])에 놀러 간 이자심에게 보내다[送李子深游九月山]

昔我童年爲客處	옛날 내가 어릴 때 지나갔던 곳으로
今君詩興策驢行	오늘 그대 시흥을 안고 나귀 채찍질해 가네
山名九月多秋色	산 이름은 구월이라 가을빛이 많으니
尚憶當時洪國卿	아직도 당시의 홍국경을 생각하네

(己未間先人在文化任 洪參議柱國丈傢安岳 與先人游九月山有此句 國卿乃
洪參議字也 기미년 사이에 선인이 문화군[2])의 책임자로 있었는데 참의였던
홍주국[3]) 어른이 안악 고을의 군수였다. 선인과 더불어 구월산에 놀았기 때문
에 이러한 글귀가 있다. 국경은 홍 참의[4])의 자다)

주

1) **구월산**(九月山): 황해도 신천군과 은율군 사이에 있는 산. 단군이 은퇴한 '아사달'
   이 이 산이라고 함. 높이는 954미터.
2) **문화군**(文化郡): 황해도 삼천 신천의 서부. 안악의 남부에 있던 옛 고을 이름.
3) **홍주국**(洪柱國): 조선 중기 문신(1623~1680). 본관은 풍산(豊山). 호는 범옹(泛翁)
   죽리(竹里). 숙종 즉위년 예조 참의가 되었으나 제2차 복상 문제가 일어나자
   대공제(大功制)를 주장하여 남인들의 탄핵으로 파직됨. 1680년 경신대출척으로
   남인이 실각하자 다시 기용되어 안악현감이 되었음.
4) **참의**(參議): 조선 시대 육조에 둔 정3품 벼슬.

96. 양직의 집에서 밤에 유도휘, 신자정과 여러 사람과 더불어 술 마시며 이야기하다가 운을 부르다[養直宅夜與柳道輝愼子貞諸 人飮話呼韻]

西城集客摠詞華	서성에 모인 손님 모두 글 잘하는 이
笑擲青銅酒郵賒	웃으며 푸른 동전 던져 술을 사고
入室須聽流水奏	방에 들어가 모름지기 유수 같은 연주 듣고

出門休歎畏途斜	문에 나와서는 길이 비끼었음을 한탄하고 두려워 마라
深園雨過雲留砌	깊은 동산에 비 지나가니 구름 섬돌에 머물고
高柳風開月滿家	높은 버들에 바람 부니 달이 집에 가득한데
揮麈撚髭隨意好	옥주 휘두르며 수염 어루만지니 뜻 따라 좋고
各將奇意吐靑霞	각각 기이한 뜻 가지니 푸른 노을 토해내네

97. 신성보1)의 집에서 그의 아우 정보2)와 언숙 형제가 함께 모여 술을 마시다가 당시에 차운하다[飮申成甫宅成甫之弟正甫及彦叔兄弟同會 次唐詩韻]

秋日尋朋處	가을날 친구의 처소를 찾아
高堂對酒時	그 집에서 술을 대하니
靑眸皆故態	검은 눈동자는 모두 옛 자태요
黃菊亦新姿	노란 국화 또한 새로운 모습이네
局政擲(從政圖)能留客	손님들은 국정3)을(종정도4)를 던지다) 노느라 시간 가는 줄 모르고
琴牀可賦詩	거문고 상에서 시 지을 만한데
興來忘去路	흥이 일어나자 돌아갈 길 잊고
烏鳥欲棲枝	까마귀와 새는 둥지로 돌아가려 하네

주

1) **신성보**(申成甫): 조선 중기 문신. 본관은 평산. 호는 화암(和庵). 영의정 완(玩)의 아들. 1704년에 참봉이 되고 현감, 연안부사, 돈령부 도정을 지냈으며 문장이 뛰어남.

2) **정보**(正甫): 조선 중기 문신 신정하(申靖夏, 680~1715)의 자. 호는 서암(恕菴).

98. 사진의 집에서 구숙과 자심이 함께 모여 마시면서 『기아』에 차운하다[飮士珍宅久叔子深同會次箕雅韻]

澗壑當秋晚	골짜기에는 늦가을이 왔는데
琴書過雨淸	거문고와 글씨는 비 지나자 맑구나
朋來詩可詠	벗이 오자 시를 읊을 수 있고
興到酒仍行	흥이 일자 술을 거듭 마시네
梧上晴雲近	오동나무 위에는 갠 구름 가깝고
城頭逈月明	성 위에는 밝은 달 먼데
秖今吾輩恨	지금 우리들의 한은
塵事誤平生	속세의 일로 평생을 그르침이라

99. 사진의 집에 모여 잘 때 이보와 자심 형제가 함께 왔으므로 하대복이 지은 시에 차운하다[會宿士珍宅頤甫子深兄弟同來次河大復韻]

白雪懷人興	흰 눈에 사람의 흥 생각하며
靑山步屐過	푸른 산을 나막신 신고 지나가네
菊階花影靜	국화 뜰에는 꽃 그림자 고요하고
梧閣葉聲多	오동나무 선 누각에는 잎 소리 많은데

客作眠中語	나그네 잠꼬대하고
吾爲酒後歌	나는 술 마신 뒤 노래하며
勝游須極意	놀이가 좋아 모름지기 실컷 노니니
休問夜如何	밤이 얼마나 깊었는지 묻지 마라

100. 임대년과 작별하다[別林大年]

■ 대년의 이름은 한구다[漢龜]

南浦蕭蕭木葉飛	남포에 쓸쓸하게 나뭇잎 날리니
湖城游客送將歸	호성에서 노닐던 나그네 이제 돌아가야 하기에 떠나보내네
人間得失渾無定	인간의 얻고 잃음 모두 정함이 없는데
須向書牕惜暮輝	모름지기 서창 향해 저문 해 애석히 여긴다네

101. 통소 불어 초나라 군사를 흩어지게 하다[吹簫散楚兵]

■ 아래 네 수는 과제로서 사람을 위해 지은 것이다[以下四首課題爲人作]

刁斗三更苦月明	조두1) 울리는 삼경에 달 밝아 괴로운데
楚歌纔罷又簫聲	초가2) 겨우 그치자 또한 통소 소리 난다
初霑老羽盈襟淚	늙은 항우의 눈물 처음으로 옷깃 젖도록 흐르니
仍惹孤軍戀土情	외로운 군사 고향의 정 생각이 나

渺渺歸心迷海國　　　돌아갈 마음 아득한데 바다 먼 나라요

蕭蕭餘騎走江城　　　쓸쓸하게 남은 군사 강성으로 달아난다

窮猴豈脫謀臣手　　　궁한 원숭이 어찌 꾀가 있는 신하의 손 벗어

　　　　　　　　　　　날까

可笑空郊接短兵　　　우습구나! 빈 들판에 단병3)으로 접전함이

1) **조두**(刁斗): 옛날에 군에서 냄비와 징의 겸용으로 쓰던 기구. 낮에는 취사할
　때, 밤에는 진지의 경계를 위해 두드리는 데 사용함.
2) **초가**(楚歌): 초와 한이 천하를 다투다가 구리산(九里山)에서 항우가 한나라 왕에
　게 포위되었을 때 사면에서 초 땅의 사람들이 한을 추종하며 부른 노래. 사면
　초가.
3) **단병**(短兵): 창이나 칼 따위 단병을 가지고 가까이 접근하여 싸우는 데 쓰는
　병기.

102. 동작에서 분향하다[銅雀分香]

英雄行樂隙駒忙　　　영웅의 행락으로 세월은 빠르고

雲雨歡情最未忘　　　운우에 기쁜 정은 제일 잊기 어렵구나

帳裡虞歌悲楚羽　　　장막 속 들려오는 우 미인의 노래에 초나라 항

　　　　　　　　　　　우 슬퍼하고

尊前戚舞惱劉皇　　　술 앞에 척무1)는 유황2)을 괴롭히네

無謀可繫扶桑日　　　동쪽에 떠오르는 해, 매어둘 꾀는 없고

有淚空分舊篋香　　　눈물 흘리며 부질없이 옛 상자의 향을 태우는데

四海十年機詐計3)　　세상에서 십 년간 간사한 꾀로 기회를 잡으

　　　　　　　　　　　려다

暗隨寒爐盡銷亡　　　가만히 추위 따라 타다가 없어지네

1) **척무**(戚舞): 칼이나 도끼를 들고 추는 춤.

2) **유황**(劉皇): 한나라 고조 유방(劉邦).

3) **사해십년기사계**(四海十年機詐計): 항우가 군사를 일으켜 유방과 협력하여 진나라를 멸망시키고 서초(西楚)의 패왕(霸王)이 되고자 했으나, 유방과 패권을 다투다 해하(垓下)에서 포위되어 자살할 때까지를 빗댄 문장.

103. 타루비(墮淚碑)[1]

秋風峴首屹孤碑	가을바람 재 머리에 외로운 비 우뚝 서서
解使行人涕自垂	지나는 사람 스스로 눈물짓게 함을 이해하네
召伯愛留棠樹憩	소백[2]은 해당화를 사랑하여 나무 아래 쉬었고
文翁化入蜀民恩	문옹[3]은 교화하여 촉나라 백성의 은혜가 되었는데
山川寂寞論兵地	산천이 적막하여 전쟁의 전설만 남아 있고
雲物依俙騁眺時	구름과 사물이 어렴풋하니 달리며 때를 바라볼 뿐이네
別是英雄無限淚	이별하는 영웅의 끝이 없는 눈물로
吞吳一計竟參差	오나라 삼키려는 하나의 계책 어긋나고 말았구나

1) **타루비**(墮淚碑): 옛날 진나라 때 양양 사람들이 선정을 베푼 양호(羊祜)를 생각하면서 그 비를 보기만 하면 눈물을 흘렸다는 고사에서 나옴.

2) **소백**(召伯): 주(周)나라 문왕의 아들인 소공(召公). 이름은 석(奭).

3) **문옹**(文翁): 한나라 서주 사람. 촉군(蜀郡) 태수로 교화를 일으켰고, 고을마다 학교를 세움.

104. 망사대(望思臺)[1]

悠悠淸渭水	멀고 먼 맑은 위수에
渺渺望思臺	아득한 망사대로다
夜寂湖城雨	고요한 밤 호성에 비 내리고
春愁戾苑苔	봄 시름 끌리는 동산에 이끼 자라네
晦心何太晚	어두운 마음 왜 이다지 크게 느린 것인지
層榭自高開	여러 층 정자 자못 높이 열리네
金犢無時至	황소는 때 없이 이르니
千秋尙有哀	천년이 지나도 아직 슬픔이 남아 있구나

> 주
> 1) **망사대**(望思臺): 귀래망사대(歸來望思臺). 한 무제가 강충의 모함을 믿어 태자를 자결시켰으나, 나중에 뉘우치고 태자를 위해 사자궁과 「귀래망사대」를 지어 위로했다는 고사에서 나온 말.

105. 서원에 오르다[登西園]

冷淡西園裡	냉담한 서원 속에서
逍遙亂樹間	어지러이 나무 사이를 누비며 거니는데
夕烟初滿谷	저녁연기 처음으로 골짜기 가득하고
明月半窺山	밝은 달 반쯤 산을 엿보네
行路猶方擾	가는 길 오히려 시끄러운데
吾人別是閑	나란 사람 특별히 한가롭구나
小兒知此意	어린아이도 이 뜻 알아서
深夜亦忘還	밤 깊은데도 또한 돌아갈 길 잊었네

106. 사진이 지은 「영설」에 차운하다[次士珍詠雪韻]

紙牕虛夜色	종이창에 밤빛은 비고
晴雪月中峰	눈 개니 달은 중봉에 있네
林閣花搖眼	숲 집의 꽃은 눈을 흔들고
川巖玉對容	내의 바위 옥처럼 얼굴을 대한 듯
眠尨依冷塢	잠자는 개 찬 뜰에 의지하고
鳴鶴隱深松	우는 학 소나무 깊이 숨었구나
欲向前橋去	앞의 다리 향해 가려 하니
清光在一筇	맑은 빛이 한 지팡이에 머무네

107. 동짓달 보름밤에[至月望夜]

　문을 나서 사방을 바라보니 눈과 달이 환하여 하늘과 땅이 한 빛이
었다. 그래서 사진을 찾아가 자심 형제를 불러서 '봉(峯)' 자 운으로 부
를 지었는데 다만 안쓰러운 것은 항아리가 비어서 이 밤을 지새울 수
없었다는 것이다. 이리하여 함께 끌고 월암 이진사를 찾아가 사온 술
을 바라보며 서로 권하니 즐거움이 컸다. 석주1)의 운을 써서 각각 시
를 주인에게 주었다.

出門四望 雪月皓然天地一色 於是訪士珍 仍招子深兄弟 賦峯字篇
但恨尊空無以度此宵也 遂同携之月巖李進士 望回沽酒相勸樂甚矣
用石洲韻各賦贈主人

雲雪蒼蒼月一林　　구름 눈 창창한데 달은 한 숲이라
小橋東畔竹扉深　　작은 다리 동쪽 가에 대사립이 깊었구나
風流不負游人興　　풍류는 노는 사람의 흥을 저버리지 않고
喚酒村帘見故心　　술을 부르니 주막 기 옛 마음 보여주네

1) **석주**(石洲): 조선 중기 문신 권필(權韠, 1569~1612)의 호. 본관은 안동. 광해군의
폭정을 시로 비방·풍자한 죄로 해남으로 귀양을 가다가 동대문 밖에서 행인들이
동정으로 주는 술을 폭음하고는 이튿날 44세로 죽음.

108. 병정이 동지에 대해 읊은 시에 화답하다[和秉鼎至日作]

子夜千門靜　　밤중이라 천 문 고요한데
微陽一脈回　　적은 양기가 한 줄기 돌아오네
掩關潛黙處　　문 닫혀 침묵에 잠긴 곳으로
應得好心來　　마땅히 좋은 마음 가지고 올 것이네

109. 병든 뒤라 제석에 정신이 크게 빠지다[除夜大病後精神大脫]

문자가 생각나지 않으니 어찌 편지를 쓸 수 있을까. 적적한 빈집에
일 없이 홀로 앉아 종들을 시켜 앞에서 저포를 던지게 하다가 되는 대
로 율시를 얻어 입으로 읊었다.

不記文字何以成模義也 寂寂空堂獨坐難聊 遂使婢僕輩 擲樗蒲於
前 信口吟得一律

空山蕭瑟夜沉沉	빈산 소슬하고 밤은 침침한데
一病支離尚擁衾	한 번 든 병이 지루하여 아직도 이불로 몸을 덮었네
赤脚蒼頭羅左右	드러낸 붉은 다리, 흐트러진 쑥대머리 좌우로 벌려 있고
萱堂棣閣隔雲林	훤당과 체각1)은 구름 숲에 가려 있는데
臥看劉子樗蒲戲	누워서 『유자』2)의 저포 놀이 보다가
坐詠高公旅舘吟	앉아서 고공3)의 여관음4)을 읊었네
只信憂愁能玉碎	다만 근심으로 몸이 상할 듯하니
謾教燈火照孤心	부질없이 등잔불이 외로운 마음 비추게 하네

주

1) **체각**(棣閣): 형제의 집.
2) **유자**(劉子): 책 이름.
3) **고공**(高公): 당나라의 시인 문신 고적(高適).
4) **여관음**(旅舘吟): 고적의 제야시에 나오는 시구.

110. 사람을 대신하여 김 감사에 대해 만사하다[替人挽金監司]

■ 김 감사의 이름은 성적1)이다. 기묘년(1699)[盛迪 己卯]

髦士出名族	모사2)는 이름 있는 족벌에서 나와
淡雅君子心	맑디맑은 군자의 마음이었네
內美紛旣有	안에는 아름다운 뜻이 있었고
外物不能淫	밖의 사물에 능히 빠져들지 않았네
持此立淸朝	이를 가지고 맑은 조정에 서서
以直乃見憚	곧은 마음 때문에 꺼림을 보이기도 하였네

章牘簡而嚴	글과 편지는 간략하면서 엄하고
忠精日可貫	충성과 정성은 해를 뚫을 만한데
明主爲改容	밝은 임금께서도 그를 위해 얼굴빛을 고쳤고
鄙夫爲墮膽	비부들은 그 때문에 담이 떨어지기도 했네
方期補袞闕	바야흐로 곤궐3) 도울 것을 기대했고
頹俗庶可攬	무너진 풍속을 거의 바로 세울 만했는데
嗟嗟湖西伯	아아! 호서의 백이여!
於子爲坎壈	그대 뜻을 얻지 못하게 되었구나

111. 두 번째 시[其二]

回風一飄忽	홀연 회오리바람 한 번 불고 지나가니
白日苒苒流	밝은 해 덧없이 흐르네
誰能駐此暉	누가 능히 이 빛에 머물 수 있을까
壽我君子儔	나는 군자의 짝이 되기를 바랐었네
脩短久易常	장수와 요수의 상도는 오래전에 바뀌었으나
且復奈爾何	또한 어찌 다시 그대가 요수할 줄이랴
比歲積患憂	가까운 해에 우환이 쌓여
雙鬢易皤皤	두 가닥 귀밑털 쉽게도 희어버렸네
居然歸大化	얼마 후 대화1)하여 돌아가니
萬事同泡幻	만사가 모두 거품과 환영 같은 것을

螟兒守舊甎	양자 있어 옛 문벌 지키니
遺緖庶補綻	남긴 사업을 깊이 다스렸네
報善猶在玆	선을 갚는 일이 이러한 데 있으니
彼蒼豈終謾	저 푸른 하늘이 어찌 끝내 속이겠는가

주 1) 대화(大化): 넓고 큰 덕화(德化). 또는 죽음.

112. 세 번째 시[其三]

我意在高山	나의 뜻 높은 산에 있으나
孰能知峩峩	누가 능히 그 높음을 알아줄까
不須羨古人	모름지기 옛사람을 부러워하지 않으니
君我是期牙	그대와 나는 종자기와 백아 같네
惟昔樂坊會	옛날 마을에 모여 놀 때 생각하니
片言結神交	한마디 말이 신교1)를 맺었고
自玆數日阻	이때부터 여러 날 소식을 몰라
輒作心擾膠	문득 마음이 흔들렸네
相逢卽從容	서로 만나면 곧 차분해지고
淡澹肝膽照	서로 속마음 털어놓고 친하게 사귀었네
陋彼名利友	저 더러운 명리를 좋아하는 사람들은
馳逐强言笑	달리고 쫓으면서 억지로 우스운 말을 하는데
失君將誰語	그대를 잃었으니 장차 누구와 말할까
白首但自弔	흰머리 휘날리며 다만 스스로 조상하네

주 1) 신교(神交): 정신적으로 사귐.

113. 네 번째 시[其四]

公山凡幾里	공산1)이 무릇 몇 리나 되는가
山川重復重	산과 내가 겹치고 또 겹쳤지
生別尙難堪	살아서 이별하는 것도 오히려 감당하기 어렵거늘
死報遽何從	죽어서 만나는 것은 무엇을 근거하여 따를까
始聞氣欲絶	처음에 기운이 끊어지려 한다는 소리를 듣고
終焉心還疑	끝내 마음속에서 또한 의심했네
老眼宜無淚	늙은 눈에는 마땅히 눈물이 없으나
南望輒自垂	남쪽을 바라보니 문득 저절로 흐르고
溫溫白玉質	따뜻한 백옥의 바탕이
瞭然在心目	요연2)하게 마음의 눈 속에 있네
風塵已酸齒	풍진으로 이미 이 시리니
出門向誰適	문을 나가면 누구를 향해 갈까
吾生獨能久	나 홀로 능히 오래 사니
泉塗有良覿	황천길에 좋은 만남 있기를

 1) **공산**(公山): 충청남도 공주의 옛 이름.
2) **요연**(瞭然): 분명하고 명백함.

114. 금산사 명상인이 지은 시축을 보고 짓다[題金山寺明上人軸]

■ 절은 금구1)에 있다[寺在金溝]

夢想金山足未經	꿈에 금산사 생각했지만 발은 아직 가지 못

했는데

僧談如在畵中形	스님의 말씀 그림 가운데 형체 있는 것 같아
樓前海蹴扶山白	누각 앞의 바다는 부산을 차서 희게 하고
鳥外雲封介島靑	새 밖의 구름은 한 개의 섬을 푸르게 봉하였네
地暖奇花秋晚好	땅이 따뜻하니 기이한 꽃은 늦가을에도 좋고
境幽仙鶴夜深聽	경계 그윽하니 신선의 학은 깊은 밤에도 들리는데
何時寶界千峰月	어느 때 보계2)의 천 봉우리 달을 가지고
爾笑吾吟倚翠屛	그대는 웃고 나는 읊으며 푸른 병풍에 의지할까

주
1) **금구**(金溝): 김제의 옛 이름.
2) **보계**(寶界): 일곱 가지 보배로 장식된 세계. 극락.

115. 숙명공주에 대한 만사를 대신하여 짓다[代作淑明公主挽]

孝宗之女顯宗姉	효종의 따님이요 현종의 누이시라!
深荷今王寵渥偏	왕의 사랑을 치우치도록 깊게 입었네
扶病藥湯調御手	병이 들자 어의가 탕약을 만들었고
隱終哀思溢宸篇	죽음을 숨긴 슬픈 생각은 신편1)에 넘치는데
兒佳己笑昭平贖2)	아름다운 아이는 이미 소평속3)에 웃고
德著奚論董令賢	드러난 덕에 어찌 동령현4)을 논할까
最是使人垂淚處	가장 이 사람으로 하여 눈물 흘리게 하는 것은
五宮繁盛一蕭然	오궁의 번성함이 한 번에 소연한 것이라오

주
1) **신편**(宸篇): 천자가 쓴 글.
2) **아가이소소평속**(兒佳己笑昭平贖): 부모에 앞서 감을 속죄함을 소평의 고사에 빗대

　3) **소평속**(昭平贖): 소평은 명대 왕도곤(王道焜)의 자. 항주자사로 있다가 항주가
　　함락되자 스스로 목숨을 끊어 속죄(贖罪)한 고사.
　4) **동령현**(董令賢): 한 무제 때 동중서(董仲舒)가 말하기를 "어진 사람은 의리에
　　맞도록 행동할 뿐 이익은 생각하지 않는다"라고 한 고사에서 비롯됨.

116. 사진 댁에서 화운하다[士珍宅和韻]

偶然成好會	우연히 좋은 모임 이루어
淸話到夜深	맑은 이야기 밤 깊도록 이어졌네
雨色收花塢	비 빛이 꽃 언덕에서 멎고
蟾光偃竹林	달빛은 대숲에 누워 있는데
詩人惟索酒	시인은 다만 술을 찾고
豪客好聽琴	호탕한 사람 거문고 듣기 좋아하네
爲謝留髥意	떠남을 만류함은 인연이 남아서이고
抽毫費一吟	붓을 뽑음은 한 편 쓰고자 함일세

117. 원중보에게 보내다[贈元仲輔]

設道淸風雲水鄕	말하노니 청풍, 운수의 마을은
山圍官閣若屛墻	산이 관청을 마치 병풍 담같이 둘러쌌는데
江村十里桃花老	강촌 십 리에 복사꽃 시들었고
石竇千年鐘乳香	석굴에 천년 된 종유가 향기롭네
京洛留時愁幾惱	서울에 머물 때 시름으로 몇 번이나 원망했나
碧樓歸日興全長	푸른 누각에서 돌아간 날 흥은 완전히 길구나

我聞此語神光逞	내가 이 말을 듣고 신광1)을 통하였으니
安得隨君共擧觴	어찌 그대를 따라 함께 술잔 들지 않으리오

1) **신광**(神光): 신비스러운 빛.

118. 사진, 군주, 사능과 함께 마시다[與士珍君胄士能飮]

緣澗楓林暗	도랑을 건너니 단풍 숲 어둡고
登樓素月明	누에 오르니 흰 달이 밝구나
詩人仍酒令	시인은 주령1)에 의하고
豪客亦琴聲	호객2)은 또한 거문고 소리 내는구나
露浥黃花重	이슬에 젖은 국화는 무겁고
風搖赤葉輕	바람에 흔들리는 붉은 잎사귀 가볍구나
峩洋山水曲	아양산수곡에서
多見故人情	옛사람의 정을 자주 보네

1) **주령**(酒令): 여러 사람이 모여 함께 술을 마실 때 서로 마시는 방식을 정하는 약속.
2) **호객**(豪客): 성질이나 기운 따위가 호탕한 사람.

119. 남쪽 들에 나가니 오랜 가뭄 끝에 단비가 와 뜻이 기쁘다[出南郊久旱始雨志喜也]

濛濛好雨灑青郊	자욱하게 내리는 좋은 비에 푸른 들 씻겨가고
拂柳鳴鞭上石橋	버들 치는 채찍 울음 돌다리를 지나가네
出郭已忘塵世事	성을 나와 이미 속세의 일 잊었고

問農仍採野人謠	농사에 대해 물으니 이내 들사람 노래 들려 오네
近秋禾黍添新色	가을 가까우니 벼와 기장 새 빛을 더하고
病歲螟蝗去舊妖	흉년 들게 하던 멸구와 메뚜기 힘이 사라졌으니
自此太平應復見	이로부터 태평을 응당 다시 보아
康衢烟月可逍遙	강구1)의 연기에 어린 은은한 달빛 즐길 수 있 으리라

 1) 강구(康衢): 번화한 거리. 강은 오방으로, 구는 사방으로 통한 길.

120. 제목 없음[無題]

六籍誰能發鍵樞	육적1)은 누가 능히 빗장을 열었는가
紫陽箋註古今無	주희의 전주2)는 고금이 없으니
世人知悅鮮知助	세인이 기쁨은 알지만 알아서 도와주는 이 드무니
可道如愚是不愚	어리석다고 말하나 이것은 어리석지 않은 것 이네

주   1) **육적**(六籍): 육경을 의미함.
2) **전주**(箋註): 본문의 뜻을 설명한 주석(註釋).

121. 두 번째 시[其二]

蠹魚身向卷中生	좀이 생겨 책 속으로 들어가 사니
食字年多眼乍明	여러 해 글자를 먹어 눈이 밝아진 것 같네

畢竟物微誰見許　　끝내 미물이니 누가 알아줄까
只應長負毁經名　　다만 경전을 훼손한 벌레로만 오래 남을 것을

122. 연구를 짓다[聯句]

孤齋淸夜逈　　　　외로운 집에 맑은 밤은 먼데
勝集屬良辰(能)　　 좋은 모임이 좋은 때에 속했구려(능)
楊柳靑烟細　　　　버드나무에 푸른 연기 가늘고
樓臺皓月新(初)　　 누대의 흰 달이 새롭네(초)
洪崖眞道士　　　　홍애1)는 참다운 도사요
子建復詩人(深)　　 자건2)은 또한 시인이네(심)
手敵彈棊好　　　　바둑을 두는 데는 좋은 적수가 되고
歡深勸酒頻(衡)　　 기쁨이 깊어 자주 술을 권하네(형)
談邊霏玉屑　　　　이야기하는데 옥설3) 내리고
醉後露天眞(己)　　 취한 뒤에 천진함이 드러나네(나)
投轄留朋夜　　　　수레 멈추고 밤새 벗하여 놀며
連床秉燭晨(謙)　　 상을 이어 새벽까지 촛불 밝히네(겸)
豪情看傲骨　　　　호기스러운 정은 오골4) 보이고
淸興在佳賓(能)　　 맑은 흥은 아름다운 손에게 있네(능)
竹色交殘雪　　　　대나무 빛은 잔설과 엉기고
梅香報早春(深)　　 매화 향기는 이른 봄을 알리네(심)
不嫌加笑罵　　　　혐의하지 않으니 비웃음과 꾸짖음 더하라
猶喜見情親(能)　　 오히려 기쁘게 친한 정을 보리라(능)
句語多新意　　　　글귀의 말은 새로운 뜻이 많고

愁眉失舊嚬(己)	웃음 잃고 얼굴을 찌푸리네(나)
豈徒酬令節	어찌 다만 좋은 날에만 술을 마시겠는가
爲是讌芳隣(謙)	이는 잔치의 꽃다운 이웃이네(겸)
梨凍猶淸肺	언 배는 오히려 폐를 맑게 하고
觴深怕入脣(深)	가득한 잔은 입술에 대기 두렵네(심)
雅游同李郭	좋은 놀이는 이곽과 같고
深契勗雷陳(胄)	깊은 맺음은 뇌진5)에 힘쓰네(주)

123. 참의 이덕성이 무주부 군수로 나감에 이별하며 보내다[贈別

李參議德成出守茂朱府]

侍郞乘五馬	시랑이 오마를 타니
行色亦云榮	행색이 또한 영화롭다 하겠구나
況復將車子	하물며 다시 수레를 모는 자식이
新登司馬名	새로 사마에 이름을 올렸지

(李令弟一子子深 以新榜進士侍歸故云 이령의 첫째 아들 자심이 새로 진사에 참방하여 모시고 돌아갔으므로 한 말이다)

湖山呈好氣	호산의 좋은 기운 드러내어
簫鼓溢歡聲	퉁소와 북에 기쁜 소리 넘치네
想到朱溪日(茂朱號)	생각해보니 주계 이르는 날(주계는 무주다)

歌筵月正明　　　　　노래하는 자리에 달이 바로 밝겠구나

(趁望上官將設慶筵 달려가 상관이 옴을 바라보고 장차 경사스러운 잔치를
베풀 것이다)

124. 두 번째 시[其二]

久厭秋官席　　　　　오래도록 추관1)의 자리 싫어했는데
今爲梅閣仙　　　　　이제야 매각의 신선이 되었구나
丹霞藏郭裏　　　　　붉은 노을은 성 속에 숨겨두고
青嶂護樓前　　　　　푸른 산봉우리 누대 앞을 보호했네
花縣應無事　　　　　꽃 고을에 마땅히 일 없어
琴堂只有眠　　　　　금당2)에 다만 잠만 있을 뿐인데
其如時論惜　　　　　그와 같이 때를 논함이 애석하여
不日着郵鞭　　　　　머지않아 우편이 이를 것일세

주
　1) **추관**(秋官): 형조(刑曹).
　2) **금당**(琴堂): 현(縣)의 장관이 집무하는 마을.

125. 이자심과 이별하며 아우 자후1)와 자망을 겸하여 보내다[別
李子深兼送其弟子厚子望]

好是茂山(茂朱號)太守行 좋구나! 무산(무주의 호) 태수의 행차여
斑衣上舍又新榮　　　반의 입은 상사가 또한 새로운 영화일세
青衫色暎朱幡爛　　　푸른 나삼 빛이 붉은 깃발에 타는 듯 비치고
玉簫聲隨畫角淸　　　옥통소 소리에 화각2) 소리 맑게 이어지네

佳弟聯翩詩輒出	아름다운 동생 시를 쉽게 짓고
官齋蕭灑講仍明	관재의 깨끗함은 강론으로 이미 밝혀졌네
歸來示我南游錄	돌아와 나에게 『남유록』3)을 보여다오
積玉應敎眼目驚	옥을 쌓은 가르침은 마땅히 눈을 놀라게 하겠지

1) **자후**(子厚): 조선 중기 문신 이진순(李眞淳, 1679~?)의 자. 본관은 전주. 호는 하서(荷西).
2) **화각**(畫角): 아름다운 뿔피리.
3) 『**남유록**(南游錄)』: 남쪽 지방을 여행하며 보고 느낀 바를 시와 문으로 기록한 여행기.

126. 신성보 형제에게 편지하다[柬申成甫兄弟]

歲色蕭騷十月初	세색1) 쓸쓸한 시월 초에
西溪寂寂掩門居	서계에서 적적하게 문 닫고 사는데
已無原巷軒車客	이미 거리에는 휘장 두른 수레 탄 나그네가 떠났고
只讀閒燈今古書	다만 한가로운 등에 고금의 글을 읽고 있네
隔水寒梅誰訪爾	물 건너 추운 날에 매화 누가 너를 찾을까
近樓孤嶂却同余	누대 가까이 외로운 산은 문득 나와 함께하는데
回頭便憶知心子	머리 돌려 문득 마음 아는 이 생각하고
强把吟毫意欲攄	억지로 읊고 쓰니 뜻이 펴지려 한다네

1) **세색**(歲色): 세월, 시절.

127. 동짓날 서장관1)인 유중영(명웅)2)을 연경3)으로 보내며[送冬至書狀俞仲英(命雄)赴燕]

四牡年年鴨江路	네 말이 끄는 수레 해마다 압록강 길가에
輸金輦帛幾時休	금 싣고 명주 나르는 일 어느 때 그치겠나
燕山雪沒征人轂	연산에 눈 쌓여 나그네 수레 빠지고
鶴野寒生使者裘	학야4)에 추위 닥치니 심부름하는 이 옷을 껴입네
宮闕仰瞻誰日月	궁궐 쳐다보니 누구의 해와 달이며
衣冠掃盡舊風流	의관 털어 다하니 옛날의 풍요일세
微陽一脈前宵動	희미한 빛 한 줄기 지난밤 움직이니
爲問天心有悔不	묻노라 하늘의 마음은 후회함이 있는가

1) 서장관(書狀官): 외국에 보내는 사신 가운데 기록을 맡아보던 임시 벼슬.
2) 유명웅(兪命雄): 조선 숙종 때의 문신(1653~1721). 자는 중영(仲英). 호는 만휴정(晚休亭). 한성 판윤을 지냈고 파당에 초연하였으며 시문에 능했음.
3) 연경(燕京): 북경의 옛 이름.
4) 학야(鶴野): 눈이 내려 온통 들판이 학처럼 희다는 말.

128. 청하 신정보에게 응수하다[酬青霞申正甫]

蓮池曾賞老松篇	연지에서 일찍이 「노송」 편을 감상하니
蒼翠居然几席邊	푸름이 안석과 돗자리 곁에 거연하네
世事百年都是幻	세상 일백 년이 모두 다 환상인데
文章千載可堪傳	문장은 천년이라도 전할 만하구나
應將意氣論心內	마땅히 의기 가지고 심중을 논하고
即看瓊瑤照眼前	경요1)를 보니 눈앞이 밝아지는구나

| 歲暮靈芝休發難 | 해 저물어 영지는 쉬어 피어나기 어려우니 |
| 只須努力及青年 | 다만 모름지기 청년 때 노력하게나 |

주 1) 경요(瓊瑤): 다른 사람이 기증하여 보낸 시문(詩文)을 아름답게 이르는 말.

129. 되는 대로 제목 없이 읊다[謾吟]

朝日眠初覺	아침 날에 잠 처음 깨니
東林花正繁	동쪽 숲에 꽃이 바로 번화롭구나
見來還黙坐	봐오면서 도리어 묵묵히 앉았는데
春意滿乾坤	봄뜻이 하늘과 땅에 가득하구나

130. 이자심이 새로 무주로부터 돌아와[李子深新自茂朱還]

술을 준비하고 부르니 가서 마셨다. 『남유시록』을 내어보이므로 뜻을 다해 음평1)하니 헤어짐에 임해 왕마힐2)의 시 「망천한거」3)에 차운하다. 경진(1700).

置酒以邀往飲之 出其南遊詩錄盡意吟評 臨罷次王摩詰輞川閑居韻庚辰

| 遠別還同席 | 멀리 이별했다가 다시 돌아와서 자리를 같이하니 |
| 春光却在門 | 봄빛이 문득 문에 있구나 |

清尊花下酒	맑은 술 항아리에는 꽃 아래 술이 있고
高樓雨中村	높은 누에서는 빗속의 마을이 보이네
設勝丹霞起	좋은 자리 베푸니 붉은 노을 일어나고
披詩白雪飜	시를 펼치니 흰 눈이 흩날리네
遲留終夕意	오래 머물면서 밤을 지새우려는 뜻은
不獨賞芳園	홀로 꽃다운 동산 감상하려 함은 아니네

주   1) **음평**(吟評): 시를 읊으며 잘되고 못됨을 평가함.
     2) **왕마힐**(王摩詰): 성당(盛唐)시대의 대표적 자연시인 왕유(王維)의 자.
     3) **망천한거**(輞川閑居): 왕유의 별장이 있던 곳. 망천에서 조용히 살면서 생활을 시로 읊음.

131. 여겸, 자심과 함께 군주를 찾아가 운을 부르다[與汝謙子深訪君 胄呼韻]

山談消永日	산 이야기로 긴 날 보내니
間屐帶黃昏	신 사이로 황혼이 들어오는데
翠柳深春色	푸른 버들에 봄빛 깊었고
丹崖宿雨痕	붉은 언덕에 비 흔적 남았네
子猷方漫興	자유는 바야흐로 부질없는 흥 일으키고
文擧亦清尊	문거1)는 또한 맑은 술 좋아하지
宛爾成團會	오붓이 둥글게 앉은 자리 이루니
梨花月一門	배꽃과 달이 문에 가득하구나

주   1) **문거**(文擧): 후한 문장 공융(孔融)의 자.

132. 호남 아사[1] 한신보를 보내며[送湖南亞使韓愼甫]

■ 때에 전라도사가 되었는데 예에 따라 해운사[2]를 겸하였다[時爲全羅都事例
兼海運使]

蓮幕仍兼漕運使	연막[3]에서 나와 조운사가 되었으니
明朝北闕拜辭歸	내일 아침 북궐[4]에 배사[5]하고 돌아가네
海門曉日雲帆濶	해문[6]에 아침 해 뜨니 구름 사이 돛 넓고
官路春風馹騎飛	관로[7] 봄바람 속에 역마가 달리는구나
彩筆湖山應篲弄	채색 붓은 호산에서 마땅히 대밭을 희롱하고
錦衣桑榟亦光輝	비단옷은 고향에서 또한 빛을 내는구나
君恩寂有堪誇處	임금의 은혜 가장 감당하고 자랑할 곳은
玄觀歌筵絶是非	현관의 노래 자리에 시비가 끊어지게 함이네

(全州有玄都觀乃都事所館云 전주에 현도관이 있는데 도사의 관저라고 한다)

1) **아사**(亞使): 정사(正使)를 돕던 버금 사신.
2) **해운사**(海運使): 조운사(漕運使). 조선 시대 때 세곡(稅穀)의 운반을 맡은 벼슬.
3) **연막**(蓮幕): 대신들이 거처하는 집.
4) **북궐**(北闕): 대궐의 북문. 대궐.
5) **배사**(拜辭): 삼가 사퇴함.
6) **해문**(海門): 두 육지 사이에 끼어 있는 바다의 통로.
7) **관로**(官路): 국가에서 관리하던 간선 길.

133. 신정보가 좋은 약인 해당화를 읊은 데 화운하다[和申正甫詠芳
藥海棠韻]

紅棠素芍亞輕陰	붉은 해당화 흰 작약의 경음[1]에 버금가고

香霧霏霏鎖院深　　부슬부슬 내린 향기로운 안개에 집이 깊이
　　　　　　　　　　잠기네
何幸不生溱與杜　　진과 두로 태어나지 않은 게 얼마나 다행인가
得君淸詠愜君心　　그대 만나 맑은 시 읊으며 그대 마음에 맞출까

(溱溱水也詩溱洧章云贈之以勺藥 杜杜陵也杜甫平生不作海棠詩. 진은 진수
이다. 『시경』에 있는 '진유장'에 작약으로 보냈다는 말이 있고, 두는 두릉이
다. 두보는 평생 해당화에 대한 시를 짓지 아니하였다)

주　1) **경음**(輕陰): 약간 흐림. 엷은 그림자.

134. 이언숙을 임피1)로 보내다[送李彦叔之臨陂]

自是男兒志遠游　　이로부터 사나이의 뜻 멀리 노는 데 있거늘
離亭對酌莫深愁　　이정2)에서 대작하니 깊은 시름 말게나
塵中幾局靑霞氣　　진세에서 몇 번이나 청하의 기상 움츠렸나
湖海應成百尺樓　　호해에서는 마땅히 백 척 누각 이루리라

주　1) **임피**(臨陂): 전라북도 임피면, 대야면, 서수면, 성산면, 나포면 일대의 옛 마을.
　　2) **이정**(離亭): 길을 떠나는 사람을 보내는 자리.

135. 비 내리는데 다섯째 형님과 원1), 평2) 두 조카를 찾아가 함
께 『목은집』3) 가운데서 시를 차운하다[雨中訪五兄與源平兩姪 同
次牧隱集中韻]

滌熱三淸雨　　삼청에 더위 씻어주는 비 내리고
披衣北麓堂　　북록의 마루에 옷을 걸쳤다

不緣佳主在	아름다운 주인 있지 않으니
那對此山蒼	어찌 이 산의 푸름 대할까
雲過吟窓潤	구름 지나자 읊는 창에 윤기 나고
松圍禁苑長	금원4) 두른 소나무 자라난다
與君相勉意	그대와 더불어 서로 힘써야 할 뜻
工業及年芳	벼슬길이 꽃다운 나이에 미치기를

 1) 원(源): 일원(一源). 영조 시대 최고의 시인 이병연(李秉淵, 1671~1751)의 자. 문인
　김익겸(金益謙)이 그의 시초(詩抄) 한 권을 가지고 중국에 갔을 때 강남(江南)의
　문사들이 "명나라 이후에 지은 시들은 이 시에 비교가 안 된다"라고 하며 극찬함.
　일생 동안 지은 시가 1만 300여 수에 이름.
2) 평(平): 자평(子平). 병연의 아우(1675~1735). 조선 중기 문신. 시문에 능하고
　글씨를 잘 썼음.
3) 『목은집(牧隱集)』: 이색의 시문집. 손자 이계전(李季甸)이 시만 뽑아 6권으로 편찬
　한 것을 1626년 후손 이덕수(李德水)가 증보 간행했음. 내용은 시고(詩稿) 35권,
　문고(文稿) 20권.
4) 금원(禁苑): 대궐 안에 있는 동산.

136. 사진 댁에서 사진 형제인 경소, 자망과 밤에 이야기하다가
함께 『기아』 시에 차운하다[士珍宅與士珍兄弟敬所子望夜話 同次箕
雅韻]

坐來林末起輕風	앉아 있으니 숲 끝에 가벼운 바람 일어나고
一塢閑花好雨中	한 언덕 한가한 꽃 좋은 비 맞는데
午簞任從呼叫大	관리는 낮에 큰 소리로 시를 읊고
(時爲局戲相與賭勝 때때로 바둑을 두며 서로 이기고자 하였다)	
夜牎留許嘯吟同	밤에도 창가에서 함께 소음1)하기로 약속했네
興仍沽酒誰辭飮	흥이 나자 술 사오니 누가 마시기 사양할까

病久抛詩却未工　　오랜 병에 시를 버리니 아직 공교히 못했구나
吾輩自起應不少　　우리들 절로 일어나 마땅히 적지 않을 것이니
功名可但俟秋蟲　　공명은 다만 가을벌레를 기다릴 수밖에 없네

주　　1) **소음**(嘯吟): 시를 소리 내어 읊음.

137. 하루는 누더기를 입은 한 아이 있어 짓다[一日有一童子衣獘褐]

　　문에 와서 스스로 정승의 자손이요 승지의 증손이라고 말하며 일찍이 엄부를 잃고 다만 자모를 받들고 있으나, 집이 가난하여 음식을 제공할 수 없기 때문에 바야흐로 다니며 빌어서 봉양을 한다고 했다. 또한 조금쯤 문자를 해석할 줄 안다며 소매 속에서 시축을 내보였다.
　　이것은 신 정승 완1)의 본래 운으로 한 시대 공경대부2)와 사대부 들과 선비로서 글 잘 아는 자가 모두 불쌍히 여겨서 지어준 것이었다. 화답시를 구걸함이 매우 간절하였으므로 내가 동파 시 가운데 운자를 내어 아이에게 차운하게 하니 아이가 잠깐 사이에 능히 잘 지었다.
　　아! 잠영3)의 무리로 글재주가 있어도 가난하여 학업을 전공하지 못하니 네가 어찌 숙오4)만 같지 못하겠느냐. 세상에 또한 우맹5)이 없는가. 그 아이에 감동하여 동파 운을 가지고 지어서 주었다. 돌아갈 때에 또한 한 절구로 지어서 주고 또한 차운하게 하고 이별했다. 아이의 이름은 후재인데 그림에도 재주가 있었다.

踵門而自說相公之後孫 承旨之曾孫早失嚴父 只奉慈母而家貧 無以供叔水 方行乞以爲養 又稱梢解文字 仍出袖中詩軸 乃申相國琓原韻而 一代公卿大夫士大夫 士能文者咸憐而 賦之以贈者也 乞和

甚切 余拈出東坡韻先令童子次之 童子斯須之間能善成 噫以簪纓
之屬而 有文字之才而貧不攻業 嗚呼爾不如叔傲耶 世亦無優孟耶
遂感而次坡韻 與軸中韻贈之 臨歸又以一絶呈 亦次以別 童子名厚
載又有畫才

負米思將母	쌀을 짊어지고 어머니 봉양 생각하며
操瓢豈爲身	표주박 잡은 것이 어찌 몸을 위함이겠나
散金吾沒策	돈을 쓰는 데 재주가 없어
高義愧前人	깊은 의리가 없으니 앞 사람에게 부끄럽구나

(右次坡韻 위는 동파에 차운한 것이다)

祖昔先朝相	할아버지는 선조 때 정승이었고
孫今乞市兒	손자는 지금 저자에서 빌어먹는 아이라네
吾王聞可惻	우리 임금님 들으시고 측은히 여길 터이니
誰肯獻玆詩	누가 즐겁게 이 시를 바치겠나

(右次軸中韻 위는 시축 운에 차운한 것이다)

遠尋良好意	멀리 어진 이 찾은 것은 좋은 뜻인데
斜日欲何歸	해 저물녘 어디로 돌아가고자 하는가
林外烏啼急	숲 밖에 까마귀 급히 울고
誰能更挽衣	누가 능히 다시 옷을 잡을 것인가

(右次童子韻 위는 동자에 차운하다)

 1) **신완**(申玩): 조선 숙종 때의 문신(1646~1707). 자는 공헌(公獻), 호는 경암(絅庵).
　　영의정을 지냄.
　2) **공경대부**(公卿大夫): 삼공과 구경 대부를 아울러 이르는 말.
　3) **잠영**(簪纓): 관원(官員)이 쓰는 관에 꽂는 비녀와 갓끈. 고관.

138. 이자후에 차운하여 무주로 이별하며 보내다[次李子厚韻仍贈別之茂朱]

■ 글을 아우르다[竝書]

더위가 혹독한데 건강한가. 이별한 지 여러 달 되었는데 일찍이 그
대를 보고 싶은 마음이 끊이지 않는구나. 들으니 자심이 뜻을 다해 스
스로 가야산으로 가고자 하니 홍류동의 좋은 경치에 포부가 더욱 커지
고 문장이 더욱 높아져서 가히 더불어 마주할 수 있을 것이네.

속세에 사는데 가문에 벼슬하는 자가 드무니 읽는 것은 『논어』뿐이
네. 사진이 써놓은 시축 가운데 광명의 등불을 보았는데 이 사람을 합
포의 한 구슬로 삼는다면 그러한 생각은 희롱일 것이네. 포부가 더욱
커져 말로 전할 수 없으니 어찌 읽을 수 있겠는가. 극담1)을 할 말미가
없으므로 마음만 바쁠 뿐이네.

자후가 글을 보낼 때 집안 조카의 혼사로 인연하여 몸이 한천에 있
었으므로, 받아보는 데 차질이 생겨 이미 몸소 나아가서 이별을 못했
네. 또한 시로써 화답하여 보내지 못했으니 지금까지 슬픈 한이 중간
에 맺혀 이에 두 구의 율시를 가지고 보내니 각각 의견대로 보고 한번
웃기 바라네. 아울러 아름다운 소식을 전해주어서 마음을 위로함에 쓰
게 해주게.

내 병은 더위 때문에 너무 심해져 오래된 목병이 요사이 재발하니 고통스럽고 겸하여 가슴을 찌를 듯한 증세가 있었네. 잠잠연²)하게 붓으로 연구한 지 오래되었으나 별로 향상된 바 없으므로 사람의 도리에 어찌할까.

자망이 다시 와서 한두 번 만날 때마다 지난 일을 이야기하며 논한 것이 거의 칠십여 편이나 되니 그 말솜씨가 옛날의 자망이 아니었네. 공경하고 사랑함을 헤아릴 수 있을까. 다만 사는 곳이 조금 멀어 지나치면서 함께 이야기하고 즐길 수 없으니 한탄스럽네.

올해 반지의 연꽃이 가장 성해 바야흐로 연꽃 봉우리가 못에 넘치는데 여러분들과 함께 감상하지 못하니 더욱 간절하네. 가까이 생각해보니 장자서³)를 각각 이미 졸업했으리라 생각되네. 두 책이 모두 때에 따라 긴급히 보는 것이니 다행스럽게 속히 부쳐주기를 지극히 바라네. 단단히 싸고 봉하여 가는 길에서 훼손됨이 없게 해주게. 나머지는 미처 갖추지 못하네.

炎熱比酷僉屨趣 珍佳否別已累月矣 何嘗不懸懸于懷也 聞子深盡意自放於伽倻 紅流之勝想 胸次益大文章益高 不可與向也 在塵土中戶庭之內寂寥 嘯咏者論也 從士珍軸中 略見其光焰之燭 人而此爲合浦之一珠 則其所領略篲弄 大其胸次而不可言語傳者 又安得而盡見也 無由卽與劇談 令人意思欲飛耳 子厚留書時 緣家姪昏事 身在寒泉承見差遲 旣不得躬進以別 且不得和詩以贈 至今悵恨中結 玆將二律 各以意見望一笑 並賜瓊報用慰此心 弟病暑甚重宿患喉痛 近復苦痛兼得 胸腹牽刺之症 涔涔然與筆研久 別實無向 故人道者奈何 子望來復一二逢見 誦論經歷所得 殆七十餘篇 其爲語非復舊日子望 敬愛可量 但所居稍遠 殊無過從話言之樂可歎也 今歲

盤池蓮最盛見 方菡萏溢塘而 不得與僉賢共賞尤念尤念 近思莊書
想各已卒業矣 兩書俱隨時緊看者 幸於速便付還至望 裏封亦堅緻
毋爲中路沾汚也 餘姑不具

征馬重嘶湖水陽	나그네의 말이 거듭 호수 양지에서 우니
知君幽興在仙鄕	그대의 그윽한 흥이 신선 마을에 있을 만하고
來時索笑寒梅白	추운 날 올 때 매화가 희게 웃는 것을 찾았었 는데
去日淸吟夏木蒼	가는 날에는 여름 나무의 푸름 맑게 읊는구나
豪氣裳峯千仞上	호기는 상봉의 천 길 위에 있고
詩情霞標百尋强	시정은 하표의 백발보다 강한데
可嗟病負河梁餞	슬프다! 병을 짊어지고 하량에서 보내니
遙爲江山獨賀觴	멀리 강산에서 홀로 축하의 잔을 드네

(裳峯霞標乃茂朱勝觀耳 상봉과 하표는 무주의 좋은 관광지다)

주
1) **극담**(劇談): 쾌활한 이야기.
2) **잠잠연**(涔涔然): 분위기나 활동 등이 소란하지 않고 조용함.
3) **장자서**(莊子書): 장주(莊周)의 글.「남화경(南華經)」.

139. 또한 율시 한 수를 자심에게 부치다[又以一律寄子深]

■ 자심이 바야흐로 무주에 있었는데 봄 사이에 가야산 홍류동에서 노닐었다고 하였
으니, 시의 뜻이 이와 같다[子源方在茂朱春間游伽倻山紅流洞云 故詩意如此]

湖嶺江山已遍過	호남과 영남의 강과 산을 이미 두루 지나쳐
問君詞格近如何	묻노니 그대의 글솜씨가 요사이 어떠한가

伽倻翠色囊中草	가야의 푸른색은 주머니 속의 풀이요
洞府紅流醉後歌	동부의 붉은 흐름 취한 뒤의 노래일세
差自盤谿傳勝賞	반계로부터 좋은 관상거리 전함과 차이 나니
便教塵客失沉痾	문득 진객에게 가르쳐 깊은 병 잃게 하고
且須惠我郵筒寄	또한 모름지기 나에게 우편으로 보내줘서
大軸長篇快一哦	큰 축과 긴 글을 흔쾌히 읊게 하게

140. 원과 평 두 조카가 또 '당(堂)' 자 운을 써서 각각 한 율시를 써서 보냈으므로, 문득 두 수로 화답해 보여 각각 그 뜻에 보답한 것이다[源平兩姪復用堂字韻各賦一律以寄 却和示二首各報其意也]

■ 글을 아우르다[竝書]

지난날 조카 원이 궁곡을 찾았을 때 좋은 말을 남겨 지금까지도 가득히 얻는 것이 있는 듯하다. 곧 생각해보니 뜨거운 더위에 시봉하며 하는 공부가 날마다 좋아지는지 구구한 위로를 말할 뿐이다.

노둔1)한 사람은 적적한 개울가 집에서 해가 지도록 찾아오는 이 없고 다만 수마와 짝이 되니 어찌해야만 두 개의 시호를 끌고 맑은 샘과 성한 숲 사이에서 쾌하게 읊으며 이 생각을 보낼까. 땅에 가득한 붉은 꽃은 오륙 일만 더 지나면 반드시 줄 것이니 한번 감상하지 않겠는가.

'당(堂)' 자 시는 지금 처음으로 화운하여 보내나 말재주 없음이 너무 심하다. 그러나 상편에는 힘쓰고 격려하는 뜻이 없지 않으니 이것을 굽어 채택하기를 바랄 뿐이다. 화산을 구경하고 쓴 기록을 다 보고 망령되이 천한 견해를 별지에 적었으니, 보고 나서 쓰든지 물리든지 하

라. 다른 것은 아직 다하지 못한다(한시는 별록에 있다).

向者源賢枉尋窮谷 留惠淸言 至今盎然若有得矣 卽惟炎熱 僉侍奉
闈章日勝 區區慰溯 魯人寂寂溪齋 竟日無來者但 與睡魔爲伴 何以
携兩箇詩豪於 淸泉茂林之間 快吟遣此懷也 滿池朱華過五六許日
必將減歇其果不欲一賞否 堂字詩今始和呈 語拙甚矣然 上篇不無
勉屬之意 是冀俯採耳 華山前後錄謹已畢看 妄以淺見 記在別紙可
覽 而進退之也 他姑不罄論詩在別錄

比來得二姪	요사이 두 조카를 얻었는데
文學已升堂	문학이 이미 경지에 올라
氣欲摩空碧	기운은 푸른 하늘에 닿을 듯
糧非適莽蒼	자질은 넉넉하여 부족하지 않네
詩章心自得	시 문장은 마음 절로 얻은 것이고
經史味偏長	경사는 맛이 치우치게 길구나
若此寧寥寂	이와 같이 어찌 고요하고 적적하겠는가
吾宗佇播芳	우리 종가가 우뚝 서서 꽃다움을 뿌리리라

주 1) 노둔(魯鈍): 둔하고 어리석어 미련함.

141. 두 번째 시[其二]

白雲引我興	흰 구름은 나의 흥을 끌어내어
前日到君堂	지난날 그대의 집에 이르렀는데
話抱當踈雨	이야기하던 중 드문 비 만나

吟詩望遠蒼	시를 읊으며 먼 창공을 바라보았지
別來西沼靜	이별한 뒤로 서쪽 못은 고요하고
魂去北林長	혼이 가니 북쪽 숲은 길구나
有訊期還誤	찾을 기회 있었으나 또한 어그러지니
荷花已晚芳	연꽃이 이미 늦은 향기 있구나

(來詩有問訊荷花色 重期賞早芳之句 보내온 시에 연꽃의 빛을 묻고 이른 꽃을 감상하도록 하자는 글귀가 있었다)

142. 유두[1] 밤에 반지에서 중약 형제와 더불어 연꽃을 감상하며 운을 부르다[流頭夜盤池與仲約兄弟賞蓮呼韻]

滿池香艶淨新荷	땅에 가득한 향기와 곱고 깨끗하게 새로 핀 연꽃이
十五淸光漾綠波	십오야[2] 맑은 빛 푸른 물결에 출렁이는구나
一抹微烟垂柳畔	한 줄기 희미한 안개 수양버들 가에 드리우고
佳人爭唱採菱歌	아름다운 사람 다투어 채릉가[3]를 부른다

주
1) 유두(流頭): 우리나라 명절의 하나. 음력 유월 보름날.
2) 십오야(十五夜): 음력 보름날 밤. 특히 음력 8월의 보름을 이름.
3) 채릉가(採菱歌): 연밥 따는 부녀자들이 부르는 노래. 채련가(採蓮歌).

143. 두 번째 시[其二]

夜久澄潭露轉荷	밤 오래되니 맑은 못 이슬 연꽃으로 구르고
游魚噴月散金波	노는 고기 달을 뿜어 금물결 흩어지는데

一心淸淡人誰解　　　한마음 맑음을 어느 사람 이해할까
芳草街頭獨嘯歌　　　푸른 풀 길거리에서 홀로 노래 부르네

144. 신성보, 신경소, 허명중, 신정보, 이자망이 청담에 가는데 시를 지어 보내다[申成甫愼敬所許明仲申正甫李子望作淸潭]

■ 못의 이름은 벽하인데 서산 아래 있다[潭一名碧霞 在西山下之行]

　나는 말이 다해 능히 따르지 못하니 모화관에서 조금 이야기하다 다섯 사람은 말을 타고 갔다. 나는 도로에 앉아 절구 두 수를 지어 읊었는데 나에게 함께 갈 것을 요구했으므로 문득 다섯 사람에게 보냈다.

余之代步不能從小話　慕華舘五子騎馬而去　余坐石上吟成二　要余
同往　絶却寄五子

靑草白沙五騎飛　　　푸른 풀 흰 모래 말 다섯 필 날고
纔穿峴樹望依依　　　작은 나무 틈새로 의의하게 바라보네
塵蹤再誤烟霞約　　　진세의 일로 두 번이나 신선놀음 약속 어기고
任與諸君滿袖歸　　　그대들만 함께 돌아가게 하였다
(余於辛未秋游華山關雨未訪 此潭今又未往故云再誤 내가 신미년 가을 화산 놀이에 비 때문에 참석하지 못했다. 이 못을 지금 또 가지 못하므로 두 번 그르쳤다고 말했다)

145. 두 번째 시[其二]

賞游何獨詫淸潭	좋은 놀이를 어찌 홀로 청담에서만 할까
李子名園倚碧鑪	이자1)의 이름 있는 동산에 푸른 아지랑이
滿沼蓮華更妙絶	못에 가득한 연꽃은 또한 절묘한데
要君佳詠與玄談	그대의 아름다운 시와 현담2)을 청하는구나

(士珍茅亭有會話之約 사진의 띠 정자에 모이자는 약속이 있었다)

146. 빗속에 자망이 내방했으므로 머무르게 하여 동숙하면서 '와(蛙)' 자를 얻어 함께 지었다[雨中子望來訪 仍留之同宿 得蛙字共賦]

爲問前溪終夕雨	묻노니 앞개울에 밤새 비가 오는데
君從底處到吾家	그대는 낮은 곳으로부터 내 집에 이르렀네
眉間色動雲山氣	눈썹 사이의 빛은 구름과 산의 기운 움직이고
口角香生玉井花	입가의 향기는 우물가 꽃에서 생겨나네

(新游華山而來 새로이 화산에 놀러 다녀왔다)

滿袖詩風驅四傑	축 가득한 시의 풍조는 네 호걸을 몰았고
臥狀談塵扣三車	침상에 누워 속세를 논함은 삼거1)의 내용이네

(論佛經 불경에 나오는 내용이다)

少時不肯從低弱	젊을 때 즐거이 낮고 약한 사람을 따르지 않았으니

試向林塘聽怒蛙　　　시험 삼아 임천2)의 성난 개구리 소리나 들어 보세

(句曰怒蛙亦尙有氣況人乎 구절에 "성난 개구리도 오히려 기운 있거늘 하물며 사람은 어떨까"라고 말하였다)

　칠월 초하룻날 둘째 형님을 모시고 이종인, 필중, 정숙에게 가니 그 형제와 윤형중, 윤방서3), 조여겸이 비를 무릅쓰고 동소문으로 나와 안암동에 들어갔다. 숲에 정자가 있는데 날개 단 듯하니 정숙의 선대에서 지은 옛 정자이다.

　드디어 올라가서 우의를 걸어놓고 둘러앉아 바둑을 두며 술도 마시고 시도 읊었다. 오이를 따고 고기를 낚으니 생선과 채소의 맛을 모두 갖추었다. 방서는 또한 반중4)으로부터 약간의 술과 고기를 준비해왔으니, 비 온 뒤 들을 바라보는 흥을 도울 수 있었다. 기자를 얻어서 각각 오율을 지으니 여겸이 먼저 지었으므로 그 시에 차운하였다.

七月初一陪仲兄往李宗人必重鼎叔 與其兄弟及尹亨仲尹邦瑞曹汝謙 冒雨出東小門入安巖洞 有林亭翼然乃鼎叔先世舊亭也 遂登臨掛雨衣圍碁或飮或詠 摘瓜釣魚溪圃之味俱臻 而邦瑞又自泮中 辦來小酒肉 可以助雨後眺野之興也 得碁字各賦五律 汝謙先成仍次其韻

沙路催吟轡　　　모랫길에 읊으면서 고삐 재촉하고
林亭掛雨衣　　　숲 정자에 비옷을 걸었네
傍巖仍命酒　　　바위 가에서 술을 명해 내오고
臨澗更隨碁　　　도랑을 임해서 다시 바둑을 두는데

野味瓜新熟	들판의 맛은 새로 익은 오이요
川珍蟹欲肥	개울의 진미는 살찌려는 게일세
偶然成勝會	우연히 좋은 모임 되어
歸意不嫌遲	돌아갈 뜻 늦다고 혐의하지 말게나

1) **삼거**(三車): 양거, 녹거, 우거 등 세 수레. 성문승, 연각승, 보살승을 비유적으로 이르는 말.
2) **임천**(林泉): 세상을 버리고 은둔하기 알맞은 곳.
3) **방서**(邦瑞): 조선 중기 문신 윤덕준(尹德駿, 1658~1717)의 자. 본관은 남원(南原). 호는 일암(逸庵). 시호는 효정(孝靖).
4) **반중**(泮中): 반궁(泮宮). 성균관.

147. 정숙이 또한 오태관의 운을 가지고 시를 외었으므로 각각 차운해 보이다[鼎叔又以吳台貫之韻誦示各次]

宗老遺墟在	종중 어른이 남긴 터가 있어
空亭匹馬尋	빈 정자를 필마로 찾았네
舊栽蒼檜色	옛날 심은 푸른 전나무 빛은
新種小槐陰	새로 심은 작은 느티나무 그늘이라
山麗盈遐矚	산은 고와 멀리 보기 좋고
郊晴可晩臨	들은 개어 밤에도 갈 수 있는데
平泉無賣石1)	평천장에 팔 돌이 없으니
爲爾賀觴斟	너를 위해 하례의 잔을 드네

1) **평천무매석**(平泉無賣石): 지식을 쌓기만 하고 베풀지 않았음을 빗댄 말.

148. 이보, 구숙과 함께 모여 사진에게 이야기하다가 장차 파하

려고 하자 『청음집』[1])에 차운하였다[與頤甫久叔會話于士珍將罷次淸
陰集韻]

澗鳥留人好	도랑의 새는 사람이 머물러 좋고
林蟬送客喧	숲의 매미는 손님 보내느라 시끄러운데
故情呼白酒	옛 정으로 막걸리 부르고
愁面借紅痕	시름 띤 얼굴에 붉은 흔적 빌리네
浮世悲歡足	뜬세상에 슬픔과 기쁨 족하고
逢場氣習存	만나는 곳에 기습[2])은 아직 남아 있는데

(余與頤久中經喪禍故句意如比 나와 이구가 중간에 상을 당하였으므로
이와 같이 적었다)

| 此懷當細討 | 이 회포 마땅히 자세하게 토론하니 |
| 月色正柴門 | 달빛이 바로 사립문에 이르렀네 |

주
1) **청음집**(淸陰集)』: 조선 선조 때 문신 김상헌(金尙憲)의 문집.
2) **기습**(氣習): 습관으로 형성된 기운이나 습성.

149. 또한 각기 달려 『청음집』 절구에 차운하다[又各走次淸陰集絶句]

楊柳陰中着小堂	버들 그늘 가운데 작은 마루에 섰고
蟬聲高處得新凉	매미 소리 높은 곳에 새로운 서늘함 온다
床頭縱有千盃酒	상머리에 많은 술 있으니
爭及良朋故意長	어찌 좋은 벗에게 고의를 길게 짓겠는가

(士珍有惜酒戲語故云 사진이 지은 시에 술을 아낀다는 희언이 있기 때문에
지었다)

150. 박 직경(내정)을 임지 금성으로 보내다[送朴直卿(乃貞)赴金城任]

不問騎曹馬	조마1)를 묻지 아니하고
還飛葉縣鳧	엽현2)으로 오리 도로 날아가는구나
專城便孝養3)	전성으로 부모님 모시기를 편히 하고
爲政驗時需	정사를 하면서도 때로 시수를 점검하네
地僻神仙窟	땅이 외지니 신선의 굴 같고
山圍錦繡圖	산이 둘렀으니 비단에 수놓은 그림이라
瓊芝收嚼處	경지4)를 거두어 먹는 곳에서
能憶病儂無	능히 병든 나를 기억하겠는가

주
1) 조마(曹馬): 육조에서 보내는 파발마.
2) 엽현(葉縣): 중국 하남성 사하의 남쪽 언덕. 오리와 기러기가 많이 찾아옴.
3) 전성편효양(專城便孝養): 전성지양(專城之養)에서 비롯된 말로 한 고을의 원으로서
   그 어버이를 봉양하는 일을 일컬음.
4) 경지(瓊芝): 아름다운 지초. 신선들이 먹는다는 영약(靈藥).

151. 사람을 대신해 이연풍의 만사를 짓다[代人挽李延豐]

■ 이름은 후방이니 율곡 선생의 방손이다[厚芳栗谷先生旁孫也]

身生儒閥性淳厖	몸은 유가에서 태어나 성품은 순순하고 크며
七十年高氣未降	칠십 년간 높은 기상 내리지 아니하였네
政化累看嘉穗兩	정화1)는 여러 번 아름다운 두 개 결실을 맺어
家聲留得寶珠雙	훌륭한 두 아들에게 가성2)이 머물렀네
松池舊寓蓬埋逕	소나무 못의 옛 집은 쑥 길에 묻어두고

花石名亭月吊江	꽃과 돌 이름 있는 정자는 달이 강에서 위로 하는데
白首交情兼共巷	늙어서 사귄 정이 겸하여 한마을에 살았으니
一飜薤露斷哀腔	한 번 들려오는 만가에 슬픈 창자 끊어지네

주 1) 정화(政化): 정치로 백성을 다스려 교화함.
    2) 가성(家聲): 한집안의 명성이나 평판.

152. 사진이 생일을 맞아 술을 두고 불렀으므로 가서 마시다가 도휘, 이보, 군측1), 사익, 구숙이 함께하여 자리에 임해 각각 일 절씩 짓고 파하다[士珍初度置酒邀之往飮 道輝頤甫君則士益久叔同席臨 罷各賦一絕]

華筵集客好風流	좋은 자리 모인 손이 풍류를 좋아하고
几屨聯翩晩上樓	지팡이와 신을 이어 누각에 늦게 올라
亞勺紅醪歸意懶	다음으로 붉은 술잔 치니 돌아갈 뜻 게으르고
一聲高柳早蟬秋	높은 버들 한 소리는 이른 가을 매미로세

주 1) 군측(君則): 조선 중기 문신 홍중성(洪重聖, 1668~1735)의 자. 본관은 풍산. 호는 운와(芸窩). 문장에 능했으며 좋은 시를 많이 남겼음.

153. 모인 자리에서 사진의 운을 써서 여러 사람에게 보이다[追用士珍席上韻以示諸子]

| 高談四坐若泉流 | 네 자리에서 나온 높은 이야기, 샘 흐르듯 하고 |
| 爽氣居然滿小樓 | 서늘한 기운 거연하게 작은 누에 가득한데 |

凍雨乍生青嶂色　　언 비 잠깐 오니 푸른 산 빛나고
飛鴻遙曳白雲秋　　나는 기러기 흰 구름 멀리 끄니 가을이로세
誰爲匹騎蕭條去　　누가 한 필 말 몰아 쓸쓸히 가는가
好是群賢爛熳游　　좋구나! 이것은 뭇 어진 이의 난만한 놀이
　　　　　　　　　　로고
此日可無詩一首　　이날에 시 한 수 없을 수 없고
明朝應復世間愁　　내일 아침엔 또 세간을 시름하겠지

(簡齋詩云一首新詩未可無　其日瀛奎律髓浮此韻而　君則士益催皈斷作絶句
韻賦罷故頸尾兩聯意如此 간재시1)에 이르기를 한 수에 새로운 시가 있다고
하였는데 그날『영규율수』2)에서 이 운을 얻었다. 군측과 사익이 돌아갈 것을
재촉함에 절구로 짓기로 단정하고 짓기를 마쳤으므로 마지막 두 연의 뜻이
이와 같다)

1) 간재시(簡齋詩): 고려 시대 문인 이용희(李用羲)의 시.
2)『영규율수(瀛奎律髓)』: 중국 원나라의 방회(方回)가 당, 송 양대의 시를 합하여
　　편찬한 책.

154. 사진이 앞의 모임을 기록한 시에 차운하다[次士珍韻以記前會]

興足要須詠竹梧　　흥이 족하여 모름지기 대와 오동 읊고
醉來忘却吐氍毹　　취해서 구유에 토한 것도 잊어버렸네
逡巡晩酌添沽酒　　만작1)하며 돌리다가 술 사다 더 따르고
(酒盡乃再沽酒 술이 다했으므로 다시 술을 사왔다)

冷滑秋葅劈落蘇　　차고 미끄러운 가을 김치 활소를 쪼개놓으니
(茄子一名 가자를 달리 부르다)

世上是非那到口	세상의 시비가 어찌 입에 이를까
洞中天地好藏軀	마을 속 천지는 몸 감추기 좋은 것을
無心話語猶驚俗	무심한 대화에도 오히려 속인은 놀라고
怕有山前荷蕢徒	두려운 건 산 앞에 하궤2) 같은 무리가 있음 일세

(席上趙大年謂我言近俗故言之 자리에 있던 조대년3)이 나를 속인에 가깝다고 했으므로 말한 것이다)

1) **만작**(晩酌): 저녁에 술을 마심. 또는 그 술.
2) **하궤**(荷蕢): 궤를 맨 사람. 공자 당시의 기인(奇人).
3) **대년**(大年): 조선 중기 문신 조태억(趙泰億, 1675~1728)의 자. 본관은 양주(楊州). 호는 겸재(謙齋) 태록당(胎祿堂). 시호는 문충(文忠).

155. 구숙에 차운하여 사진에게 보이다[次久叔韻兼示士珍]

名園多勝事	이름난 동산에 좋은 일 많아
招集不嫌頻	불러 모아도 번거로움 혐의하지 않네
勸酒幽愁失	술 권하니 그윽한 시름 사라지고
題詩故意眞	시를 지으니 옛 뜻이 참되구나
谿山能得主	개울과 산은 능히 주인을 얻었고
梧竹却留人	오동과 대나무는 문득 사람을 머무르게 하는데
向晚更宜眺	늦게 향하니 다시 조망이 좋고
青烟鎖禁闈	푸른 연기는 궁궐에 자욱하구나

156. 또한 깬 뒤에 후회하는 뜻으로 화답하였다[又答醒後悔懊之意]

聚散元難定	모이고 흩어짐은 본래 정하기 어려운데
逢場可累觴	만난 곳에서는 여러 잔 마실 수 있네
卽看雙眼舊	이전처럼 두 눈이 온전하고
深喜一身康	몸이 편안한 것이 매우 기쁘구나
(喜久叔無事闋服 구숙이 무사히 결복1)을 마친 것을 기뻐한 것이다)	
善謔應同勉	함께 힘쓰자고 훌륭한 해학으로 지으니
時中亦豈妨	하는 일에 또한 어찌 방해될까
哀情不在語	슬픈 정은 말에 있지 않고
穹壤自綿長	궁양2)은 절로 끊임없구나

주
1) 결복(闋服): 어버이의 삼년상을 마침.
2) 궁양(穹壤): 하늘과 땅.

157. 다섯째 형님께서 양근에 부임해 말을 보내 맞이하므로, 일원의 형제와 함께 언숙, 도진, 공서1)와 함께 가서 마시고 이야기하며 운을 부르다[五兄將赴楊根任 遣騎邀之 往與一源兄弟彦叔道陳公瑞 飮話呼韻]

夜來秋氣集西園	밤이 되니 가을 기운 서원에 모이고
選勝招邀酒一尊	좋은 사람 뽑아 불러 술 항아리 가져왔네
梧外細雲窺小柳	오동 밖에 가는 구름 작은 버들 엿보고
柳邊斜景入重門	버들 가 저물녘 경치 거듭 문으로 들어오는데
幽情岳麓穿崖水	그윽한 정은 산기슭 뚫는 절벽의 물이요
晚眺王城樸地村	늦게 보이는 것 왕성 가까운 소박한 마을이로다

他日別懷無盡處　　　다른 날 이별한 회포 다할 곳이 없어
月溪輕棹着行軒　　　월계에서 가벼운 배 타고 가서 집에 도착하리

주　1) **공서**(公瑞): 조선 중기 문신 박봉령(朴鳳齡, 671~1718)의 자. 본관은 밀양(密陽).
　　　　전라도 관찰사, 대사성을 지냈음.

158. 또한 『택당집』1)에 차운하다[又次澤堂集韻]

脩然林氣轉霏微　　　소연한 숲의 기운 비미2)로 흐르고
短蹇靑驢繫竹扉　　　발 저는 푸른 나귀 대사립에 매었구려
東里詞人能命駕　　　동쪽 마을 시인들 능히 탈 것을 준비시키고
西城病客不思歸　　　서쪽 성 병든 손님 돌아갈 줄 모르네
愛聽蟬響秋生樹　　　매미 소리 즐겨 들으니 나무에서 가을 나오고
未厭螢光夜襲衣　　　반딧불 싫어하지 않으니 밤에 옷으로 들어오네
夙習見嫌盃酒際　　　일찍부터 술 마시기 싫어하니
益知交道世間稀　　　세간의 교제가 드묾을 익히 알겠네
(彦叔以我戲語有欲起之意 故末聯戲及 언숙이 나에게 희롱하는 말로 일으키
고자 하는 뜻 있으므로 마지막 연에 희롱으로 언급하였다)

주　1) 『**택당집**(澤堂集)』: 조선 인조 때 문신 학자인 이식(李植)의 문집. 1674년 송시열이
　　　　간행함.
　　2) **비미**(霏微): 부슬부슬 내리는 비나 눈의 모양이 배고 가늚.

159. 일원 자평과 오형을 모시고 양근1)에 부임하여 가심에 이별
하다[別一源子平陪五兄楊根任之行]

龍門鬱鬱月溪深　　　용문은 울울하고 월계는 깊은데

元氣東來此大斟　　　　원기가 동쪽으로 오니 이 큰 술잔 기울이네

恨不往看眞面目　　　　한스러운 것은 가서 참면목 보지 못함이니

要君收拾寄西林　　　　모름지기 그대는 보고 서림으로 글 보내주게

> 주 1) **양근**(楊根): 경기도 양평.

160. 또한 한 절구로 다섯째 형님과 이별하다[又以一絶呈別五兄]

五馬仍將兩鳳飛　　　　오마1)에 의지해 두 봉새가 나니

松林快讀是奇機　　　　송림에서 즐겨 공부한 덕에 귀한 기회 얻었네

操心淸白吾家事　　　　청백을 조심함은 우리 집안의 일이요

不患山氓不得肥　　　　산맹2)이 살찌지 못할까 근심 마시기를

> 주 1) **오마**(五馬): 예전에 마병(馬兵)이 행군할 때 오열 종대로 편성하는 방식이나 그렇
> 　　게 편성한 기마대를 이르던 말.
> 　　2) **산맹**(山氓): 산속에 사는 백성. 화전민.

161. 이보 댁에서 술을 마시며 운을 부르다[頤甫宅飮呼韻]

綠蟻樽中泛1)　　　　　푸른 개미는 술 항아리 가운데 뜨고

銀蟾屋角升　　　　　　달은 용마루 끝에 떠오르는데

多君珍重語　　　　　　그대의 진중하고 많은 말은

置我最高層　　　　　　나를 가장 높은 곳으로 끌어올렸네

(頤久士珍俱有相戒語故云 이구와 사진이 모두 서로 경계하는 말이 있었기

때문에 말한 것이다)

> 주 1) **녹의준중범**(綠蟻樽中泛): 청주가 익어 쌀알이 떠오른 모양을 이름.

162. 수재 권 유안(磐)에 대한 만사 두 수를 짓다[挽權秀才幼安(磐)二首]

大樸久彫斲	큰 통나무는 오랫동안 다듬어야 되거늘
蚩俗競浮夸	어리석은 풍속이 들뜨고 과장함을 다투는데
忽爾古心貌	갑자기 너의 옛 마음과 모습은 없어졌으나
毓玆權氏家	이 권씨 가문에서 자라났네
志行尙敦厖	뜻과 행동은 돈독하고 큼을 숭상했고
語言去偏頗	말은 치우치고 머뭇거림을 버렸으며
讀書殊自得	글을 읽음에 특별히 스스로 터득함이 있었는데
負才豈曾誇	재주 지니고도 어찌 일찍이 자랑하지 못했나
相看若不智	서로 보기에는 지혜롭지 못한 것 같으나
所發儘精華	발하는 것은 모두 정화1)인 것을
將此且遠邁	장차 또한 멀리 가고자 하니
誰謂路先遮	누구에게 일러 먼저 길을 막을까
盛美本背俗	성하고 아름다움은 본래 풍속에 배치되니
宜忝離塵窪	마땅히 먼지 구덩이에서 떠나 욕되게 하지 말게
去去廣莫野	가도 가도 광막한 들이니
逍遙復何嗟	소요하는데 또 무엇이 슬플까

> 주   1) 정화(精華): 뛰어나게 우수(優秀)함.

163. 두 번째 시[其二]

| 比者里閈同 | 가까운 마을에 같이 살아 |
| 數蒙惠淸覩 | 여러 번 맑게 보아주는 은혜를 입었네 |

悠然向余言	내 말을 침착하고 여유롭게 대했는데
此世誰與適	이 세상 누구와 더불어 갈 것인가
憐君降古意	그대가 옛날 뜻 내림을 어여삐 여기니
歲暮願心托	해 저무는데 마음 의탁하기를 원하네
年齒莫須論	나이는 모름지기 논하지 말고
趣味貴無射	취미는 귀하여 따라갈 이 없는데
仍誦江樓作	인하여 강루에서 지음을 외우니
几案殷金石	책상 위에 금석이 풍부하네
斂膝敬受之	무릎 모아 몸 단정히 하고, 공경하게 받드니
膠柒在頃刻	잠시 동안 아교와 옻 같은 사이 될 수 있었는데
此事卽細席	이 일은 곧 하찮아졌구나
君今向何域	그대 지금 어디쯤 가고 있는가
池水月如許	못에 물과 달은 저와 같은데
頫昂俱黙黙	굽어보나 올려보나 모두 말없을 뿐이고
搖搖大鈴音	요요한 큰 방울 소리와
惻惻晨露曲	구슬픈 상여 노래일세
苟微一彭殤	진실로 하나의 팽상1)이 아니던가
安能不淚滴	어찌 눈물이 떨어지지 아니할까

(江樓作乃幼安所作詩 「강루작」은 유안이 지은 시다)

 1) **팽상**(彭殤): 오래 사는 일과 일찍 죽는 일.
팽조(彭祖): 중국 문화에서 장수의 상징.
상자(殤子): 20세 이전에 죽는 단명자(短命者). 16~19세 사이에 죽는 것을 장상(長殤), 12~15세 사이에 죽는 것을 중상(中殤), 8~11세 사이에 죽는 것을 하상(下殤)이라고 함.

164. 민절서원에서 석전[1]을 마친 뒤 조태기(영수)와 함께 배로 서강에 이르러 배 위에서 '준(樽)' 자를 얻어 각각 시를 지으니 때는 경진년 팔월 열이레이다[愍節書院釋奠後 與趙英叟(泰耆)同舟 到西江 舟上得樽字各賦 時庚辰八月十七日也]

曉罷辭神曲	새벽에 사신곡[2]을 파하고
孤舟發興繁	외로운 배에서 흥이 번거롭게 일어났네
帆迎東峽色	돛은 동쪽 협곡에 빛을 맞이하고
山望北宸尊	산은 북두칠성의 높음을 바라보는데
烟雨楓千樹	연기와 비로 일천 나무에 단풍 지고
滄浪酒一樽	바다의 푸른 물결은 술 한 항아리네
肯論浮世事	즐거이 뜬세상 일을 논하니
幽討素心存	그윽하게 본래 마음에 가진 것을 토로했네

1) **석전**(釋奠): 선성(先聖), 선사(先師)의 제사. 중국 한나라 이후에는 공자의 제사만을 이름.
2) **사신곡**(辭神曲): 신을 보내는 노래.

165. 또 연구로 짓다[又聯句]

秋風江上泛輕舟(英)	가을바람 강 위에 가벼운 배 띄어놓고(영)
出郭居然辨好游(己)	성을 나와 거연히 좋은 놀이 말하네(나)
嶽勢遙臨平野濶(英)	산 형세는 멀리 평야 넓은 데 임하고(영)
波聲時撼怪巖流(己)	물결 소리는 때로 괴이한 바위를 흔들며 흐르네(나)
名區跌宕容吾輩(英)	이름난 곳에서 질탕한 우리들을 용납하고(영)

高閣逢迎待勝儔(己)　　높은 집에서 좋은 짝 만나 맞이하도록 기다
　　　　　　　　　　　리네(나)

(乘舟將訪西江李重恊做所故云 배를 타고 장차 서강에 있는 이중협의 공부하
는 곳을 찾기 때문에 이른 것이다)

快倚蓬牕仍取勝(英)　　쾌하게 봉창에 기대어 이에 승경을 취하고(영)
海門風浪任悠悠(己)　　바다 문의 풍랑은 유유함에 맡기네(나)

166. 각리의 이체체 댁에서 공부를 마치고 서로 이야기하다가 각각 『택당집』에 차운하다[角里李體體宅罷做相話各次澤堂集韻]

秋日松軒會　　　　　가을 날 송헌에 모여
詩清酒復佳　　　　　시가 좋으니 술이 더 아름답구나
豈曾高趣異　　　　　어찌 일찍이 높은 취미가 다르며
動卽勝游偕　　　　　동할 때는 곧 좋은 놀이를 함께하는가
丹棗方垂牖　　　　　붉은 대추는 바야흐로 창가에 드리우고
黃花欲滿階　　　　　노란 꽃은 뜰에 가득 피려 하는데
眼前無俗物　　　　　눈앞에 속된 물건 없으니
細話討幽懷　　　　　상세한 이야기로 그윽한 생각 토로하네

167. 또한 구숙의 운으로 지어 이체체 댁 무송헌에 남겨두다[又走次久叔韻留題體體撫松軒]

欲歸還復倚前楹　　　돌아가려 하다가 도리어 앞 기둥에 기대니

愛爾林園次第成	자네의 숲 동산 사랑하여 차례로 시를 이루네
覆屋靑松培舊植	집은 청송에 덮여 있으니 옛날 심은 것 북돋우고
種階黃菊愜新情	뜰에 황국 심어놓고 새로운 정에 흡족해하네
門墻拱對雙闈近	문과 담은 끌어안듯 가까이 대해 있고
(與其大宅對門故云 그 큰 집과 문이 마주 있기 때문에 말하는 것이다)	
琴酒開當列峀淸	거문고와 술을 여니 늘어선 맑은 산이 가로 막는데
莫向風塵要事業	풍진을 향하여 중요한 사업하지 마라
此中眞趣更誰爭	이 가운데 참 취미 있으니 다시 누구와 더불어 다툴까

168. 사진 댁에서 자심과 함께 이야기하다가 『위소주집』[1])의 시에 차운하다[士珍宅與子深同話次韋蘇州韻]

■ 자심이 무주로부터 또한 아직 돌아오지 아니했다[子深自茂州未且將還歸]

林舘三秋晩	숲 집에 삼추는 늦어지고
故人千里還	벗은 천 리에서 돌아오네
淸言宜燭下	좋은 말은 촛불 아래 하는 것이 마땅하고
騷氣見眉間	시 기운은 미간에 나타나는데
霜後巖楓赤	서리 뒤에 바위는 단풍에 붉고
花先野意斑	꽃보다 먼저 들의 뜻 아롱지네
何能携此酒	어찌 누가 이 술 가지고

與子踏湖山	그대와 더불어 호산을 밟을까

주 1) 『위소주집(韋蘇州集)』: 당나라 시인 위응물(韋應物)의 시집.

169. 또 『위조수집』의 시에 차운하다[又次蘇州韻]

淸秋不可負	맑은 가을 저버릴 수 없어
華岳結佳期	화악에서 아름다운 기약을 맺네
己有壺中酒	이미 병에는 술이 있는데
豈無驢背詩	어찌 나귀 등에서 시가 없겠는가
閔巖(閔漬巖)霞起處	민지암에 노을이 일어나고
山影(樓名)月明時	산영루(누각의 명칭)에 달 밝은 때라
大醉宜高詠	크게 취하게 되면 높이 읊는 것이 마땅하니
行裝且莫遲	행장 또한 늦추지 말게나

170. 류태명(도휘)을 호남 좌막으로 보내다[別柳道輝(泰明)佐幕湖南]

有才能己早揚名	재능 있으니 이미 일찍이 이름 날렸고
處世還應任困亨	처세 또한 마땅히 곤형1)에 맡겼는데
鎭外督郵何太薄	진 밖의 독우2)는 어찌 크게 박하여
湖南佐幕自爲榮	호남의 좌막3)을 스스로 영화로이 여기네
朝廷正急均田制	조정이 바로 균전제4)로 급하니
校序方催課學程	학교에서 바야흐로 과학의 길을 재촉하라
努力加餐幹王事	노력하며 밥을 더하여 왕사에 힘쓰고

遄歸須慰倚門情　　빨리 돌아와 모름지기 의문5)의 정 위로하
　　　　　　　　게나

1) **곤형**(困亨): 곤란을 겪어야 형통할 수 있다는 뜻.
2) **독우**(督郵): 감찰 임무를 띤 관원.
3) **좌막**(佐幕): 막료가 되어 보좌함.
4) **균전제**(均田制): 토지제도. 한 구획을 우물 정(井) 자로 9등분하여 여덟 집이
　변두리를 농사짓고, 중앙 한 구간을 공동 작업으로 지어 세금으로 헌납함.
5) **의문**(倚門): 의문이망(倚門而望). 문에 기대어 기다린다는 뜻으로 어머니가 자식이
　돌아오기를 초조하게 기다림을 이르는 말. 자식이 돌아오기를 초조하게 기다림.

171. 다시 이별하는 자리에서 운을 덧붙여 지어 보내다[復以別席韻
追寄]

酒盡西城曉　　　　술이 다하니 서성에 새벽 오고

馬嘶南國秋　　　　말이 우니 남국에 가을이 드네

棠陰訪先躅　　　　아가위 그늘에서 선인의 자취 찾고

蓮幕多淸游　　　　연막에는 청유가 많겠지

歌舞繁華地　　　　노래와 춤이 번화한 땅은

湖山五十州　　　　호산이 오십 주라

君恩到底是　　　　임금님 은혜 이와 같은데 이르니

豈肯較沈浮1)　　　어찌 세간의 심부에 비할 수 있을까

1) **침부**(沈浮): 가라앉음과 뜬다는 뜻으로 영고(榮枯)와 성쇠(盛衰)의 비유.

172. 사진 댁에 구숙과 함께 묵었는데 이튿날 아침 이보가 한 절 구를 써서 함께하지 못한 생각을 펴니 문득 차운하여 보내

다[士珍宅與久叔同宿 翌朝頤甫以一絕敍未同之懷 却次寄]

秉燭淸游在澤軒	촛불 잡고 맑은 놀이 하며 못가 집에 있었는데
黃花秋色映詩尊	노란 꽃 가을빛이 시 항아리에 비치는구나
終宵拓戶遲君到	밤이 다하도록 문은 열려 있으나 그대 늦게
	와서
星宿蒼蒼望白門	별자리 아득한데 흰 문만 바라보네

173. 윤씨 가문의 세 명사인 (홍정원) 댁에서 술을 마시다가 그 자리에서 지은 시에 차운하다[尹三嘉(泓淨源)宅飮次座上韻]

主人疎曠阮嵇曹	주인이 완적1)과 혜강2)의 무리처럼 거침이
	없고
好句吟來停酒槽	글귀 좋아하여 읊는 자리에 술을 가져왔네
兼有風流新太僕	겸하여 풍류 있어 태복의 관리 새로 왔으니
公廚美味且供肴	관청 부엌의 좋은 음식이 안주로 나오네

(尹三嘉伯兄爲太僕主簿亦來故云 윤삼가의 맏형이 태복에 주부3)가 되어왔
으므로 말한 것이다)

주
> 1) 완적(阮籍): 중국 삼국시대 위나라의 문인 문신. 죽림칠현의 한 사람으로 벼슬에서
> 물러난 뒤 술과 청담으로 세월을 보냄.
> 2) 혜강(嵇康): 위나라의 문신 시인. 죽림칠현의 중심인물.
> 3) 주부(主簿): 조선 시대에 각 아문의 문서와 부적(符籍)을 주관하던 종6품 벼슬.

174. 밤에 영교에 있는 여러 벗과 이야기하다가 차운하다[夜與瑩

橋諸友話次韻]

蒼蒼雲月禁城長	아득한 구름 속 달은 금성1)에 길고
到處提携卽擧觴	도처에 끌고 다니며 곧 술잔을 드네
興壓雪樓高嘯咏	흥 높은 설루에서 큰 소리로 읊고
曉鷄簷角帶嚴霜	새벽닭 소리에 처마 끝엔 엄한 서리 둘러 있네

주 1) **금성**(禁城): 성안에 있는 궁전으로 출입이 금지된 지역.

175. 두 번째 시[其二]

多嫌短日卜長宵	해는 짧고 밤이 길어 혐의 많고
巷北川南次第邀	골짜기 북쪽 개울 남쪽의 손 차례로 맞이하네
沽酒帶來帘外月	술을 사서 들고 오니 술집 깃발 밖에 달 떠 있고
滿尊清影興遙遙	항아리 가득한 맑은 그림자 흥이 멀구나

176. 동지1) 서장관 강예중을 연경으로 보내다[送冬至書狀姜禮仲赴燕]

從古難專對	예로부터 오로지 전대2)하기 어려워
于今屬我君	지금도 그대는 우리 임금님께 속해
驅車衝朔雪	수레 몰고 북방의 눈과 충돌하며
飛盖入胡雲	날듯 달려가는 수레는 호운3)으로 들어가네

過去金臺路	북경의 금대로 지나가다가
行逢俠士群	길에서 협사의 무리도 만났지
問君何所往	묻노라 그대는 어디쯤 가고 있는가
君亦欲何云	그대 또한 무슨 말을 하고자 하는가

1) **동지**(冬至): 동지중추부사. 중추부에 속한 종2품 벼슬.
2) **전대**(專對): 남의 물음에 대해 혼자의 지혜로 대답함.
3) **호운**(胡雲): 북쪽에서 몰려오는 구름.

권 5

시 詩

詩

1. 계미년(1703) 이월 그믐날 휘릉¹⁾ 참봉²⁾ 홍경숙과 건원릉³⁾ 참봉 어순서가 와서 초사흗날 옥류동에 함께 가볼 것을 요구했으나, 순서⁴⁾는 함께하지 못한 까닭에 한 절구를 보내 그 무료함을 말하고서 차운하다[癸未二月晦日 徽郎洪敬叔健元郎魚舜瑞來 要於初三日往觀玉流洞俱以 故不諧舜瑞示以一絕 道其無聊遂次之]

■ 그때 나는 목릉 침랑으로 일직이었다[時以穆陵寢郎在直]

三月山中風物和	삼월 산중에 풍물 온화하니
定知仙洞得春多	바로 신선 마을에 봄 많음을 알았구려
病違佳賞成孤坐	병으로 좋은 구경 어기고 외로이 앉아
試撿階花開幾何	뜰에 핀 꽃이 몇 송이인지 살펴보네

주
1) **휘릉**(徽陵): 조선 인조의 계비 조대비의 능. 경기도 구리시에 있는 동구릉의 하나.
2) **참봉**(參奉): 조선 시대에 여러 관아에 둔 종9품 벼슬. 능(陵), 원(園), 종친부, 돈령부, 봉상시, 사옹원, 내의원, 군기시 등에 두었음.
3) **건원릉**(健元陵): 조선 태조의 능. 동구릉의 하나.
4) **순서**(舜瑞): 조선 중기 문신 어유봉(魚有鳳, 1672~1744)의 자. 본관은 함종(咸從).

호는 기원(杞園). 경종의 장인 유구(有龜)의 형. 1699년 사마시에 합격하여 진사가 되었으나 과거 시험의 부정을 보고 대과 응시를 단념하였음. 당대의 학자로 명망이 높았으며 1738년 세자시강원 찬선이 된 뒤 영조로부터 지극한 대우를 받았음.

2. 현릉¹⁾ 참봉 홍보이가 일직에서 벗어나 장차 배를 타고 영남으로 가고자 하는데, 이달보와 홍경숙과 함께 가서 이별하며 운을 부르다[顯郞洪輔而脫直將乘舟往嶺南 與李達甫洪敬叔往別呼韻]

邂逅論交若斷金	다시 만난 정이 단금²⁾과 같으니
花簷軟話到宵深	꽃 처마에 부드러운 이야기 깊은 밤까지 이르렀네
遙憐來夜驪湖月	멀리 애처로운 건 오늘 밤 여호³⁾의 달로
一片孤舟獨去心	한 조각 외로운 배 홀로 가는 마음이라

1) **현릉(顯陵)**: 조선 문종과 비 현덕왕후의 능. 동구릉의 하나.
2) **단금(斷金)**: 쇠라도 자를 만큼 강하고 굳음. 교분이 아주 두터움을 이르는 말.
3) **여호(驪湖)**: 경기도 여주에 있는 남한강이 마치 호수와 같아 붙인 이름.

3. 사진과 여러 사람이 지은 시에 차운하다[次士珍諸公韻]

■두 수를 짓다[二首]

春暖君家芳樹枝	따스한 봄 그대의 집 나뭇가지에 꽃피고
朝朝好友赴佳期	아침마다 좋은 친구 좋은 때라 달려오는데
樓亭晻暎濃花合	누정의 어두운 그림자 환한 꽃과 어우러지고

几席清幽麗景垂　　궤석에 맑고 그윽함 좋은 경치 드리우네
舍瑟高懷元自大　　비파 버린 높은 생각 본래 절로 컸는데
聽鸝游屐不容遲　　꾀꼬리 소리 듣느라 노니는 발걸음 더딤을
　　　　　　　　　용납 않네
悲歡已入中年覺　　슬픔과 기쁨을 이미 느끼는 중년이 되었으니
行樂須君及早時　　행락이란 모름지기 그대와 젊었을 때 하세나
(君家一作名園 그대의 집을 다른 곳에는 '명원'이라고도 적었다)

4. 두 번째 시[其二]

誰信山阿攀桂枝　　누가 산언덕 계수나무 가지에 매달림 믿을까
洛城虛負故人期　　서울에서 헛되이 친구와의 약속 저버렸네
歸途忽見辛夷落　　돌아오는 길에 갑자기 보니 백목련이 떨어졌고
春事居然楊柳垂　　춘사는 슬그머니 버드나무 늘어뜨리고
自歎溪棲從癈棄　　반계의 집을 버리고는 혼자 탄식하며
仍剩敎鄰伴訝淹遲　　배우던 이웃이 붙잡아 엄지1)하네
區區浮世成何事　　구구한 뜬세상에 무슨 일이 이루어질까
臥酒呑花亦過時　　누워서 술 마시고 꽃 씹으며 또한 때를 보
　　　　　　　　　내네
(淹一作來 下篇 答子深爲官去之語 '엄' 자는 다른 곳에는 '래' 자로도 쓰인다.
이 시는 자심에게 관직을 버리고 가라는 말을 한 것이다)

주　1) **엄지**(淹遲): 지체하고 늦음.

5. 구숙, 자심과 더불어 밤에 이야기하다가 사진이 차운한 하대 복이 지은 운으로 짓다[與久叔子深夜話士珍所次河大復韻]

■ 두 수를 짓다[二首]

一草春何似	한 풀의 봄이 어찌 서로 같은가
四年吾復過	사 년 만에 내가 다시 이곳을 지나는데
舊墻桃杏在	옛 담 밖에 복숭아꽃, 살구꽃 그대로 있고
新塢竹梧多	새로운 산언덕에는 대나무와 오동나무 많구나
踏月雲生石	달을 밟으니 돌에서 구름 나오고
扷花露滴柯	꽃을 만지니 이슬이 가지에 떨어지는데
物華人易感	물화1)는 사람의 감흥을 새롭게 해
聊自發長歌	애오라지 절로 긴 노래가 나오네

주 1) 물화(物華): 산과 물 따위의 자연계의 아름다운 현상.

6. 두 번째 시[其二]

哀樂須臾變	슬픔과 즐거움은 잠시 사이 변하고
光陰荏苒過	세월은 임염1)하게 지나가네
看花愁更細	꽃을 보니 시름 다시 잦아들고
把酒興無多	술잔을 잡아도 흥조차 없구나
好雨方生草	좋은 비에 바야흐로 풀이 돋아나는데
高風不靜柯	높은 바람에는 가지가 고요하지 못하네

偶隨諸子會	우연히 제자들이 따라 모이니
排悶且謠歌	배민2)하고자 또한 노래 부르네

1) **임염**(荏苒): 차츰차츰 세월이 지나감. 사물이 점진적으로 변화함.
2) **배민**(排悶): 마음속의 번민을 물리침.

7. 사진의 집에서 연구로 짓다[土珍宅聯句]

我輩年來此會無(珍)	우리들에게 요사이 이런 모임 없었는데(진)
名園花月更提壺(久)	이름난 동산 꽃과 달 아래 다시 술병 든다(구)
蒼崖更見曾題句(深)	푸른 언덕에 다시 일찍이 제구1) 보고(심)
春澗鳴禽似記吾(己)	봄 골짜기에 우는 새는 나를 기억하는 것 같네(나)

1) **제구**(題句): 인용구.

8. 삼월 스무여드렛날 최경보, 홍경숙, 어순서와 더불어 옥류동으로 가는 산길에서 부르다[三月卅八日 與崔景甫洪敬叔魚舜瑞往見玉流洞 山路口號]

盡日山行深更幽	날이 다하도록 산길 가니 깊다가 다시 그윽하고
但聞曲曲清溪流	다만 굽이굽이 흐르는 맑은 냇물 소리 들리는데
松端忽辨青煙色	솔 끝에서 홀연 푸른 연기 일어나더니
稍稍荒田散馬牛	점점 묵은 밭에 말과 소가 흩어져 있네

9. 옥류동에 들어가 폭포를 보고 돌아올 때 이태백의 「해가 향로에 비치니 자줏빛 연기가 난다」는 글귀를 가지고 운을 나누어 '생(生)' 자를 얻다[入玉流洞觀瀑歸時 以李白日照香爐生紫煙之句分韻得生字]

誰人劈此靑山腹	누가 이 푸른 산의 배를 갈라
萬古長懸百尺淸	만고에 길게 달린 백 척 맑은 폭포 만들었나
始到春空渾雪色	처음 이르렀을 때 봄 하늘이 모두 눈빛이더니
坐來晴晝卽雷聲	앉아보니 갠 낮에 천둥소리 나는구나
登樓詩酒思先輩	누에 올라 시와 술로 선배들 생각하고
濟勝風流仗友生	제승1) 풍류에는 막대 짚은 벗이 생기는데
落日欲歸遺恨在	해 저물어 돌아가려 하나 한이 남아 있어
却違昏黑上頭行	문득 캄캄한 어둠을 어기고 산머리로 가네

이 골짜기는 깊고 그윽해 살 만하다. 불암산 뒷산 아래 동쪽으로 흐르는 폭포가 또한 매우 깨끗하였다. 지난날 호곡 남판서 운경2)이 누각을 폭포 남쪽에 지었는데 남공은 이미 가고 누각은 무너져 다만 그 터와 자취만 남아 있다.

슬프구나! 오늘 이 걸음은 내가 병들어 있는데 여러 벗이 불러일으킨 것이므로 이어서 짓는 글귀가 이와 같다. 폭포의 근원이 산머리에 있고 또한 서로 거리가 오 리쯤 된다. 이른바 성전암이 그 위에 있어 이 폭포를 감상하기 좋다. 날이 이미 저물어 다 보지 못하고 돌아가므로 글귀 끝에 이와 같이 말한 것이다.

此洞幽深可居 在佛巖山後麓之東瀑流又甚淸駛 壺暴昔(一字缺)谷

南判書雲卿結樓 於瀑流之南矣 南公已逝 舊樓頹盡 但有遺基陳迹
可悲也 此日之行余有疾爲諸友所起故 頸聯如此 瀑流之源 在於山
頂 又相去在五里矣 所謂盛殿庵在其源上而探玩 此瀑 日勢已傾不
能窮討而來故尾聯如此

1) 제승(濟勝): 명승지를 돌아다님.
2) 운경(雲卿): 조선 중기 문신 학자 남용익(南龍翼, 1628~1692)의 자. 호는 호곡(壺谷).
   대제학 이조 판서를 지냈으며 1689년(숙종 15) 기사환국 때 명천에 유배되었다가
   그곳에서 죽음.

10. 어순서가 지은 시에 차운하다[次魚舜瑞韻]

佳節塊居愁緖長	가절이 평안하니 수심이 길어지고
暗中光景變陰陽	어둠 속 광경 음과 양이 변하네
孤雲翠岀相看靜	외로운 구름 푸른 산이 고요히 서로 보고
落日啼禽底事忙	지는 해, 우는 새는 무슨 일로 바쁜가
栖砌棠花(海棠)幽處落	섬돌가 해당화는 그윽한 곳으로 떨어지고
倒崖松影坐邊涼	언덕에 거꾸러진 소나무 그림자에 앉은 주변 서늘한데
病夫宛爾扶筇起	병든 사람 완연하게 막대 짚고 일어서서
祇爲朋筵命酒觴	다만 친구 술자리 위하여 술잔을 권하네

11. 숭재1)에서 운을 부르다[崇齋呼韻]

暝入空齋低衆星	어둠이 빈집으로 들어오니 뭇별이 낮아지고

近簾山色未分青　　　주렴 가까운 산 빛은 푸름이 분명치 않은데
俄然湧得池邊月　　　갑자기 솟아오른 못가의 달은
夜半淸光占一庭　　　한밤중 맑은 빛으로 한 뜰을 차지하네

1) **숭재**(崇齋): 조선 현종의 능침이 있는 곳에 제사를 지내기 위하여 지은 집.

12. 이야기 마치고 재로 오다가 한 수를 더 짓다[話罷歸齋又疊一首]

霽色新添爛爛星　　　갠 빛 새로 더하니 별빛이 찬란하고
蒸雲飛盡洞天靑　　　증운1)이 다 날아가니 동천2) 푸르구나
歸齋獨夜誰相語　　　집에 돌아온들 외로운 밤 누구와 말을 할까
只許高山共戶庭　　　다만 높은 산이 집 뜰과 함께함을 허락하네

1) **증운**(蒸雲): 수증기가 올라가서 만들어진 구름.
2) **동천**(洞天): 산천으로 둘러싸인 경치 좋은 곳.

13. 의주 부윤 유계의1)를 보내며 겸하여 그 맏형인 성천2) 사군에게 보이게 하다[送灣尹兪季毅 兼示其伯令成川使君]

■ 두 수를 짓다[二首]

銀臺新擢渥恩優　　　은대3)에 새로 뽑힌 두터운 은혜 넉넉한데
何遽旌麾玉塞頭　　　눈 덮인 변방으로 떠난 깃발 어디쯤 가는가
內掖固宜留拂士　　　내액4)의 굳은 뜻으로 마땅히 불사5)로 머물러
邊防亦可仗英猷　　　변방에서도 얼마든지 훌륭한 계책 쓸 수 있네
尊前劍氣遼城月　　　술동이 앞에 검의 날카로운 기운은 요성의

	달에 비치고
夢裏爐香禁苑秋	꿈속 향로의 향기는 금원의 가을이라
試向統軍亭上望	시험 삼아 통군정6)을 향하여 위를 바라보니
河山誰滌四朝羞	하산 사대의 수치를 그 누가 씻어줄까

주

1) **계의**(季毅): 조선 중기 문신 유명홍(兪命弘, 1655~1729)의 자. 본관은 기계. 호는 죽리(竹里). 1721년(경종 1) 전라 감사를 지내다가 신임사화로 노론이 추방되자 파직되어 유배되었으며, 1724년 영조가 즉위하고 노론이 집권한 뒤 한성 판윤, 예조 판서, 우참찬을 지냈음. 시호는 장헌(章憲).

2) **성천**(成川): 평안남도 성천군.

3) **은대**(銀臺): 조선 시대 승정원의 별칭.

4) **내액**(內掖): 액례(掖隸). 조선 시대 액정서(掖庭署)에 속해 있던 이원(吏員)과 하예(下隸).

5) **불사**(拂士): 임금을 잘 보좌하는 어진 선비.

6) **통군정**(統軍亭): 평안북도 의주 압록강 변 삼각산 위에 있는 누각. 관서팔경의 하나.

14. 두 번째 시[其二]

西京雄麗數灣成	서경은 웅려해 몇 개의 만으로 이루어졌는데
今屬君家弟與兄	지금 그대의 집 아우와 형에게 매어 있네
鴻雁忽聯關外影	관 밖에 갑자기 기러기 그림자 이어지고
貂蟬均詑鬢邊榮	초선1)을 귓가에 같이 꽂으니 영화가 드러나네
巫山雨濕紅裙色	무산의 비에 붉은 치마 빛 젖었고
鴨水秋晴畵角聲	압수에 가을 맑으니 화각이 소리 내는데
領此繁華皆聖渥	이 번화함 누리는 것은 다 임금님 은혜이니
各須無負報君誠	각각 모름지기 임금님께 충성으로 갚는 것

잊지 말게나

주 1) 초선(貂蟬): 담비 꼬리와 매미 날개. 모두 고관의 관(冠) 장식으로 쓰였음.

15. 남을 대신하여 사인[1]에 대한 만사를 짓다[代挽士人]

少來同榻兼比隣	젊었을 때 책상을 같이하고 겸하여 이웃에 살았는데
愛子生平氣味眞	그대의 평생에 기미[2]가 참다운 것을 사랑했네
詩禮家庭敦孝悌	시와 예의 가정에서 효제[3]가 돈독했고
詞華場屋邁朋倫	글이 화려하여 장옥[4]에서 대적할 이가 없었네
靑雲未擊三千水	젊어서 삼천리를 대붕처럼 날지 못하고
浮世還催五十春	뜬세상에서 하릴없이 오십 년을 보냈네
自是仁人留後慶	예로부터 어진 사람은 뒤에 경사를 남기는 법인데
鳳毛丹穴摠奇珍	봉새의 털과 붉은 굴은 모두 기이한 보배로세

주 1) 사인(士人): 벼슬을 하지 않은 선비.
2) 기미(氣味): 마음과 취미.
3) 효제(孝悌): 부모에 대한 효도와 형제에 대한 우애.
4) 장옥(場屋): 과장(科場)에서 햇볕이나 비를 피하여 들어앉아서 시험을 칠 수 있게 만든 곳.

16. 조카 병정의 운에 화답하다[答鼎姪韻]

林氣霏微山日陰	숲 기운 가랑비 되니 산의 해 어둡고
齋居蕭灑白雲深	사는 집 쓸쓸하여 흰 구름 깊었는데

凉蟬滿谷清新語　서늘한 매미 골짜기 가득 맑은 새 소리 내고
幽鳥飛簷惠好音　그윽한 새 처마로 날아드니 좋은 소리 은혜
　　　　　　　　롭다
睡几穩將仙味永　궤에 기대어 편안히 선미1) 길고
書牀淨絶俗塵侵　서상은 깨끗하여 속된 먼지 들어옴을 막는데
滔滔不解閑人趣　도도하여 한가한 사람 취미 알지 못하니
只信阿咸可會心　다만 조카만이 내 마음 알아주리라 믿는구나

주　1) **선미**(仙味): 품위가 있고 격조 높은 취미.

17. 박직경이 어버이 수연 자리에서 지은 시에 차운하다[朴直卿壽親宴席次韻]

賓筵來唱南山章　손님의 자리에 와서 남산장을 노래하니
極宿祥輝照壽觴　남극의 수성이 빛나 축수 잔에 비치네
八十人間元罕有　팔십 인간은 원래 드문 일인데
斑衣紫綬又榮光　때때옷 입고 자주 자수1)를 매니 또한 영광이
　　　　　　　　로세

주　1) **자수**(紫綬): 정3품 당상관 이상이 차던 호패의 자줏빛 술.

18. 건원릉 재사1)에서 여러 참봉과 함께 『두공부집』에 차운하다[健齋與諸郞次工部韻]

雨過秋山秋更清　가을 산에 비 지나니 가을이 다시 맑고

佳辰荏苒客心驚	아름다운 때 점점 지나니 나그네 마음 놀라네
藤蘿月色遲遲上	등나무에 얽힌 달빛 천천히 올라오고
草露虫聲促促鳴	풀 이슬에 벌레 촉촉 울어대는데
哀樂飽經浮世事	슬프고 즐겁고 배부르고 굶주림은 뜬세상 일이고
詩書恐負古人情	시와 서는 옛사람의 정을 저버릴까 두렵구나
官居便作論文會	벼슬살이하면서 문득 논문의 모임 갖고
也勝悠在漢城悠	이에 좋구나! 오래도록 서울에 있고자 하네

주 1) **재사**(齋舍): 능소에 딸린 참봉의 집무실.

19. 금릉군수인 수구 심성서가 그 조부인 동지공의 수연 자리에서 지은 운에 화시를 청하므로 화답하다[金陵沈聖瑞壽龜以其王父同知公壽席韻求和 和之]

■ 동지의 이름은 지걸이다. 아흔 살이 되어 승자하여 동지가 되어 이에 잔치를 베풀었다. 동지대인과 그 형이 모두 나이로써 동지가 되었기 때문에 말구에 말한 것이다[同知名志傑 以九十陞資 拜同知 仍設宴 同知大人與兄皆以年 拜同知 故末句云]

朱顔綠髮卽眞仙	붉은 얼굴, 푸른 털은 곧 참 신선인데
南極星精稟得專	남극 별의 정기 완전하게 받았네
滄海謳謠開壽域	창해의 노래로 수역1)을 열었고
聖朝資秩禮高年	성조에 벼슬로 높은 나이 예우받네
兒飜彩服香風轉	때때옷 입은 아이 향기 바람 날리고
酒暖春庭化日懸	술은 따뜻하고 봄 뜰에는 성화2)의 해 걸렸구나

最是人寰希覯事   사람의 세계에서 보기 드문 일인데

一家三度敞玆筵   한 집에서 세 번씩 경사로운 자리 벌어졌네

(春避諱去木 춘은 피휘3)하여 '목' 자를 떼어내다)

주
  1) **수역**(壽域): 오래 살 수 있는 경지의 비유.
  2) **성화**(聖化): 성인(聖人)이나 임금이 덕행으로써 사람이나 백성을 교화함.
  3) **피휘**(避諱): 임금의 이름자를 다른 글자로 바꿔 쓰는 일.

20. 재미 삼아 이웃 벗이 지은 「청금」 시에 차운하다[戲次隣友聽琴韻]

西家少女奏瑤琴   서쪽 집 소녀가 구슬 거문고 연주하니

酒滿華樽夜閣深   술은 꽃 동이에 가득하고 밤은 집에 깊었
                       는데

一曲清歌纖不絶   한 곡조 맑은 노래 가냘파도 끊이지 아니하고

密雲踈雪響空林   빽빽한 구름, 성긴 눈은 빈숲을 울리는구나

21. 숭릉 재사의 이재랑1) 자유가 술을 보내오다[送酒崇齋李郎子有]

山閣晴寒雨   산집에 차가운 비 개니

高林隔故人   높은 숲으로 옛 친구 막혔는데

憐君同病抱   그대 나와 같은 병 앓는 것 불쌍히 여기네

(分與壽星春酒名 수성춘이나 나누어 마셔보세. 수성춘은 술 이름이다)

주
  1) **재랑**(齋郎): 조선 시대에 묘(廟), 사(社), 전(殿), 궁(宮), 능(陵), 원(園) 등의 참봉을
     달리 이르던 말.

22. 열한 번째 형님 댁에서 납일에 매화를 보고 즐긴 시에 차운하다[十一兄宅臘日賞梅次韻]

■ 마침 참의 원민정과 자직 장자허, 나의 맏형님, 둘째 형님이 함께 감상하였다[時元參議閔正張子虛子直舍伯仲同賞]

華堂貯得最先春	아름다운 집이라 가장 먼저 봄이 빚어졌는데
臘日開花無數新	납일 꽃이 피니 무수히 새롭구나
沽酒月來疎影外	술을 사니 달이 성긴 그림자 밖으로 나오고
題詩雪滿小溪濱	눈 가득한 작은 개울가에서 시를 쓰네
山陰漫興仍佳主	산그늘에 부질없는 흥 일어나 아름다운 주인 되고
洛社清遊又丈人	낙사1)에 맑게 노는 것은 또한 어른들이라
秉燭永宵(以下十字落)	촛불 잡고 긴 밤(이하 열 자 빠지다)

주 1) **낙사**(洛社): 저자가 서울에서 참석하는 모임.

23. 윤숙겸에 대한 만사를 짓다[挽尹叔謙]

吾友叔謙那復得	내 친구 숙겸을 언제 또 만날까
淡淡其心謙謙德	그 마음은 담담하고 그 덕은 겸손했으며
觀貌雖若鏺華彩	얼굴을 보면 쇳조각의 빛난 무늬 같으나
其中炯然懸明璧	그 가운데 형연한 것은 달린 밝은 구슬이었네
居家行誼貴純愨	집에 거할 때는 행의1)가 순수하고 성실함을 귀히 여겼고

娛心書史恣涵泳　　서와 사를 즐거워하는 마음 멋대로 함영2)하고
高才豈肯安小成　　높은 재주를 어찌 적게 이루는 데 만족했을까
逸足可以修途騁　　뛰어남은 족히 길을 닦아 달릴 만하였네
弱冠相逢川上樓　　약관에 천상의 누각에서 서로 만났고
春風對我靑雙眸　　봄바람에서는 내가 푸른 두 눈동자를 상대하
　　　　　　　　　였는데

氣味溫溫少俗態　　기미가 따사로워 속인의 태도 적었고
陽阿一曲情綢繆　　양아의 한 곡조에 정이 얽히고설켰네
巷西橋北纔咫尺　　마을 서쪽과 다리 북쪽은 겨우 한 자쯤 되어
把酒酬詩自日夕　　술 들고 시를 수작하는 것이 낮과 밤이었는데
此時追隨不寥寥　　이때 따라다님이 요요하지 아니했고
裕(金德裕)瞻(尹汝瞻)與　　유(김덕유), 첨(윤여첨), 보(원중보)로 더불어
輔(元仲輔)齒相敵　　나이가 서로 같았지
少年歡謔各豪擧　　소년 때 기쁘고 즐거움이 각기 호걸스러워
靜而無競每許汝　　고요하나 다툼이 없기에 항상 너에게 양보하
　　　　　　　　　였네

悠悠世故驅迫人　　멀고 먼 세상일이 사람을 구박하고
十載棲息市陌阻　　십 년 동안 사느라고 서울과 시골이 막혔는데
市陌之間往來慵　　서울과 시골 사이 왕래함에 게을렀고
夏季尋君始從容　　여름철에 그대 찾으니 처음으로 조용하였으니
尙喜舊疴有起色　　오히려 기뻐한 것은 묵은 병에서 일어날 빛
　　　　　　　　　이 있었음이네

誰知十旬遊岱宗　　누가 백 일 만에 대종3)에서 놀 줄 알았을까
萬事已矣難可陳　　만사가 이미 끝났으나 돌이킬 수 없고
浮生奄忽若飇塵　　부생이란 갑작스러워 나는 먼지와 같은 것을

他時舊伴簪盍處	그때의 옛 친구들은 어느 곳에서 벼슬 사는지
可耐尊前少一人	항아리 앞에서 한 사람 적은 것을 참을 수 있겠는가
持我往年荊樹⁴⁾慟	지난해 내가 형제의 아픔을 알았을 때
抱君伯季淚河迸	그대의 형제를 안고 눈물을 하수처럼 뿌렸네
琴匣凄凉山水曲	거문고 갑이 처량하여 산수의 곡을 노래하고
領原寂寞棣華詠	무덤이 적막하여 체화⁵⁾를 부르는데
一唱薤露丹旋飛	한 가락 상엿소리에 붉은 깃발 날아가니
廣陵寒雪曉霏霏	광릉의 새벽에 부슬부슬 차가운 눈 날리네
鶴髮倚門何日還	머리 하얀 늙은 부모가 문에 기대어 돌아올 날 기다리고
北堂塵暗老萊衣	북당에 먼지 나니 노래자⁶⁾의 옷이 어둡구나
后山活計寄西川	묘를 쓴 뒤 살아갈 계책으로 서천에 부쳐 사니
少婦中廚泣桓簜	젊은 부인 부엌의 도마 가에서 우는데
芳蘭在庭未及季	꽃다운 난초 뜰에 있으나 다 자라지 못했고
舊架書薰任抛捐	옛 시렁에 책과 글을 버림에 맡겼네
惟有泉坮鯉庭陪	다만 황천에 이정⁷⁾에 모심 있어
庶慰年來蓼莪哀	거의 해마다 요아⁸⁾의 슬픔 위로하며
我媿莊生齊死生	나는 장생⁹⁾과 사생 동일시함을 부끄러워하니
且復臨歧一低回	다만 갈림길을 만나 한번 뒤를 돌아보네

입고 춤을 추어 즐겁게 해드렸다고 함.

7) **이정**(鯉庭): 공자의 아들 이(鯉)가 뜰을 달려가다 가르침을 받음. 전하여 자식이 부모를 모시는 일.

8) **요아**(蓼莪):『시경』의 편명. 효자가 부모의 봉양을 뜻대로 하지 못함을 슬퍼하며 읊은 시.

9) **장생**(莊生): 장자의 삶. 이 글에서는 오래 살았다는 뜻.

24. 수재 어위서 유황을 위하여 구층대의 여덟 가지를 읊다[爲魚秀才渭瑞有璜題九層臺八詠]

24-1 개봉의 아침 아지랑이[蓋峰朝嵐]

圓盖亭亭偃水湄	둥근 덮개 우뚝 솟아 언수 물가인데
江樓朝日臥看宜	강루에 누워서 바라보는 아침 해 보기 좋구나
自噓元氣成空翠	스스로 뿜어내는 원기로 푸른 공중 이루니
非靄非烟別是奇	아지랑이도 아니고 연기도 아닌 특별히 기이한 것이로세

24-2 의곡에 저문 연기[義谷暮烟]

晚來間眺俯郊原	저녁에 와서 한가로이 들판을 굽어보니
一抹蒼烟義谷村	한 줄기 푸른 연기 의곡의 마을이라
十畝桑麻籠更遍	열 이랑 뽕나무와 삼은 두루 잠겨 있어
依然畵出太平痕	의연히 그려낸 태평의 자취로세

24-3 제탄에서 돌아온 배[蹄灘歸帆]

蹄灘水駛去帆多	제탄의 물은 빨라 가는 배도 많은데
借問前程復幾何	비로소 묻노니 앞 길 또한 얼마인가
今夜須從安處泊	오늘 밤 모름지기 어느 곳에 정박하나
山頭雲黑恐風波	산머리 검은 구름 풍파일까 두렵구나

24-4 운포의 고기잡이 횃불[雲浦漁火]

日暮雲生別浦秋	해 저물고 구름 나니 별포의 가을이라
蘆花深處眾星流	갈대꽃 깊은 곳에 뭇별이 흐르네
也知漁火沿波去	고기잡이 등불 물결 따라감을 알겠으니
莫近蘋洲起夢鷗	마름이 자라는 물가에서 꿈꾸는 갈매기 깨우지 마라

(莫近一作却恐 '막근'은 다른 글에서 '각공'으로 썼다)

24-5 병산의 나무꾼[屏山樵夫]

數疊屏山草逕微	여러 겹 둘러진 산에 풀 길 가늘고
夕陽孤唱擔薪歸	석양에 외로이 노래 부르며 땔나무 지고 돌아오네
雲深月黑家何許	구름 깊고 달 어두우니 집은 어느 곳인지
白石川邊小竹扉	흰 돌 개울가에 작은 대 사립문일세

24-6 술 바위에서 낚시하는 늙은이[酒巖釣叟]

以酒名巖豈偶然	바위 이름 술이라 했으니 어찌 우연일까
釣翁抱酒必其顚	낚시하는 늙은이 술병 안고 그 머리에 앉아 있네
何當釣得磻溪玉	어찌 낚시로 반계의 옥을 낚을 수 있을까
喚起玆翁醉石眠	술 취해 돌 위에 잠자는 이 늙은이 깨우네

24-7 모래톱에 떨어지는 기러기[沙洲落鴈]

渚沙如雪萩花飛	물가의 모래는 눈 같고 갈대꽃 나는데
落影低回故不歸	떨어지는 그림자 낮게 돌며 짐짓 돌아오지 않고
好占峽江閑處宿	좁은 강 좋은 곳 차지해 한가로운 곳에 잠자니
稻粱雖少網羅稀	먹이는 비록 적으나 그물에 걸릴 일 없네

24-8 석정에 노는 고기[石汀游魚]

細石淸波穩穩流	조그마한 돌 맑은 물결 졸졸 흐르는데
桃花春暖衆魚游	복숭아꽃 봄 따스하니 여러 고기 노니는구나
濠梁已識從容樂	호량1)에선 이미 조용한 즐거움 아니
分付兒童莫下鉤	아이들에게 분부하여 낚시 드리우지 마라

주　1) 호량(濠梁): 호수 위의 다리. 장자(莊子)와 혜시(惠施) 고사에서 비롯된 말.

25. 신성보 형제를 위하여 석호정에 대해 삼십 수를 짓다[爲申成甫 兄弟題石湖亭三十詠]

25-1 석호정(石湖亭)

未觀牛渚勝	우저의 좋은 경치 보지 못하고
先賦石湖亭	먼저 석호정 시를 짓는데
君口掛新畵	그대 입에는 새 그림 걸려 있고
奇遊在寂聽	기이한 놀이는 고요히 듣는 데 있네

25-2 맑고 차가운 내[淸冷泉]

日飮淸冷泉	날마다 맑고 차가운 샘물 마시니
其味甘若醴	그 맛이 단술과 같구나
豈惟沁詩脾	어찌 다만 시상에만 스며들까
亦可輕病體	또한 병든 몸도 가벼워지는 것을

25-3 백운동(白雲洞)

白雲長在谷	흰 구름 긴 골짜기에 있어
但可悅幽人	다만 그윽한 사람 즐길 수 있네
出岫亦何意	산꼭대기에 나오는 것은 또한 무슨 뜻인가
要霑萬物新	요컨대 만물을 새롭게 적시려는 것이지

25-4 단풍 계곡[楓溪]

溪上多秋色	개울 위에 가을빛도 많은데
霜楓幾樹紅	서리 맞은 단풍 몇 나무나 붉었는가
寥人不到到	고요한 사람 이르지 못하여
自媚綠波中	스스로 푸른 물결 속에서 아름답네

25-5 밤나무 동산[栗園]

霜至黃苞呀	서리 오자 누런 송이에서 나와
圓珠箇箇落	둥근 구슬 낱낱이 떨어지는데
攎之試三嚼	따서 세 번 씹어보니
可健穎濱脚	파리한 다리 건장할 수 있구나

25-6 철쭉나무 동산[躑躅岡]

莫惜春花盡	봄꽃이 모두 졌다고 애석해하지 마라
高岡又此花	높은 언덕에 또 이 꽃이 있나니
晚紅還耐久	늦게 피면 또한 오래도록 견디는데
桃李敢爭誇	복숭아꽃과 자두 꽃이 다투어 자랑하네

25-7 표향당(飄香堂)

| 堂前一株梨 | 마루 앞 한 그루 배나무 |
| 爛漫淸明雨 | 청명 빗속에 난만1)하구나 |

風至香滿堂　　　바람 부니 향기 마루에 가득하고
蝴蝶時入戶　　　호접이 때로 방으로 들어오네

주 1) 난만(爛漫): 꽃이 활짝 피어 화려함.

25-8 약포[藥圃]

數畹1)滋名品　　　수많은 밭에서 이름난 약이 자라나니
香苗次第肥　　　향기로운 싹이 차례로 살찌는데
花間抱甕睡　　　꽃 사이에 술 항아리 안고 잠드니
春鳥共忘機　　　봄새도 함께 때를 잊었네

주 1) 원(畹): 스무 이랑 원.

25-9 높은 바위[高巖]

雲際露山骨　　　구름 가에 드러난 산줄기
屹然俯碧流　　　우뚝 솟아 푸른 흐름 굽어보네
撐空終不倒　　　공중에 버티어 끝내 거꾸러지지 않았으니
風雨幾春秋　　　바람비에 몇 해나 지났는가

25-10 푸른 옥 병풍[蒼玉屛]

諸峰削靑玉　　　모든 봉우리는 푸른 옥을 깎아
面面畵屛新　　　면면마다 그림 병풍 새롭구나
合作高人臥　　　고인이 누운 것과 같으니
故遮市陌塵　　　짐짓 저자거리의 먼지 막았네

25-11 석실(石室)

隆然石作室	높게 돌로 방을 만들어
千歲仙人居	천년이나 신선이 살았는데
自是無牕牖	예로부터 창문은 없고
雲霞生珮裾	구름과 노을이 폐거1)에서 나오네

주 　1) **폐거**(珮裾): 차고 다니는 옥.

25-12 보리가 자라는 언덕[麥岸]

白雨疎疎過	소나기 드문드문 지나가니
黃雲岸岸秋	황운1)마다 가을이라
郊原騰喜色	들판에 기쁜 빛 오르니
鸝韻和農謳	꾀꼬리 소리 농부들 노래에 화답하네

주 　1) **황운**(黃雲): 넓은 들판에 벼가 누렇게 익은 것을 황색 구름에 비유해 이르는 말.

25-13 송도헌(松濤軒)

日永四邊寂	해는 긴데 사변은 고요하여
風濤忽翠巓	바람 물결이 갑자기 푸른 산머리에 일었네
爽然醒午睡	서늘함에 낮잠 놀라 깨니
怳惚臥虛船	황홀하게도 빈 배에 누웠구려

25-14 서루(書樓)

隱隱靑山曲	은은한 푸른 산은 굽어지고
新開萬軸樓	새로 열린 만축의 누각 있어
登樓醉後山	누에 올라 뒷산에서 취하니
山亦與心謀	산 또한 내 마음과 같으리

25-15 바둑처럼 생긴 바위[碁巖]

有石平爲局	돌이 평평하니 바둑 둘 수 있어
呼仙點玉棋	신선 불러 옥 바둑을 두네
成虧山外事	잘되고 못되는 건 산 밖의 일이라
聊向是巖知	애오라지 이 바위만 향하면 알겠지

25-16 고사리 향기[薇香]

春風携我去	봄바람이 나를 유혹해 가니
山徑翠如烟	산길이 푸르러 연기 같구나
馥馥來香氣	복복 향기 나는 곳에
金莖曜佛拳	금 줄기 부처 주먹이 빛나네

25-17 두월정(斗月亭)

拱把月溪水	월계의 물을 한 아름 안고
平看斗尾汀	바로 보이는 것은 두미1)의 물가라

| 東舟帆色色 | 동쪽으로 가는 배 돛은 색색이라 |
| 朝暮滿牕櫳 | 아침저녁으로 창령2)에 가득하네 |

1) **두미**(斗尾): 별 이름.
　2) **창령**(牕櫳): 창문의 총칭.

25-18 돌문[石門]

雙石奇突兀	두 개의 돌이 기이하게 툭 튀어나와
爲君作洞門	그대를 위해 마을에 문이 되었네
何曾有鎖鑰	어찌 일찍이 자물쇠가 있으랴만
自可却塵轅	스스로 원문1)의 먼지는 물리칠 수 있네

1) **원문**(轅門): 군영(軍營)이나 영문(營門)을 이르던 말.

25-19 한상정(漢上亭)

悠悠亭下流	유유히 정자 밑을 흘러
日夜入淸漢	낮과 밤으로 맑은 한강에 들어가는데
漢北美人遙	한강 북쪽에 미인은 멀리 있으니
臨欄起幽歎	난간에 임하여 그윽한 탄식이 나오네

25-20 월파루(月波樓)

月湧湖波淨	달이 솟아오르니 호수의 물결 깨끗하여
乾坤一玉壺	건곤이 한 옥병 같구나
豈信有樓閣	어찌 누각이 있을까

疑是泛虛無　　　　　의심하나 누각은 허무하게 떠 있네

25-21 버드나무 숲[柳林]

濯濯媚春月　　　　　봄날에 씻은 듯 달이 고우니
風流比君何　　　　　풍류를 그대에게 비유한다면 어떨까
自嫌五株少　　　　　스스로 다섯 그루가 적음을 혐의하니
種得一林多　　　　　한 숲을 심어서 많이 얻기를

25-22 연못[蓮池]

芳塘秋水綠　　　　　꽃다운 못에 가을 물 푸르고
秀出玉蓮花　　　　　솟아나온 것은 옥련화1)라
可愜濂翁趣　　　　　염옹2)의 취미에 합치되지만
恥爲衆所誇　　　　　여러 사람에게 하는 자랑이 부끄럽네

 1) **옥련화**(玉蓮花): 백련(白蓮).
　　 2) **염옹**(濂翁): 송나라의 유학자 주렴계(周濂溪). 이름은 돈이. 연꽃을 사랑했음.

25-23 굽은 물[曲水]

澹碧小溪水　　　　　맑고 푸른 작은 개울물이
縈紆幾曲曲　　　　　돌고 돌아 몇 구비인가
春來花浪慢　　　　　봄이 오면 꽃은 낭만1)하게 피니
客至泛瓊杯　　　　　나그네 오면 옥으로 만든 잔을 띄우지

주 1) **낭만**(浪漫): 여기저기 화려함.

25-24 남쪽 시내[南澗]

南澗濯秋雨	남쪽 시내를 가을비가 씻으니
移床襟袖寒	상을 옮겼는데도 가슴과 소매가 차구나
不要柳州詠1)	유주2)의 읊음이 필요하지 않으니
殊得碩人寬	특별히 높은 덕이 있는 사람의 너그러움을 얻은 것이네

주
1) **불요유주영(不要柳州詠):** 유종원의 『영주신당기』에 "산의 도랑에서 수레를 끌어야 하는데 길이 너무 험하여 사람을 피곤하게 한다"라고 한 글에서 전하여 특별히 길이 험하지 않음을 뜻함.
2) **유주(柳州):** 성당(盛唐) 시인 유종원(柳宗元)이 유주로 귀양 간 것에서 전하여 그를 유주라고 부름.

25-25 관어정(觀漁亭)

時倚小茅亭	때로 작은 띠 정자에 기대어
遙看紅蓼岸	멀리 붉은 빛 여뀌 언덕을 보네
夕陽漁網收	석양에 고기잡이 그물 거두니
銀玉色相亂	은빛, 옥빛이 서로 어지럽구나

25-26 낚시터[釣磯]

鷗邊石如席	갈매기 주변에 돌이 자리와 같아
竟日坐忘歸	하루 종일 앉아 돌아갈 길 잊었는데
莫信空垂釣	쓸데없이 빈 낚시 드리웠다고 믿지 마라
風雲會此磯	바람과 구름이 이 낚시터에 모인다네

25-27 어풍대(御風臺)

縹緲當雲霄	아득하게 구름 낀 하늘에 닿아
天風駕我脚	하늘 바람이 내 발을 실어가네
飄飄欲飛仙	훨훨 날아 신선이 되고자 하는데
不必乘黃鶴	반드시 황학1)을 탈 필요는 없겠지

주 1) 황학(黃鶴): 황생(黃生)의 학. 신선이 타는 학.

25-28 고기잡이배[漁艇]

小櫓輕滄波	작은 노는 푸른 물결에 가볍고
垂竿日又日	드리운 낚싯대는 날마다 그대로인 것을
歸來何所誇	돌아가서는 무엇을 자랑할까
滿載千江月	천강의 달을 가득 싣고 간다네

25-29 도화협(桃花峽)

繞峽桃千株	둘러싸인 골짜기에 복숭아가 천 그루라
君家在底處	그대의 집은 그 밑에 있겠지
莫嫌花出山	꽃이 산을 나간다고 혐의하지 마라
我欲訪君去	내가 그대를 찾아가고자 하네

25-30 모래섬[沙嶼]

淨鋪綠紋綺	깨끗하게 늘어놓은 푸른 무늬 비단 같고

開出白雲圖	열어놓으니 흰 구름에 그림이라
肯許纖塵着	즐거이 가는 먼지 붙기를 허락하니
只堪鷗與吾	다만 갈매기와 더불어 내가 감당할 뿐이네

26. 심 참봉에 대한 만사를 짓다[挽沈參奉]

■ 심 참봉의 이름은 우로, 이 사람은 나의 삼종 매서[1]이다. 김포에 살았는데 후릉[2] 참봉으로 마쳤다[櫌此三從妹婿也 居全金浦以厚陵參奉終]

齒年有老少	나이에는 늙고 젊음이 있고
居止異城野	사는 곳도 성과 들판 다르지만
綢繆姻好情	얽히고설킨 인척의 좋은 정은
比歲始傾瀉	근래에 와서 비로소 서로 쏟았네
風韻自大家	풍운[3]은 절로 대가가 되었고
氣宇寬而雅	기우[4]는 너그러우면서도 맑았으며
怡然笑言間	화한 얼굴은 웃음과 말 속에 있었고
天機絶虛假	하늘의 기틀은 헛됨과 가식을 끊었는데
不覺此膝斂	모르는 사이 염슬[5]을 하였는데
已敎吾萌化	이미 가르쳤으나 교화가 더디었고
恒與諸兄言	항상 제형과 더불어 말하기를
夫夫宜純嘏	무릇 사부는 마땅히 순수한 복이 있어야 된다고 했네
胡寧止小成	어찌 조그마한 성공으로 그쳐야 하는가
落托鷗鷺社	낙탁[6]해 갈매기, 해오라기 마을에 의탁했는데

厚德不終閟	두터운 덕은 끝내 숨겨지지 않아
天祿晚應借	하늘의 녹을 늦게라도 빌렸음이 마땅하네
嗟哉縻一命	슬프다! 가는 한 목숨이
海濤勞上下	바다 물결 따라 괴롭게 오르내렸는데
此猶爲鬼慳	이것은 오히려 귀신도 아끼는 것을
歸舟便脩夜	배로 돌아가 문득 밤까지 닦았네
冥途久舛錯	저승길을 오래 어겼으니
善人殆瘖啞	선한 사람은 자못 벙어리가 되었구려
芝蘭秀滿庭	지초와 난초는 뜰 가득히 빼어나니
精靈倘慰藉	정령은 오히려 이것을 위로받았네
哀彼老孀姊	슬프다! 저 늙은 과부 누이는
斗酒誰爲醡	말술을 누구를 위해 거르겠나
烟磯一蕭索	연기 나는 낚시터가 한결같이 쓸쓸한데
石田空穤稏	돌밭은 비어서 파아7)조차 자라지 않는구나
江湖阻綿漬	강호에 막혀 눈물로 수건 젖었으니
悲辭淚以寫	슬픈 말을 눈물로 옮겨놓네

 1) **매서**(妹壻): 누이의 남편.
2) **후릉**(厚陵): 경기도 개풍군 흥교면 흥교리에 있는 조선 정종과 비 정안왕후의 능.
3) **풍운**(風韻): 풍류와 운치.
4) **기우**(氣宇): 기개와 도량.
5) **염슬**(斂膝): 무릎을 모아 몸을 단정히 함.
6) **낙탁**(落托): 낙척(落拓)이라고도 하는데 호방함을 뜻하기도 하고, 처량한 모습의 뜻을 잃은 뼈대 없는 자를 의미.
7) **파아**(穤稏): 벼의 한 가지.

27. 상산1) 성 수사2) 덕징이 지은 시에 차운하여 보내다[次商山成

秀士德徵韻仍贈]

■ **갑신년**(1704)

憐君身似水中藻	그대의 몸이 물 가운데 부평초 같음을 어여삐 여기니
旅食維楊困雅摽	유양의 나그네 되어 아표3)로 곤함을 견뎠네
自信詩書勤滿腹	스스로 시서를 부지런히 배워 배에 가득함을 믿고
幾時毛羽奮冲霄	몇 번이나 날갯짓하며 하늘 높이 날고자 하였나
鄕園消息梅花盡	고향 소식은 매화가 다 졌다는데
客路光陰燕子高	나그네 길은 세월에 제비가 높이 나네
負笈明朝更何向	부급4)하러 내일 아침 다시 어디로 갈 것인가
不堪烟柳別愁搖	안개 낀 버들 이별한 시름에 흔들림을 감당 못하네

주
1) **상산**(商山): 경상북도 상주(尙州)의 옛 이름.
2) **수사**(秀士): 재덕이 뛰어난 선비.
3) **아표**(雅摽): 바르고 훌륭한 모습.
4) **부급**(負笈): 책 상자를 진다는 뜻으로, 타향으로 공부하러 감을 이르는 말.

28. 이씨 집안 여덟째인 이보가 지은 시에 차운하다[次寄李八頤甫]

■ 글을 아우르다[竝書]

한 줄기 한강 물 사이인데 소식과 말머리 막혔구려. 정곡에서도 일찍이 찾아가지 못하니 혼이 끊어지는 것 같다는 스물여덟 자가 갑자기 깊은 산 푸른 그늘 가운데 떨어져 구구한 놀람과 기쁨은 옛 친구의 맑게 봄을 얻은 것과 같네.

다만 구숙이 어찌 시가 없겠는가. 생각해보니 이때 마침내 함께 상을 마주하고 앉지 못하여 간절히 슬펐는데, 애오라지 이 글을 받고 화답해줄 것으로 믿네. 요사이 우리들이 오랫동안 이 일을 폐하였으니 진실로 슬프구나. 이로 말미암아 몇 가지 수작을 보내니 울적한 회포를 위로하는 데 도움 있게 해주게. 겸하여 옛날 인연을 계속하기를 두어진 이에게 바랄 뿐이네.

一帶漢水間 阻音塵馬首 貞谷未嘗不望門 而斷魂也 卄八字 忽墮於深山綠陰中 區區驚喜 如得故人淸晤 但久叔豈無詩哉 想此時適不聯床也 第切悵悵聊此扳 和以呈 而比間吾輩久癈玆事 誠可慨也 因此數相醻酢 胥慰阻懷 兼續舊緣多翼於兩賢矣

春歸漢水羽鱗踈	봄이 돌아온 한강에는 새와 물고기 드물고
漠漠停雲怨索居	막막1)하게 멈춰선 구름 살 곳 찾으며 원망하네
賴此片心無阻隔	한쪽으로 치우친 이 마음 달래는데 격조하지 않아
深山猶得故人書	깊은 산에서 다만 옛 친구의 글을 받는구나

주 1) 막막(漠漠): 넓어서 끝이 없는 모양.

29. 연등날 밤 집에 있기가 무료하여 어순서를 불러 앉아 마시

다가 '등(燈)' 자를 얻어 각각 짓다[燈夕齋居無聊魚舜瑞邀之生飮得燈字
各賦]

寂寞山中樹	적막한 산중의 나무에
孤懸一椀燈	한 종지 등불 외롭게 걸렸는데
瓦樽猶好酒	질그릇 동이 오히려 술맛 좋고
玉塵又譚朋	아름다운 티끌마저 말벗이 되네
令節誰能負	영절1)을 누가 능히 버릴까
幽懷故可憑	그윽한 회포를 가히 의지할 만하구려
長明笑禪戒	장명2)은 선방의 계율을 비웃는 듯하여
試看月華澄	화려한 달과 비교하여 보네

주
1) **영절**(令節): 좋은 시절.
2) **장명**(長明): 대문 밖 처마 끝 또는 절간에 등을 달아두고 밤새도록 밝힘.

30. 또한 순서의 지은 운으로 짓다[又以舜瑞所賦韻賦之]

金波籠翠柳	금물결은 푸른 버들을 감싸고
星漢轉淸澄	은하수는 점점 맑고 깨끗해지는데
是夕當佳節	이 밤 좋은 때를 당하였으니
深山亦彩燈	깊은 산에도 또한 색색 등이 걸렸구려
慰茲牢鎭苦	이 진에 갇힌 괴로움 위로하고자
賴有盍簪明	어찌 동곳1)의 밝음 덕 아니겠는가
藥玉澆愁肺	옥 같은 약은 시름 폐부 씻으니
酣吟小几憑	취하여 적은 궤에 의지하여 읊노라

주
1) **동곳**: 상투를 튼 뒤 풀어지지 않도록 꽂는 물건. 금, 은, 옥, 산호, 밀화,

나무 등으로 만듦.

31. 이웃집 여러 벗과 더불어 밤에 읊다[與隣齋諸友夜詠]

晴沙平綠淨無塵	깨끗한 모래 평평하고 푸르러 먼지 없이 깨끗하고
月出山門夜氣新	달이 산문에 나오니 밤기운이 새롭구나
滿谷白雲閑掃石	골짜기 가득 흰 구름은 한가롭게 돌을 쓸고
清談解挽欲歸人	맑은 이야기로 돌아갈 사람 만류하고자 하네

32. 이보 형제를 석운장으로 찾아가다[訪頤甫兄弟石雲庄舍]

疊嶺危巒幾箇過	첩첩 고개 위태로운 산 몇 개나 지났는가
崎嶇十里得人家	꼬불꼬불 십 리 오다가 인가를 만났구려
入林慰我孤尋意	숲에 들어오니 내가 외롭게 찾아온 뜻 위로하고
在澗憐君獨寤歌	시냇가에서 홀로 깨어 노래하니 가련하구나
黃鳥晚聲生谷樹	저문 나무 골짜기에서 꾀꼬리 소리 나오고
白鷗清夢照山花	흰 갈매기 맑은 꿈은 산꽃에 비치는데
風塵消息何曾到	풍진 소식이 어찌 일찍 이르겠는가
便欲相從借山阿	서로 따르며 친하게 지내고자 산언덕을 빌렸네

33. 또 순구가 지은 시에 화답하다[又和順久韻]

倦驂穿石路	게으른 말 돌길 뚫으니
童子掃雲扃	아이는 구름 빗장을 열고
松迥欹初月	소나무 머니 초승달 의지하는데
簷虛納衆星	처마가 비니 뭇별이 들어오는구나
江湖幾日別	강호에서 어느 날 이별했는가
詩酒舊時形	시와 술은 옛 모습 그대로인 것을
歲暮心期在	해는 저물어도 마음에 기약 남아
相看老栢靑	서로 늙은 잣나무 푸름을 보네

34. 서울에서 온 김도이가 순서의 집에 머물렀으므로 찾아 가서 밤새 이야기하다가 운을 나누었다[金道以自京來舜瑞齋邀 之 往做夜話分韻]

晝睡昏昏臥空齋	낮잠이 혼혼하여 빈집에 누웠는데
谷裏鳴禽喚客懷	골짜기 안 새 울음 나그네 회포 불러내네
剝啄奚僮傳語好	문 두드리는 아이의 전하는 말 좋고
逢迎是夕得朋佳	맞이하는 좋은 친구 이 밤에 얻었는데
一川翠色松邊直	한 줄기 내 푸른빛은 소나무 가에 곧아 있고
列峀晴光鳥外排	늘어선 산 갠 빛은 새 밖에 늘어졌네
尊酒劇談方未已	항아리 술과 좋은 말 아직 끝나지 아니했는데
短筇淸興又林崖	맑은 흥으로 짧은 지팡이 짚고 또 숲가로 가네

35. 이튿날 숭재의 못가에 머물면서 마시다가 도이와 각각 짓다

[翌日崇齋池頭留飮道以各賦]

邂逅携游松檜林	다시 만나 손을 잡고 송회1) 나무숲을 거니니
石塘清水可人心	석당 맑은 물에 사람 마음 좋구나
芳春已去野花在	아름다운 봄 이미 갔으나 들꽃은 남았는데
滿雨欲來山日陰	하늘 가득 비가 오려 산에 그늘지네
眠鷺浴鳧沙渚穩	잠자는 백로, 자맥질하는 오리 모래톱에 편안하고
翠崖蒼壁洞門深	푸른 언덕, 푸른 벽에 마을 문이 깊었구려
直教繫馬休辭酒	곧 말 매어놓고 술 사양 말라고 가르치니
浮世那能得此斟	뜬세상에 어찌 이런 술자리 있을까

주 1) **송회**(松檜): 소나무와 전나무.

36. 이 감사 덕성을 만사하다. 세 수[挽李監司德成三首]

惻惻冠山松柏路	측측한 관악산 소나무, 잣나무 길에
去時金節返丹旛	떠날 때는 금절1)이더니 돌아올 땐 붉은 명정이라
蕭條錦水觀風地	쓸쓸한 금강 물은 관광지였건만
寂寞盤池種竹園	적막한 반지는 대나무 동산 되었네
報主寸心餘袖簡	임금님께 보답하겠다는 촌심은 소매 속 글에 남겨두고
傳家妙墨遍人軒	대대로 내려온 묘한 글씨 사람 집에 두루 미

첫는데

三皐永負妻兒訣   삼고2)에서 영원히 아내와 자식 버리고 이별
　　　　　　　　하니

幾日湖天怨旅魂   어느 날 호수 하늘에 원망스러운 나그네 혼
　　　　　　　　이 될까

주 1) **금절**(金節): 고급 관리의 신표(信標).
　 2) **삼고**(三皐): 사람이 죽은 뒤 지붕에 올라가 혼을 부르며 세 번 외치는 소리.

37. 두 번째 시[其二]

觀察三方鎭兩邊   세 도를 관찰하며 두 곳 변방 진압하니

人皆榮矣我非然   사람들은 다 영화롭다 하나 나는 아니라
　　　　　　　　했네

一襃似際明時遇   한 번 포상받은 즈음, 때를 만남이 분명했
　　　　　　　　으나

累出終因末路偏   여러 번 나가다가 말로에는 끝내 치우쳤네

敏識贍才那復得   민첩한 지식 넉넉한 재주 어디 다시 얻을까

桑謠棠詠謾爭田   뽕나무 노래 아가위 읊음 부질없이 땅을 다
　　　　　　　　투는데

謝庭幸有群芳苗   떠나는 뜰에 다행히 여러 꽃다움 뾰족이
　　　　　　　　나와

餘慶應償不盡年   남은 경사는 마땅히 해가 다하지 않도록 보
　　　　　　　　상받으리

38. 세 번째 시[其三]

| 松翁席上托深知 | 송옹 자리 위에 깊은 지식 믿었는데 |

(岳君自號松汀 악군께서 스스로 부르기를 송정이라고 했다)

隣竝攀遊二十朞	이웃하여 돕고 살아온 지 이십 년이라네
林榭幾成文字飮	숲 집에서 몇 번이나 글 짓고 술 마셨나
風塵頻賦別離辭	풍진1) 속에서 자주 별리사2)도 지었지
摧心角嶺觀濤處	각 재에서 찢어지는 마음으로 파도 일어나는 것 보고
迸淚禪窓送酒詩	눈물 흘리며 선창에서 송주시3)를 썼는가
從此西園何忍過	이로부터 서쪽 동산 어찌 참고 지나가리
靑梧冷月弔琴棋	푸른 오동 차가운 달이 거문고와 바둑을 조상하네

주
1) **풍진**(風塵): 벼슬길.
2) **별리사**(別離辭): 이별을 아쉬워하며 지어주는 글.
3) **송주시**(送酒詩): 이별할 때 술을 마시며 짓는 시.

39. 이웃집 여러 벗과 더불어 걸어서 앞개울로 나갔다가 어순서가 '양(凉)' 자를 부르다[與隣齋諸友步出前溪魚舜瑞呼凉字]

不耐深齋畏日長	깊은 집에 긴 해의 두려움 참지 못하고
夕陽巾屨到溪傍	석양에 편한 차림으로 개울가에 이르렀네
漸看南極炎雲盡	점점 보니 남극에 불꽃 구름 다해
暫得西峰夜氣凉	잠시 동안 서쪽 봉우리에서 서늘한 밤기운 오는데

松檜逼天星覆屋	소나무, 전나무 하늘에 닿아 별이 집을 가렸고
盃樽藉草露盈牀	술자리 풀에 깔아 이슬이 상에 가득하네
且呼數子成淸晤	또한 여러 사람 불러 좋은 말하니
一笑居然萬念忘	한 번 웃음으로 지나간 만 가지 생각을 잊어 버렸네

40. 또한 최지천[1]이 지은 시에 차운하다[又次崔遲川韻]

遙岫蒼蒼樹影團	먼 산은 창창하여 나무 그림자 둥글고
火雲飄散白雲閑	여름철 뜨거운 구름 흩어져 가니 흰 구름 한가로운데
幽深王洞乾坤淨	그윽하고 깊은 왕동[2]의 건곤 깨끗하니
着得吾身自在安	그 때문에 내 몸도 절로 편안함을 얻었네

주 1) **지천**(遲川): 조선 인조 때 문신 최명길(崔鳴吉, 1586~1647)의 호. 병자호란을 당하여 강화론(講和論)을 주장하며 병란을 종식시키고 우의정을 지냄.
2) **왕동**(王洞): 궁궐이 있는 마을.

41. 현재 이 침랑(동로[1])이 지은 시에 차운하다[次顯齋李寢郞(東魯)韻]

玆官有何事	이 관사는 무슨 일 하는 곳인가
長自勤靑山	오래도록 푸른 산에 있으면서 부지런해야 하네
堪笑短衫吏	소매 짧은 관리의 모습이 우스워
時要狀牒看	때로는 모름지기 장첩[2]을 보네

주 1) **이동로**(李東魯): 조선 중기 문신(1643~?). 자는 지도(至道).

42. 두 수를 또 짓다[又二首]

續續續續綠底鳴	속속 속속새 푸름 밑에서 울고
鳴近書帷故多情	울음소리 서창에 가까우니 짐짓 정이 많구나
應要吾學勤時習	모름지기 나의 배움을 때마다 부지런히 함이 마땅하나
寧爲手談作此聲	어찌 바둑 두기로 이 소리 낼 수 있을까

　위 글은 속속조를 읊었는데 그 소리가 '속속' 하고 나므로 이 이름을 얻은 것이다. 대개 이랑이 바둑을 좋아하므로 자주 나와 함께 대국을 하였으나 내가 여러 날 동안 즐거이 바둑을 두지 못했는데, 이랑이 이 속속의 뜻을 가지고 시를 지어 나를 불렀으므로 이에 화답한 것이다.

右詠續續鳥 其聲續續 故因以得名 蓋李郎喜棋 數與我對局 而自數
日余不肯着 李郎取此續續之義 作詩以邀 故以是答之

43. 두 번째 시[其二]

愁眉不與山花開	찡그린 눈썹은 산꽃 피는 것만 같지 못하니
撥盡爐中幾寸灰	화로 가운데 흩어서 다한 재는 얼마만큼 되나
隣閣丈人多古意	이웃집 어른은 옛 뜻이 많은 분으로

小奚簡裏有詩來　　　조금이라도 틈만 나면 시를 지어 보낸다네

44. 어순서가 쓴 시에 차운하다[次魚舜瑞韻]

■ 저녁 먹은 뒤에 걸어서 계상으로 나갔으나 순서를 찾지 아니하고 돌아왔다. 순서
가 시를 보내 희롱했기 때문에 이같이 답한 것이다[夕後余步出溪上不 訪舜瑞而
還矣 舜瑞以詩戲之故 答意如此]

角巾臨綠水　　　　　각건1)으로 푸른 물가에 가서
清嘯陟松臺　　　　　맑게 휘파람 불며 소나무 대에 올랐네
山月當溪雪　　　　　산의 달은 시냇가 눈과 같은데
何嫌興盡廻　　　　　어찌 흥이 다하여 돌아옴을 혐의할까

주　1) **각건**(角巾): 처사나 은자가 쓰는 두건.

45. 이튿날 홍경숙이 이운으로 화답하여 보였으므로 또 답하여
돌려보내다[翌日洪敬叔以是韻和示又答還]

黃鸝宜我耳　　　　　노란 꾀꼬리 소리 내 귀에 아름답고
清樾作涼臺　　　　　맑은 두 나무 그늘은 서늘한 대가 되었네
且有仙人局　　　　　또한 신선이 두는 바둑이 있으나
寧教俗子廻　　　　　어찌 속인을 가르쳐서 돌아오게 할까

46. 휘재에서 김여일[1]이 살구와 함께 보내준 시에 차운하다[次徽齋金汝一惠杏韻]

幾時消渴望隣墻	몇 번이나 목말라 이웃 담장 바라보았던가
佳實垂垂暎日黃	좋은 열매 주렁주렁 해에 비쳐 노랗구나
艶色交勻紅粉臉	고운 빛 서로 골라 붉은 연지 찍은 것 같고
精英凝作紫金腸	정영[2]이 엉기어 자금[3]의 알맹이가 되었네
不因老友盈筐惠	늙은 친구가 광주리 가득 채워 보내지 않았다면
那得仙漿遶齒香	어찌 선장[4]이 입 속 도는 향기를 얻었겠는가
點檢山齋無所報	산재[5]를 돌아보아도 갚을 것이 없으니
梨花新釀許君嘗	배꽃 술 새로 빚거든 그대에게 맛보도록 하겠네

주

1) **여일**(汝一): 조선 중기 문신 김정오(金定五, 1660~1735)의 자. 본관은 안산(安山). 호는 노포(老圃). 1728년(영조 4) 이인좌(李麟佐)의 난 때 경상도 관찰사 황선(黃璿)과 함께 토벌에 나섰다가 황선이 갑자기 죽자 후임 관찰사와 뜻이 맞지 않아 귀향한 뒤 은둔 생활을 했음.
2) **정영**(精英): 정예롭고 뛰어난 것.
3) **자금**(紫金): 검붉은 색이 나는 도자기. 잿물 빛깔의 금.
4) **선장**(仙漿): 신선의 음료수.
5) **산재**(山齋): 산속에 지은 서재. 운치 있게 지은 집.

47. 순서가 더위를 괴로워한 시에 차운하다[次舜瑞苦熱韻]

午天張火傘	한낮의 하늘은 불 양산을 편 것 같고
不飮醉昏昏	마시지 않아도 취하여 혼혼했네

寒水未爲玉	찬물이 도움 되지 못하고
睡鄕聊着魂	혼은 오직 잠잘 때 붙었네
覓詩難快活	시를 찾았으나 쾌활하기 어렵고
開卷尙支煩	책을 펼쳤으나 오히려 지루하기만 한데
執此誰能濯	더위를 누가 가져다 씻겨줄까
淸心是妙門	청심1) 이것은 묘문2)이라네

 1) **청심**(淸心): 열사(熱邪)가 심포(心包)에 들어간 것을 치료하는 방법.
2) **묘문**(妙門): 열반의 경지에 드는 불가사의한 문.

48. 원 참의 어른(성유)이 상산으로 부임하는데, 받들어 보내며 짓다[奉贈元參議丈(聖俞)赴商山任]

■ 두 수를 짓다[二首]

我公爲吏太支離	공은 지루하도록 낮은 벼슬에 오래 머물렀는데
塞旆纔旋又嶺麾	변방의 깃발을 잠깐 돌리더니 또 영남으로 가네
自是胸襟疎俗態	이로부터 가슴속은 속태1)와 멀어지고
故應軒冕後凡兒	그러므로 마땅히 높은 관리가 된 뒤 범인이 되지
驪江夜月還鄕夢	여강2)의 밤 달은 고향으로 돌아갈 꿈이 되고
鳥道秋風戀主詩	새재와 추풍령에서 임금님 생각하는 시를 짓네
仙債碧樓猶未盡	전생 빚은 푸른 누각으로도 다 갚지 못하는데
去尋園綺採靈芝	기이한 동산을 찾아가 영지를 캐려는가

(元丈曾宰清風府 원씨 어른은 일찍이 청풍부의 관원을 지냈다)

주 　1) **속태**(俗態): 세속의 티.
　　2) **여강**(驪江): 여주로 흐르는 강. 한강.

49. 두 번째 시[其二]

昨奉使君札	어제 사군의 편지를 받고
明登上水舟	이튿날 아침 상수1)의 배에 올랐네
行裝新伴鶴	행장은 학과 새로이 짝을 하고
歸夢舊盟鷗	돌아갈 꿈은 갈매기와 옛 맹세를 했는데
疎雨迷江樹	성긴 비에 강가의 나무 아득하고
凉蟬繞驛樓	서늘한 매미는 역루를 둘러쌌네
齋居違別席	집에 거하니 특별한 자리 없어
悵望渼湖秋	슬프게 미호의 가을을 바라보네

주 　1) **상수**(上水): 물을 거슬러 오름.

50. 곽 일장1) 지숙(시징2))의 「낙촌가」에 차운하다[次郭佾丈智叔(始徵) 樂村歌詩]

■ 서를 아우르다[竝序]

　제가 오래전에 들으니 곽 공께서는 세상에 숨어서 도를 구할 뜻이 있었다고 하는데 도시와 시골이 서로 달라 한번 찾아뵙고, 그 학문을 들어보지 못한 것이 한스러울 뿐입니다. 선묘3)의 침원4)인 목릉의 참봉으로 있을 때 공께서 찾아오시어 처음 뵈었습니다. 그때 의범을 보고 말씀을 나누어보니 참으로 연하 가운데 도인임을 알았습니다.

그리하여 전대 속에서 한 권의 책을 뽑아 제게 보이면서 말씀하시기를 "이것은 내가 낙촌에 한거할 때 지은 노래와 시이다. 그대가 나를 위하여 화답하라고 하여 삼가 받들어 읊고 외워보니 공의 학문이 대개 이것에 나타났고 나 또한 한번 배우고자 한 소원이 바야흐로 이루어진 것 같다"라고 하시었습니다.

이리하여 기뻐서 말하기를 "무릇 노래와 시 짓기는 성품과 감정에 기인하는데 성정이 참으로 바르지 못하다면 나타나는 노래와 시가 어찌 좋을 수 있겠습니까. 지금 곽 공의 학문은 연원이 있고 숲 속에서 덕을 닦으며 금호의 낙촌에 집을 짓고 살아 기쁘게 스스로 천석5)의 좋은 경치를 즐기시며 외물의 유혹에 움직이지 아니하시니 중간에 얻은 바 있고 정에 감동되어 모든 시에 형체로 나타납니다"라고 했습니다.

그리하여 시로 노래하게 되니 노래는 부지런하게도 인륜에 두텁고 어진 이를 사모하며 도를 즐기고 가난함에 편안한 뜻이 있습니다. 혹 산마루나 물가에서 한없는 시름으로 잠자고 말씀하시는 모양은 성정의 참으로 바름에서 얻은 것으로 거의 격양희호6)의 기상이 있고 주아돈후7)의 풍운이 있지 아니합니까.

시험 삼아 오늘 학자의 무리를 보건대 모두 과거 시험을 보느라 급급하여 조용하고 서태8)한 뜻이 모자라 그 기상이 없거나 편고9)한 경지에 이르는 폐단이 있어 공께서는 규구준승10)을 지켜 예법 안에서 실천하려고 하십니다. 또한 노래와 시에 우유11)하고 함영12)하는 모습을 담으셨으나 바라시는 바는 엄숙과 화목을 함께 행하는 데 계십니다.

그러므로 저는 공께서는 얻은 바 학문이 크다고 하겠습니다. 또한 공께서는 퇴계의 십이곡13)과 율곡의 구곡14)을 노래 책의 첫머리에 실었으니 그 뜻이 더욱 높습니다. 아아함은 도산에 있습니까. 양양함은 석담에 있습니까. 옛날 주자께서 무이정사5)에 계실 때 고시 300편과 초인의 노래를 모아 노래했으니 공께서는 이것을 모방한 것입니까. 어찌 이 번잡한 새장에서 벗어나 기호에서 배를 함께 타고 낙촌의 좋은 경치를 찾는 데 해당한다 하겠습니다. 공께서 한 번 신을 끌고 한 번 읊어 크게 제 비루하고 인색함을 씻어주시기를 바랍니다라고 하였습니다.

드디어 그 노래와 시에 화답하면서 그 뜻을 펴서 말할 뿐입니다.

(某)久聞郭公有遯世 求道之志而城林異塗 恨不能一 扣其所存焉耳 及守宣廟寢園 公適以侑至 始克贍乎儀範 接乎語言則 誠煙霞中有 道人也 仍於索裏抽示余一冊曰 此吾樂村閒居之歌詩也 子爲我和 之余謹受以諷詠之 公之所存者 蓋見于斯而 不俟一扣之願 方可以 諧矣 遂喜而言曰 夫歌詩之作 本於性情苟不得其正 則其所以發爲 歌詩者奚足以觀也 今郭公學有淵源 養德山藪 卜居于錦湖之樂村 囂囂然自樂於泉石之勝而 不以外誘動其中 凡有得於心 有感於情 者 輒形諸詩 詩以歌之 其歌也惓惓乎 敦倫慕賢 樂道安貧之義而 未 或有山巓水涯 窮愁喑唔之態 信可謂得乎情性之正而 庶幾擊壤熙 皞之氣象 周雅敦厚之風韻 歟嘗試 觀於今之學者 類皆在收斂 拘束 之科而乏從容舒泰之意故其弊或至於索然偏枯之域 斯乃公方以規 矩準 繩踐履乎禮法之內而 又能 優游涵泳 發舒於咏歌之際 冀以臻 於 嚴和竝行者 余於是 得公所存者 不爲不多也 且公以退溪十二曲 栗谷九曲歌編之卷首 其志益勤 矣哉 峨峨乎在陶山耶 洋洋乎在石 潭耶昔朱夫子 在武夷精舍 取古詩三百篇及 楚人之詞哦而歌之 公 其擬之於斯乎 何當脫此樊籠 同舟沂湖訪樂村之勝而 請公曳縱一 詠 滌蕩我鄙吝也 遂和其歌詩 敍其志意云爾

浩然鹿門計	호연한 녹문16)의 계책으로
卜築錦湖潯	금호 물가에 집을 지었네
有道貧何害	도가 있으면 가난함이 무슨 해가 될까
無營境轉深	경영함이 없어도 경지는 점점 깊게 들어가네
鑿耕歌聖代	우물 파고 밭 갈면서 성대를 노래하니
涵養得天心	함양17)으로 하늘의 마음을 얻었구려
暇日亭中睡	틈을 내어 정자에서 낮잠을 자며
寒泉幾夢尋	차가운 샘을 꿈에 몇 번이나 찾았는가

(作亭名以景寒 蓋慕朱子 寒泉精舍云 정자를 경한이라 이름 붙였는데, 대개 주자의 한천정사를 모방한 것이라 한다)

주

1) **일장**(佾丈): 벼슬은 못했지만 학식이 높고 연륜이 있어 존경받는 어른.
2) **곽시징**(郭始徵): 1644~1713. 조선 중기 학자. 본관은 청주. 자는 지숙. 호는 경한재 (景漢齋).
3) **선묘**(宣廟): 조선 14대 왕 선조.
4) **침원**(寢園): 임금의 산소.
5) **천석**(泉石): 샘과 돌. 전하여 산수의 경치.
6) **격양희호**(擊壤熙皡): 농부가 태평성세를 노래하며 즐길 수 있는 세상. 요순의 정치를 말함.
7) **주아돈후**(周雅敦厚): 모습이 아담하고 성품이 인자함을 이름.
8) **서태**(舒泰): 조용하고 태연함.
9) **편고**(偏枯): 한쪽으로 치우침.
10) **규구준승**(規矩準繩): 사물의 준칙(準則).
11) **우유**(優遊): 하는 일 없이 한가롭고 편안하게 지냄.
12) **함영**(涵泳): 물속에서 팔다리를 놀리며 떴다 잠겼다 하는 짓.
13) **십이곡**(十二曲): 도산(陶山) 십이곡. 1565년(명종 20) 퇴계 이황이 지은 연시조.
14) **구곡**(九曲): 고산(高山) 구곡가. 1578년(선조 11) 율곡 이이가 지은 연시조.
15) **무이정사**(武夷精舍): 주희(朱熹)가 공부하던 곳. 무이(武夷)는 중국 복건성에 있는 산.
16) **녹문**(鹿門): 중국 호북성에 있는 산 이름. 한나라 방덕공, 당 시인 맹호연(孟浩然) 등이 은거한 곳.

17) **함양**(涵養): 학식을 넓혀 심성을 닦음.

51. 두 번째 시[其二]

柴荊怨歲暮	어려운 살림살이 세밑이 원망스럽고
歌曲想前賢	노래 곡조는 예전의 어진 이 생각나게 하네
栗老餘風在	율곡의 남은 풍습 있고
陶山秀色連	도산의 빼어난 빛도 이어졌는데
鳶魚同樂地	솔개와 물고기 함께 즐기는 곳에
雲月自怡然	구름과 달도 절로 태연하네
此意誰能聽	이 뜻을 누가 능히 알까
冥鴻唳遠天	먼 하늘 나는 기러기 부르짖네

52. 세 번째 시[其三]

塵世浮雲變	먼지 세상 뜬구름은 변하나
江湖白鳥閑	강호의 흰 새는 한가롭네
不除流注想	흘러가는 생각을 버리지 못한다면
取舍也應難	취하고 버리기가 또한 마땅히 어려울 것을

53. 네 번째 시[其四]

跡舊華陽雪	옛 자취는 화양1)의 빛이 되고

心傳膝上絃	무릎 위 거문고로 마음을 전하는데
無人聽此曲	이 곡조 들을 사람 없으니
咽咽和飛泉	슬프게도 쏟아지는 폭포가 화답하네

54. 이사진이 지은 『옥천록』 가운데 갑신 원조에 지은 「유감」이라는 작품이 있어 화답하다[和李士珍玉川錄中甲申元朝有感作]

■ 짧은 서를 아우르다. 옥천은 용담현을 일컫는다[竝小序玉川龍潭縣號]

이 『옥천록』이란 이사진의 사형제가 남쪽 지방을 다니며 짓고 부르고 대답한 시다. 사진이 나에게 보여주며 화답할 것을 요구하므로 책을 살펴보니 연주철벽1)이 이미 찬연하였다. 하물며 여러 사람이 평론한 점이 푸르고 붉은색이 서로 비치고 평론 또한 모두 정확하니 어느 여가에 내 더러운 견해가 외람되게도 검은 점을 가지고 대략 푸르고 붉은 위에 더하여 구별할 수 있을까.

만약 그 시가의 편장이 넓고 많아 사람마다 각각 거의 사십 장이나 되고 또한 동석하거나 이웃한 사람들, 이이보 형제와 홍군 무리가 축을 달리하였으니 지금 하나하나 뒤를 좇아 화답할 수는 없다. 그러나 그 가운데 「갑신원조에 느낌이 있어」는 대개 비풍하천2)에서 전해오는 뜻에서 지은 것이므로 감동이 매우 깊었다. 드디어 운에 따라 화답하고 그다음에 주요함을 이르겠다.

此玉川錄者 李士珍四昆季 南游酬唱詩也 士珍要余批而和之 開卷

聯珠綴璧 已爛然矣 況數子評點 青朱交暎 其論又皆精確 何假陋見
猥以黑點 略加靑朱 上以別之 若其篇什 浩多 人各殆四十章 且同席
作隣 異乎軸中李頤甫兄弟 洪君則輩則 今不可乙乙追和也 然就其
中甲申元朝有感篇 盖得之於匪風下泉之遺意而 感余者深故 遂倚
韻而和之 以副其要云爾

數窮十二辰	십이지의 수가 궁할 때
人間又玆歲	인간에게는 또 이 해가 끝나는데
漢炎猶不噓	한나라 더위는 오히려 불지 못하나
顧瞻攬雙涕	돌아보며 두 줄기 눈물 훔치네
痛矣左海邦	아프구나! 우리나라가 항복함이
遺恥若爲洗	남은 부끄러움을 씻을 수 있을까
蕭條孝廟志	쓸쓸하구나! 효종 임금의 뜻이여!
埋沒前賢計	전현3)의 계책이 묻혀버렸으니
人情久易怠	인정이란 오래되면 쉽게 게을러지는 것
天理殆晻閉	하늘의 이치가 자못 닫히고 가리었으니
嗟哉吾黨士	슬프구나! 배우는 우리들은
感時有新製	때에 따라 새로 시를 지어야 하는데
和汝續匪風	너의 비풍을 이어가고 화답하니
咏歎懷盛世	성세를 읊고 찬탄하며 생각하네

1) **연주철벽**(聯珠綴璧): 이어진 구슬과 엮어진 구슬. 전하여 아름다운 시문(詩文).
2) **비풍하천**(匪風下泉): 『시경』의 비풍장(匪風章)과 하천장(下泉章)을 이름. 천지의
   화기(和氣)를 잃은 바람과 흘러가는 물.
3) **전현**(前賢): 앞서 살던 현인(賢人). 시에서는 병자호란에 대한 복수로 북벌을
   하려던 충신들을 이름.

55. 신성보 형제와 함께 국화를 보고 세 수를 지었는데, 모두 고운으로 지었다[同申成甫兄弟翫菊三首 竝古韻]

秋事已歸冬始曲　　추수 이미 마치고 겨울이 시작되어 돌아오니
滿堂黃菊耐霜開　　뜰 가득 노란 국화 서리 견디며 피었구나
問渠有底淸幽趣　　묻노니 너의 맑고 그윽한 취미는 무엇인가
剩得詞人佩酒來　　글하는 사람아 남은 술 있거든 가져오게나

56. 두 번째 시[其二]

爛爛金葩映小樽　　찬란한 금꽃은 작은 술 항아리에 비치고
羞同妃子醉眠昏　　부끄러움은 비자와 같아 어두운 잠에 취했구려
知君種此辛勤意　　그대가 이것 심은 괴로운 뜻 아노니
要返東籬處士魂　　모름지기 동쪽 울타리에 처사의 혼을 돌리고자 함이지

(菊有醉楊妃之稱 국화에 취한 양귀비의 칭찬이 있기 때문이다)

57. 세 번째 시[其三]

庭宇無風秋日和　　뜰에 바람 없으니 가을날은 온화하고
黃花爛熳餉君多　　노란 꽃 난만하니 그대 먹을 것이 많구나
君能留我仍沽酒　　그대 능히 나를 머물게 하고 술도 사오니

好句成來不飮何　　　　좋은 글귀 이루었는데 마시지 않고 어찌할까

58. 제석에 현릉 참봉이 지은 시에 차운하다[除夕次顯齋韻]

滿山風雪歲除時　　　　산 가득 눈보라 치는 제석에
伴直園陵苦未歸　　　　반직1)으로 원릉에서 괴롭게 돌아오지 못했네
遲暮感懷荒舊業　　　　연말의 감회로 하던 일도 게을러지고
旅遊愁思對斜暉　　　　나그네 떠도는 시름으로 석양을 대하는데
分離棣萼空成夢　　　　형제간에 떨어져 있어 속절없이 꿈에 보고
瞻望松楸自濕衣　　　　송추2)를 바라보니 절로 옷이 젖네
尙賴丈人論此意　　　　늘 어른의 뜻 깊은 가르침에 힘입어
却忘燈燭到熹微　　　　문득 등촉이 희미해짐도 느끼지 못하네

1) **반직**(伴直): 두 사람이 함께 숙직함.
2) **송추**(松楸): 소나무와 개오동나무. 무덤가에 많이 심는 나무이므로 전하여 무덤.

59. 현릉 참봉 홍전이가 근무 기간이 만료되어 성으로 옮겨 들어오는 날에 율시1) 한 수를 보였으므로, 문득 이에 화답하고 이별하여 보내다[顯齋洪參奉轉而氏仕滿當遷入城之日 示以一律 却和贈別]

■ 을유년(1705)

伴直已三歲　　　　반직한 지 이미 삼 년 만인데
孤齋亦復春　　　　외로운 집에 다시 봄이 돌아왔네

洛陽非嶺邑	낙양은 시골 읍이 아니나
何處不羈人	어느 곳이든 사람을 얽매지 못할까
林谷禽花好	숲 골짜기에 새와 꽃 좋고
京華面目新	번화한 수도의 모습 새로운데
想應聽鷄日	생각하며 마땅히 닭 울음 듣는 날
魂夢入山頻	꿈에 혼이 자주 산으로 들어가네

주   1) **율시**(律詩): 여덟 구로 되어 있는 한시체(漢詩體).

60. 청명에 송추로 나갔을 때 병정이 연방에 올라 장차 선대의 분묘를 영화롭게 한 것이므로 한강에 와서 배를 탔는데, 병태1)도 동행하였으므로 명하여 운을 부르게 하였다[淸明日出往松楸時 秉鼎登蓮榜將榮墳先至漢江艤舟矣 秉泰亦同行遂命呼韻]

阿姪維舟待漢津	조카가 배를 매어두고 한강나루에서 기다리니
雙簫領得滿江春	쌍피리가 강 가득한 봄을 차지했네
陰陰野樹烟雲暖	습기 차고 축축한 들나무는 연기와 구름이 따스하고
拍拍沙禽意態新	파닥파닥 모래새는 뜻과 태도 새로운데
混俗誰非干祿士	속세와 어울리며 누가 벼슬 구하는 선비 아니리
出郊深愧耦耕人	들에 나가면 밭 가는 이에게 몹시 부끄럽구나
玆行不負淸明節	이 걸음 청명절임을 잊지 말게나
暫脫京華十丈塵	잠깐 서울의 열 길 먼지 벗어나리

주   1) **이병태**(李秉泰): 조선 중기 문신(1688~1733). 자는 유안(幼安). 호는 동산(東山). 홍문관 부제학, 대사성, 승지 등을 지냈으며 이조 판서에 추증됨.

61. 휘재에서 연구로 짓다. 휘재의 주인은 조영수다[徽齋聯句主卽乃 趙英叟也]

春日山齋欲雨天(英)	봄날의 산집에는 하늘에서 비가 오려 하고(영)
逗林輕霧煖似烟(己)	숲을 도는 가벼운 안개 따뜻함이 연기 같네(나)
官清地僻閒無事(英)	관청은 맑고 땅은 외지니 한가하여 일이 없고(영)
惟撿鵑花幾箇鮮(己)	다만 살펴보니 두견화 몇 개나 곱게 피었나(나)

62. 두 번째 시[其二]

■ 삼밭 마을 사람이 술을 가지고 와서 영수와 마시다[麻田客以酒來飮英叟]

故人多好意	옛 친구 좋은 뜻 많아
春酒訪山齋(英)	봄날에 술 가지고 산재 찾았네(영)
縱飮何須讓	마시고 싶은 대로 마시지 무엇 때문에 모름지기 사양할까
高吟亦復佳(己)	높이 읊으면 또 다시 아름다워지는 것을(나)
白雲生石澗	흰 구름은 돌 개울에서 일어나고
晴月到花階(英)	밝은 달은 화계1)에 비추네(영)
聞設麻田勝	삼밭에 좋은 경치 있다는 말 들으니
隨君欲理鞋(己)	그대 따라 신발 끈 매고자 하네(나)

주   1) **화계**(花階): 뜰 한쪽에 조금 높게 하여 꽃을 심기 위(爲)해 꾸며 놓은 터.

63. 휘재에서 최철경과 이별을 나누는데 영수가 운을 불러 짓다

[徽齋別崔哲卿英叟呼韻]

春林好雨欲留君	봄 숲에 좋은 비는 그대 머무르게 하고
可奈歸心繞白雲	어찌하여 돌아갈 마음 백운이 둘러싸나
惆悵別來誰與語	섭섭한 이별하니 누구와 더불어 말을 할까
閉門山杏落紛紛	문 닫으니 개살구 어지러이 떨어지네

64. 심 동지(지걸)에 대한 만사를 짓다[挽沈同知(志傑)]

往年吾賦壽公詩	지난해 내가 오래 살라는 시 지었는데
今日那堪唱薤詞	오늘은 어찌 상여 노래 부름을 감당할까
家世好人皆大耋1)	집은 대대로 사람 좋고 모두 큰 수 누렸으며
國恩優老亦崇資	나라 은혜 노인을 우대해 또한 벼슬도 높였지
林泉宴集渾成夢	임천의 잔치 모임 모두 헛꿈 되었고
鄕社風流更屬誰	고향의 풍류를 다시 누구에게 부칠까
賢子令孫能趾美	어진 자식, 착한 손자 아름답게 뒤를 이으니
高門福慶未應衰	높은 문중 복된 경사 마땅히 쇠하지 않았구려

주 1) 대질(大耋): 80세의 나이를 이르는 말.

65. 재에서 열린 연화계 모임에 가지 못하니 슬프게 이를 기록해 여러 형님과 겸하여 여러 조카에게 보이다[齋居未赴譾和稧會

恨然有作錄上諸兄兼示羣姪]

北林春事問如何	북쪽 숲 봄 일 어찌 되었는가 물으니
昨夜秦城微雨過	어젯밤 진성에 가는 비 내렸다 하네
員外園花濃滿樹	집 밖 동산의 꽃은 나무 가득 무르익고
山陰觴酒穩隨波	산그늘에서 따르는 술은 평온히 물결 따르는데
列庭蘭玉凌雲句	뜰에 늘어선 난초와 옥은 구름 능멸하는 글귀가 되고
一席塤篪頗幷歌	한자리 형제간 우애는 자못 노래와 아울렀네
薄宦無端違此日	지위 낮은 관리로 일 없이 이날을 어기니
碧松影裏發高哦	푸른 소나무 그림자 속에서 높은 소리 지르네

66. 연화계 자리에서 지은 시에 차운하다[次譓和稧座上韻]

清咏北山山有臺	맑게 읊는 북산에는 산의 대 있고
飛花鳴鳥勸深盃	날리는 꽃, 우는 새는 잔 가득 술 권하네
江州席廣田心廣	강주에 자리 넓으니 밭 같은 마음 넓고
和氣仍從燕飲來	화기는 잔치 술 마심에 따라 오는 것을

67. 반가운 비[喜雨]

萋萋雲集一天同	뭉게뭉게 구름 모여 하늘에 가득한데

定作甘霖注海東 단비 이루어 해동에 뿌리고자 정하였네

坐曉不眠觀氣候 새벽까지 앉아 잠 못 이루고 기후 보다가

却瞻宸極想淵衷 문득 북극성을 보면서 연충¹⁾을 생각했네

주   1) **연충**(淵衷): 깊은 속마음.

68. 만사[挽]

早歲科名擢大魁 이른 나이 과명¹⁾에 대괴²⁾로 발탁되니

廿年聲望到三台 이십 년의 성망으로 삼태³⁾에 이르렀네

平生自許經邦略 평생 나라 다스리는 책략을 스스로 과시했
는데

聖主深知救世才 성주께서 세상 재주 건짐을 깊이 알았네

遇事每期擔當去 일이 생기면 늘 맡아 처리할 것을 기약하고

索瘢寧恠謗訕來 색반⁴⁾하면서 어찌 헐뜯음 오는 것을 괴이하
다 하겠는가

居然斂臥靑山側 삶 거두어 푸른 산 가에 누웠으나

想爲時艱志未灰 생각해보니 어려울 때라 뜻이 사라지지 못하
였네

주   1) **과명**(科名): 과거(科擧)에 급제(及第)한 인물(人物)들의 이름.
2) **대괴**(大魁): 과거에서 장원급제함.
3) **삼태**(三台): 별 이름. 자미성을 지키는 상태, 중태, 하태. 전하여 영의정, 좌의정,
우의정.
4) **색반**(索瘢): 남의 허물을 들추어내어 헐뜯음을 이르는 말.

69. 두 번째 시[其二]

位到黃扉奉老慈	벼슬이 황비1)에 올랐으나 늙은 어머니 봉양하고
掌中明璧一雙寄	손 안의 밝은 구슬 한 쌍이 기이했네
不因志操淸寒守	지조가 청한함을 지키지 못했다면
那得門闌福履綏	어찌 문안에 복된 신발을 들일 수 있을까
白首居憂期毀滅	늙어 상주가 되니 몸은 한없이 쇠약해지고
黃門傳命極恩私	정승 집에 전한 왕명은 은혜가 극진하였네
公能盡孝無餘憾	공이 효도를 다하여 남은 한이 없는데
結草遺言聽者悲	결초보은의 말을 듣는 사람이 슬프네

주 1) **황비**(黃扉): 삼정승의 집. 정승의 집은 출입문을 노란색으로 칠하여 이르는 말.

70. 목재 참봉이 지은 시에 차운하다[穆齋次韻]

日夕赫炎退	날 저무니 뜨거운 불꽃 물러나고
輕涼生茂林	가벼운 서늘함 성한 숲에서 나오는구나
月來宜有酒	달이 오니 술이 있음이 마땅한데
囊倒奈無金	주머니 기울여도 어찌 돈이 없는가
旅況逢秋苦	나그네 길에 하물며 가을 고통 만났으니
閑愁入夜侵	한가로운 시름이 밤 되자 침입하고
芳隣時惠好	꽃다운 이웃은 때마다 은혜 좋아해서
頗慰寂寥心	자못 적요한 마음 위로하네

71. 두 번째 시[其二]

山齋無一事	산재에 한 가지 일도 없으니
淸淨似禪林	깨끗함이 선림1)과 같아
糲飯蒸紅玉	거친 밥에 붉은 감자 찌고
薇羹切紫金	고사리 국은 자금2) 끊어 넣은 것 같네
晚吟酬鳥語	저물게 읊으니 새가 말로 수작하고

(一作蒲床除蝎螫 다른 곳에 쓰기를 상 위에 독을 뺀 뱀을 올려놓은 듯하다고 하였다)

宵爆辟蚊侵	밤에는 불 피워 모기의 침입을 피하네

(宵一作柴 '소' 자를 한 곳에는 '시' 자로 표시하였다)

苦樂當隨分	괴롭고 즐거움은 마땅히 분수에 따른 것
何須惱我心	어찌 모름지기 내 마음을 괴롭힐까

(一作隨處安吾分 頻君莫惱心 다른 곳에는 가는 곳마다 내 분수에 편안하니 그대는 번잡하게 마음을 괴롭히지 말라고 했다)

> 주 1) **선림**(禪林): 선정을 닦는 도량.
> 2) **자금**(紫金): 검붉은 색이 나는 도자기 잿물의 빛깔.

72. 세 번째 시[其三]

牢鎖莫深歎	자물쇠로 가두었다고 깊이 탄식하지 마라
京城無此林	서울에는 이러한 숲이 없는 것을
藥苗多異種	약초에는 다른 종자 많고
泉味直千金	우물 맛은 값이 천금일세
幸免馳苦驅	다행히 달리는 고통 면하고 나니

仍無簿牒侵　　　정리할 문서도 없는 것을
況兹成五逸　　　하물며 이렇게 오일1)을 이루니
詩酒共論心　　　시와 술로 함께 마음이나 논하세

주　1) 오일(五逸): 다섯 가지 편안함. 신(身), 심(心), 의(衣), 식(食), 주(住)의 안정.

73. 네 번째 시[其四]

晚風收積雨　　　늦은 바람 오랜 비 거두니
霽日照青林　　　갠 날이 푸른 숲에 비치누나
急磵爭鳴玉　　　급한 도랑은 다투어 옥을 울리고
喧禽欲碎金　　　시끄러운 새는 금을 부수는 듯하네
滿簾清樾落　　　주렴 가득 맑은 두 나무 그늘 드리우고
窺硯白雲侵　　　고개 엿보니 흰 구름 침입하는데
穩坐成孤詠　　　편안히 앉아 외로운 시 읊으니
誰能解此心　　　누가 능히 이 마음 알아줄까

74. 다섯 번째 시[其五]

雨氣昏千嶂　　　비 기운에 일천 산 어둡고
溪聲撼谷林　　　개울 소리에 골짜기 숲 흔들리는데
淋漓雲潑墨　　　질퍽한 구름은 먹이 번진 듯하고
灑濯柳翻金　　　깨끗하게 씻긴 버드나무 금빛 되어 나부껴
足慰三農望　　　족히 삼농1)의 바람을 위로하니

渾忘積熱侵　　　　적열의 침입마저 모두 잊었고

柱筇觀物色　　　　막대 멈추고 물색 보니

魚鳥會人心　　　　고기와 새가 사람 마음을 아는 것 같네

주　1) **삼농**(三農): 세 농사철. 봄, 여름, 가을.

75. 여섯 번째 시[其六]

霽光浮遠岫　　　　갠 뒤 맑은 빛 먼 산머리에 뜨고

爽氣入前林　　　　서늘한 기운 앞 숲에 들어오는데

葉密風敲玉　　　　빽빽한 잎사귀 바람은 구슬을 치고

雲開月轉金　　　　구름 열리니 달은 금처럼 구르는구나

詩書年已暮　　　　시와 서로 해는 이미 저물었고

藥石病仍侵　　　　약석1)에도 병이 자주 침입하는데

(八字缺 여덟 자 빠지다)

(二字缺)用心　　　　(두 자 빠지다) 정성스레 마음을 쓰네

주　1) **약석**(藥石): 약과 침. 곧 병을 치료하는 일을 뜻함.

76. 일곱 번째 시[其七]

隣齋多負約　　　　이웃집과의 약속을 여러 번 어겨

搔首對長林　　　　머리 긁적이며 긴 숲을 마주하는데

韻硬如攻石　　　　운은 사람이 돌을 치듯이 어렵고

村窮貴揀金　　　　마을이 없으니 찾기가 금을 가리는 것처럼

귀하네

(二字缺)炎熱困	(두 글자 빠지다) 뜨거운 열에 곤란하고
毒甚蝸蠅侵	독은 파리가 달려드는 것보다 심한데
自有休休地	스스로 좋은 쉴 곳 있거늘
何須枉費心	무엇 때문에 쓸데없이 마음만 쓸까

77. 여덟 번째 시[其八]

客懷無所賴	나그네 생각 의지할 곳 없어
讀書松檜林	소나무와 전나무 숲에서 글을 읽네
自(四字缺)	절로(네 글자 빠지다)
全勝滿籯金	광주리에 금이 가득한 것보다 더 좋네
(五字缺 다섯 글자 빠지다)	
休敎外誘侵	밖에서 침입을 유혹하도록 가르치지 마라
何妨咬菜根	나물 뿌리 씹는 것이 어찌 방해될까
喫苦遂初心	고통을 씹으며 초심을 따르기를

78. 아홉 번째 시[其九]

鬱鬱經旬雨	답답하도록 열흘 동안 비가 오고
深深遶屋林	깊고 깊은 숲은 집을 둘러 있네
(十字缺 열 글자 빠지다)	
酒興消愁盡	술의 흥은 시름 모두 사라지게 하는데

時魔帶病侵　　　　때로 마가 끼어 병이 찾아오네
坐須天色齋　　　　앉아 있으니 모름지기 하늘 빛 개어
呼月照孤心　　　　달을 불러 외로운 마음 비추네

79. 병들었을 때 김포에 있던 심성서가 「굿은 비」에 차운하여 화답하기를 요구하므로 이에 따라 화답하다[病中仍從金浦沈聖瑞 以苦雨韻要和 和之]

喜聽前川減急流　　앞개울 급히 흐르는 물소리 줄어듦을 기쁘게
　　　　　　　　　들고
開簾雨氣未全收　　처마 끝 비 멎었으나 기운은 완전히 거두지
　　　　　　　　　않아
歸雲得月纔醒睡　　돌아가는 구름에 달이 나와 겨우 잠을 깼고
靜室逢君始失愁　　고요한 방에 그대 만나니 처음으로 시름 사
　　　　　　　　　라졌네
病謝深盃孤好夜　　병들어 깊은 잔 사양하니 좋은 밤 외롭고
困携團扇借涼秋　　곤하게 단선 움직여 서늘한 가을을 빌리는데
人生榮落須隨分　　인생의 영화와 몰락은 모름지기 분수에 따르
　　　　　　　　　는 것을
莫向江村歎白頭　　강마을 향하여 백두1)를 한탄하지 말게나

주　1) **백두**(白頭): 하얀 머리. 벼슬 못한 선비.

80. 팔월 보름날 밤 낙계를 걸으며 소일하다가 영수의 무리를

만나 운을 불러 글을 짓다[八月十五夜在樂溪步出消日所英叟輩呼韻]

漫興依然濠濮游	부질없는 흥 의연하여 호복1)에서 노니는데
緣崖步步傍淸流	비탈 의지하니 걸음마다 맑은 흐름 이웃하고
月光正滿空山夜	달빛 바로 빈산 밤을 가득 채우니
露氣微凉古樹秋	이슬 기운 조금 서늘해 옛 나무부터 가을 드네
小薏開邊詩語淨	작은 국화 피는 꽃밭 가에는 시어가 깨끗하고
彩霞飛處笑音留	채색 노을 뜨는 곳에는 웃음소리 남았는데
漁磯更說溪村興	낚시터에서 다시 계촌의 흥을 말하니
破却風塵滿肚愁	문득 풍진과 창자 가득한 시름을 깨는구나

(薏山菊 '의'는 산에 피는 국화를 말한다)

주 1) **호복**(濠濮): 논물을 대기 위해 개울을 막아 물을 가두어둔 곳.

81. 이씨 댁에서『상촌집』시에 차운하다[李宅次象村集韻]

西峰生夕翠	서쪽 봉우리에 저녁 푸름 생겨나니
游屐上高樓	노니는 걸음으로 높은 누에 올랐는데
小酒吾先醉	작은 양의 술에 내가 먼저 취하고
新詩客尙留	새로운 시는 손님을 아직도 머무르게 했네
窺牕舊葉暝	창을 엿보는 늙은 나뭇잎 어둡고
藏塢菊花秋	둑에 숨은 것은 국화가 가져오는 가을이라
且與酬佳節	또한 아름다운 절기와 더불어 수작하는데
何須話別愁	무엇 때문에 이별의 슬픔을 이야기할까

(久叔詩 有出廣陵之意故尾聯云 구숙이 지은 시에 광릉으로 나갈 뜻이 있으므로 마지막 연에서 말한 것이다)

82. 연화계 석상에서 『목은집』에 차운하다[讌和稧席上次牧隱集韻]

■ 구월 초나흗날 북동에 있는 오형의 집에서 모이다[九月初四日 會北洞五兄家]

一壺乘晩興	한 병 술로 늦은 흥을 타니
策馬到君廬	말을 채찍질하여 그대의 집에 이르렀네
菀爾(四字缺)	완이(네 글자 빠지다)
佳哉秋有餘	아름답구나! 남아 있는 가을이여!
映階紅菊細	뜰에 비친 붉은 국화는 가늘고
披岀白雲虛	산에서 나온 흰 구름은 속이 비었는데
正喜脩玆稧	바로 이 계 모임 닦은 것 기쁘고
逢迎自不疎	만나고 맞이하니 절로 친근하네

83. 이 숙평(준)1)이 지은 시에 차운하다[次叔平(埈)韻]

■ 백모가 태릉의 직소2)에서 찾아와 휘릉의 재사에 모여 이야기하고 과거 의방이 붙은 뒤라 무료하여 시의를 크게 지켰으므로 답한 뜻이 이와 같다[白泰齋直所來 會話徽齋而因榜 後無聊 詩意太守 故答意如此]

浮生計易誤	뜬세상의 계획이란 어긋나기 쉬운 것

坦率古猶今	탄솔3)하기란 예와 지금이 같네
肯把升沉事	즐거이 오르고 내리는 일을 잡으면
終孤漫浪心	끝내 외로워져 마음만 어지러운데
花邊宜歇馬	꽃 가에서는 말을 쉼이 마땅하고
楓外且聽禽	단풍 밖에서는 또한 새소리를 듣네
歸路仍淸夜	돌아가는 길이 맑은 밤 되니
圓光欲滿林	둥근 빛이 숲을 가득 채우고자 하네

주
1) **이준**(李埈): 조선 중기 문신. 자는 숙평. 호는(蒼石). 대사간, 부제학 등을 지냈으며 류성룡의 학통을 이어받음. 남인 세력을 결집하고 그 여론을 주도했으며 시호는 문간(文簡).
2) **직소**(直所): 숙직이나 당직을 하는 곳.
3) **탄솔**(坦率): 성품이 관대하여 사소한 예절에 거리끼지 아니함.

84. 석실서원1)을 첨배2)하다[瞻拜石室書院]

先王遺廟傍湖扃	선왕의 남긴 사당 호경3)에 이웃하니
石室山光未了靑	석실에 산 빛이 아직도 푸르지 못한데
滿院午陰淸几席	서원에 가득한 낮 그늘에 궤석이 맑고
出雲秋日照碑銘	구름에서 나온 가을 해 비명4)에 비치네
滄波未洗南城恥	바다 물결에 남한산성의 부끄러움 씻지 못했고
斷壠猶遮北虜醒	끊어진 언덕에는 아직도 북로5)의 비린내가 가로막는데
千載苦心誰會得	천년이나 고통스러운 마음 누가 알아줄까
西歸遊子倚前楹	서쪽으로 돌아가는 나그네 앞 기둥에 기대어 있네

주
1) **석실서원**(石室書院): 조선 효종 때 경기도 양주에 건립한 서원. 1663년(현종 4)에

사액되었으며 김상용(金尙容), 김상헌(金尙憲), 김수항(金壽恒), 민정중(閔鼎重), 이
단상(李端相), 김창협(金昌協) 등을 배향함.

2) **첨배**(瞻拜): 우러러 절함.

3) **호경**(湖扃): 호수가. 물 가까운 곳.

4) **비명**(碑銘): 비석에 새겨진 비문.

5) **북로**(北虜): 북쪽의 오랑캐. 금나라를 말함.

85. 직장¹⁾ 심 형백(태원)을 만사하다[挽沈直長亨伯(泰元)]

黃壚依舊漲新醅	누런 화로는 의구한데 새 술 냄새 넘치니
岱岳游仙幾日回	대악²⁾에 놀러 간 신선 어느 날 돌아올까
小闡聲名時命晩	명성이 조금 드러났으나 왕명을 받은 때가 늦었고
冷官身世隙光催	차가운 벼슬살이 신세는 세월만 재촉했네
青氈継緒雙珠在	청전의 뒤를 이을 두 구슬이 남아 있고
寶鏡生塵隻影哀	보배 거울에 먼지 나니 외로운 그림자 애처로운데
忍想棣華諧笑樂	차마 체화당에서 기쁘게 웃고 즐김을 생각할까
交情姻義揔寒灰	사귀던 정 혼인의 의리가 모두 차가운 재 되었구려

(棣華吾家堂名 체화는 우리 집 대청의 이름이다)

주 1) **직장**(直長): 조선 시대 종7품 하급 벼슬.
2) **대악**(岱岳): 대여(岱輿). 발해 동쪽에 있는 오선산(五仙山) 중 하나. 신선들만 산다고
전함.

86. 정무백이 숯을 구하는 시에 차운하다[次鄭茂伯乞炭韻]

■ 이 겨울은 눈이 적고 추위가 심했다[是冬少雪寒甚]

政愛稚陽一脈漆	바로 치양1)의 한 맥이 옻칠 같음을 사랑하니
玄冥猶自肆威嚴	검고 어두운 것이 오히려 절로 위엄을 펼치는구나
可憂瑞雪遲三白	근심스러운 것은 좋은 눈이 삼백2)이나 더딘 것이고
誰惠仙風暖衆黔	누가 신선의 바람 베풀어 검은 백성 따스하게 할까
寒士布衾凍欲折	가난한 선비의 베로 만든 이불은 얼어 꺾어지려 하고
詩翁吟筆冷難拈	시 짓는 늙은이 읊는 붓 차가워 잡기 어렵구나
山齋長物惟烏木	산집에 많은 물건은 다만 검은 나무뿐인데
不惜隣爐借片炎	이웃 화로에 작은 불꽃 빌리는 데 아끼지 않으리

주
1) **치양**(稚陽): 치악산 남쪽. 강원도 원주.
2) **삼백**(三白): 정월에 내리는 상서로운 눈.

87. 무백의 집에서 운을 부르다[武伯宅呼韻]

訪爾何辭病脚勞	그대를 찾아오는데 병든 다리 괴롭다고 어찌 사양할까
逢場習氣各雄豪	과거장에서 익힌 기운 모두 호기로웠네

喚來明日靑山在	다가오는 내일은 푸른 산에 있을 것이고
携上虛樓白雪高	끌고 올라가는 빈 누각에는 흰 눈만 높은데
塵世自憐新意少	진세에서 절로 가련한 것은 새로운 뜻이 적어
雲林空負舊盟牢	구름 낀 숲에서 굳은 옛 약속을 헛되이 저버린 것이네
子眞風味爲隣並	자진1)의 풍미는 이웃과 함께하니
且可芳宵數飮醪	또한 좋은 밤에 여러 차례 술 마실 수 있을 테지

> 주 1) **자진**(子眞): 중국 한나라 문신. 남창현위(南昌縣尉)를 지내다가 왕망(王莽)이 정사를 전횡하자 처자를 버리고 은둔하여 신선이 되었다고 함.

88. 걸어서 개울가로 나가다[步出川邊]

■ 두 번째 첩운[再疊]

懷人幾日我心勞	사람을 며칠이나 생각하느라 내 마음 괴롭고
邂逅南隣翰墨豪	다시 만난 남쪽 이웃 글과 글씨 호기롭네
松外月光纔隱映	소나무 밖에 달빛은 겨우 숨었다 나타나고
眉端詩思已淸高	눈썹 가에 시의 생각 이미 맑고 높은데
正宜剡水扁舟放	바로 섬수에 조각배 놓는 것 마땅하니
莫作衡山鼻息牢	형산1)에서 낮잠을 오래 자지 마라
囊低舊錢猶不乏	주머니 밑에 남은 돈 아직 다하지 아니하여
杖頭淸影掛村醪	막대 끝 맑은 그림자에 촌집 막걸리 걸려 있네

> 주 1) **형산**(衡山): 당나라 이단(以端)이 형산에 숨어 살며 낮잠으로 소일했다고 함.

89. 이튿날 밤 세 번 첩운을 써서 짓다[翌夜三疊]

區區憂故使人勞	끊임없는 근심에 사람이 괴로움 당하고
減殺當年志意豪	감살1)하던 그때에는 뜻이 호기로웠지
一病久抛觴酒會	한 번 병들자 오랫동안 술 모임에 술잔도 버렸고
微官坐失布衣高	낮은 벼슬자리 잃고 나니 포의가 높아 보이는구나
每愁俗物移心易	매양 속물처럼 마음이 쉽게 옮겨질까 시름하여
寧欲禪房入定牢	차라리 선방에 들어가 선정에 깊이 들고자 하는데
可是逢君今夜話	좋구나! 그대 만나 오늘 밤 한 이야기가
紙牕寒月細斟醪	종이창에 찬 달이 들어와 술잔에 비치네

주　1) **감살**(減殺): 줄이고 떨어뜨림.

90. 또 『석주집』1) 시에 차운하다[又次石洲韻]

負郭茅堂卽隱居	산을 짊어진 띳집은 곧 은거하는 곳이라
雪峯晴月畵圖如	눈 쌓인 봉우리 갠 달이 그림과도 같구려
尊前客到梅花笑	술 항아리 앞에 나그네 오니 매화가 웃고
簷角雞鳴漏箭疎	처마 끝에 닭이 우니 누전2)이 드물구나
愁劇不辭長夜醉	시름이 극하여 긴 밤에 취함을 사양하지 않고
談淸勝讀十年書	이야기 좋으니 십 년 동안 글 읽는 것보다 낫네

古人秉燭那無以	옛사람이 촛불 밝히고 노는 게 어찌 뜻이 없
	겠나
白髮由來復滿梳	흰머리가 그로부터 다시 머리빗에 가득하네

1) 『석주집(石洲集)』: 조선 선조 때 문인 권필(權韠L)의 문집. 1632년(인조 10) 전주부
   윤으로 있던 홍보에 의해 간행됨.
2) **누전**(漏箭): 물시계의 누호(漏壺) 안에 세운, 눈금을 새긴 화살.

91. 신정보에게 화답으로 주다[和與申正甫]

歲暮幽憂在澗濱	해 저무는 그윽한 근심 개울가에 있는데
雪深門巷斷蹄輪	눈 깊은 문항1) 말발굽과 수레도 끊겼네
招呼竹塢三更月	대나무 언덕에 삼경 달 불러오고
伴坐梅牕一片春	짝지어 앉은 매화 창에는 한 조각 봄이라
詩句幾多逋宿債	시 구절 얼마나 많아야 묵은 빚을 갚겠는가
醉歌聊自作高人	취한 노래 바야흐로 절로 고인2) 되는데
幸君來日牛江興	다행이구나! 그대 오는 날 우강의 흥 일어나
使我中宵下筆新	나로 하여 한밤에 새로 하필3)하네

(正甫兄弟 嘗求牛川三十詠於余 余果留意而瀨慢未及 正甫方游牛川 索之甚
急 不得不牽率寫送故 末聯云 정보 형제가 일찍이 우천에서 삼십 수의 시를
나에게 요구하였으므로, 내가 과연 뜻을 두었으나 게을러서 짓지 못했다. 정
보가 바야흐로 우천에 노닐면서 매우 급하게 청하니 견솔4)하게 써서 보냈는
데 끝 구절에 읊은 것이다)

1) **문항**(門巷): 문호와 문으로 들어가는 좁은 길.
2) **고인**(高人): 벼슬자리에 오르지 아니하고 고결하게 사는 사람.
3) **하필**(下筆): 붓을 들어 쓴다는 뜻으로, '시나 글을 지음'을 이르는 말.
4) **견솔**(牽率): 끌다가 마지못해 함.

92. 직려 신성보와 정보가 찾아왔다가 '지(遲)' 자를 얻었다[直廬申
成甫正甫來訪得遲字]

■ 병술년(1706)

閒廨管春事	한가롭게 봄을 관리하던 일이 풀리자
朋尋亦不遲	벗이 찾아왔으나 또한 더디지 않았네
坐來無俗語	앉아 있어도 속된 말 없고
興到有佳詩	흥이 나자 아름다운 시를 지었는데
柳對千家好	버들을 상대하니 일천 집이 좋고
花看上苑奇	꽃을 보니 상원1)처럼 기이하네
林塘更說勝	숲 속 연못 좋음을 다시 말하니
尊酒結前期	항아리의 술로 앞기약을 맺는구나

주 1) **상원**(上苑): 천자(天子)의 정원.

93. 신성보의 딸을 만사하다[挽申成甫女]

■ 서를 아우르다[竝序]

　신성보에게 딸이 있었는데 시집가서 겨우 십 년을 살다가 병으로 죽
었다. 슬프구나! 천륜의 아픔이 어질고 어리석음이 다르다고 하여 이
루어진 것이 아니다. 성보가 남들보다 더 애통해하는 것은 그가 영특
하고 지혜로우며 효도하고 공경하며 청렴하여 마음의 높은 자질과 곧
은 행동이 또한 법에 따라 여성의 행동에 알맞기 때문이다.

이것을 또한 차마 숨기지도 못하고 드러내지도 못하다가 장사 지낼 때 글을 써서 친구들에게 알리고자 뇌사1)와 만사를 구했다. 내가 그를 살펴보니 그 외조부는 박문순2) 공이고 그 할아버지는 승상공이다. 승상공이 일찍이 그 딸을 칭찬하는 말로 세상에 그 이름이 남았다. 돌아보건대 서툰 솜씨로 어찌 명성을 더 드러낼 수 있을까마는 인척 간 관계로 서로 이어졌고 칭찬을 이미 귀에 익히 들었으며 또한 성보의 뜻을 슬퍼하여 만시를 짓는다. 시에 다음과 같이 말했다.

申成甫有女 事人甫十年 以疾終 悲哉天倫之慟 不以賢愚殊而 成甫慟甚於人者 以其有靈慧心高之質 孝敬廉直之行 且受釐而反闊年也 故又不忍泯沒而不稱 及靷紱爲文告朋友 乞誄挽 余按其文載 其外王父朴文純公 其祖父承相公 賞譽之語 是足以不朽 成甫女矣 顧蕪拙 何加以顯焉然 嬋好相聯 譽聞已慣 且悲成甫之志 作挽詩 詩曰

閨秀芳譽譊耳聞	규수 때 꽃다운 명예는 귀가 따갑도록 들었는데
玄翁當日勝男云	증조께서 말하기를 아들보다 낫다 했네
愁眉長鎖緣亡母	수미에는 죽은 모친의 인연이 길이 잠겨 있고
仙佩催歸厭俗氛	신선의 노리개 속된 기운 싫어하여 돌아가기 재촉했네
床下女啼雙襁褓	상 아래 두 딸은 강보에서 울고
篋中郎泣舊鑱裙	상자 속에 남은 옛 돈과 치마 보고 신랑도 우는데
愧無黃絹能揚美	황견3)은 부끄러움 없이 아름다움을 드러냈고

| 惟信層峯瘞天文 | 다만 층층 봉우리에 요절했다는 글을 묻었다 |
| | 고 믿네 |

주
1) **뇌사**(誄詞): 죽은 사람의 살았을 때 공덕을 칭송하며 문상하는 말.
2) **문순**(文純): 조선 시대 문신 박세채(朴世采, 1631~1695)의 시호. 자는 화숙(和叔).
   호는 현석(玄石), 남계(南溪). 성리학자로 1694년(숙종 20)에 좌의정이 되었음.
3) **황견**(黃絹): 절묘함. 한나라 학자 채옹(蔡邕)이 쓴 비문 중 '황견유부(黃絹幼婦)'에서
   유래함.

94. 밤에 모여 『사선성』1)에 차운하다[夜集次謝宣城韻]

忽忽歲將暮	어느 사이 해는 장차 저무는데
柴荊掩終夕	가시 사립 밤이 늦도록 닫혀 있네
溪岸始見月	개울 언덕에서 처음으로 달을 보고
酒樽又携客	술 항아리는 또 나그네를 유혹하는데
晴雪積樓外	하늘 개니 눈은 누각 밖에 쌓여 있고
輕飆在簾隙	가벼운 바람은 발 틈으로 들어오네
相向唱高言	서로 마주하여 높은 말을 부르짖으니
灝氣遶几席	호기2)는 궤석을 두르고
蔥粲和風雅	파 반찬에 풍아3)를 곁들이며
爛熳討經籍	난만하게 경적4)을 토론하는데
三歎勉令德	세 번 탄식하며 아름다운 덕에 힘쓰라고
共指崇岡栢	함께 높은 언덕의 잣나무를 가리키네

주
1) 『**사선성**(謝宣城)』: 중국 남북조시대 제(齊) 나라 문신이자 시인인 사조(謝朓)가
   쓴 시집.
2) **호기**(灝氣): 천상(天上)의 맑은 기.
3) **풍아**(風雅): 풍치 있게 시문을 짓고 읊는 풍류의 도.
4) **경적**(經籍): 사서오경 등의 유교 경서.

95. 두 번째 시[其二]

有酒多且旨	술이 많고도 맛있구나
誰能負茲夕	누가 능히 이 밤을 저버릴까
回瞻闠闇裏	세상을 돌아보니
滔滔逐名客	명예를 좇는 나그네뿐이네
匪不爲身謀	누구나 자신을 위하여 노력하지만
未曾偸閑隙	일찍이 놀며 허송세월 한 일 없는데
豈如我輩人	어찌 우리들과 같이
芳夜促華席	꽃다운 밤에 꽃자리를 재촉할까
酣歌盪心胸	취하여 노래 부르니 가슴속 마음 씻어내고
笑傲枕緗籍	상적1)을 베게 삼아 웃고 얕보기도 하며
豪興方未已	호기로운 흥이 아직 다하지 아니했는데
淸月尙庭栢	맑은 달이 뜰 잣나무 위에 떠 있네

> 주　1) **상적**(緗籍): 누런 비단으로 표지를 만든 책.

96. 목릉의 추석 제향에 갔다가 다시 낙계로 향하다[行穆陵秋夕祭享仍向樂溪]

靈宮祭罷向松楸	영궁에 제사 지내고 송추로 향하니
曉色微茫石路脩	새벽빛 희미한데 돌길이 나 있구나
喔喔鷄聲林外出	울어대는 닭소리 숲 밖에서 들려오고
淙淙川流霧中流	졸졸 흐르는 내는 안개 속을 흘러가는데
沙村始得晴雲日	사촌에 와서 처음으로 구름 갠 해를 보니

林樹纔分某水丘　　　숲과 나무 잠깐 구분되어 물과 산 분명하네
霜露凄荒草裏　　　　서리 이슬 쓸쓸한 거친 풀 속에
(八字缺 여덟 글자 빠지다)

97. 두 번째 시[其二]

受香重踏五陵東　　　향 받아서 거듭 가는 오릉의 동쪽 길은
碧水丹崖舊樣同　　　푸른 물 붉은 언덕 옛 모양이 그대로인데
茂樹宛留游憩處　　　무성한 나무는 쉴 곳을 만들어주고
啼禽迎入嘯吟中　　　새는 울어 노래로 맞아주네
一爲世界奔忙客　　　한 번 세계에 바쁜 나그네 되니
坐失山齋靜養功　　　산집에 앉아서 고요하게 기르는 공 잃어
　　　　　　　　　　버렸고
看此袍邊埃塲近　　　이 도포 자락에 속진의 물듦을 보며
傍人何不喚爲窮　　　이웃 사람이 어찌 궁하다고 하지 않겠는가

98. 낙계를 향해 가는 길에서[向樂溪道中]

松明衝過滿川霧　　　관솔불 지나가니 개울에 안개 가득하고
及到渼湖朝日紅　　　미호에 이르러서야 아침 해가 밝았네
雲勢變移同世態　　　구름이 변하고 옮겨지는 것이 세태와 같고
波聲安穩念吾功　　　파도 소리 안온한 것은 내가 생각하는 공
　　　　　　　　　　이라

偶尋石室祠賢地　　우연히 석실에서 현인 제사 지낸 곳 찾고
更訪江潭采杜翁　　다시 강가에서 팥배 열매 따는 늙은이 찾네
自信今行多所得　　절로 이번 길에 소득 많으리라 믿으니
滿榻馨香拾袖中　　상에 가득한 향기 소매 속에 담네

99. 두 번째 시[其二]

晴日中天四野寬　　중천에 해 맑으니 사방의 들 광활하고
栗林秋色照征鞍　　밤 숲의 가을빛 나그네 안장 비추네
鋤臺(二字缺)閒人榻　　서대는(두 글자 빠지다) 한가로운 사람의 상이요
愧我衣邊沒軟(一字缺)　　부끄럽구나! 옷자락이 가는 먼지에 젖었네
　　　　　　　　　　(한 글자 빠지다)

100. 여오가 쓴 시에 차운하여 보이다[次汝五示韻]

阿姪有詩出禁林　　조카가 시를 지어 금림1)에서 보내니
曉牎渾失病眠沉　　새벽 창가에서 병과 잠을 모두 잃었구나
愛君紙上相思語　　그대가 시에서 내 생각한다는 말 고맙게 여
　　　　　　　　　기며
得我燈前去夜心　　나는 등불 앞에서 지난밤 지새웠네
捲箔寒光山雨細　　발 걷으니 차가운 빛이 가는 산비와 함께 들
　　　　　　　　　어오고
滿庭秋事菊花深　　가을일 가득한 정원에 국화가 깊었구나

| 豈知官守還來碍 | 어찌 관직에 있는 것이 도리어 장애됨을 알까 |
| 孤負佳辰杖屨尋 | 고부2)하여 좋은 날 자취를 찾겠다는 기약이 어긋났네 |

주
1) **금림**(禁林): 궁전 둘레에 만들어진 숲.
2) **고부**(孤負): 직접(直接)·간접(間接)으로 도와줌에도 달갑게 여기지 않고 본의나 기대에 어긋나는 짓을 함.

101. 연화계 자리에서 『목은집』 가운데 시를 골라 차운하다[讌和 禊席次牧隱集中韻]

烏紗塵陌不堪愁	관리로서 속세의 시름 감당하지 못해
愁裡崢嶸歲月流	시름 속에 오랜 세월이 흘렀네
幸爲吾家修此禊	다행히 우리 집은 이 계를 모았으니
每敎佳會卜高秋	항상 아름다운 모임을 고추1)에 하라고 가르쳤네
情談自與深盃得	정다운 이야기는 절로 깊은 술자리에서 나오고
好句仍從細菊求	좋은 글귀는 가는 국화를 따라 구해지는데
太恨世紛多敗意	큰 한은 어지러운 세상에서 뜻이 좌절되어
帖中强半未同遊	명첩에 오른 이 중 반 넘게 같이 못 어울리는 것일세

주
1) **고추**(高秋): 하늘이 맑고 높은 가을.

102. 다섯째 조카가 지은 시에 차운하다[次五姪韻]

斗米驅人不自放	한 말 쌀로 사람을 얽어매니
向來風氣欲蕭條	세월 흐를수록 풍속이 더욱 쓸쓸해지는데
壓頭烏帽堪愁苦	머리 누르는 사모1)는 고통스러운 시름 감당하고
照砌黃花共芳醪	섬돌에 비치는 노란 꽃 좋은 술과 함께하네
詩壘縱橫非昔日	시루2)를 따르나 횡이 예 같지 않고
世塗悲慨集中宵	세상 길 슬픔은 한밤중에 더욱 깊은데
仍開舊篋酬逋債	옛 상자 열어 밀린 빚 갚고 나니
不厭郵筒度月橋	서찰 통이 월교를 지나도 싫지 않네

 1) **사모**(紗帽): 고려 말에서 조선 시대에 걸쳐 벼슬아치가 관복을 입을 때 쓰던 모자.
2) **시루**(詩壘): 시단(詩壇)과 같은 의미.

103. 두 번째 시[其二]

冉冉歲云暮	슬쩍슬쩍 세월 가서 해가 저무니
幽懷何處開	그윽한 회포 어느 곳에 풀 것인가
曉霜滿石砌	새벽 서리 섬돌에 가득하고
秋月照樓臺	가을 달은 누대를 비추는데
酒償賓難辦	술값은 가난하여 준비하기 어렵고
詩情病欲頹	시정은 병들어서 무너지려 하네
佳期阻咫尺	아름다운 기약 가까이에 막혀 있어
淸夢幾番回	맑은 꿈 몇 번이나 돌아왔나

밤중에 우연히 옛 상자를 뒤지다가 을해년 추석에 산사에서 보낸 두 개의 율에 화답하지 못한 것을 발견하였다. 이리하여 차운해 그대에게 보내니 능히 기억하겠는가. 다시 화답하여 내 생각을 위로해주게.

夜中偶撿舊篋得乙亥秋夕 在山寺寄示兩律 未和者也 遂次以寄 君能記憶否 須更和以慰此懷
(昨夜有意此作而 字多未安 不成而臥矣 朝來神思相感 清詩先至 可謂一般意思遂喜而和之 어젯밤에 이 작품에 뜻이 있었는데 글자가 많아서 편치 못하여 이루지 못하고 누웠다. 아침이 되자 정신과 생각이 서로 일치하여 좋은 시가 먼저 오니 이른바 같은 의사라 기뻐서 화답한다)

104. 강서1) 태수(이진양)와 이별하다[別江西太守(李眞養)]

城陌逢迎未易成	성에서 만남이 쉽게 이루어지지 않았는데
關山何况送君行	관산에 어찌 또 그대를 보내는가
松池夜色(三字缺)	소나무 못 밤빛에(세 글자 빠지다)
竹塢秋聲惜別情	대나무 언덕에 가을철 바람 소리는 이별의 정 아쉬워하네
朱綬2)光華寧自貴	붉은 갓끈 빛과 꽃다움은 차라리 자기를 귀하게 하고
板轝安穩是爲榮	판자 안장에 편안함이 영화롭네
繁華自是(三字缺)	번화함은 이로부터인데(세 글자 빠지다)
莫忘今宵擧此觴	오늘 밤에 이렇게 술잔 드는 것 잊지 말게나

주 1) 강서(江西): 평안남도 남서부에 있는 군.

2) **수**(綬): 관직을 표하는 도장과 패옥 및 훈장 등을 다는 비단 끈.

105. 두 번째 시[其二]

區區失得本非吾	구구한 득실은 본래 내 뜻이 아닌데
縱或耕田却佩符	비록 밭을 갈며 패부(佩符)1) 물리치기도 했네
喜色自形慈母在	기쁜 얼굴빛은 자모가 있어 절로 드러나고
貧愁乍脫病妻蘇	가난한 시름 잠깐 멎자 병든 아내 소생하네
官閒日醉淵明酒	관직 한가로우니 매일 도연명의 술에 취하고
化美應還合浦珠	아름다운 교화로 마땅히 합포주2)가 다시 생
	산되네
別有臨歧規祝語	갈림길 있어 이별하며 축언을 보내니
願將和緩寬須臾	원컨대 온화함, 느긋함, 너그러움을 잠시라
	도 가지게

1) **패부**(佩符): 병부를 찬다는 뜻으로 고을 원의 지위에 있음을 이르던 말.
2) **합포주**(合浦珠): 탐관이 많아 생산이 중단된 합포 구슬이 후한 맹상(孟嘗)이 태수가 되어 청렴하게 고을을 다스리자 다시 생산되었다는 고사.

106. 강서 태수 이이보에게 부치다[寄江西倅李頤甫]

回見九秋相送處	구월에 서로 보내던 곳을 돌아보니
居然積雪欲殘時	어느덧 눈이 쌓여 해가 다하려 하네
悠悠京洛盃樽廢	멀고 먼 서울에서는 술잔도 버리고
杳杳關河鴻雁遲	답답한 시골에는 소식도 더디구나
蜀郡應成襦袴頌	촉군에서는 마땅히 바지저고리 입는 것 칭송

하겠지

楊州幾賦廨梅詩	양주에서 몇 번이나 해매1)의 시를 지었던가
思君歲暮能無戒	그대를 생각하여 해가 저물어도 능히 경계하지 않으니
莫以棲遑負夙期	세월 바쁘다고 옛날 기약 저버리지 마라

 1) **해매**(廨梅): 관사안의 매화가 곱게 필 때 수령들이 다투어 그 꽃의 아름다움을 읊음.

107. 이진휴1)를 만사하다[挽李眞休]

■ 죽은 친구 이진휴가 내일 상여로 나가는데 나는 어제 글을 지어 곡을 하였다. 정을 어찌 다할 수 있는가. 또 초혼사 여섯 편을 만사로 짓다. 정해(1707)[亡友李眞休 明作靷行 余於昨日 操文而哭之 情何能盡 又作招魂詞六篇 以挽焉 丁亥]

107-1

角亭東畔藏小軒	각 정의 동쪽 가에 작은 집 가려 있어
鬱鬱靑松露簷角	빽빽한 푸른 소나무 처마 끝에 이슬 맺혔네
濃雲朝暮潤琴書	짙은 구름 아침저녁 거문고와 책 불어나게 하고
對此何以洗塵濁	이것을 대한다고 어찌 먼지 흐림 씻을까
魂兮歸來胡不歸	혼이여! 돌아가서 어찌 돌아오지 않는가
西山蕭瑟不可托	서산은 쓸쓸하니 의탁할 수 없겠지

(右屬撫松軒 위는 무송헌2)에 대해 지은 것이다)

1) **이진휴**(李眞休): 조선 중기 문신(1674~1708). 본관은 전주. 사진 이진유의 아우.

107-2

靈春不老萱未衰	그대 아버지 늙지 않고 어머니도 쇠하지 아니하시니
三翠軒中長春色	삼취헌 가운데는 길이 봄빛일세
羣龍次第侍左右	여러 마리 용은 차례로 좌우에 서서
日着班衣奉壽酌	날마다 때때옷 입고 수작1)을 바친다네
魂兮歸來胡不歸	혼이여! 돌아가서 어찌 돌아오지 않는가
地下唯應無此樂	지하에는 다만 이러한 즐거움 없을 것일세

(右屬三翠軒 위는 삼취헌2)에 대해 지은 것이다)

1) **수작**(壽酌): 장수를 비는 술잔.
2) **삼취헌**(三翠軒): 이진휴의 아버지인 이대성(李大成)의 호이자 그가 살던 곳.

107-3

棣萼之堂春韡韡	형제의 마루에는 봄빛 따사로운데
昨日爛熳開五枝	어제 난만하게 다섯 가지 폈었지
今日一枝先摧落	오늘 한 가지가 먼저 꺾여 떨어지니
餘花索莫難自持	남은 꽃 삭막하여 절로 버티기 어렵구려
魂兮歸來胡不歸	혼이여! 돌아가서 어찌 돌아오지 않는가
大枕長衾如昔時	큰 베개 긴 이불은 예와 같이 있다네

(右屬伯仲 위는 형제의 사이에 대해 지은 것이다)

107-4

婉嬺賢婦善主饋	곱디고운 어진 아내 음식 잘도 만들고
聰明幼兒解讀史	총명한 어린아이 글도 잘 읽는구나
援琴鼓瑟莫不好	거문고 타고 비파 뜯는데 좋지 아니함 없 으나
攤書知律政有味	책을 펴면 율을 알아 참으로 맛이 있었지
魂兮歸來胡不歸	혼이여! 돌아가서 어찌 돌아오지 않는가
晝哭夜啼無時已	낮에 울고 밤에 울고 때 없이 우네

(右屬妻兒 위는 아내와 아이에 대해 지은 것이다)

107-5

日日賓朋集君家	날마다 손님들 그대의 집에 모여들었는데
太半平生會心人	반쯤은 평생에 마음 알아주는 사람이었네
同研榻積舊看書	함께 상에서 책을 연구하며 옛 책 보았고
論詩尊有新釀春	시를 논할 때는 술 항아리에 새로 빚은 술 있 었네
魂兮歸來胡不歸	혼이여! 돌아갔다 어찌 돌아오지 않는가
山中麋鹿不可親	산중의 사슴은 친할 수가 없다네

(右屬朋友 위는 벗에 대해 지은 것이다)

107-6

君今三十四年歲	그대는 지금 서른네 살인데

厭此世界何太早	이 세계 싫어서 어찌 그리 빨리 갔나
西山四面無人居	서산에는 아무데도 사람 사는 곳 없고
但有白楊與荒草	다만 백양나무와 거친 풀만 있네
魂兮歸來胡不歸	혼이여! 돌아가서 어찌 돌아오지 않는가
咽咽薤歌令人老	목메어 상엿소리 부르며 사람으로 하여금 늙게 하네

(右總語 위는 종합한 것이다)

108. 연화계의 운으로 짓다[讌和稧韻]

合尊何但讌良時	어른들이 어찌 좋은 잔치 때만 모이랴
胥曁追先是福基	모여서 선조를 추모하는 복된 자리네
莫把才華思顯耀	뛰어난 재주를 드러낼 생각하지 마라
要尋理義入毫釐	의리 찾는 데는 털끝만큼 착오도 있어서는 안 되네
晦翁小學眞爲的	회옹1)은 소학으로 참된 목적을 삼았고
牧祖三韓肇作師	목은 선생께서는 삼한에 처음으로 스승이 되셨는데
試讀聞雞篇上訓	시험 삼아 잡편2)에 좋은 훈계 읽는 것 들어 보니
自知脩路異回歧	스스로 닦는 길 달라 돌아가고 나뉨을 알았네

주
1) **회옹**(晦翁): 주희. 그의 호인 회암(晦庵)에서 따옴.
2) **잡편**(雜篇): 여러 가지 시나 글을 한데 묶은 책.

109. 정월 초하룻날 헌릉의 제향을 마치고 곧 송추로 가는 도중 에 즉석에서 시를 짓다[元朝罷獻陵祭享 卽向松楸道中口占]

終年汨沒風埃裏	해가 다하도록 세상살이에 골몰하다가
幾度隨香作此行	몇 번이나 향을 따라 이 걸음 지었는가
蒼檜尙憐留夏色	푸른 전나무는 아직 여름빛 남아 어여쁘고
寒溪更覺減秋聲	차가운 시내에는 다시 가을 소리 잦아듦을 느끼네
茫茫舊業遲成就	망망한 옛날 가업은 성취하기 더디고
苒苒流光易變更	어느덧 물같이 흐르는 빠른 세월은 다시 쉽게 변화하고
猶幸寢園將節事	오히려 다행스러운 것은 침원의 절기 따른 행사인데
仍從丘墓展私情	이에 무덤 따라 사사로운 정 펼치네

110. 이이보가 있는 강서군 관청으로 부치다[寄李頤甫江西官閣]

故人千里寄江魚	친구가 천 리 먼 곳에서 강어 부쳐왔는데
中有慇懃尺素書	그중에 은근한 편지 있었네
滋味不須論幾許	자미1)를 모름지기 논한 지 얼마만인가
關河喜免信音踈	관하2)에서의 기쁨은 소식이 드물지 않음 일세

주   1) **자미**(滋味): 자양분이 많고 맛도 좋음. 또는 그런 음식.
     2) **관하**(關河): 국경이 강으로 된 곳.

111. 이구숙이 맏형님의 임소인 강서로 찾아가는데 부치다[別李久叔往覲 其伯江西任所]

逢時常少別時多	만날 때는 항상 적고 이별할 때는 많아
世故悠悠可奈何	세상일 멀고 머니 어찌할 수 없구려
十數年前應不爾	십수 년 전에는 마땅히 그렇지 아니했는데
只憐雙鬢欲皤皤	다만 쌍빈1)이 희고자 함이 가련하구나

주 1) 쌍빈(雙鬢): 두 귀밑머리.

112. 두 번째 시[其二]

大哥何幸養專城	큰형님이 지방관으로 있으면서 부모를 봉양하니 어찌 다행 아니겠는가
令季猶懷戀母情	아우로 하여 항상 어머니 그리는 정 갖게 하네
想得彩衣同舞日	생각해보니 채색 옷 입고 함께 춤추던 날
夜床餘話在歸耕	잠자리에서 남긴 이야기는 돌아와 농사지으라는 것이었네

113. 구월 스무여드렛날 김도이 댁 국화 아래서 여러 사람이 모여 억지로 권하여 『향산집』1) 가운데 시를 차운하다[九月卄八日金道以宅菊下 爲諸君所强次香山集中韻]

坐玩諸君筆欲飛	앉아서 보니 여러 사람의 붓이 나는 듯하고

更憐黃菊近塵衣　　　　노란 국화가 먼지 낀 옷에 가까워지니 또한
　　　　　　　　　　　애처롭구나

尚書期誤何須顧　　　　『상서』2)의 시대는 지나갔는데 무엇 때문에
　　　　　　　　　　　돌아보며

綠酒盃深未可歸　　　　푸른 술에 취하여 돌아갈 줄 모르는데

氣岸却從佳友得　　　　기안으로 문득 좋은 벗을 찾아갔고

鬢華還覺昔年非　　　　살쩍3)이 희어지니 옛날을 돌아보고 잘못 깨
　　　　　　　　　　　달았네

傍人莫怪無詩句　　　　옆 사람들아 시구 없다고 괴이 여기지 마라

愁裏看花向者稀　　　　시름 속에 꽃을 보는 일은 옛날에 드물었네

1) 『향산집(香山集)』: 조선 중기 문신 조사석(趙師錫, 1632~1693)의 시문집.
2) 상서(尚書): 『서경(書經)』. 공자가 요임금, 순임금 때부터 주나라에 이르기까지의
　정사(政事)에 관한 문서를 수집하여 편찬한 책.
3) 살쩍: 관자놀이와 귀 사이에 난 머리털.

114. 시월 여드렛날 연화계 모임에서 연구를 짓다[十月八日讌和禊會 聯句]

詩若不成不許歸　　　　시를 만약 짓지 못하면 돌아가지 못하게 하리

此時此會可無詩(五兄)　이때 이 모임 시 없을 수 없어(다섯째 형)

吾宗意重黃花酒　　　　우리 종중의 뜻은 국화주에 무겁고

上苑秋妍錦樹枝1)(己)　상원의 가을은 비단 나뭇가지에 곱구나(나)

竹塢霜微譚共冷(子平)　대나무 언덕에 서리 내리니 모두 차다 말하
　　　　　　　　　　　고(자평)

松林月上起遲(一源)　　솔숲에 달 뜨니 일어나기 더디구나(일원)

怕鐘未做當宵樂　　새벽종으로 이 밤의 즐거움 마치지 못할까
　　　　　　　　　　두려우니
故把餘懷待後期(汝受)　짐짓 남은 생각 가다듬어 뒷기약 기다리네
　　　　　　　　　　(여수)

　1) 금수지(錦樹枝): 단풍이 곱게 들어 마치 비단으로 나뭇가지를 장식해놓은 것
　　　같음.

115. 계를 마치고 돌아갈 때 말 위에서 연구에 차운하여 다섯째 형님께 바치다[禊罷歸時 馬上次聯句韻 呈五兄]

　올 때 말 위에서 위의 사구를 얻었으나 원만치 못하였다. 어젯밤에
집으로 가다가 만족하게 이루어서 글로 써서 올리려고 했으나 그곳에
종이는 없고 붓은 무디었다. 날이 밝자 창가에 오랑캐풀이 완연히 아
이 때의 붓 같으니 우습고도 기쁘구나. 이 운으로 아울러 축에 써서
여러 곳에 돌려가며 보고 각각 화답하면 좋을 것 같았다. 을유년부터
시 쪽지를 하나하나 모아 이어서 옛 자취를 남기고자 책을 만들었다.
베끼는 일 또한 빨리 아니할 수가 없는 일이었다.
來時馬上得上四句而未圓　昨夜直廬足成　故書上而直處紙無筆禿
曉膿胡草宛然兒時筆也　可笑又可喜也 此韻並聯軸 回示諸處 令各
和爲好爾　自乙酉詩牋必須一一聚合 連付以存舊跡束卷 謄寫事亦
不可不速擧也.

可堪衝破市烟歸　　도시의 연기를 뚫고 시골로 돌아갈 수 있는데
恨不留題月下詩　　월하시 지었으나 남기지 못함이 한스럽구나
漫興摘來黃菊蘂　　부질없는 흥으로 국화 꽃잎 따서 시를 짓고

幽情回掛翠松枝 그윽한 정으로 돌아와 푸른 솔 가지에 거네
溪山趣味官能敗 강산에 대한 취미로 관직을 버릴 수 있고
尊酒逢迎病故遲 병으로 항아리 술을 봉영[1]함이 더디어지는데
爲向座中諸侄道 좌중을 향하여 여러 조카들에게 말하노니
起余痴叔爾共期 이 어리석은 아저씨가 너희들과 함께 약속하
기 바라네

주 1) **봉영**(逢迎): 남의 뜻을 맞추어줌.

116. 홍경숙의 며느리 이씨의 만사를 짓다[挽洪敬叔婦李氏]

旣饋公姑嘖嘖云 이미 시어머니 봉양 잘한다고 칭찬하여 말하
기를
美哉吾婦福吾門 아름답구나! 우리 집 며느리는 우리 문중의
복이었네
佇看風雅歌宜室 서서 보니 며느리의 아름다움이 가풍에 마땅
한데
詎意兒郎賦鼓盆 어찌 뜻하였으랴 신랑은 고분[1]의 아픔을 짓네
楚楚嫁衣還斂軆 시집올 때 고운 옷으로 도리어 몸을 염습하
게 되고
呱呱乳女僅留痕 울어대는 어린 딸로 겨우 자취를 남겼는데
荒詞豈足彰徽懿 거친 글이 어찌 족히 아름다운 덕을 드러낼까
已有阿翁乞誄言 이미 시아버지가 뇌언[2]을 부탁함이 있네

주 1) **고분**(鼓盆): 항아리를 두드림. 장주(莊周)가 부인이 죽자 항아리를 두드리며 노래
를 불렀다는 고사에서 나옴.

117. 상국 신평천1)에 대한 만사를 짓다[申平川相國挽]

家世靑丘喬木臣	가세는 우리나라 교목2)의 신하
七年黃閣秉勻人	칠 년 동안 황각3)에서 권병4)을 잡은 분이네
端嚴紳笏溫溫色	단정하고 엄숙한 의관은 온화한 색이요
愷悌襟懷藹藹春	슬퍼하는 생각은 따뜻한 봄이라오
目下諸兒陶秀異	눈 아래 여러 아이들 모두 빼어나고 남다르고
人間逸福並來臻	인간에서 누릴 좋은 복이 함께 이르렀었지
浮生六袤猶忽忽	부생 육십 해가 어찌 이리 빠른가
回念時艱重濕巾	돌려 생각하니 어려울 때라 거듭 수건을 적시네

주

1) **평천**(平川): 조선 중기 문신 신임(申銋, 1642~1725)의 호. 본관은 평산. 시호는 충경(忠敬). 박세채(朴世采)의 문하생.
2) **교목**(喬木): 줄기가 곧고 굵은 큰 나무.
3) **황각**(黃閣): 의정부(議政府). 조선 시대에 둔 행정부의 최고 기관.
4) **권병**(權柄): 권력으로 사람을 마음대로 좌우할 수 있는 힘.

118. 두 번째 시[其二]

自哭坡陽樑木摧	파양의 양목이 꺾이니 절로 울음이 나고
紛然百怪競喧豗	분분하게 많은 괴이함이 다투어 일어나니 슬프네
公將隻手思扶抑	공께서 외로운 손으로 붙들어 바로잡았고
人設危機售忌猜	위기 때마다 시기하는 뜻을 혼자 받았네

瀋瀋流言吁可畏	철철 흐르는 유언을 두려워하였으나
昭昭天日幸能回	밝디밝은 임금의 마음을 다행히도 돌려주었네
青山穩勝風波險	푸른 산의 편안함이 풍파의 험함보다 낫겠지
歸拜玄翁蘊抱開	돌아가서 현석 선생 만나 쌓인 회포 푸시기를

119. 만사[挽]

久識名家婉嫕姿	오래도록 이름난 집에 고운 자태 알아
早歸佳對作閨儀	일찍이 아름다운 짝 만나 여자의 행실 지었네
忍貧不及他時貴	가난을 참았으나 귀하게 되지 못하였고
弄瓦1)惟留四箇兒	넉 장의 기와를 희롱하였네
停廢詩尊延客酒	시 항아리 폐하고 술 찾는 나그네 맞이하니
飄颻粧閣畫眉帷	내실에서는 눈썹 그리는 일마저 놓아버렸네
新阡政掛秋宵月	새로운 무덤에 바로 가을밤 달이 걸렸으니
應賦香山感逝詞	마땅히 향산1)의 감서사2)를 지어야겠지

 1) 향산(香山): 백거이(白居易). 당나라의 문신 시인. 장한가(長恨歌) 비파행(琵琶行)
등 많은 시를 남겼고 만년에는 시와 술과 거문고를 벗 삼아 유유자적하며 불교에
심취함.
2) 감서사(感逝詞): 죽음에 감동하여 짓는 글.

120. 식호당에 대하여 짓다[題式好堂]

多君竆宿澗南涯	골짜기 남쪽 언덕 가에서 그대 자고 깸이 많았지

阮巷蕭然伯仲家	완항1)에는 쓸쓸하게 맏이와 둘째 집이 있네
排埴芭籬聯竹樹	둘러 심은 파초 울타리는 대나무로 이어졌고
耦耕田畝滿簀車	쟁기 갈던 밭고랑에는 수레가 가득했는데
花園勝日恒盃酒	꽃동산에 좋은 날에는 항상 술을 마셨고
水檻幽觀好物華	물가 집의 헌함에 그윽한 경치는 사물의 번화함일세
感歎扁堂周雅字	당에 주아2)한 두 글자 걸린 것 감탄하여
扶歸欲向俗人誇	가지고 돌아가 속인을 향해 자랑하고 싶었네

주 1) **완항**(阮巷): 진나라 문장가 완적의 형제 일가가 모여 살던 마을. 전하여 집성촌.
2) **주아**(周雅): 골고루 우아함.

121. 두 번째 시[其二]

青山抱屋雲棲橡	푸른 산집 에워싸고 구름 서까래에 내렸는데
錦樹黃花秋可憐	단풍 물든 나무 노란 국화로 가을이 곱구나
不識人間風雨惡	인간은 바람 비 사나운 것 알지 못하고
弟兄甘作夜床眠	아우와 형이 달갑게 밤에 상에서 잠을 자네

122. 식호당 주인이 지은 시에 차운해 주다[次贈式好堂主人韻]

我來殊未早	내가 온 것이 자못 이르지 않았고
君病又委床	그대 병으로 또한 상에 누워 있었지
詩酒豈爲興	시와 술이 어찌 흥이 될까
譚笑不成場	이야기와 웃음으로 장소가 되지 못하네

紅葉日以踈	붉은 잎사귀는 날마다 성글어지고
黃花淡無光	노란 꽃도 시들어 빛이 없는데
猶喜溪林話	다만 기쁜 것은 개울 숲 이야기로
三夜宿君堂	사흘 밤을 그대의 집에서 잠을 잤지
可堪入春城	봄이 성으로 들어오는 것 감당할 수 있을까
聽雞踏曉霜	닭소리 들으며 새벽 서리를 밟는데
別恨莫須道	이별의 한을 모름지기 말하지 마라
塵愁如許長	속세의 시름이 이같이 길 줄이야

123. 이씨 동자에게 '량(凉)' 자 운으로 가르치다[訓李童子凉字韻]

江漢多風色	한강에는 풍색1) 좋은데
雨雪何雱雱	비와 눈이 어찌 이리 펄펄 내리는지
所懷在何許	마음속에 품은 회포는 어디에 있는가
娟娟芝水傍	곱디고운 지수2) 가이지
別來日已久	이별한 지 해가 이미 오래되었으니
春言不能忘	봄에 한 말을 능히 잊지나 마라
不忘諒有由	잊지 않는 것이 어찌 이유가 있겠으며
豈伊惜分張	옛날에 이별함을 애석하게 생각할까
羲和不少驅	세월은 빠르게 달려가니
誰能繫流光	누가 흐르는 세월을 잡을까
三餘未可負	삼여를 잊지 않는 것이
肄業又有方	이업3) 방법의 하나이지
急須勉令德	서둘러 모름지기 착한 덕을 힘쓰고

| 莫或損馨香 | 혹 향내에 손해4)가 나지 않도록 하라 |

1) 풍색(風色): 남보기에 좋지 못한 기색.
2) 지수(芝水): 산속에서부터 내려온 동네의 냇물.
3) 이업(肄業): 기술을 배움.
4) 향내에 손해: 여색(女色)을 가까이하여 공부를 게을리하는 것을 비유함.

124. 낙계에서[樂溪]

翠嶂寒雲氣色凉	푸른 산 차가운 구름 기색은 처량한데
一筇孤倚萬松傍	지팡이 하나로 만송 곁에 기대어 있네
百年天地無終恨	백 년이 가도 천지의 끝이 없는
風樹搖搖逝水長	풍수1)에 흔들흔들 물처럼 흘러가네

1) 풍수(風樹): 수욕정이풍부지(樹欲靜而風不止). 나무는 조용히 있고자 하나 바람이 멎지 않음. 효도를 하려 해도 부모가 살아 계시지 않음. 한씨외전(韓氏外傳)에 나오는 말.

125. 두 번째 시[其二]

柴扉夜色掩閑庭	가시 사립 밤빛은 한가한 뜰 가리고
列峀寒光滿戶青	늘어선 산 차가운 빛은 문 가득 푸르구나
坐裏何人先欲起	앉은 가운데서 어느 누가 먼저 일어나고자 하는가
石泉混混且宜聽	돌샘 소리 콸콸 흘러 또 듣기 좋은 것을

126. 한강으로 가는 길에서[漢江道中]

征馬向北鳴	먼 길을 가는 말 북을 향해 울고
颲颲嚴風起	휙휙 사나운 바람 일어나네
昨日水如油	어제는 물이 넘실대더니
氷凍遽若是	얼음이 급하게 이같이 얼었을까
行路險且艱	가는 길은 험하고도 어려운데
僕夫愁且止	종은 시름하며 또한 멈추려 하네
胡爲舍林壑	어찌하여 숲 골짜기를 버리고
更欲走城市	다시 도시로 달리고자 하는가
自愧戀斗米	스스로 두미1)에 연연함이 부끄러우나
便作奔忙子	문득 분주한 사람이 되었네

주 1) **두미**(斗米): 얼마 안 되는 녹미(祿米), 봉록(俸祿).

127. 병겸의 상여를 따라 낙산에 와서 밤에 앉아 외로이 읊다[隨秉謙靷行到樂山夜坐孤吟]

世間留宿只今宵	세간에 잠자는 것이 다만 오늘 밤인데
豈不徊徨戀故巢	어찌 방황하며 옛 집을 생각지 아니할까
始覺人情頑忍物	비로소 인정이 완인1)한 것임을
明朝埋汝碧山皐	내일 아침 너를 푸른 산언덕에 묻는구나

주 1) **완인**(頑忍): 성질이 모질고 고집이 셈.

128. 연화계 운으로 짓다[讌和稧韻]

■ 무자년(1708)

好閣高高對北山	좋은 집 높디높아 북쪽 산 대했는데
舊宮花鳥嘯吟間	구궁1)의 꽃과 새는 그 사이에서 울부짖네
袷衣披納三春氣	겹옷을 걸으니 옷 속으로 삼춘의 기운 들어 오고
烏帽偸成半日閒	구차히 검은 사모 쓰니 반나절이 한가로운데
老我醉懷忘白首	늙은 나는 취한 생각으로 백수2)임을 잊고
少年豪思上紅顏	소년의 호기로운 생각으로 붉은 얼굴 치드네
美哉讌笑吾宗會	아름답구나! 연회의 웃음은 우리 종친의 모 임이요
如不題詩不許還	이러한 때에 시를 짓지 않으면 돌려보내지 않겠지

주
1) **구궁**(舊宮): 옛 임금의 대군, 왕자군, 공주, 옹주의 궁을 신궁(新宮)에 상대해
　　이르던 말.
2) **백수**(白首): 늙어서 머리가 흰 모양.

129. 아홉째 이사진과 열째 이중약의 사안1)에 보내다[寄呈李九士
珍十仲約詞案]

日見名園花樹春	날마다 명원에서 꽃나무의 봄을 보는데
經春不見園中人	봄이 지나도 동산 가운데 사람은 보이지 않네
花開花落理應爾	꽃이 피고 꽃이 지는 것은 이치상 그렇겠지만

萬事回環何足陳　　　만사를 돌이켜보면 무엇을 족히 펼까

주　1) 사안(詞案): 시를 짓는 책상.

130. 둘째 형님께서 풍악으로 가실 때 배별1)하다[拜別仲君楓岳之行]

不恨三旬作別離　　　삼십 일 동안 이별하는 것 한스럽지 않지만
只憐拘束未相隨　　　다만 가련한 것은 구속되어 따라가지 못함일세
神心飄掛毗盧月　　　정신과 마음 날아가 비로봉 달에 걸려 있으니
水水峰峰憶弟時　　　물마다 봉우리마다 때로 아우를 생각하겠지

주　1) 배별(拜別): 절하고 작별함. 존경하는 사람과의 작별을 높여 이르는 말.

131. 글씨를 쓰다가 또 두 절구를 얻어 둘째 형님께 바치다[臨書又得二絶上仲君]

■ 아울러 글을 쓰다[竝書]

　엎드려 생각해보니 오늘 밤에는 포천에서 주무시겠지요. 포천은 백리쯤 되니 이르기 어려워 새벽에 떠나기 때문에 새벽 베개에서 이별시를 지어 창이 밝자 비로소 말로 달려갔으나, 일행이 이미 멀리 가서 미치지 못했습니다.

　그 슬픈 마음은 어찌 뒤를 따르지 못하는 한뿐이겠습니까. 저는 바야흐로 반록1) 때문에 그 길로 태창으로 돌아가 이삼 일 있을 것이니 또한 세광과 차흥의 무리만도 못합니다. 종인 약수가 말한 바처럼 이

걸음이 어찌 신선이 되는 것과 다르겠습니까. 따라갈 수 없어 한스러운 것은 관직에 얽매였기 때문이어서 매우 부끄러우나 이 글만을 받들어 올립니다.

봉한 시는 회양²⁾ 저인³⁾에게 부쳐서 빨리 전하도록 하겠으나 어느 날 이를지 알지 못합니다. 빠르다면 회양 관아에 이르시는 다음 날이나 혹은 산에 들어가는 첫날 보실 수 있을 것입니다. 다행히 여러 벗과 한번 웃어주시고 화답을 한 시에 발자취를 적어 먼저 속편⁴⁾으로 보내주시어 저의 답답한 첨망⁵⁾을 풀어주시기를 바랍니다.

산중의 날씨란 쉽게 춥습니다. 다만 모든 일은 즐거운 뒤에 후회가 따르는 법이니 엎드려 바라건대 가장 좋은 곳만 골라보시고 빨리 돌아오시는 것이 어떠하겠습니까. 바쁘게 쓰느라 다 갖추지 못합니다(팔월 보름날).

伏惟今日 次宿抱川 川可百里則不至 曉發故曉枕 搆別詩憁白 始馳馬而來 行駕已杳然不可及矣 其所悵惘豈耆不能隨後之恨也 弟方以須祿 此路回向太倉可留兩三日 還不如世光次興輩爾 倪若水 所謂此行何異登仙 恨不得爲驕者 正合用於此也 可愧可愧 此意不可不奉獻 封詩付淮陽邸人使之速傳 不知幾日當至而 速則可及於到淮衙之翌日 或入山之初日也 幸與諸友一笑 並令和之而略記經歷先寄速便 以開此瞻菀望望之懷也 但凡事到快有悔 山下日氣易寒伏望選覽最勝處 及早返旆如何如何 忙草不備(八月十五日)

時淸無事諫官閒　　때가 맑고 일이 없으니 간관⁶⁾도 한가로워
筇屨聯翩滿海山　　다니는 발자취 이어져 바다와 산에 가득하네
第一題詩何處是　　제일 시의 제목은 어느 것이 좋을까

抱州今夜酒筵還　　　포주에서 오늘 밤 술자리로 돌아오네

주
1) **반록**(頒祿): 녹봉(祿俸)을 나누어 주는 일.
2) **회양**(淮陽): 강원도 회양군.
3) **저인**(邸人): 영저리(營邸吏). 감영과 각 고을 사이의 연락을 취하던 벼슬아치.
4) **속편**(速便): 빠른우편. 또는 인편.
5) **첨망**(瞻望): 높은 곳을 멀거니 바라다봄.
6) **간관**(諫官): 조선 시대에 사간원과 사헌부에 속하여 임금의 잘못을 간(諫)하고 백관(百官)의 비행을 규탄하던 벼슬아치.

132. 두 번째 시[其二]

出城何處不淸奇　　　성을 나가면 어느 곳이 맑고 기이하지 않을까
未入金剛興可知　　　금강산에 들어가지 않고도 흥을 알 수 있네
愧殺太倉塵滿日　　　태창1)에서 먼지 가득한 날 보냄이 부끄러워
西湖雖好豈吟詩　　　서호가 비록 좋으나 어찌 시를 읊겠는가

주　1) **태창**(太倉): 관흥창(官興倉). 조선 시대 호조에 속해 관원의 녹봉을 맡아보던 관아.

133. 금천1)군수 윤계형2)과 납언3) 홍중웅4)에게 받들어 보내다
[奉贐尹衿川季亨洪納言仲熊]

朝來紫氣向東天　　　아침에 자줏빛 기운 동쪽 하늘 향하였는데
關令同車異古先　　　관령5)은 같으나 시대가 다르네
復有葛洪携手去　　　다시 갈홍6)이 있어 손을 끌고 간다면
四仙7)歸後又三仙　　　네 신선이 돌아간 뒤 또 세 신선이 남아 있네

주　1) **금천**(衿川): 경기도 광명시, 군포시, 시흥시, 의왕시 일대의 조선 시대 옛 고을 이름.

2) **계형**(季亨): 조선 중기 문신 윤양래(尹陽來, 1673~1751)의 자. 본관은 파평. 시호 익헌(翼獻).

3) **납언**(納言): 사간원 관리.

4) **중웅**(仲熊): 조선 중기 문신 홍우서(洪禹瑞, 1662~1716)의 자. 본관은 남양. 호는 서암(西巖). 대사간, 동부승지, 우승지를 지냄. 스승 송시열을 배반한 윤증(尹拯)을 비난한 정호(鄭澔)를 변호하다가 소론의 탄핵을 받고 서주현감(西州縣監)으로 좌천되기도 함.

5) **관령**(關令): 관동 지방의 수령.

6) **갈홍**(葛洪): 진(晋)나라 구용(荀容) 사람. 자는 치천(稚川). 호는 포박자(抱朴子). 세상에서 소갈선옹(小葛仙翁)이라 부름.

7) **사선**(四仙): 신라의 네 신선. 국선, 영랑, 술랑, 남석행.

134. 회양군수에게 부치다[寄淮陽倅]

성을 나가는 날 공사 때문에 늦게 왔으므로 이미 떠나가서 배별하지 못했습니다. 슬픔이 오늘까지 이르렀는데, 하물며 집의 둘째 형님께서 가시는 데 따라가서 좋은 놀이를 돕지 못하고 이렇게 시를 지어 한 수를 따라 보냅니다. 마음속에 있는 뜻을 말하니 다행스럽게 화답해서 오는 인편에 부쳐주시기를 지극히 바랍니다.

出城日因公故晩來 値已離次不得拜別 悵然至今 况於舍仲 行不能
隨往 以辦勝 遊玆述 追贐一絶以道懷 幸和付來便至仰

淮陽太守問何如	회양 태수에게 정사가 어떠한지 물으며
菅領仙山謝簿書	신선이 사는 산을 다스리는 데 짧은 편지로 감사하네
舊郡倘移玆勝絶	관저를 좋은 곳으로 옮겼다니

積薪寧歎帝恩疎　　　땔나무 많이 쌓아두고 어째서 임금의 은혜
　　　　　　　　　　성글다고 탄식하리

135. 헤어짐[別]

驪駒已在門　　　나귀가 이미 문 앞에 이르렀는데
滔滔江漢長　　　넘실넘실 한강은 길이 흐르네
鳧雁忽千里　　　오리와 기러기는 홀연 천 리를 가고 오니
誰能共翺翔　　　누가 능히 함께 나래를 퍼덕일까
此盃且莫停　　　이 잔을 또한 멈추지 마오
明日官事忙　　　내일은 관청의 일이 바쁠 것을
淸霜下庭樹　　　맑은 서리는 뜰 나무에 내려
使我轉悽傷　　　나로 하여금 처량하고 슬프게 하네
晨雞戒行李　　　새벽닭 울어 행리를 꾸리니
臨路獨徊徨　　　길로 임해 홀로 방황하네

136. 두 번째 시[其二]

秋雨疎疎掛小燈　　　가을비 듬성듬성 작은 등불 걸려 있고
滿尊離酒集佳朋　　　항아리 가득한 이별주에 좋은 친구 모였네
臨延別有規君語　　　이별하는 자리 임해 그대에게 할 말 있으니
心似瓊壺一段氷　　　마음을 경호의 한 덩이 얼음처럼 하라

137. 세 번째 시[其三]

嶺路迢迢雁外秋	고갯길은 멀고멀어 기러기 없는 가을이요
黃花晩色滿靑州	노란 꽃 늦은 빛이 푸른 고을 가득하네
琴軒縱有盈尊酒	거문고 타는 집에 비록 술 항아리 차 있으나
笑謔何能得此遊	어찌 웃고 즐기는 이 놀이를 할까

138. 조생1) 광보에 대한 만사를 짓다[挽趙生光輔]

往歲終南乍拜公	지난해 종남에서 잠깐 공을 만나니
古人心貌舊家風	옛사람의 마음과 모양이요 옛 가풍이라
世間榮達挪揄足	세간의 영달을 조롱으로 만족할까
湖外生涯甔石空	호수 밖에 담석2)이 비었네
未遂兩郞便養願	양랑3)을 얻지 못하고 부모 봉양하기를 원하니
誰知六裘大期窮	누가 육십에 삶을 마칠 줄 알았을까
盈門摠是連城璧	문중에 가득한 것은 모두 연성의 구슬4)이니
留待他時福慶隆	앞날에 복과 경사가 성할 때를 머물러 기다리네

1) **생**(生): 젊은 사람.
2) **담석**(甔石): 항아리에 담은 한 섬의 곡식.
3) **양랑**(兩郞): 양개조(兩愷曹)의 낭관(郎官).
4) **연성의 구슬**: 연성벽(連城璧)은 명옥(名玉)의 이름. 전하여 뛰어난 인재.

139. 지계¹⁾ 서당에서 병정이 지은 시에 차운하다[芝溪書堂次秉鼎韻]

寒谷踏殘雪	차가운 골짜기에서 남은 눈 밟으니
氷溪纔有聲	언 시냇물 겨우 소리를 내네
寥寥渚柳色	고요하고 쓸쓸한 물가 버드나무 빛이요
款款山禽鳴	느릿느릿한 산새 울음소리라
喜汝詩書話	기쁘다! 너의 시와 서와 이야기가
令人耳目淸	사람으로 하여 귀와 눈을 맑게 하는구나
風光又文流	풍광에 훌륭한 문장을 겸했으니
那有市塵情	어찌 속세의 먼지에 정이 있겠는가

> 주 1) **지계**(芝溪): 한주공이 살던 이웃 마을 이름.

140. 또 운을 부르다[又呼韻]

瀧瀧循除數曲川	콸콸 섬돌 돌아 흐르는 두어 구비 시내에
高吟喫酒對靑天	높이 읊다가 술 마시며 푸른 하늘 대하니
雪光淡薄孤村外	눈빛은 외로운 마을 밖에 담박하고
柳樹依稀古寺前	버드나무 어렴풋이 옛 절 앞에 서 있네
諸子斐然勤學業	여러 사람에게 빛나는 학업을 권하고
閒時宜爾臥雲烟	한가로울 때 너와 함께 구름 연기에 누워 야지
歲新豈闕吾人祝	해가 바뀌었는데 어찌 우리의 축원 빠뜨릴까
三誦唐風蟋蟀篇	당풍장의 「실솔」 편¹⁾을 세 번 외우네

> 주 1) 「**실솔**(蟋蟀)」 편: 『시경』 당풍장(唐風章)의 편명.

141. 연기군수로 떠나는 홍경숙과 이별하다[別洪敬叔之任燕岐]

燕岐太守誇名勝　　　연기[1] 태수는 명승이 자랑거리
燕喜樓臨君子池　　　잔치하기 좋은 누각은 군자지에 있지
弘中負鳥何處去　　　넓은 가운데 개펄은 어디 가고
樓外綠水空漪漪　　　누 밖에 푸른 물만 쓸데없이 넘실대나
江圍邑里供淸眺　　　강이 읍과 마을을 둘러 있으니 바라보기
　　　　　　　　　　　좋고
山護亭墟待好詩　　　산이 정자와 터를 보호하니 좋은 시 짓기 기
　　　　　　　　　　　다리누나
莫負古人仁智樂　　　옛날 사람들의 인과 지와 낙을 저버리지 마라
佇期京闕更來儀　　　서울에서 다시 올 기약 기다리겠네
(一作明朝拭目佇來儀 다른 곳에는 내일 아침에 눈을 씻고 오기를 기다린다
고 적었다)

> 주　　1) 연기(燕岐): 충청남도 동쪽에 있는 군 이름.

142. 이이보의 아들 광일을 만사하다[挽李頤甫子匡一]

爾家多寶樹　　　너의 집에 보배 나무 많은데
樹樹發瑤華　　　나무마다 구슬 꽃이 피었구나
各將艶陽姿　　　각각 장차 탐스러운 모습이 고와
列庭獻妍婐　　　뜰에 늘어서서 어여쁨을 자랑하려
雪霜忽相逼　　　눈과 서리가 갑자기 서로 핍박하여
一樹先槎牙　　　한 그루 나무가 먼저 찍혔구나

老烏鳴其顚	늙은 까마귀 나무가 넘어짐을 울어
咽咽口欲乾	울고 울다가 입이 마르려 하는데
長呼竟何來	길게 불러본들 마침내 어디서 올까
日暮風更寒	해는 저물고 바람 또한 차갑구나

143. 두 번째 시[其二]

哀哉爾病日	슬프다! 네가 병들었을 때
爺孃別千里	아버지와 어머니는 천 리 밖에 있었지
空舍委床褥	빈집에서 병상에 맡겨두고
幾月勞瞻企	몇 달이나 수고로이 돌봄을 기다렸더냐
阿爺昨日至	아버지는 어제 왔고
阿孃猶不來	어머니는 아직 오지 못했지
送處但有哭	보내는 곳에 다만 울음이 있을 뿐이니
篋物誰爲開	상자에 있는 물건 누구를 위해 열 것인가
春風吹芳草	봄바람이 부니 풀이 향기롭고
心靈應未灰	영혼은 마땅히 재가 되지 않겠지

144. 세 번째 시[其三]

自汝齒未齔	네가 이를 갈지 않았을 때부터
吾已抱以愛	나는 이미 너를 안고 사랑하였네
雅靜賞心性	맑고 고요한 심성이 어여쁘고

文辭許等輩	글과 문장이 같은 무리들보다 뛰어났는데
何忍見陳迹	어찌 차마 남은 자취를 볼 것인가
詩仙倏遊岱	시선이 갑자기 대산으로 놀러 갔네
階庭舊翰墨	층계 앞 뜰에 옛날 글과 글씨는
零落有餘痕	영락1)하여 남긴 흔적만 있고
我懷尚難遣	내 생각을 아직도 다하기 어려운데
爾爺豈復言	네 아버지는 무슨 말을 할까

주 1) **영락**(零落): 초목의 잎이 말라서 떨어짐.

145. 네 번째 시[其四]

愁絶漢南路	시름 끊긴 한강 남쪽 길에
蕭蕭白楊裡	쓸쓸한 백양나무 속이라
昨年送吾姪	작년에는 내 조카를 보냈고
今又送汝去	금년에는 또 너를 보내는구나
生死歲旣同	나고 죽은 해가 이미 같으니
身後亦略似	죽은 뒤에도 또한 대략 같을 것이네
高堂辭老父	고당에서 늙은 아비에 하직하고
孀閨抱一稚	상규1)에서 한 어린아이를 안고 있는데
新阡更密邇	새로운 무덤이 또한 가까이 있으니
倘與話情事	오히려 너와 더불어 정든 일을 이야기할 수 있겠네

주 1) **상규**(孀閨): 과부가 거처하는 방.

146. 의원 최상숙에 대한 만사를 짓다[挽崔醫尙淑]

白君衣鉢子能傳	백군의 옷과 바리때를 그대가 능히 전하여
內院諸僚莫或先	내의원의 여러 동료도 앞서는 이가 없었네
一世瘖疽隨手起	세상에 드문 종기병도 손으로 고치니
九天褒賞荷恩私	구천에서도 사사로운 은혜를 갚으려 들겠지
幾嗟圈玉遲衰髻	몇 번이나 권옥1)이 더디고 쇠함을 슬퍼하였나
最喜蚌珠守舊氈	가장 기쁜 것은 진주와 같은 귀한 가문을 지킨 것이지
敢忘昔年垂涕別	감히 지난해 눈물 뿌리며 이별하던 일을 잊겠는가
爲披遺筆淚潸然	남긴 글씨를 펴고자 하니 눈물 흐르네

주   1) 권옥(圈玉): 숨겨둔 옥. 귀한 보물. 여기서는 아들.

147. 열한 번째 형을 옥천군수로 보내며[送十一兄之任玉川]

素琴玄鶴逐征旆	소금와 현학이 깃발을 따라가니
太古亭中作睡仙	태고정 가운데서 신선의 졸음 지으시라
縣簿半爲梅竹記	고을 장부의 반은 매화와 대나무의 기록이요
官廚饒得朮參煎	관주1)에는 삽주와 인삼 달인 것을 넉넉히 얻을 수 있겠지
陌塵雨浥潘輿穩	먼지 난 언덕에 비가 젖으니 반악2) 수레가 편안하고

湖樹秋淸彩服鮮	호수 나무에 가을이 맑으니 채색 옷이 선명하구나
但是他鄕重九近	다만 타향이라 중구3)가 가까워졌는데
夢魂應繞讌和筵	꿈속의 넋은 마땅히 연화계 자리를 둘러싸겠지

1) **관주**(官廚): 예전에 고을 수령의 음식을 만드는 곳을 이르던 말.
2) **반악**(潘輿): 진(晉)나라 반악(潘岳)이 어머니를 모신 수레. "어머니를 푹신한 수레에 모시고 멀리 기전을 유람하고 가까이는 집안 뜰을 돌아다닌다(太夫人乃御板輿 升輕軒 遠覽王畿 近周家園)"는 구절에서 유래함.
2) **중구**(重九): 음력 9월 9일, 중양절.

148. 낙계에서 남한으로 향하면서 조카 정이 운을 부르다[自樂溪 向南漢 與鼎姪呼韻]

野興飄飄未可裁	들의 흥취는 표표1)하여 시를 지을 수 없고
振衣還欲陟高臺	옷을 터니 또한 높은 대로 오르고 싶네
騎驢影轉淸流去	나귀 타니 그림자는 맑은 흐름을 따라가고
在手書傾晚日開	손에 있는 책은 기운 저문 해를 따라 펼쳐지는데
埤堄迢迢邀客立	비예2)는 멀고 멀어 손님맞이 하려 서 있고
烟霞故故逼人來	연하는 슬금슬금 사람 향해 다가오네
依俙樹裏山僧見	어렴풋한 숲 속 산승 나타나
黃葉聲中杖策催	노란 잎 소리 채찍질 재촉하네

1) **표표**(飄飄): 팔랑팔랑 나부끼거나 날아오르는 모양이 가벼움.
2) **비예**(埤堄): 성곽의 낮은 담장.

149. 구사를 지나다[歷九寺]

去去浮空廓	가도 가도 성은 공중에 떠 있고
雲霞生馬蹄	구름과 안개는 말굽에서 일어나네
倚筇多好樹	막대에 의지하니 좋은 나무 많고
窺壑得淸溪	골짜기를 엿보다가 맑은 시내를 보았네
胸欲東西盡	마음속으로는 동서를 다하고 싶으나
詩仍造次題	시는 순서에 따라 짓는다
乍逢成遠別	잠깐 만났다가 멀리 이별하니
來夜夢招提	오늘 밤에는 초제1)에서 꿈을 꾸겠지

주   1) 초제(招提): 관부(官府)에서 사액(賜額)한 절.

150. 관제 이대중을 찾아가다[訪李觀濟大仲]

山中有佳約	산중에 좋은 약속 있어
徒步越川原	걸어서 샘의 근원 건넜네
人少斜陽路	사람 적은 석양 길에
烟多亂樹村	연기 많은 어지러운 나무 마을이라
穿林先杵響	숲을 뚫고 가니 방아 찧는 소리 먼저 들리고
緣崖始柴門	기슭 초입에 가시 사립이 보이네
松外呼新月	소나무 밖에서 새로운 달 부르니
何愁嶂色昏	어찌 산 빛의 어둠을 시름하겠나

151. 두 번째 시[其二]

藜策綸巾倒載牛	여책1)과 윤건 소에 거꾸로 싣고
踏莎臨水極淸幽	모래 밟으며 물 내려다보니 지극히 맑고 그 윽하네
烟雲細和凉凉日	연기구름 가늘고 온화하여 해가 서늘해지고
鷗鳥孤眠淺淺流	갈매기는 외로이 얕게 흐르는 물에서 잠자 는데
燒野任隨兒子戲	타버린 들은 아이들 희롱에 맡겨두고
談山自愜暮年遊	산 이야기는 절로 노년의 놀이로 마땅하고
經過五里皆佳處	오 리를 지나왔으나 모두 아름다운 곳이니
且與吟詩步步休	또한 시를 읊으며 걸음걸음 쉬어가네

주 1) **여책**(藜策): 명아줏대로 만든 지팡이.

152. 장여완에 대한 만사를 짓다[挽張汝完]

典刑頗有大家風	전형1)은 자못 대가풍이고
譚議淋漓世務通	담의는 흘러넘쳐 세상일과 통했네
鸞鳳自憐棲棘久	난조와 봉황이 오랫동안 가시 깃에 깃들어 진실로 가련한데
蜘蛛何事結羅工	거미는 무슨 일로 줄을 치는가
桐鄕葬魄先丘近	오동나무 마을에 혼백을 장사하니 선대의 묘 가깝고
萊服生塵兩母恫	노래자 옷에 먼지 일어나니 부모가 슬퍼하네

| 靑眼論交今已矣 | 청안과 교제는 이미 끝났구나 |
| 蕭晨洒淚滿江楓 | 쓸쓸한 새벽에 눈물 뿌리니 강가 단풍에 가득하네 |

153. 연화계를 북영원에서 열다[讌和稧行於北營園中]

良覿邇來無久違	한 번 본 뒤로 오랫동안 자주 만났는데
閏春春事未全非	윤달 든 봄에 춘사1)를 전혀 망치지 않았네
餘花耐雨明仚榻	남은 꽃은 비를 견디며 선탑2)을 밝히고
彩蝶隨風上客衣	채색 나비 바람 따라 나그네 옷으로 올라오는데
松入御詩形偃蹇	시에 들어간 소나무 모양은 언건3)하고
山圍靈墠氣霏微	산 둘레의 신령스런 제단에는 기운이 비미4)하네
聯翩勝地開宗席	좋은 곳 돌아다니며 종회 자리를 여니
詩酒淋漓莫令歸	시와 술이 임리5)하여 돌아갈 줄 몰라라

154. 또 열한 번째 형의 집에서 모이다[又會十一兄宅]

| 芳時跌宕興如何 | 젊을 때 질탕한 흥이 어떠할까 |

壺榼移開十一家	술병과 찬합을 옮겨 열한 번째 형의 집에서 열었네
不須問主看園竹	모름지기 주인이 동산의 대나무 보는지를 묻지 마라
且可攜兒檢塢花	또한 아이를 끌고 꽃 언덕 살핌을 보는데
黃鳥時從深柳出	꾀꼬리는 시절 따라 깊은 버들에서 나오고
靑山偏入北牕多	푸른 산은 치우쳐 북창에 많이 드리우네
醉來步屧橋頭散	취하여 오는 걸음은 다리 근처에서부터 흩어지고
風吹冠巾任自斜	바람 부니 갓이 절로 기울어지네

155. 북동에서 연회하다[北洞讌會]

雙闕中間有此軒	두 궁궐 중간에 이 집 있어
北山雲氣擁詩尊	북산의 운기1) 시와 술 항아리 안고 있네
午風浩浩吹遊客	오풍2) 넓고 넓게 노는 손님에게 불어오고
暮雨霏霏滿小園	저문 비 부슬부슬 작은 동산에 가득한데
照眼豈嫌紅蕚少	붉은 꽃이 작다고 눈에 띄지 않겠는가
移床偏愛綠陰繁	상을 옮김은 무성한 푸른 나무 그늘을 편애하기 때문이네
休將爛報來煩耳	쉬노라니 좋은 소식 가져와 귀를 번거롭게 하니
自有超超我輩言	절로 우리들의 말을 뛰어넘네

주
1) 운기(雲氣): 기상에 따라 구름이 움직이는 모양.
2) 오풍(午風): 남쪽에서 불어오는 바람.

156. 또 내자시[1] 여오가 수직[2]하는 곳에 모이다[又會內資汝五直所]

阿姪爲官得好軒	조카가 벼슬을 하여 좋은 집을 얻으니
吾宗盛會此開尊	우리 문중 성한 모임이 이곳에서 술 항아리 열었네
雨中樹直宮城路	비 가운데 곧은 나무는 궁성 가는 길이요
春後花留沁水園	봄 지나고 꽃이 남아 심수원[3]이지
選勝自憐幽興熟	좋은 곳에서 절로 그윽한 흥 무르익어 어여쁘고
譚詩一滌世愁繁	시를 말하면 한바탕 세상 시름에 번거로움을 씻네
歡呼臥聽嚶嚶鳥	기쁘게 부르며 누워서 앵앵거리는 새소리 듣고
醨酒無怨服聖言	좋은 술 허물없어 성인의 말씀에 복종하네

주
1) **내자시**(內資寺): 조선 시대에 호조에 속하여 대궐에서 쓰는 여러 가지 식품 직조(織造)와 내연(內宴)에 관한 일을 맡아보던 관아.
2) **수직**(守直): 건물이나 물건 등을 맡아서 지킴.
3) **심수원**(沁水園): 심수공주 소유의 원림이란 의미로 심원이라 불림. 옛 터는 지금의 하남성 심양현의 동북쪽이며 심수의 북안에 있다 금나라 때는 백관의 연회 장소로 쓰였으나 지금은 없어졌음.

157. 맏형님이 선공분사[1]의 일 때문에 압도에서 하룻밤에 모임을 지었으므로 일원, 집중, 여수, 유안 등 여러 조카와 더불어 용호에서 배를 타고 이내 압도로 향하다가 돌 모퉁이에서 조금 쉬면서 즉석에서 명률에 차운하다[伯君以繕工分司 在鴨島 要作一宵之會 與一源執中汝受幼安諸姪 將泛舟龍湖仍向鴨島

小憩石隅 口占次明律]

郭南晴旭照雲天	성 남쪽 맑은 빛이 비추는 구름 하늘에 있고
十里寒蕪自起烟	십 리 차가운 들판에 절로 연기 나는데
此去興懷知不少	이번 길에 흥회2)가 적지 않은 줄 알지만
秋江如練已鞍邊	가을 강 누인 명주같이 이미 안장 가에 있네

주 1) **선공분사**(繕工分司): 조선 시대에 가재도구의 수선을 맡은 관청.
　 2) 흥회(興懷): 흥을 돋우는 마음.

158. 두 번째 시[其二]

清夢初醒涼雨天	맑은 꿈 처음 깨니 비 오는 하늘 서늘하고
吟筒拭出石隅烟	연통을 비비니 돌 모서리 연기 나는데
篇章定自茲行富	편장 정해져 절로 이 걸음 넉넉하게 하고
四句先成鵲谷邊	네 구를 먼저 작곡 가에서 이루었네

159. 세 번째 시[其三]

林塘厭見稻禾秋	숲 속의 연못 벼 가을을 보기 싫어
紫馬烏巾趁我遊	붉은 말과 검은 갓으로 놀러 가는데
鳧嶼風烟經好雨	오리 섬은 바람과 연기에 좋은 비 맞고
沙洲催喚下灘舟	모래 물가에서 배를 재촉하여 여울로 내려가 자고 부르네

160. 네 번째 시[其四]

石角名亭次第橫	바위너설[1]에 이름난 정자 차례로 늘어서 있는데
扳登人在半天行	끌고 당기며 오르니 사람이 중천에 보이고
風光曲曲逾奇悅	풍광[2] 굽이굽이 기이한 기쁨을 넘어
計眼應須不計程	눈으로는 헤아릴 수 있지만 길은 계산할 수 없네

주 1) **바위너설**: 바위가 삐죽삐죽 내밀어 있는 험한 곳.
　　2) **풍광**(風光): 경치. 모습.

161. 다섯 번째 시[其五]

雨後風濤問幾重	비 온 뒤 바람에 몇 겹의 물결 일어났나
阿咸小棹隱崖松	조카의 작은 배가 소나무 가에 숨었네
倚舷遮莫吟佳句	뱃전에 의지했다고 아름다운 글귀 읊는 것 막지 마라
或恐深潭有睡龍	혹여 깊은 못에 잠자는 용 있을까 두렵구나

162. 여섯 번째 시[其六]

掛帆初欲泛江湖	돛 달고 처음으로 강호에 뜨고자 하는데
風浪飜敎我興孤	풍랑이 자주 이니 내 흥이 외롭구나
穿野尋村漸幽意	들을 뚫고 마을 찾아 점점 뜻은 그윽하고

捨舟騎馬亦良圖　　배 버리고 말을 타니 또한 좋은 의도인 것을
傾崖細菊衣邊淨　　비탈에 가는 국화는 옷 가에 깨끗이 늘어서고
近渚飛鴻柳外呼　　물가에 나는 기러기 버들 밖에서 부르네
處處滌場秋事足　　곳곳이 씻는 터라 가을일이 만족하니
歸田一計莫踟躕　　농촌으로 돌아갈 계책 지주1)하지 말게나

주　1) **지주**(踟躕): 머뭇거리거나 망설임.

163. 일곱 번째 시[其七]

老檜西南客舘開　　늙은 전나무 서남에 객관 있는데
初昏叱馬下階催　　어스름에 말을 달려 뜰로 내려가자 재촉하네
秋回赤葉前年樹　　가을 돌아오니 붉은 잎 작년 나무에서 나고
興入黃花此日盃　　흥이 들어오니 노란 꽃은 이날의 술이 되는데
蘆嶼月臨遙海潤　　갈대 섬에 달 뜨니 먼 바다 넓고
沙洲鴻曳冷雲來　　모래톱에 기러기 끄니 차가운 구름 몰려오네
居然千軸愛囊溢　　얼마 사이에 천 축의 시 지어 주머니 넘치고
搔首相携謝眺才　　머리 긁으며 서로 끌고 사조1)의 재주 감사
　　　　　　　　하네

주　1) **사조**(謝眺): 오언시를 잘 지었던 남제의 시인.

164. 여덟 번째 시[其八]

晩來風色惡　　저물게 오니 바람 빛 사나운데

詩意更如何	시의 뜻을 다시 어찌할까나
楓菊依依見	단풍과 국화 무성해 보이고
江湖忽忽過	강과 호수 번뜩번뜩 지나가는데
急傾公舘酒	급히 공관의 술잔 기울이니
始發衆賓哦	비로소 여러 손님이 아 소리 내네
莫說今行苦	이번 걸음의 고통스러움 말하지 말게나
題牋亦已多	글 지은 종이가 이미 많은 것을

165. 아홉 번째 시[其九]

秋暎扶筇鴨島濱	늦가을에 막대 잡고 압도 물가 서성이니
閑官遂與水禽親	한가한 관리 드디어 물새와 친했구나
排雲岫出分諸郡	산 헤치고 나오는 구름 여러 고을로 나뉘고
照日波空泛四隣	해에 비친 빈 물결 사방에 떠 있는데
蒼檜午陰留倦客	푸른 전나무 낮 그늘에 게으른 손 머무르고
黃花暮色唉歸人	노란 꽃에 저문 빛 피니 사람이 돌아가네
豆餠濁酒田家味	팥떡과 막걸리는 농가의 맛인데
使我詩情特地新	나로 하여 시정을 특별히 새롭게 하네

166. 열 번째 시[其十]

穩穩鴒原會	평안한 영원회1)에
如何遽別歸	어찌하여 돌아갈 이별 빨리 오는가

感吟風雨句	감동으로 바람과 비의 글귀 읊고
羞係祿官微	관록은 미미한데 얽매임이 부끄럽구나
水冷鴻飛盡	물이 차가우니 기러기 다 날아가고
山空樹影稀	산이 비니 나무 그림자 드문데
預愁城陌近	미리 시름하는 것은 성이 가깝다는 것
明日更朝衣	내일은 다시 조복으로 갈아입겠지

주 1) **영원회**(鶺原會): 영원(鶺原)은 할미새로 형제의 별칭. 곧 형제의 만남을 뜻함.

167. 열한 번째 시[其十一]

昨日不可忘	어제를 잊을 수 없는 것은
未了江山譚	강산의 이야기를 마치지 못했기 때문이네
過此無鳧嶼	이곳 지나면 오리 섬은 없는데
停驂立水南	말을 멈추고 물 남쪽에 서 있구나

권 6

시 詩

詩

1. 심 씨에 대한 만사를 짓다[挽沈]

■ 기축년(1709)

征馬西州出	정마가 서주를 나오니
靈車故里馳	영거1)가 고향으로 달려가는데
倚門雙白髮	문에 기대어 기다리는 늙은 부모 있고
迎櫬兩孤兒	영친2)하는 두 고아 있네
江草生新嫩	강가의 풀은 새싹을 틔우고
山花動舊枝	산꽃은 옛 가지에 피려 하는구나
嗟嗟遊子怨	아아! 나그네의 원망스러움이여!
鬱鬱已何時	답답하구나! 이미 얼마나 되었는가

주 1) **영거**(靈車): 시신을 실은 수레.
2) **영친**(迎櫬): 외지에서 죽어 돌아오는 시신을 맞이함.

2. 두 번째 시[其二]

舊結新橋榻	옛날 맺어놓은 교탑1)이 새로워져
比多川上隨	비교적 개울가에서 따라다님이 많았네
雍容好氣味	온화한 모습과 좋은 기미로
揚雄古文辭	양웅2)의 고문을 잘 지었네
原子貧何病	원자3)는 가난함이 무슨 병이 되고
歐生命獨奇	구생4)은 운명이 유독 기이하였는데
倚欄霖雨咏	난간에 기대어 임우사5)를 읊고
追誦涕空垂	추억하여 외우니 눈물이 자꾸 흐르는구려

주
1) **교탑**(橋榻): 높게 쌓은 탑처럼 깊은 인간 간의 정.
2) **양웅**(揚雄): 한나라 성도 사람. 자는 자운(子雲). 어려서부터 학문을 좋아하여 문장으로 이름을 날림.
3) **원자**(原子): 노나라 사람. 자는 원사(原思). 공자의 제자로 청빈을 즐겼음.
4) **구생**(歐生): 구양휘(歐陽輝). 명나라 종화 사람. 자는 백희(伯曦). 남경의 금의 위지사(錦衣衛知事) 때 위당(魏璫)에게 미움을 받아 투옥됐는데, 같은 죄목으로 투옥된 유탁(劉鐸)의 말을 듣고 처형될 것을 예견해 투신자살함.
5) **임우사**(霖雨辭): 열자탕문(列子湯問)에 나오는 임우조(霖雨調).

3. 여오와 더불어 장차 조계로 향하려고 흥인문을 나서며 '계(溪)' 자를 얻다[與汝五將向漕溪出興仁門得溪字]

衝霧何驅迫	앞을 가리는 안개는 왜 구박하나
幽情轉欲迷	그윽한 정은 점점 가려지려 하고
問僧鳴叔馬	스님에게 명숙마1)에 대해 묻는데
見日美阿溪	해가 나오니 시내가 아름답네

花樹時深見	꽃이 피는 나무는 때가 깊었음을 보이고
山禽漸近啼	산새는 점점 가까이에서 우는구나
居然到華嶽	어느덧 북한산 도달하니
神意不摧低	영묘한 뜻 꺾여 낮아지지 않는다네

> 주 1) **명숙마**(鳴叔馬): 명숙은 명나라 종상 사람인 전순(錢錞)의 자. 명숙이 강음의 지현(知縣)으로 구리(九里)산에서 왜구와 싸우다가 전몰하자 그의 말이 시신을 물고 절로 들어갔다는 고사에서 비롯됨.

4. 두 번째 시[其二]

出城摠新色	성을 나서니 모두 새로운 빛이요
春滿曉山濃	봄이 가득하니 새벽 산 빛 짙구나
步步披瓊蘂	걸음걸음 아름다운 꽃 헤치고
登登入翠松	오를수록 푸른 솔숲으로 들어가는데
雲將蕭寺隱	구름은 소사1)를 가리려 하고
僧共瀑流逢	스님과 함께 폭포에서 만나네
却喜君先到	도리어 그대가 먼저 도달함을 기뻐하니
已無塵土空	이미 먼지와 흙이 없는 공함이로세

> 주 1) **소사**(蕭寺): 양 무제가 절을 짓고 자기 성을 따서 소사라 함. 그 뒤 절을 가리키는 말이 됨.

5. 제목 없음[無題]

春色正宜醉眼看	봄빛은 바로 취한 눈으로 보는 것이 좋은데
豈知風雨作輕寒	어찌 비바람이 가벼운 추위 만듦을 알까

開牕却得南山峀　　창문을 여니 문득 남산이 보이고
勸酒仍呈宋氏盤　　술을 권하니 송 씨가 술상을 보내주네
暮日詩題嫌促迫　　해 저물어 시 짓기 촉박함을 꺼리고
歸塗泥滑怕艱難　　돌아가는 길 질척이고 미끄러워 곤란할까 겁
　　　　　　　　　　나는데
此間恨乏源平語　　이 사이에 원평의 말이 다할까 한스러워
晴晝期留北麓端　　갠 낮 북록 끝에 머물 것을 기약한다네

6. 제목 없음[無題]

臨流着得兩詩翁　　물가에서 시 짓는 두 노인을 만났는데
筇竹綸巾物色同　　대나무 지팡이와 윤건 물색이 같구나
脩谷柳深春雨足　　마른 계곡 버들 깊은데 봄비 내리니 족하고
高牕山近夜雲通　　높은 창이 산에 가까우니 밤 구름 지나는
　　　　　　　　　　구나
犬驚生客喧花外　　손님이 오자 놀란 개는 꽃 밖에서 짖고
月趂游人上屋東　　달은 노는 이들을 쫓아 집 동쪽에 떠올랐네
君病卽看須酒起　　그대의 병은 곧 술을 기다려 나을 것이니
莫辭來日賞繁紅　　내일 번화한 꽃 감상을 사양하지 말게나

7. 북동에서[北洞]

北林花事已全踈　　북쪽 수풀 꽃은 이미 완전히 성글어

可愛丁香數樹餘	사랑스럽구나! 몇 그루 남은 정향1)이
芳草散來諸客馬	향기로운 풀 여러 나그네의 말을 따라 흩어져 있고
淸尊映得一床書	맑은 술 항아리에 한 상의 책이 비추는구나
滿簷幽鳥詩宜和	온 처마에 그윽한 새들은 시에 화답해 좋고
出岫閒雲意共舒	산을 나오는 한가로운 구름의 뜻과 같이 펴라
復喜潘桃新畫障	다시 반도2)가 새로운 화장3)되니 기쁜데
仙桃春色繞君廬	신선의 복사꽃과 봄빛이 그대의 띳집을 감싸는구나

주
1) **정향**(丁香): 말린 정향나무의 꽃봉오리. 성질이 따뜻하고 맛이 매워 한약재로 씀.
2) **반도**(潘桃): 둥글고 큰 복숭아.
3) **화장**(畫障): 그림으로 된 가리개.

8. 초파일 밤에 무백과 함께 운을 부르다[燈夕與茂伯呼韻]

詩朋引興柳陰邊	시붕1)이 버드나무 그늘 가에서 흥을 돋우니
諸姪携來月照筵	여러 조카들 손을 잡고 오고, 달은 대자리 비추네
到處笙歌微雨後	가랑비 내린 뒤 여기저기 피리 소리 들리고
千家燈燭白烟前	많은 집 하얀 연기 앞에 등불 켰는데
騷人跌宕寧無地	시인들 질탕2)하니 어찌 땅이 없을까
世路升除只任天	출세 길에 오르고 못 오름은 다만 하늘에 맡길 뿐인데
君豈塵談煩耳界	그대는 어찌 진담3)으로 귀를 괴롭히는가

| 三盃吾已入陶然 | 석 잔 술에 나는 이미 도연4)한데 |

9. 울주1) 부백2) 정종지3)가 가는데 이별하다[別蔚州府伯鄭宗之之行]

廟堂籌策急蘇殘	묘당의 계책이란 병든 이를 급히 살리는 데 있고
州縣聯翩出諫官	지방에서도 자주 간관이 나오지
回望終南寧不戀	종남을 돌아보면 어찌 그리워하지 않을까
去尋炎海可長歎	지난날 염해4)를 찾아다님을 길이 한탄할 만하구나
乾坤萬事從碁變	건곤 만사는 바둑놀이처럼 변하고
嶺嶠千愁得酒寬	재는 높으나 천 가지 시름은 술이 있어 너그러워지는데
借此旌麾猶聖渥	이번 부임길을 빌려 임금님 은혜 두터워
絃歌要做一方歡	거문고에 맞춘 노래는 한판 즐거움을 짓는다

10. 오계직에 대한 만사를 짓다[挽吳季直]

오군 계직은 양곡1) 선생의 다섯째 아들이고 나와 삼대 동안 정의가 있다. 조금 나이 차이가 있고 교우함이 매우 게을러 일찍이 더불어 정을 펴지 못했다. 가끔 사우2) 사이에 군의 태어난 해가 선생과 같고 이마의 눈썹 근처도 선생과 닮았으며 성도3)와 기미가 선생과 같다고 하니, 비록 얼굴은 보지 못했지만 이름 들은 지 오래되었다.

지난겨울에 처음 서로 보았는데 정신이 맑고 기골이 튼튼하며 정령이 쌓여서, 대개 내가 아이 때 선생을 뵌 의범4)과 방불하였다. 이리하여 두 번 함께 놀았는데, 여러 밤낮을 지내며 정도 들고 뜻도 합하여 점점 그가 지닌 쌓인 덕을 알게 되었다.

가볍지 않아 말이 적으며 기쁨과 웃음을 끊고, 겉으로는 쇠약하여 그의 옷을 이기지 못할 것 같아 보이나 내면은 실상으로 강의5)하여 범접하지 못할 것이 있었다. 이리하여 더욱 사우들의 칭찬과 명예가 헛되지 않음을 믿었고, 선생이 남긴 운치가 끊어지지 아니함을 알았다.

불행히도 군은 병이 있더니 지금은 죽었다. 군의 나이는 겨우 스물 여섯이다. 사람들은 그의 요절함을 슬퍼하였다. 군은 딸만 있고 아들은 없으며 유복으로 또한 딸을 낳으니, 사람들은 그의 후사가 없음을 슬퍼했다. 군은 재주와 학문이 숙성했으나 과거에는 이롭지 못했으니, 사람들은 그 궁함을 슬퍼하였다. 그러나 나의 슬픔은 이보다 심한 것이 있었다.

아아! 지금 세상에 다시 양곡 선생을 뵙지 못하는데 그와 같은 자가 선생의 뜰에 있으니 어찌 다행스럽지 않은가. 이미 같다면 또한 어찌 선생이 대우할 줄 아니, 만나고 세운 것이 홀로 선생 같지 않다고 하겠는가. 그대의 둘째 형님인 도위6)공이 눈물 흘리며 말하기를 아우의 병은 친상을 지나치게 치렀기 때문이라고 한다.

　아아! 충과 효는 다르지 않다. 임금에게 효를 옮기는 것이 충성이라고 선생은 말했다. 애석하구나! 하늘이 나이를 막아서 그 쌓인 지식을 다 펴지 못하고 또한 선생의 충렬을 더욱 빛내어 세상에 바람을 얻지 못했으니, 이것이 다른 사람보다 더 슬퍼하는 이유이다. 함께 노닐던 여러 사람들이 이미 시를 다 지어 군의 평생을 매우 자세히 설명했으므로 짧은 글을 지어 애오라지 심한 슬픔을 부친다. 시에는 다음과 같이 이르렀다.

吳君季直 陽谷先生之第五子也 余與君有三世誼而 齒序差間 交游甚懶 未能早 與叙誼 往往士友間 稱君生年似先生 眉宇似先生 性度氣味似先生 雖不見面 聞名久矣 昨冬 始與相見 神淸骨緊 藏蓄精英盖 與余兒時 瞻仰於先生儀範者 髣髴爾 遂再與同游息 累晝夜情親意合 漸得其所存 蘊德而不輕出 寡言而絶嬉笑 外似細弱 殆不勝衣而內實 剛毅 有不可犯者 於是 益信士友之稱譽非虛 而先生遺韵不絶也 不幸君有疾今其死矣 君得年纔二十六 人悲其夭也 君有女而無男 遺腹而又生女 人悲其無嗣也 君藝學夙成而不利於科第 人悲其窮也 然余之悲有甚於斯者 嗚呼 今世不復見陽谷先生則得其似者 於先生之庭 豈非幸歟 旣似焉則亦安知遇先生之所遇而 所樹立獨不似先生也 君仲氏都尉公 垂淚而言曰 吾弟之疾 由於執親喪之過也 嗚呼 忠與孝無貳焉 移君之孝 爲先生之忠必矣 惜乎 天乃閼年未究其蘊 使不得益彰先生之烈 俾激衰世之風 此所以悲甚於人之悲之也 同遊諸子 旣皆作詩 說君平生甚詳故 作短章 聊寓所悲之甚者云 詩曰

陽谷殉忠擧世悲　　　양곡이 충성으로 순직해 온 세상이 슬퍼하는데

承家猶喜有奇兒	오히려 집을 이을 기이한 아이가 있어 기
	뻤네
青山又奪斯人去	청산이 또 이 사람을 빼앗아 갔으니
棹楔門前淚雨垂	도계7)의 문 앞에는 눈물이 비처럼 쏟아지네

1) **양곡**(陽谷): 조선 숙종 때의 문신 오두인(吳斗寅, 1624~1689)의 호. 자는 원징(元徵). 인현왕후 민씨 폐위에 반대 상소를 올려 유배를 가는 도중 죽었음. 시호는 충정(忠貞).
2) **사우**(士友): 함께 글을 공부하는 벗.
3) **성도**(性度): 성품과 도량.
4) **의범**(儀範): 규범. 예의범절의 본보기.
5) **강의**(剛毅): 강하고 씩씩함.
6) **도위**(都尉): 임금의 사위.
7) **도계**(棹楔): 충신, 열녀, 효자를 표창하기 위해 내리는 충신사. 홍살문 또는 정려문.

11. 이이보에 대한 만사를 짓다[挽李頤甫]

弘濟橋南忽素旛	홍제동 다리 남쪽에 갑자기 흰 깃발 날리니
人間萬事更何言	인간의 만 가지 일에 다시 무슨 말을 할까
翩翩皂盖舊鞍馬	펄럭이는 검은 덮개는 옛 타던 말인데
載送江西縣令魂	강서현령1)의 혼을 실어 보내겠지

1) **현령**(縣令): 지금의 읍, 면, 동과 같은 작은 구역을 다스리는 벼슬.

12. 두 번째 시[其二]

生而行矣死而歸	살아 움직이다가 죽어서 돌아가니
憐子平生心計非	자네의 평생 마음대로 되지 않음을 가련히

여기네

少日自期三不朽   젊은 날에는 스스로 삼불후1)를 기약하더니

祗今渾逐關雲飛   지금은 모두 관2)의 구름을 따라 날아가네

> **주** 1) **삼불후**(三不朽): 영구히 썩지 않는 세 가지. 입덕(立德), 입공(立功), 입언(立言).
> 2) **관**(關): 국경이나 기타 요처에 설치해 출입하는 사람을 조사하는 곳. 국경 지대.

13. 세 번째 시[其三]

殊方一疾失良醫   타향에서 병이 들었는데 좋은 의원이 없어

令弟催行已後時   아우로 하여 갈 길을 재촉했으나 이미 때가
늦었네

旅舍三皐何所托   여관 어디에 초혼을 했는가

故山松柏欲摧枝   고향의 송백이 꺾이려 하네

14. 네 번째 시[其四]

尚記西河投杖時   아직도 서하에서 투장1)하던 때를 기억하여

抑情應爲慰偏慈   감정을 누르며 홀어머니 위로해야지

如何便自相隨去   어찌하여 문득 스스로 따라가는가

重結門閭朝暮悲   문려2)에 아침저녁으로 슬픔만 거듭해 맺는
것을

> **주** 1) **투장**(投杖): 막대를 꺾어버리면서 결심하는 맹세.
> 2) **문려**(門閭): 동네 어귀에 세운 문.

15. 다섯 번째 시[其五]

兒呼妻哭揔冥然	아이는 부르짖고 아내는 통곡하여 모두 명연1)한데
岱嶽眞遊幾日還	대악 참놀이에서 어느 날 돌아오는가
也覺世間方擾擾	세간은 바야흐로 뒤숭숭하고 어수선함을 느끼는데
白雲高臥斷塵緣	흰 구름에 높이 누워 진세의 인연 끊는다는 말인가

주 1) **명연**(冥然): 암담한 모양.

16. 여섯 번째 시[其六]

城西僑殯亦悲涼	성 서쪽의 교빈1)은 또한 슬프고 처량한데
明發方歸道隴陽	내일 떠나 농양2) 길로 돌아간다지
如手堂前溪水綠	여수당3) 앞 시냇물은 푸른데
何時更滌舊流觴	어느 때 다시 옛 유상4)을 할까

주 1) **교빈**(僑殯): 객지에서 죽어 빈소를 차리는 일.
2) **농양**(隴陽): 남향 산비탈.
3) **여수당**(如手堂): 이이보가 평소에 기거하던 곳.
4) **유상**(流觴): 삼월 삼짇날 흐르는 물에 술잔을 띄워 그 잔이 자기 앞에 오기 전에 시를 짓는 일.

17. 일곱 번째 시[其七]

風塵無處更論交	풍진 없는 곳에서 다시 교제를 논하세
歲暮心期此盡抛	해 저문 때의 마음과 기약은 이제 다 포기했네
拭淚題詩不成語	눈물 씻으며 시를 지으니 말이 되지 않는구려
操文留俟奠綿茅	지은 글을 두었다가 제사 때 바치려고 하네

18. 도사 조혜이에 대한 만사를 쓰다[挽趙都事惠而]

纔聞堊室靈烏集	겨우 들으니 악실1)에 신령스러운 까마귀 모였다 하더니
忽報靑山玉樹埋	갑자기 푸른 산에 옥수2)를 묻었다고 알려왔네
慈母淚垂曾舞服	사랑하는 어머님은 눈물 흘리며 무복3)을 바라보고
嬌閨日吊舊荊釵	상규는 달마다 옛 형차4)를 보고 우는데
煢煢苫塊孤兒哭	경경5)한 점괴6)에서 어린아이 울고
草草銘旌六品階	초라한 명정에 육품의 계급을 썼네
湖外斷魂招不得	호수 밖의 혼이 끊어져 불러도 오지 않으니
終南翠色爲誰佳	종남산의 푸른빛은 누굴 위해 아름다운가

주

1) **악실**(堊室): 벽에 진흙만 바른 거친 방. 상주(喪主)가 거처함.
2) **옥수**(玉樹): 재주가 뛰어난 사람.
3) **무복**(舞服): 자식이 늙은 부모를 안심시키고자 입고 춤추던 아롱 옷.
4) **형차**(荊釵): 가시나무로 만든 비녀. 검소한 부인용 장식품.
5) **경경**(煢煢): 외롭거나 근심하는 모양.

6) **점괴**(苫塊): 부모상 때 남자는 중문 밖에, 여자는 중문 안에 여막을 치고 거적을 깔고 흙덩이를 베개 삼는 일. 전하여 부모상을 당하는 일.

19. 두 번째 시[其二]

談鋒峻銳思氛氳	말은 창끝같이 날카로우나 생각은 부드럽고
月朝題評最數君	달마다 조회 때 평론을 지으니 그대가 가장 손꼽혔네
忽忽四旬如一夢	마흔 살에 갑작스런 죽음은 한바탕 꿈이런가
悠悠萬事遽孤墳	멀고 아득한 만 가지 일은 외로운 무덤에 맡겼는데
詩篇寂寞池塘草	지은 시가 적막함은 연못의 풀과 같고
尊酒悲凉渭水雲	항아리 술의 슬프고 서늘함은 위수의 구름 같네
惆悵倚樓難再見	슬프게 누각에 기대 있으나 다시 보기 어려운데
夕陽隣笛詎堪聞	석양의 이웃 피리 어찌 차마 듣겠는가

20. 이생 경에 대한 만사를 짓다[挽李生璟]

兩世追游里閈同	두 세대를 따라 놀며 한마을에 살았는데
習知襟抱有淳風	익히 아는 금포1)는 순진한 풍도 있었네
由來鄕社題評處	전해 오는 향사2)는 글을 평론하는 곳인데
忠孝慈仁每數公	그대는 충효와 인자함이 항상 많았네

주 1) **금포**(襟抱): 가슴속 마음.

21. 두 번째 시[其二]

孝心卽見淮陰葬	효도하는 마음은 곧 회음장1)을 보였고
友睦湏看公藝居	친구 간의 화목함은 모름지기 공예2)의 삶을 보았네
事死敦親苟如許	죽은 어버이를 섬기는 돈독함이 진실로 그와 같은데
男兒不必更求餘	남아가 반드시 다시 나머지를 구할 수는 없겠지

주
1) **회음장**(淮陰葬): 한의 개국공신인 회음후(淮陰候) 한신(韓信)이 모반죄로 참형을 당했으나 전공을 생각하여 죽은 후 왕의 예로 장사 지낸 일. 장례를 귀히 지내는 일.
2) **공예**(公藝): 당나라 때 운주 수장 사람. 9대가 한 집에 살았는데 당 고종이 태산에 갔다가 그 집에 들러 9대가 함께 살아온 비결을 물으니 참을 인(忍) 자 100여 개를 써주었다는 고사가 유명함.

22. 세 번째 시[其三]

才具恢恢百執事	재주 갖추어 백 가지 모든 일을 넓게 처리하고
謾敎剗牘徹楓宸	염독1)을 잘못 써서 풍신2)에 전달하였네
化翁戲劇誰能免	조화옹의 희롱을 누가 능히 면할 것인가
老死林泉自好人	늙어 임천3)에서 죽었다면 절로 좋은 사람이겠지

주
1) **염독**(剗牘): 공문(公文). 옛날 섬계에서 만든 종이로 공문을 쓰기 시작해 붙인 이름.

23. 네 번째 시[其四]

傑然新搆傍晴川	우뚝 솟은 새집은 청천 가에 있고
基業初成計百年	기업을 처음 이룰 때는 백 년 계획 있는데
石火光陰難駐得	석화 같은 세월을 멈추기 어려우니
風流斂却屋東阡	풍류를 거두어 집 동쪽 언덕에 묻네

24. 다섯 번째 시[其五]

貿貿斯鄉不解讀	무무1)한 마을에 글 아는 이 없어
芝溪書室賴君成	지계의 서실은 그대 믿고 이루었네
回堪三九年年會	서른아홉 살이 돌아오도록 해마다 모이기로 했는데
點檢蘭亭帖上名	난정의 명첩2) 위에 이름을 점검할 수 있을까

주
1) **무무**(貿貿): 교양이 없어 말과 행동이 서투르고 무식함.
2) **명첩**(名帖): 모일 사람의 명부.

25. 여섯 번째 시[其六]

去歲玆辰爲訪君	지난해 이날에는 그대를 찾았는데
盤梨壺酒勸慇懃	둥근 배와 한 병 술로 은근히 권하였지

今來一木呼誰應　　오늘 와 한 그루 나무 부르면 어느 것이 응할까
腸斷秋山日暮雲　　창자 끊어지는 가을 산에 해가 저물녘 구름
　　　　　　　　　　에 가리네

26. 일곱 번째 시[其七]

欲將何語慰精魂　　장차 어떤 말로 영혼을 위로할 수 있을까
有子兼將膝上孫　　아들 있고 겸하여 무릎 위에 손자도 있네
禍福悠悠如絲纏　　화와 복이 멀고 멀어 실타래 얽히듯 하였는데
佇看昌大李家門　　기다리면 이씨 문중이 창대함을 보리라

27. 계방에서 수직하다가 밤에 신정보와 조석오와 더불어 『창계집』1)에 차운하다[桂坊直夜與申正甫趙錫五次滄溪集韻]

寓直悲秋晚　　　　수직하면서 가을이 다 감을 슬퍼하고
清愁得友寬　　　　맑은 시름은 친구 덕에 너그러워졌네
棋詩仍取樂　　　　바둑과 시로 인하여 즐거움을 취하니
書史久抛看　　　　서사는 오래도록 보지 않았네
乘驛申朝發　　　　역마 타고 내일 아침 떠난다는데
(正甫明作赤城曝史之行 정보가 내일 적성에 폭사2)로 간다고 한다)
開燈此夜寒　　　　등을 켜니 이 밤이 춥구나
黃花傾小酒　　　　노란 꽃에 작은 술잔 기울이니
別意滿江干　　　　이별하는 뜻 강가에 가득하네

주　1) 『창계집(滄溪集)』: 조선 연산군 대부터 중종 대에 걸쳐 문신이며 문인인 문경동(文

2) **폭사**(曝史): 폭서(曝書). 책이 좀 먹지 않도록 햇볕을 쬐는 일. 또는 그러한 직책.

28. 신정보와 이별하다[別申正甫]

禁裏黃花暎別尊	궁중 노란 꽃이 이별하는 술잔에 비치는데
翰林催發沁洲轅	한림은 심주의 원문으로 떠나기 재촉하네
列朝秘史窺金匱	열조1)의 비사를 금궤2)에서 꺼내 보고
晴日奇觀對海門	갠 날 기이한 구경하려 해문3)에 있는데
城壘綢繆新廟略	성루에 그윽이 보이는 것은 새로운 사당의 모습
山川寃鬱幾英魂	산천에 원통하고 답답한 것은 몇 개의 영혼인가
要收錦帒淋漓草	모름지기 비단 주머니로 젖은 풀 거두어
倘寄盤溪寂寞村	혹 반계의 적막한 마을로 보내줄 수 있겠나

주
1) **열조**(列朝): 열성조(列聖朝). 역대 임금의 조정.
2) **금궤**(金櫃): 금으로 만들거나 장식한 궤.
3) **해문**(海門): 두 육지 사이에 끼어 있는 바다 통로.

29. 만사[挽]

峻淸言議厚風流	높고 맑은 말과 의논은 풍류가 두터웠고
斂却丘山過十秋	벼슬 거두고 구산으로 돌아간 지 십 년이 지났네
世事累經桑海變	세상의 일은 여러 번 상해1)의 변을 겪었고

才猷幾惜夜臺幽　　재주와 꾀는 몇 번이나 야대2)의 그윽함을 애
　　　　　　　　　석해했나
王韠零落孤孫夭　　왕의 자리 영락하니 외로운 손자 요수하고
姜被凄凉一弟留　　강피3)가 처량하니 한 아우가 머물렀는데
移卜佳城魂可慰　　가성4)을 점쳐 옮겼으니 혼은 위로받을 것이나
師門鄕里又松楸　　사문5)과 향리에는 또 송추6)가 생겼구려

1) **상해**(桑海): 세상의 변화가 심함. 상전벽해(桑田碧海).
2) **야대**(夜臺): 무덤.
3) **강피**(姜被): 부부가 함께 덮고 자던 이불.
4) **가성**(佳城): 무덤을 성에 비유하는 말.
5) **사문**(師門): 같은 스승의 문하.
6) **송추**(松楸): 산소 둘레에 심는 나무를 통틀어 일컬음. 주로 소나무와 가래나무를 심음.

30. 만사[挽]

尚書聲望動朝紳　　상서의 성망은 조신1)을 움직였는데
斂却丘山度幾春　　벼슬 버리고 구산으로 간 지 몇 해나 지났는가
繡笏威稜今尚記　　비단 홀의 위엄을 지금까지 아직 기억하는데
青鳥塋域忽重新　　청오2)의 묘역이 갑자기 거듭 새로워졌네
時艱轉切思先輩　　때가 어려워지니 간절히 선배가 생각나는데
夜厚何由作此人　　밤 깊으니 무슨 까닭으로 이 사람을 짓는가
白首塵埃餘舊客　　흰 머리 먼지 속에 남은 옛 나그네
秋風哀淚自盈巾　　가을바람에 슬픈 눈물 절로 수건에 가득하네

1) **조신**(朝紳): 조정의 대관(大官).
2) **청오**(青鳥): 한나라 때 지리의 술법에 능통했던 청오자(青鳥子). 곧 묘지 쓰는 일.

31. 이자심에 대한 만사를 짓다[挽李子深]

零雨何濛濛	빗방울은 어찌 이리 부슬부슬 내리며
四野氣蕭瑟	사방 들의 기운은 쓸쓸하기만 하나
邈彼湖西山	저 먼 호서의 산은
草樹一荒沒	풀과 나무가 하나같이 거칠어졌는데
可愛江漢子	사랑스러운 강한의 아들
去去埋此中	가고 가다 이 가운데 묻었구려
昂藏好氣岸	높고 착한 기안은 좋았는데
豈與腐土同	어찌 썩은 흙과 함께 같이할까
唯應化星宿	다만 마땅히 별로 화하여
精英不蕭條	정령은 쓸쓸하지 아니할 것을
不然隨列仙	그러하지 않으면 여러 신선 따라
浮遊在雲霄	저 구름 낀 하늘에 부유하겠지
茲事亦怳惚	이 일 또한 황홀하였으나
終是一坏土	끝내 한 줌 흙이 되었네
生滅固如此	나고 죽는 것이 진실로 이와 같음을
伊余早已悟	나는 이미 깨달았었는데
猶自感疇昔	오히려 절로 옛일이 느껴져
泣涕臨路傍	울면서 길가에 서 있고
多慚古達者	옛날에 다다랐던 이를 생각하니 많이도 부끄러워
悲樂能雙忘	슬픔과 즐거움 모두 잊어버렸네

32. 정무백이 와서 이야기하다가 운을 불러 함께 짓다[鄭茂伯來話 仍呼韻同賦]

西林寒月着人衣	서쪽 숲 차가운 달이 사람 옷에 붙으니
溪畔逍遙未欲歸	개울가 거닐다가 돌아가려 하지 않는데
側岸燈明隣老坐	옆 언덕 등불 밝은 곳에 이웃 늙은이 앉아 있고
深村夜寂市聲稀	깊은 마을의 밤 고요하니 시장에서 나는 소리 드무네
山寒歲月駸駸暮	산이 추우니 세월은 점점 저물어가고
簾薄晨霜淺淺飛	주렴이 얇으니 새벽 서리 천천히 날아드는데
雅集何能容易得	좋은 문집을 어찌 쉽게 얻겠는가
出錢沽酒莫相違	돈을 내어 술 산다는 말 잊지 말게

33. 두 번째 시[其二]

坐久霜寒透客衣	오래 앉아 있으니 차가운 서리 나그네 옷에 스며들고
要君呼酒醉無歸	모름지기 그대 불러 취하니 돌아갈 뜻 없네
青燈照眼佳詩出	푸른 등불 눈에 비치니 아름다운 시 나오고
皎月窺襟俗語稀	밝은 달이 가슴 엿보니 속된 말 드물구나
愁苦百年如海濶	시름과 고통으로 백 년은 바다같이 넓은데
功名雙鬢欲蓬飛	공명 때문에 두 귀밑머리가 쑥처럼 날고자 하네

柳巷(五字決)　　　　　　버들 거리(다섯 글자 빠지다)
雪裏招邀豈肯違　　　　　눈 속에 부르는데 어찌 어길 수 있겠나

34. 세 번째 시[其三]

世事浮雲變狗衣　　　　　세상일 뜬구름 같아 개가죽처럼 변하는데
江山有約未言歸　　　　　강산에 언약 있어 돌아간다 말 못하네
此居稍與雲林近　　　　　여기 사니 조금은 운림과 가깝고
同里仍兼俗客稀　　　　　같은 마을 잇대어 있으니 속객이 드물구려
吾欲酒盃長醉倒　　　　　나는 술 마시고 길게 취하여 쓰러지려 하는데
子於詩句自雄飛　　　　　그대의 시구는 자연히 웅비1)하네
天寒歲暮多愁思　　　　　하늘 춥고 해 저무니 시름이 많고
靑眼相逢意不違　　　　　청안으로 서로 만나니 뜻이 다르지 않네

주　1) 웅비(雄飛): 용감하게 나아가 활동함.

35. 황성운[계하]에 대한 만사를 짓다[挽黃聖運(啓河)]

骨緊神淸愷悌姿　　　　　뼈는 굳고 정신은 맑아 개제1)한 자태로
汝南評品遠相期　　　　　여남의 이름난 두 사람이 서로 먼 날 기약했
　　　　　　　　　　　　는데
靑春製錦豈生手　　　　　청춘의 비단 같은 글을 어찌 생수2)라 하겠는가
黃甲揭名如摘髭　　　　　황갑3)의 이름을 올리는 것이 수염을 만지듯
　　　　　　　　　　　　쉬웠네

暫試玉堂才未究	잠깐 옥당4)의 재주를 시험 받고는 능력을 펴지 못했고
倦遊蓮幕疾仍危	연막의 지루한 생활로 병이 위태로워졌는데
最憐兩老方無恙	가장 애처로운 것은 늙은 부모 병이 없으나
五箇棠華太半衰	다섯 형제 중 태반이 먼저 죽었다는 것일세

1) 개제(愷悌): 얼굴과 기상이 화락하고 단아함.
2) 생수(生手): 생무지. 어떤 일에 익숙하지 못하고 서툰 사람.
3) 황갑(黃甲): 과거 갑과(甲科)에 급제한 사람 이름을 누런 종이에 씀.
4) 옥당(玉堂): 홍문관의 부제학(副提學), 교리(校理), 부교리(副校理), 수찬, 부수찬을 통틀어 일컫는 말.

36. 두 번째 시[其二]

終南峯上春携酒	종남산 위에 봄날 술 끌고 올라가고
盤谷池邊夜命驂	반곡의 못가로 밤에 나귀를 몰았네
花月娛心同快詠	꽃과 달에 편안한 마음으로 함께 쾌히 읊었고
峨洋奏曲不相慚	아양의 곡조를 연주했으나 서로 부끄럽지 아니했네
吾年與子纔差一	내 나이 그대와 겨우 한 살 차이인데
舊伴如今已哭三	옛 친구 중 지금까지 이미 셋을 잃었네
蓮榜何堪仙字寫	연방1)에 어찌 '선' 자를 쓸 수 있었을까
瓊枝埋却漢津南	경지2)를 한진 남쪽에 묻었구려

(終南一作蚕頭 終南盤谷之會 愼子貞 尹養直 同之故云 종남산은 다른 이름으로 잠두라고도 한다. 종남과 반곡의 모임에 신자정과 윤양직이 함께 갔으므로 말한 것이다)

1) 연방(蓮榜): 조선 시대에 사마시(司馬試)인 생원과(生員科), 진사과(進士科)의 향시

(鄕試), 회시(會試)에 합격한 사람의 이름을 적은 명부.

2) **경지**(瓊枝): 옥수경지의 준말로 귀가(貴家)의 현재(賢才)를 가리킴.

37. 저녁이 되어 이자우1) 집에서 이야기하다[至夕話李子雨宅]

■ 두시 소지운에 차운하였다. 신경소, 이백온2), 신정보, 신명원3)이 함께 지었다[次

杜詩小至韵 愼敬所 李伯溫 申正甫 明遠 同賦].

雪蒼蒼歲月催　　　　구름과 눈이 창창하여 세월을 재촉하는데

地中陽氣幾分來　　　　땅 속에 양기가 얼마만큼 왔는가

譚逢戲劇爭歌幘　　　　이야기하며 만나서 즐겁다가 가책4)을 다
　　　　　　　　　　　투고

詩欲安排久畫灰　　　　시를 안배하고자 오랫동안 재 위에 금을 긋고

開戶朗吟來好月　　　　문 열고 밝게 읊으니 좋은 달 오고

巡簷索笑發孤梅　　　　처마 따라 웃음을 찾으니 외로운 매화 같네

烏紗朝日風埃裏　　　　사모 쓰고 아침 해에 바람과 먼지 속으로 갔
　　　　　　　　　　　는데

不意今宵有此杯　　　　오늘 밤 이 술자리 뜻밖이구나

주

1) **자우**(子雨): 조선 중기 문신 이유(李濡, 1645~1721)의 자. 본관 전주. 호는 녹천(鹿
川). 세종의 다섯째 아들인 광평대군(廣平大君) 여(璵)의 후손으로 당대의 경세가.
시호는 혜정(惠定).

2) **백온**(伯溫): 조선 중기 문신 이위(李暐, 1676~1727)의 자. 본관은 전주. 호는 두천(斗
川). 영천군수를 지냈음.

3) **명원**(明遠): 조선 중기 문신 신방(申昉, 1685~1736)의 자. 본관은 평산. 호는 둔암(鈍
庵). 경상 감사, 대사헌, 대사간, 이조 참판 등을 지냈음.

4) **가책**(歌幘): 노래하는 가수가 두르는 머리싸개. 이 글에서는 시를 짓는 일을
말함.

38. 두 번째 시[其二]

茅簷喔喔聽鷄催	띠로 인 처마에 울어대는 닭의 재촉 들으니
曙色凉凉與月來	새벽빛 시원하게 달과 함께 오는데
興到共酬杜陵韻	흥이 이르자 함께 두릉의 운을 서로 주고받고
愁多且撥坡翁灰	시름 많아 또한 파옹의 재를 긋네
病軀搘杖看星漢	병든 몸으로 막대 짚고 나가 은하수를 보니
清意浮眉近竹梅	맑은 뜻, 뜬 눈썹은 대나무와 매화에 가까운데
深喜主人能好客	주인이 손님 좋아하는 것 몹시 기뻐
剩酤隣酒更添杯	남은 돈으로 이웃의 술 사다가 다시 잔을 더하네

39. 이용경 댁에서 경산군수 윤숙구의 송별연을 하면서 장자직이 지은 시에 차운하다[李龍卿宅 餞慶山倅 尹叔求 次張子直韻]

■ 복판1) 이혜백이 또 와서 전별하다[李惠伯以僕判亦來餞]

明朝一別作他鄕	내일 아침 한 번 이별로 타향이 되겠지
共惜燈前此夜長	함께 등불 앞에서 이 긴 밤 아끼는데
太僕盃盤新品味	태복의 술과 안주는 새로운 품격과 맛이고
使君衣佩政華光	사군의 옷에 찬 정화2)는 빛이 나네
人間未易逢佳會	인간이 아름다운 기회 만나기 쉽지 않은데
嶺外誰能勸滿觴	재 밖의 누가 능히 가득한 술잔 권할까

| 況復領原分手近 | 하물며 다시 이별해 영원으로 갈 날 가까우니 |
| 預愁千里足氷霜 | 천 리 길에 얼음과 서리를 미리 시름하네 |

> **주**
> 1) **복판**(僕判): 태복시의 책임자.
> 2) **정화**(政華): 관리의 화려한 표지. 기장(記章).

40. 동교1)에서 둘째 형님을 보내고 돌아오는 길에 즉석에서 지어 읊다[東郊送仲君 行歸路口占]

橋頭酒盡仍成別	다리 근처에서 술이 떨어지자 이내 이별을 이루고
歸馬遲回立小皐	돌아오는 말 천천히 걸어 작은 언덕에 서 있는데
行斾搖搖看漸遠	가는 깃발 흔들흔들 점점 멀리 보이니
更携安姪數登高	다시 조카 안을 데리고 서둘러 높은 곳으로 올라가네

> **주**
> 1) **동교**(東郊): 동쪽의 들이나 교외.

41. 납일에 또 이자우를 위하여 모름지기 이야기하다[臘日又爲李子雨要話]

■ 늙은 두보의 납일 운을 써서 차운하니 저녁까지 이른 것이다. 신경소, 이백온, 오명중1)이 함께 짓다[次老杜臘日韻用至夕例也 愼敬所李伯溫吳明仲同賦]

(夜爲圍棋到明始賦 밤에 바둑을 두다가 아침이 되어서야 처음 짓다)

西城南岳不相遙	서성과 남악이 서로 멀지 아니하니
薄暮招携長夜消	어스름에 불러서 함께 긴 밤을 지새우는데
歲色居然當臘日	세월은 빨리 가서 납일이 되었고
春光如許上梅條	봄빛이 이와 같이 매화 가지에 올랐네
歡呼飮酒追前夕	깊이 부르며 마시는 술 지난밤부터 이어졌는데
爛熳題詩到詰朝	난만하게 시를 짓다가 힐조2)에 이르러 마쳤네
冉冉莫愁燈火暗	등불이 염염3)해 어둡다고 근심하지 마라
煌煌初旭散靑霄	아침 햇살 황황4)하게 푸른 하늘에 흩어지는 것을

42. 입춘에 교외로 나가다[立春日郊行]

■ 경인년(1710)

南山朝日照雙眸	남산의 아침 해가 두 눈동자 비추니
林杪微微暖氣浮	숲 끝자락에 미미하게 따스한 기운 뜨는구나
多謝東君扶我病	동군이 병을 잡아주니 깊이 감사하여
晴郊縱轡辦閒遊	갠 들에 고삐 놓고 한가로이 노니네

43. 윤형중(하교)의 아들에 대한 만사를 짓다[尹亨仲(夏敎)子挽]

■ 세 수를 짓다[三首]

丹穴雙雛爛有光　　단혈1)에 두 마리 새끼가 찬란하게 빛이 있더니
托君庭樹共翺翔　　그대의 집 뜰 나무에 의탁해 함께 퍼덕이네
靑山惜此還收去　　푸른 산이 애석하게도 이것을 도리어 거두어
　　　　　　　　　가니
斷盡空巢老鳳腸　　끊긴 빈 둥지에는 늙은 봉황의 창자 끊어지네

주　1) 단혈(丹穴): 봉황이 사는 굴.

44. 두 번째 시[其二]

菌枯樗壽誰曾較　　버섯은 마르고 가죽나무는 장수하니 누가 일
　　　　　　　　　찍이 비교할까
玉折蘭摧人共悲　　옥은 부수어지고 난초는 꺾어지니 사람이 모
　　　　　　　　　두 슬퍼하네
想像石城山下葬　　석성산 아래 장사 지낼 것을 생각해보라
爺孃老淚幾行垂　　부모의 늙은 눈물이 몇 줄이나 흘렀는가

45. 세 번째 시[其三]

江南春物爭芳菲　　강남 쪽 봄에 생물이 방비1)를 다투는데

勃勃皆含生意歸	모두 생의2)를 발랄하게 품고 돌아오네
胡爾弟兄歸不得	어찌하여 너의 아우와 형은 돌아옴을 얻지 못하는가
門閭望望但斜暉	마을 어귀 문에서 바라보니 다만 해가 비끼네

46. 동짓날 밤 모임에 제자들이 다투어 시를 지으며 즐기다[至夕 之會諸子爭賦詩以樂之]

이백온이 홀로 슬퍼하며 즐김이 없어서 그 까닭을 물으니 말하기를 죽은 아이의 복한1)이 다하지 아니하여 읊고 싶지 않다고 하며 끝내 짓지 않았다. 한 달이 지나자 이에 그 운을 써서 도아시2) 두 편을 지어 여러 친구에게 보여주며 화답하기를 요하였다.

그 아이는 재주는 있으나 어려서 죽었는데 맏형님의 집에서 가장 뛰어난 아이였으므로 슬픔이 그치지 않아 이 시를 지었다고 한다. 또한 사람들에게 그 정을 말해달라고 요구할 뿐이다.

그러나 그 말이 슬프고 아파서 사람으로 하여금 감히 읽지 못하게 하였고, 또한 감히 화답하지 못하게 하여 질질 끌면서 약속을 어기고 말았다. 지금 저곡3)의 모임에 와서 붓을 달려 화답한다.

獨李伯溫 悄悄無歡悰 問其故 曰亡兒服限未終 不欲吟咏遂終不賦 易一月乃用其韻 作悼兒詩 二篇 示諸友要和之 盖其兒之才而夭 有類於白家崔兒故 悼念不已 有此作 又要人道其情耳 然辭語凄楚 令人不堪讀 又不堪和 遷延違負矣 今又赴苧谷會 走草以荅之

惻惻庭梧霜雪催	측측[4]한 뜰 오동나무에 눈서리 재촉하는데
雛鸞一去何時來	한 번 간 난새[5]의 새끼 언제나 오려나
支頤忍想吟詩樣	손으로 턱 괴고 차마 시 읊을 생각하지 못하니
釀淚空沾畫字灰	눈물이 고여 속절없이 획자회[6] 위에 떨어지네
皎面閃牕驚曉月	하얀 얼굴 창에 비치니 새벽달인가 놀라고
芳魂返蘂羨孤梅	꽃다운 혼이 꽃으로 돌아오니 외로운 매화가 부러워하네
東門欲借無憂法	동문[7]의 근심하지 않는 법을 빌리고자 하여
須進床頭滿滿盃	모름지기 상머리에 나가 잔을 다시 가득 채우네

주

1) **복한**(服限): 가례에 정해진 복제(服制)의 시한. 부모상은 3년 복한.
2) **도아시**(悼兒詩): 죽은 아이를 슬퍼하는 시.
3) **저곡**(苧谷): 저자가 살던 이웃 마을 이름.
4) **측측**(惻惻): 몹시 슬퍼하는 모양.
5) **난새**: 중국 전설에 나오는 상상의 새. 모양은 닭과 비슷하나 깃은 붉은빛에 다섯 가지 색채가 섞여 있으며 소리는 오음(五音)과 같다고 함.
6) **획자회**(畫字灰): 재 위에 긋는 글자. 남당의 열조와 송제구가 정사를 논하며 재 위에 썼다가 지운 고사에서 전함.
7) **동문**(東門): 중국 위나라 사람. 동문오(東門吳). 자식이 죽었는데 슬퍼하지 않았다고 함.

47. 연화계에서 전석[1] 시에 삼가 차운하여 맏형님을 예산의 임소로 보내다[敬次讌和稧餞席韻 送長公赴禮山任]

■ 짧은 서문을 아우르다[竝小序]

둘째 형님을 재 밖으로 보낸 지 겨우 석 달인데, 맏형님께서 또 호서로 나가셨다. 조카인 병정과 병관이 따라갔는데 이를 어찌 감당할까. 호서는 재 밖에 비해 조금 가깝고 사당을 모시고 가니, 또한 초하룻날마다 첨배[2] 장소를 잃어버리게 된다. 이 일을 더욱 어찌 감당할까. 생각해보니 옛날 벽제에서(신유년에 선군자께서 김제군을 다스렸다) 맏형님께서 바야흐로 장년이셨고, 아우는 겨우 열두 살이었다. 이때 한 가지 즐거움이 있었는데 잠시 서울로 이별하였더니 지금과 같았다.

그러나 이별에 임해 지금 맏형님은 연세가 이미 많으시고 아우는 머리털이 세려 하는데 외로움과 슬픔과 쓸쓸함과 끝없는 아픔을 안고 이 호수 밖의 넓은 곳으로 가시니 이를 어찌 더욱 감당할까. 그러나 자세하지는 않지만 늙어감을 슬퍼하는 생각을 아이들이 알까 두렵다. 이미 전별시를 지었는데 백성을 다스리시는 생각을 하다 시를 지어 보냈다. 맏형님께서 둘째 형님에게 보내시는 글을 보니 고을을 다스리는 규모가 다 갖추어져 있어서 다른 생각이 없었다. 어찌 족히 아우의 가르침을 기다린 뒤에 다스릴 수 있을까. 맏형님을 위하여 말하지 않을 수 없는 것은 우리 형제가 모두 사람을 다스렸는데 사납지 아니함으로 인한 두려움이다.

맏형님은 인자함 또한 지나치시다. 인자함이 참으로 좋은 덕이기는 하나 혹 너그러움으로 인해 말세의 백성들에게 위엄이 없으실까 두렵다. 정자산[3]의 말에 따르면 크게 사나우면 백성들이 두려워하므로 죽음을 당하는 자가 드물고, 물이 약하다고 백성이 업신여긴다면 죽음을 당하는 자가 많다는 것이다.

그러므로 너그럽기는 어려운데 큰물을 두려워하여 빠르게 피하면 죽는 자가 드물고 더디 피하면 죽는 자가 많다는 것이다. 너그럽고 인자하여 사납게 구제하지 못한다면 이 또한 백성을 빠뜨리는 것이다. 간절히 바라는 바는 맏형님께서 이 두 가지를 다 쓰셔야 하고 아우 또한 항상 주부자가 오위4)에게 답한 세 번째 글로 둘째 형님께 바친다.
해는 경인 이월 상순이다.

送仲君於嶺外 纔三月長公又出湖西 阿鼎與觀 隨往 此何以堪焉 湖
西比嶺外差近而 奉侍祠廟而去則 又失月朔瞻拜之所矣 此尤何以
堪焉 念昔於碧堤(辛酉先君子治金堤郡) 長公方壯年 弟纔十二歲矣當
斯時 保有一樂而 曁時京洛之別猶玆 然臨岐 今長公年已衰 弟髮欲
斑 抱孤露無涯之痛而 有此湖外之契潤此尤何以堪焉 然不湏仔細
以傷遲暮之懷而 亦恐兒輩覺爾飢賦餞詩 思有治民之說 以送行而
向見長公臚仲君之文 治邑規模備盡而無餘蘊矣 又奚足待弟規然有
不能不爲長公言者 吾兄弟御人 俱患不猛而 長公慈仁又過焉慈仁
固吉德 有或失之於寬無以威 季俗之民 鄭子産之言曰大烈民望而
畏之 故鮮死焉 水弱民狎而玩之則多死焉故寬難 盖畏則避之速故
鮮於死玩則避之遲故多於死 寬仁而不以猛濟之則亦陷民也 窃冀長
公之兩用之 此亦弟向以朱夫子荅吳尉第三書獻仲君之意也 歲庚寅
二月上澣

| 湖嶺聯翩伯仲行 | 호서와 영남에 이어 맏이와 둘째가 가고 |
| 此筵重是箭橋情 | 이 자리에서 전교5)의 정을 거듭 펴는데 |

(去冬送仲君行於箭橋 지난겨울에 둘째 형님을 전교에서 보냈다)

| 渚鴻切切初賓塞 | 물가의 기러기 절절6)하게 처음 북에서 손님으로 오고 |
| 禁柳青青欲嚲城 | 궁전의 버들은 푸르고 푸르러 성에 늘어지고자 하네 |

官自僻閒從印合	외지고 한가로운 고을 벼슬살이는 수령 모임 잦고
政仍平簡與琴淸	정치를 평간7)하게 하면 거문고 소리처럼 맑은데
迢迢三處參商恨	멀고 먼 세 곳에서 참상8)하는 한은
一樣春牕夜雨聲	한결같이 봄 창에서 밤비 소리 듣게 하네

주
1) **전석**(餞席): 이별하는 자리.
2) **첨배**(瞻拜): 선조나 선현의 묘소나 사우(祠宇)를 우러러 배례(拜禮)함.
3) **정자산**(鄭子産): 중국 정(鄭)나라 재상. 춘추전국시대 제일의 외교가로 꼽힘.
4) **오위**(吳尉): 송나라 유학자.
5) **전교**(箭橋): 지명. 대나무를 엮어 다리를 처음 놓아 붙인 이름.
6) **절절**(切切): 계속하여 작게 들리는 소리.
7) **평간**(平簡): 다스려서 잘못이 없는 것이 평(平)이요, 화평하고 온순해 시비가 없는 것이 간(簡)임.
8) **참상**(參商): 서로 떨어져 있어 만날 수 없음을 이르는 말.

48. 이보의 셋째 아들에 대한 만사를 짓다[挽頤甫第三子]

■두 수를 짓다[二首]

面如白玉心如面	얼굴은 백옥 같고 마음은 얼굴 같은데
一見可知其父兒	한번 보면 바로 그 아비의 아들임을 알았지
蘭蕙未爲長久物	난초와 혜초1)는 오래 자라는 사물이 아닌데
化翁茲事不勝疑	조화옹이 이 일로 의심을 이기지 못했네

주
1) **혜초**(蕙草): 난초의 한 종류. 향기가 짙음. 사람의 성정이 아름다움.

49. 두 번째 시[其二]

父子三人相繼亡　　아비와 자식 세 사람이 연이어 죽으니
泉臺便設負暄堂　　황천으로 문득 훤당을 지고 가는데
(貞谷堂號 훤당은 정곡1)의 당호2)이다)
哀辭雖欲鋪張汝　　애사로 너를 포장3)하고자 하나
不忍年年苦語長　　해마다 쓴 말이 길어짐을 참지 못하네

주　1) **정곡**(貞谷): 조선 중기 서예가 이수장(李壽長, 1661~1733)의 호. 자는 인수(仁叟).
　　본관은 천안.
　2) **당호**(堂號): 집의 이름에서 따온 그 주인의 호.
　3) **포장**(鋪張): 펴서 넓힘.

50. 헌납1) 심사홍2) 어른을 천장3)하며 만사를 짓다[沈獻納思泓丈遷葬挽]

墓草春光十七更　　묘의 풀은 봄의 풍경을 열일곱 번 고쳤는데
海隅靈嶽改新塋　　바닷가 신령스러운 산의 새 무덤으로 모시네
竹林蕪沒當時跡　　죽림이 당시의 자취 덮어버리고
薇省流傳善諫名　　미성1)에 착한 간관의 이름 세상에 널리 전해
　　　　　　　　　지는데
泉下因緣雙劍合　　황천의 인연으로 두 칼이 합해지고
人間緒業二孫煢　　인간의 서업2)으로 두 손자가 외롭네
追思先好兼隣近　　선대의 좋은 인연 추사3)하고 가까운 이웃 되
　　　　　　　　　었는데
回首津城涕滿纓　　진성에 머리 돌리니 눈물이 갓끈을 적시네

1) **미성**(薇省): 중서성(中書省)의 별칭. 행정기관을 총괄하는 마을. 자미성(紫薇省) 또는 미원(薇院).

2) **서업**(緒業): 시작하여 놓은 일.

3) **추사**(追思): 지나간 일을 돌이켜서 생각함.

51. 둘째 형님께서 금성으로 귀양 가는데 전별하다[別仲君竄錦城]

風雨蕭蕭江漢秋	비바람 쓸쓸한 강한의 가을날
孤飛一雁天南州	외로이 나는 기러기 한 마리 하늘 남쪽 고을로 가네
遙憐來夜烏山話	멀리서 가련한 마음으로 오늘 밤 오산의 일 이야기하며

(烏山禮山號 오산은 예산의 다른 이름이다)

幾到松潭病弟留	몇 번이나 송담으로 와서 병든 아우 위로했던가

52. 두 번째 시[其二]

雷雨有時乖節候	뇌우는 절후1)를 어겨 내리는데
阨窮還是養身心	액궁2)으로 도리어 마음과 몸을 기르게 되네
涪陵遠謫何曾憾	부릉3)으로 멀리 귀양 가나 어찌 한 남겠으며
只要經綸卷裏尋	다만 경륜4)을 책 속에서 찾으시기를 바라네

1) **절후**(節侯): 1년의 계절과 기후를 측정하기 위해 15일 한 절로 삼고 5일을 한 후로 한 것. 총 24절 72후임.

53. 비 온 뒤에 낙계에 이르다[雨後到樂溪]

銀竹斜還滅	은죽1)은 비끼었다가 다시 사라지고
金波翳復明	달빛 어린 금빛 물결 가렸다가 다시 나오는데
白雲多舊意	흰 구름은 옛날 뜻이 많아
迎我出山楹	나를 맞으러 산 집으로 나왔네

주 1) **은죽**(銀竹): 은빛 나는 대나무 줄기. 퍼붓는 소나기를 비유적으로 이르는 말.

54. 낙계로 가는 말 위에서 임창세가 지은 시에 차운하다[往樂溪馬上 次任昌世韻]

怱怱度城闕	총총히 성과 궁궐을 지나고
悠悠涉川陵	유유히 내와 언덕을 건너니
世念稍自除	세상 생각은 점점 절로 사라지고
幽事殊可稱	숨겨진 일은 다르다고 말할 수 있네
石梁鯉魚肥	석량1)에서 게와 물고기 살찌고
里場禾穀登	마을 들에는 벼와 곡식이 영그는데
江漢有歸舟	강한에는 배 돌아오고
秋濤可易凌	가을 물결은 쉽게 불어나네

靑山列東南	푸른 산은 동남으로 줄지어 있고
白雲隨意興	흰 구름은 뜻대로 일어나는데
飄飄憑汗漫	나부낌이 한만함에 의지하니
鸞鶴若可乘	난새와 학이 탈 만하네
如何十載間	어찌하여 십 년 동안
羈靮脫未能	굴레에 얽매어 벗어나지 못하는가
山花笑殺人	산꽃은 웃으며 사람을 죽이니
或恐逢道僧	혹 도승2)을 만날까 두렵네
勛華大事業	훈화3)는 큰 사업이라
尙爲高人憎	항상 높은 사람의 미움을 받는데
況此五斗米4)	하물며 이 다섯 말 쌀은
區區愧何勝	구구한 부끄러움을 이길 수 있으며
豈肯終蓬蒿	어찌 끝내 봉호5)를 즐겨서
風厚方徙鵬	바람 심하니 붕새 따라 옮겨갈까

주 1) **석량**: 돌을 주축대로 하고 나무를 기둥 및 상판으로 하여 만든 다리.
   2) **도승**(道僧): 도가 높은 스님.
   3) **훈화**(勛華): 요순(堯舜)과 같은 선정(善政).
   4) **오두미**(五斗米): 닷 말의 쌀이라는 뜻으로 흔히 현령의 얼마 안 되는 봉급을 이름.
   5) **봉호**(蓬蒿): 쑥. 쓸모없는 풀. 미천함을 뜻함.

55. 두 번째 시[其二]

炭川以東南	탄천1)은 동남쪽에 있고
長林抱高陵	긴 숲은 높은 언덕을 싸안는데
其中邃而曠	그 가운데는 깊고도 넓어
淸幽絶可稱	맑고 그윽함이 빼어나다고 칭할 만하네

吾姪喜閒居	내 조카 한가히 삶을 기뻐하여
長嘯慕孫登	모손등²⁾에서 길게 휘파람 부는데
臨溪起小樓	개울가에 작은 누각 짓고
高擧雲霞凌	높이 올라가 운하를 업신여기네
風埃老叔意	티끌 바람 아저씨의 뜻이라
匪汝誰能興	네가 아니라면 누가 능히 일으킬까
公門得少暇	공문에 작은 여가 얻어
野趣聊蹔乘	들에서 노는 취미를 애오라지 잠깐 타네
佳期豈終負	아름다운 약속을 어찌 끝내 저버릴까
命駕余亦能	수레를 끌고 나 또한 가고
行行一筇竹	가도 가도 하나의 대나무 막대뿐인데
淡泊類山僧	담박함이 산승과 같네
鷗鳥若相喜	갈매기와 새처럼 서로 기뻐하고
靑山不我憎	푸른 산은 나를 미워하지 않는데
入林見燈火	숲에 들어가 등불을 보니
已敎興難勝	이미 일어난 흥을 이기기 어렵네
檻外聽叫喚	헌함 밖에 부르는 소리 들려와
應汝談莊鵬	마땅히 너와 장대한 붕새를 이야기하네

 1) **탄천**(炭川): 경기도 용인에서 광주를 거쳐 한강으로 흘러드는 내.

2) **모손등**(慕孫登): 지명. 집 나간 손자를 생각하며 항상 산꼭대기에 올라 바라보는 언덕.

56. 병정과 병태 두 조카와 유자(창세의 자)가 먼저 계림으로 나가 고기 잡는 것을 보고 내가 뒤에 이르니, 이미 운을 내어 시 를 지었으므로 마침내 차운하다[鼎泰兩姪與孺子(昌世字) 先出溪林觀

漁 余後至則已出韻賦詩矣 遂次之]

諸姪釣魚何處灣	여러 조카들은 고기 낚으러 어느 만으로 갔는가
却疑人響在深山	문득 사람 소리 깊은 산속에서 들려옴을 의심하는데
烏巾忽出楓林下	오건1) 쓰고 갑자기 풍림 아래로 나가니
靑柳枝頭貫鯽還	푸른 버들가지 머리에 붕어를 꿰어 돌아오네

주   1) 오건(烏巾): 문라건, 고려 시대에 남자들이 많이 쓰던 쓰개의 하나.

57. 집중의 정자에서 돌아와서 또 앞의 운을 쓰다[還執中亭子又用前韻]

竟日巾筇步水灣	날 저물도록 수건 쓰고 지팡이 짚고 물가를 거닐다가
尋亭便卽在高山	정자가 문득 높은 산에 있어 찾아갔는데
菊崖兀坐撚髭客	국화 언덕에 우뚝 앉아 수염 쓰다듬는 나그네
覓得佳詩幾句還	아름다운 시를 찾아 몇 구나 얻고 돌아왔는가

(尾聯指孺子 미련1)은 유자를 가리키는 것이다)

주   1) 미련(尾聯): 한시의 율시에서 마지막 두 구를 아울러 이르는 말.

58. 구월 스무사흗날 밤에 윤이성 댁에서 여러 친구가 술을 마

련해 나를 흡현1)으로 보내며 운을 불러 각각 짓다[九月卄四夜
尹伊聖宅 諸友置酒送我歙縣 行呼韻各賦]

■ 이성, 성득, 경소, 백온, 명중, 정보, 중례가 모였다[伊聖聖得敬所伯溫明仲正
甫仲禮會]

潦倒爲官吏	요도2)로 관리가 되어
離尊當此宵	이 밤을 당하여 술 항아리를 떠나네
蕭疎涼雨夕	쓸쓸하고 서늘하게 비 오는 저녁
搖落古槐條	요락함이 옛 홰나무 가지에 있는데
朋友悤悤別	벗들과 총총히 이별하고
山川去去遙	산천은 가도 가도 멀기만 하네
菊花猶未老	국화는 아직 늙지 않았으니
留飮免愁饒	뒷날 마시면 요기 걱정 면하겠네

주 1) 흡현(歙縣): 오늘날의 강원도 통천군 흡곡면.
2) 요도(潦倒): 관리가 될 재주가 없는 모양.

59. 낙산으로부터 삼십 리 되는 마을 집에서 투숙하고 이
튿날 연화계에서 자평을 전별하여 보내는데, 먼저 지어
서 유별에 화답하다[自樂山投宿三十里村舍 翌日讌和稧餞行子平 先賦
和以留別]

東郊遊子愁徘徊	동쪽 교외 노는 나그네 시름으로 배회하는데
歲暮天寒鴻鴈哀	해 저물고 하늘 차가우니 우는 기러기 슬프 구려

小酒靑門分手地	소곡주로 푸른 문에서 손을 나눠 이별하고
孤懷明日望鄕臺	외로운 회포 밝은 날에 고향 집을 바라보네
西邊警報眞堪怕	서쪽 가의 경보1)는 참으로 두려워도 감당하나
南郡音書未易來	남쪽 고을 소식은 쉽게 오지 않으니
莫謂海山諧宿願	바다와 산이 숙원과 어울린다 말하지 마라
爭如宗席數御盃	어찌 종친의 자리에서 다투는 어배 같을까

주 1) **경보**(警報): 왜구의 침략 등 어려움이 있을 때 알려주는 보고.

60. 누원에서 새벽에 떠날 때 조카 병정이 스무나흗날 밤에 지은 운으로 지어 보냈으므로 문득 차운하다[樓院曉發鼎姪以卄四夜韻賦贈却次]

長路自玆始	긴 길이 이제부터 시작되는데
旅怱將幾宵	여관 창문에서 몇 밤을 지새울까
曉光隨野鵲	새벽빛은 들 까치를 따라가고
寒響在庭條	차가운 소리는 뜰 나뭇가지에 있네
諸姪分歸盡	모든 조카는 흩어져 돌아가고
終南背指遙	종남산을 등지고 멀리 가리키니
馬鞍何所慰	말안장이 어느 곳에서 위로받을까
筒裡贈詩饒	통 속에 시를 넉넉히 보내네

61. 김화1)로 가는 길에 율시 두 수를 얻어 일원에게 보이다[向金

化路中得二律示一源]

好在花江守	좋음은 화강2)군수에게 있으니
山遊興若何	산놀이의 흥이 어떠하겠는가
談詩携雪岳	시를 말하며 설악산으로 끌고 가고

(一源於季秋與三淵子同遊楓岳三淵方居雪岳山 일원이 구월에 삼연의 아들
과 함께 풍악산에서 놀았는데 삼연3)은 그때 설악산에 살고 있었다)

尋瀑犯天河	폭포를 찾으니 은하수가 떨어지는 것 같네
吏事無相碍	관청의 일에 서로 막힘이 없으니
仙緣有自多	신선의 인연이 절로 많아지는구나
剩羞闤闇跡	저자의 남겨진 자취가 부끄러워
懶惰始經過	비로소 천천히 지나가네

> 주
> 1) **김화**(金化): 강원도 철원군에 있는 읍.
> 2) **화강**(花江): 김화의 다른 이름.
> 3) **삼연**(三淵): 조선 중기 문신 김창흡(金昌翕, 1653~1722)의 호.

62. 두 번째 시[其二]

楓岳元來有	풍악은 본래 있던 것인데
淵翁豈易偕	연옹1)이 어찌 쉽게 함께했을까
境隨携處勝	경계 따라 좋은 곳으로 끌고 가고
詩得品題佳	시는 아름다운 품제2) 얻었으니
往往傳奇句	가끔 기이한 구절 전해오고
迢迢企雅懷	아득한 아회3)를 도모하네
願分清福去	원하건대 맑은 복을 나누어가서

春日理芒鞋	봄날에 짚신을 준비하세

주
1) **연옹**(淵翁): 김창흡.
2) **품제**(品題): 경(經)의 내용을 품(品)으로 나눈 편장의 제목.
3) **아회**(雅懷): 고상하고 아름다운 생각이나 마음.

63. 보리밥처럼 생긴 바위[麥飯]

厚地忽中坼	두터운 땅 갑자기 중간이 터지니
其深何乃爾	그 깊이 어찌 이와 같은가
淡淡大川流	맑고 맑은 큰 내는 흐르고
歧出倒人字	갈라진 길은 거꾸로 된 '인' 자 모양일세
東南岸最高	동남의 언덕은 가장 높고
相持若怒視	상지1)하여 서로 성내는 것 같은데
石色皆黳黑	돌 빛은 다 검고 검어
差差立鯨齒	뾰족뾰족 고래 이빨이 선 것 같네
往往堆不收	가끔 흩어져 있으나 모을 수 없고
雛襞雲錦被	작게 주름진 구름은 비단 이불 같은데
坐岸俯川橋	언덕에 앉아 냇가의 다리를 굽어보니
人行在地底	사람 가는 것이 땅 밑에 있네
在橋仰崖岸	다리에서 언덕을 우러러 보니
人已入雲裏	사람은 이미 구름 속으로 들어갔고
扶持困降陟	고생을 견디며 오르내리니
僕馬愁欲死	종과 말은 시름으로 죽고자 하네
平生居城陌	평생 동안 도시에 살다가
條劇是所履	끝에 이곳을 밟았는데

豈知靑丘域	어찌 청구2)의 땅이
險阻有如此	험하고 막힘이 이 같은 줄 알았을까
若使嗣宗至	만약에 사종3)으로 하여 이르게 하면
狂懷竟何似	미친 회포가 끝내 무엇 같을까
停車更回顧	수레 멈추고 다시 돌아보니
歎息久未已	탄식이 오래도록 그치지 않네

1) **상지**(相持): 서로 버티면서 힘을 겨루는 모양.
2) **청구**(靑丘): 예전에 중국에서 우리나라를 부르던 말.
3) **사종**(嗣宗): 진나라 죽림칠현의 한 사람인 완적(阮籍)의 자.

64. 말 위에서 '하(何)' 자 운을 접하여 일원에게 응수하다[馬上疊何字韻酬一源]

暫聚旋違異	잠깐 모였다가 도리어 헤어지니
忙忙吏役何	바쁘고 바쁜 관청의 일이 어떠한가
閱詩燒短燭	시를 보느라 짧은 촛불 다 타들어가고
騎馬戴明河	말을 달리니 명하1)가 머리 위에 흐르네
寸祿驅相迫	작은 녹에 항상 구박2)되어
高懷減却多	높은 감회를 줄일 때가 많았는데
海民如小息	바닷가 백성이 조금 쉴 수 있다면
靈岳擬同過	함께 신령한 산 구경이나 할 것을

1) **명하**(明河): 은하수.
2) **구박**(驅迫): 들볶이고 쫓겨 다님.

65. 금성에 이르다[到金城]

■ 처음 이르렀을 때 주인인 군수가 안에서 곧 나오지 않았으므로 제오가 마땅히 시
중대1)에 있을 것이라고 말했다. 시를 지은 뒤에 주인인 군수 홍중복 여오가 왔다

[始到主倅在內不卽出 故第五云當在侍中臺 詩後主倅洪重福汝五]

雪山冷蕭瑟	설산이 차갑고 쓸쓸하니
征車未暫停	가는 수레 잠시도 멈출 수 없네
行行至金城	가고 가서 금성에 이르러
臨溪有此亭	개울에 이르니 정자가 있구나
入門問主人	문으로 들어가 주인을 묻고
脩然對蒼屛	소연하게 푸른 병풍을 대하여
試爲發一嘯	시험 삼아 한번 휘파람 불어보니
天風吹冷冷	하늘에서 바람이 냉랭하게 부네
相逢勸燒春	서로 만나 소춘주2)를 권하니
煖寒體氣寧	따스해져서 차가운 체기가 편해지고
盤蔬又情味	상 위 채소는 또한 정든 맛이 있어
聊以挹芳馨	애오라지 꽃다운 향기를 안아보네

> **주**
> 1) **시중대**(侍中臺): 삼면이 호수로 둘러싸인 관동팔경의 하나. 흡곡면에 있음.
> 2) **소춘주**(燒春酒): 이름난 술의 한 가지.

66. 이 군 계우(재연)가 지은 시에 차운하다[次李君季愚(齊淵)韻]

爛熳坡翁嶺外篇	난만하게 파옹의 「영외」편1)을 읽으니
詩佳亦復見人賢	시가 아름다워 또한 다시 사람을 어질게 보네
乾坤歲暮懷奇氣	건곤에 해 저무니 기이한 기운 안고

海嶽雲深結勝緣	해악에 구름 깊으니 좋은 인연 맺는구려
命駕淸言能竟暑	수레 세워놓고 맑은 시로 해 질 때까지 놀고
把盃新契欲忘年	잔을 잡고 새로 정 맺으니 나이를 잊고자 하네
他鄕可耐逢還別	타향에서 만났다가 또한 이별함을 감당할 수 있을까
春日毗盧後約堅	봄날 비로봉에서 만나자는 뒷기약을 굳게 하게나

주 1) 「영외(嶺外)」편: 소동파가 지은 책 이름.

67. 나가서 시중대를 관람하다[出觀侍中臺]

邑事相關凡一月	고을 일에 관계되어 무릇 한 달이 걸렸는데
藍輿始出侍中臺	가마 타고 비로소 시중대에 나왔네
海山不遣工詩句	바다와 산은 시구 짓게 하지 않고
心目惟收氣色回	심목1)은 다만 기색을 거두어 돌아오네

주 1) 심목(心目): 사물을 알아보는 마음과 눈.

68. 섣달 열흘 밤에 평곡에 모이다[臘旬夜會平谷]

■ 소서를 아우르다[竝小序]

첫가을에 둘째 형님께서 금성으로 귀양을 가신 후 첫겨울에 내가 흡주에 부임했다. 서로 거리가 거의 이천 리나 되니 생각할수록 더욱 아득하다. 이럭저럭 두 달이 지났구나. 그믐이 되어 내가 아들의 혼인 때문에 서울로 갈 때 둘째 형님도 또한 은혜를 입어 석방되어 돌아오셨다.

비록 아우가 서울에 있더라도 맞이하는 데 진실로 기쁨을 이기지 못하였거늘, 하물며 동쪽과 남쪽으로 나뉜 뒤라 마침내 이 모임의 기쁨이 더욱 어떠하겠는가. 둘째 형님과 함께 귀양 갔던 홍 학사와 이 학사 두 분도 차례로 성으로 들어와 서로 더불어 부르고 모으니 친구들도 왔다. 밤에 술자리를 만들었으니 참으로 기이한 모임이다. 이리하여 조카 정에게 명해 운을 부르게 하고 각각 시를 지었다(모인 손님들과 함께한 이야기에 대하여 짓다).

初秋送仲公謫錦城 孟冬余 赴歙州任 相距殆二千里 參商益杳杳 居然月又再殼矣 至晦 余以子婚 抵京時 仲公亦蒙恩放還 雖使弟在京而迎之 固不勝其喜 況東南分離之餘 適此聚合 喜尤當如如也 與仲公同竄洪李兩學士 次第入城 相與招集 親友亦至 作夜飮 信奇會也 遂命鼎姪 呼韻各賦(會客有同話錄)

秋風江漢葉分時	가을바람이 강한에서 잎을 나눌 때
此夕團圓未易知	이 밤 단원1)을 쉽게 알지 못했네
雙雁影連渾喜色	한 쌍 기러기 그림자 이어지니 모두 기쁜 빛이요
三仙簪盍信佳期	세 선인 모임 어찌 참으로 아름다운 기약이 아니겠는가
翩翩朋戚來隨後	펄펄 벗과 친척은 뒤를 따르고
滿滿盃觴勸不遲	가득 채운 술잔 권해도 더디지 않네
明日東歸愁欲老	내일 동쪽으로 돌아갈 근심에 늙어가는데

逢場還要贈行詩   이곳에서 돌아가 시 지어주기 바라네

(余將還歙縣故云 내가 장차 흡현으로 돌아가려 하기 때문에 말한 것이다)

69. 임군옥의 고의1)에 화답하다[和任君玉古意]

做官何太拙	벼슬살이 어찌 크게 졸하는가
寥廓滄海濱	고요하고 먼 바닷가에 있네
歲儉人不食	해가 흉년 들어 사람 먹을 것이 없는데
鵠烏連四鄰	고니와 까마귀는 사방에 늘어지고
囊中無太藥	주머니 속에 큰 약도 없으니
何以壽斯民	어찌 이 백성을 살릴까
佳哉海山色	아름답구나! 바다와 산의 빛이여!
却共愁眉嚬	문득 함께 시름으로 눈썹을 찌푸리는데
平生好詩句	평생 동안 시구를 좋아하니
誰能答新春	뉘 능히 새봄에 답할까
翩翩桂坊書	펄펄 계방으로 글이 날아들어
令我醒心神	나로 하여 심신이 깨어나게 하고
离筵記舊遊	자리를 떠나 옛날에 함께 놀던 일 생각날 터이니
別意仍細陳	이별할 때 그 뜻을 자세히 적어주게
君己厭苜蓿	그대는 이미 목숙2)을 싫어하고
我亦飫海珍	나는 바다의 진수에 물렸네
少來各所期	젊을 때부터 각각 기약한 것이 있는데

豈但如許人	어찌 다만 그러한 사람이 될까
緘封寄鬱悒	편지 봉하여 답답한 마음 부치니
此懷當與均	이 회포 마땅히 서로 고르게 가지리

 1) **고의**(古意): 시의 격식으로 의고(擬古)라고도 함. 전조(前朝)의 일을 읊으며 빗대어
　말하는 글.
2) **목숙**(苜蓿): 콩과에 속하는 일년초. 거친 밥을 말함.

70. 화천 가는 길 가운데서 입춘을 맞아 소릉[1]이 지은 시에 차운하다[和川道中遇立春次少陵韻]

■ 섣달 열이렛날 마땅히 납순[2]에 든다고 아래 지었다[臘十七日也 當入臘旬作下]

長路行無盡	먼 길을 가도 다함이 없는데
光陰又立春	세월은 또 흘러 입춘이 되었네
功名爲海客	공명을 위하는 바다의 나그네 되고
衰老似凡人	늙어가니 범인과 같구나
壯志渾依舊	장한 뜻은 모두 옛날과 같으나
羈愁轉覺新	시름에 얽매어 점점 새로운 것을
自羞靑嶂色	푸른 산 빛이 절로 부끄러워
玉立遠風塵	깨끗이 서서 풍진을 멀리하네

 1) **소릉**(少陵): 두보를 달리 일컫는 말.
2) **납순**(臘旬): 섣달 초열흘.

71. 신묘년(1711) 봄에 공사 때문에 원주에 갔다가 서울로 돌아오는 길에 신정보가 지내는 우천 석호정을 지나다가 율 한 수

를 얻다[辛卯春以公故到原州向洛之路 歷申正甫牛川石湖亭得一律]

念昔石湖亭	생각해보니 옛날 석호정에서
寄詩留我名	시를 부쳐 내 이름을 남겼는데
巖泉脚不到	암천1)에 발은 이르지 아니하였으나
光景筆能評	광경은 붓으로 능히 평가할 수 있네
江氣浮春水	강 기운은 봄물 위에 뜨고
沙禽夢舊盟2)	갈매기는 옛 맹세를 꿈꾸는데
主人能到否	주인은 이르지 아니했는가
役役愧玆行	고달픈 이 걸음이 부끄럽네

주
1) **암천**(巖泉): 바위와 샘. 아름다운 경치.
2) **사금몽구맹**(沙禽夢舊盟): 갈매기의 약속처럼 하찮아서 지켜지지 않고 생각만
나는 약속.

72. 오산의 향천사1)에서 놀다[遊烏山香泉寺]

■ 오산은 예산의 다른 이름이다[烏山禮山號]

春日登臨古寺樓	봄날 옛 사루에 올라오니
阿咸此地已先遊	조카가 이 땅에서 이미 먼저 놀았네
巖崖色帶書中見	바위 벼랑에 빛을 띤 것은 글 속에 보이고
泉水香生脚底流	샘물은 향기 내며 발밑으로 흐르네
無爾好詩同嘯詠	그대와 좋은 시를 함께 읊지 못하니
將吾佳興未遲留	아름다운 흥이 적어 오래 머물지 않겠구나

(七字落 일곱 글자 빠지다)

孤負禪房竹樹幽　　　　외로이 선방 나오니 대나무가 그윽하네

73. 이별하다[別]

適我東來君又西　　　　마침내 나는 동쪽으로 오고 그대는 서쪽으로
　　　　　　　　　　　가네
離筵幾度此松溪　　　　자리를 떠나 몇 번이나 이 송계를 건넜던가
悲歡哀哀人堪老　　　　슬픔과 기쁨이 이어져 사람은 늙어가고
榮辱滔滔路欲迷　　　　영화와 욕됨이 도도하여 길을 잃으려 하네
濠上亭孤官柳細　　　　해자1) 위의 정자는 외롭고 관청의 버들은 가
　　　　　　　　　　　는데
侍中臺逈海雲齊　　　　시중대는 멀고 바다 구름은 가지런하네
明朝一盞同誰把　　　　내일 아침에 누구와 한잔 같이할까
莫違催驅五馬蹄　　　　오마의 발길 재촉하기를 어기지 마라

74. 이천의 어른 신수일 씨에 대한 만사를 짓다[挽利川愼丈壽一]

甥舘扳遊義契融　　　　생관1)에 함께 놀아 의리 맺어짐 화목했고
醇眞自有大家風　　　　순진하여 진실로 대가풍도 있었네
高文不入公車選　　　　글은 높으나 공거2)의 뽑힘에 못 들었고
剝牘終慳官籍通　　　　염독은 끝내 관적3)에 오르지 못하였네

零落篋書傳一子	영락한 상자의 글은 한 아들에게 전했고
倀偟里塾泣羣蒙	장황4)한 마을 서당에서는 여러 아이들이 우
	는데
那堪海域封哀輓	어찌 바닷가에 무덤 쓰고 슬퍼하는 만사를
	감당할까
哭向西天萬事空	서천을 향해 우니 만사가 속절없네

주
1) **생관**(甥館): 사위가 거처하는 방.
2) **공거**(公車): 나라에서 치르는 과거.
3) **관적**(官籍): 관원의 명부.
4) **장황**(倀偟): 급한 일을 당하여 갈팡질팡함.

75. 다섯째 형님께서 화강에 계시면서 편지로 풍악1)에서 함께 놀 것을 요하시어, 약속에 가려고 문치를 지나다가 길 가운 데서 두 절구를 얻다[五兄在花江書要同遊楓嶽 將赴約文峙道中得兩絕]

■ 문치는 흡현에서 오 리쯤 떨어진 작은 고개 이름이다[文峙歙縣五里許有小峴 名文峙]

遊騎乘春步軟芳	노니는 말로 봄 경치 보며 곱고 꽃다운 길 걸
	으니
山花襯去障泥香	산꽃 짓이겨져 진흙에 향기 막혔네
半生幾費尋仙夢	반생 동안 몇 번이나 신선의 꿈 찾았던가
指點毗盧意更忙	비로봉을 손가락으로 가리키니 마음이 다시
	조급해지네

주 1) **풍악**(楓嶽): 가을의 금강산.

76. 두 번째 시[其二]

松間的皪雜花明	솔 사이 희디흰 것은 잡다한 꽃이 밝은 것이고
巖底孤村倍色生	바위 밑 외로운 마을이 배나 생색나네
皓首田翁胡莞爾	흰 머리 농사꾼은 왜 빙그레 웃는가
趑趄不敢問前程	주저하며 감히 앞길 물어보지 못하네

77. 산 남쪽 마을을 지나며 아들 건이를 시켜 운을 부르다[過山南村使健兒呼韻]

海曲淸幽不到塵	해곡1)이 맑고 그윽하여 먼지 이르지 않고
波明石潔可遊人	물결 맑고 돌 깨끗하니 사람이 놀 만한데
靑烟袞袞連塩井	푸른 연기 넘실넘실 염정2)에 이어지고
白屋團團奠峽民	가난한 초가집에 둥글둥글 산협3)의 백성 들어가네
浴水鳧鷺爭返照	자맥질하던 물오리와 갈매기 다투어 볕을 쬐고
彌山躑躅爛餘春	산에 가득한 철쭉나무는 남은 봄을 밝히는데
催鞭已犯仙區路	채찍 재촉하여 이미 신선 구역의 길을 범하였으니
空翠霏微滴我巾	공중에 푸른 이슬비 내 두건에 떨어지네

> 주
> 1) 해곡(海曲): 바닷가 굽은 곳.
> 2) 염정(塩井): 소금물이 솟아나는 샘물을 길어다 소금을 만드는 곳.

78. 아침에 진역사를 떠나다[發朝珍驛舍]

一脉長川馬首廻	한 줄기 긴 내에 말머리 돌리니
說從皆骨山東來	말하기를 모두 개골산 동쪽에서 왔다고 하네
餘波尚得清如許	잔물결은 오히려 맑기가 저와 같은데
速就源頭挿一盃	속히 원두1)로 나아가 한잔하세

주 1) **원두**(源頭): 샘의 근원. 샘가.

79. 쇄령동에서[灑嶺洞]

石彴繞通壁角危	돌길을 겨우 통하니 벽각1)이 위태롭고
清溪半日趁相隨	맑은 시내 반나절 서로 따르며 가는데
巖崖漸易尋常見	바위로 이루어진 벼랑이 점점 평온하니 심상2)히 보이고
草樹殆非夙昔知	풀과 나무 예전과 다름을 알겠네
少事詩書何所就	젊을 때 시와 서는 무엇 때문에 배우는가
晚求捷逸不容遲	늙어 편히 살려면 공부를 늦추어서는 안 되네
從茲欲覺桃源路	이로부터 도원으로 가는 길 알고자 하니
流水飛花處處疑	흐르는 물과 나는 꽃이 가는 곳이 의심하네

주 1) **벽각**(壁角): 푸른 산모퉁이.
2) **심상**(尋常): 평범함.

80. 다섯째 형님과의 약속을 생각하며[念五哥約]

佳期昨日長安寺	아름다운 약속은 어제 장안사에서인데
病客今晨灑嶺岑	병든 나그네 오늘 새벽 쇄령의 봉우리에 있네
兄去弟來差一夜	하룻밤 사이 형은 가고 동생은 오니
計程應共費孤吟	길을 계산하면서 마땅히 함께 외로이 읊으며 지새우네

81. 정양사1) 스님 치웅이 지은 시에 차운하다[次正陽僧致雄韻]

歇惺樓上藍輿回	헐성루 위에서 남여2)가 돌아가고
春雨無端鎖不開	봄비는 무단히 잠겨 열리지 않네
萬二峯巒莊本色	일만이천 봉우리는 웅장한 본색인데
高低逕路滑新苔	높고 낮은 지름길은 새로운 이끼에 미끄럽고
人間阻隔宗兄約	인간에게 종형의 약속 막히니
燈下招呼韻釋來	등 아래서 운을 불러 해석해보네
倘被山靈諧我願	아직도 저 산의 신령이 나와 어울리기 원하는데
頑雲應散寺南臺	무딘 구름이 절 남쪽 대에서 흩어지네

(寺南有天逸臺對衆香城面目勝於歇惺樓云而雨甚不果登 절 남쪽에 천일대가 있는데 중향성을 마주하고 있어, 보기가 헐성루보다 좋다고 하나 비가 심해 올라갈 수 없었다)

 1) **정양사**(正陽寺): 금강산에 있는 절.
2) **남여**(藍輿): 승지나 참의 이상의 벼슬아치가 타던 가마. 의자와 비슷하고 뚜껑이 없음.

82. 또 스님 치웅이 쓴 시에 차운하다[又次雄師韻]

十載奔忙志計違　십 년 동안 분주히 다녔으나 뜻이 계획과 어긋나니
淵明猶未悔前非　연명은 오히려 앞의 잘못을 뉘우치지 못하네
誰能借我惺惺法　누가 능히 나에게 성성법1)을 빌려줄까
終日燒香坐翠微　날이 다하도록 향을 사르며 취미 속에 앉아 있네

주　1) **성성법**(惺惺法): 스스로 경계하여 깨닫게 되는 법.

83. 두 번째 시[其二]

疎疎春雨照篝燈　성긴 봄비가 구등1)에 비치고
爐上香烟細細凝　향로 위의 향 연기는 가늘게 엉기네
夜久山牕眠不得　밤 깊으니 산창에서 잠 못 이루는데
蒲團爲有講經僧　포단에는 경을 강론하는 스님이 있네

주　1) **구등**(篝燈): 바람을 막기 위해 불어리를 씌운 등.

84. 세 번째 시[其三]

寺門初過梨花雨　절 문을 처음 지나자 배꽃이 흩날리니
孌彼丹丘欲振衣　아리따운 저 단구1)에서 옷을 털고자 하네
爲問永郎何處住　묻노니 영랑은 어느 곳에 머무는가

古臺玄鶴聽依依　　　　오래된 누대에 검은 학 울음 의의하게 들려
　　　　　　　　　　　오네

주　1) **단구**(丹丘): 신선이 산다는 곳. 밤도 낮과 같이 늘 밝다고 함.

85. 헐성루에서 정(석원)과 김(석대) 두 조대1)를 만나 '등(燈)' 자 운을 쓰다[歇惺樓遇鄭(錫遠)金(錫大)兩措大用燈字]

古寺寥寥命小燈　　　　고요한 옛 절에 작은 등 달고
空林雨歇夕霏凝　　　　빈숲에 비 그치니 저녁 이슬 엉기는데
淋漓詩句逢佳士　　　　가사2)를 만나 시구에 흠뻑 젖고
軟好禪談聽老僧　　　　부드럽고 좋은 선담3) 늙은 스님에게 듣네
鳴瀑夜驅千匹馬　　　　밤에 천 필 말을 모는 것같이 폭포가 울고
衆香春照萬條氷　　　　중향각에 만 줄기 얼음이 봄빛에 비치는데
憑欄便有雲霄志　　　　문득 난간 의지하여 높이 올라갈 뜻 있어
來日毗盧試一登　　　　내일 비로봉을 시험 삼아 한번 올라가려네

주　1) **조대**(措大): 청렴결백한 선비.
　　2) **가사**(佳士): 품행이 단정한 선비.
　　3) **선담**(禪談): 참선에 관한 이야기.

86. 또 정생이 지은 시운을 쓰다[又用鄭生韻]

靑山一雨洗層層　　　　비 한 줄기 푸른 산을 층층이 씻어내니
峀峀穿雲盡欲騰　　　　봉우리마다 구름 뚫고 다 오르려 하네
勃鬱精英浮海蜃　　　　발울1)한 정령은 바다의 신기루 띄우고

雄豪氣勢擊溟鵬	웅호2)한 기세는 받아치는 어두운 바다의 붕새 같은데
轉頭却笑紅塵事	머리 돌려 문득 홍진3)의 일을 웃고
杖錫同携白衲僧	석장 짚은 늙은 스님과 함께 가네
收拾夕陽眞意衆	늙고 참뜻 있는 무리와 함께
寥寥歸對妙蓮燈	고요하게 돌아와서 묘한 연등을 대하네

주
1) 발울(勃鬱): 가슴이 답답하게 막힌 모양.
2) 웅호(雄豪): 씩씩하고 호걸스러움.
3) 홍진(紅塵): 번거롭고 속된 세상을 비유적으로 이르는 말.

87. 또한 스님 치웅이 지은 시운에 따라 지으며 머무르다가 이별하다[又次雄師韻留別]

兩宵寄宿維摩室	두 밤을 유마실1)에서 기숙을 하고
欲叩三車病未能	삼거를 두드리고자 하나 병들어 능하지 못했네
翠栢雲深千古色	푸른 잣나무 구름 깊은데 천고의 빛이 있고
靑山雨捲最高層	푸른 산에 비 그치니 가장 높은 층인데
吾心每自忙時錯	내 마음은 항상 때를 놓칠까 바쁘고
道氣應尋靜處凝	고요한 곳에서 도의 기운이 엉김을 찾네
今日虎溪留別恨	오늘 호계에서 머물다 이별하는 한은
夢魂長繞佛前燈	꿈과 혼이 길이 부처님 앞 등불을 둘러 있으리

주
1) 유마실(維摩室): 속가 제자들이 임시로 거처할 수 있도록 절에서 마련한 방.

88. 두 번째 시[其二]

白雲深似海	흰 구름 바다같이 깊고
蒼栢靜如僧	푸른 잣나무 스님처럼 고요한데
忽得中宵月	갑자기 한밤중에 달을 얻으니
居然萬壑¹⁾澄	거연하게 만 골짜기 맑아지네
愛水巖巖步	물을 사랑하며 바위마다 걷고
尋花曲曲登	꽃을 찾아 굽이굽이 올라가는데
預愁鷄欲曉	닭이 새벽 알릴까 미리 근심하며
分手下樓層	이별하고 누 아래층으로 내려가네

주 1) 만학(萬壑): 첩첩이 겹쳐진 깊고 큰 골짜기.

89. 만폭동¹⁾에 들어가다[入萬瀑洞]

回頭已失正陽寺	머리 돌리니 이미 정양사는 간 데 없고
杖策重過山暎樓	지팡이를 재촉하여 거듭 산영루 지났네
洞裏初收三日雨	마을 속에 처음으로 사흘 동안 비 그치고
天中直瀉萬川流	하늘 가운데서 곧바로 많은 내가 흘러내리네

주 1) 만폭동(萬瀑洞): 내금강에 있는 명승지.

90. 진주담에서[眞珠潭]

忽爾着吾新畵圖	갑자기 네가 나의 새 그림을 붙였는데

問僧潭號號眞珠	스님에게 물으니 담호1)를 진주라 부르네
空中洗掛吳門練	공중에 씻어서 건 오문2)과 같고
石上平成賀老湖	돌 위는 평평하여 하로호가 생겼구나
疾勢馳驅千嶂動	빠른 형세에 달리는 모습 일천 산이 움직이고
喧聲摧壓百禽無	시끄러운 소리 꺾고 누르니 백 가지 새도 없는데
何事松翁遺此勝	무슨 일로 송옹은 이 승지3)를 남겼는가
梅花非獨怨三閭	매화가 홀로 삼려4)를 원망하지 않네

주
1) **담호**(潭號): 못의 이름.
2) **오문**(吳門): 소주의 다른 이름. 오창문이라고도 함.
3) **승지**(勝地): 경치가 좋은 곳.
4) **삼려**(三閭): 초나라 삼려대부. 회왕(懷王)의 좌도(左徒)로 활약하였으나 정적들의 모략을 받아 자신의 뜻을 펴지 못하다가 멱라수(汨羅水)에 투신하여 죽음.

91. 해산정에서 운을 부르다[海山亭呼韻]

萬古乾坤有此樓	만고의 하늘과 땅에 이 누각 있어
詩篇跌宕幾人遊	시편이 질탕하게 몇 사람이나 노닐던가
一牕收拾金剛色	한 창에 금강산 빛이 거두어져 있고
千嶂聯翩碧海流	천 봉우리에 푸른 바다의 흐름이 이어지는데
荏苒仙洲三夜宿	세월은 흘러 선주에서 사흘 밤을 자고
荒凉丹筆兩行留	신선이 쓰는 거친 붉은붓으로 두 줄 시를 짓네
彩雲飛盡笙簫斷	채색 구름 날아가 버리니 저 소리 끊어지고
杳杳烟波喚客愁	멀리 아득한 연기 물결 나그네 시름 부르네

92. 삼일포1)에서[三日浦]

洞裏瓊潭淸不流	마을의 구슬 못 맑아 흐르지 못하니
金樽滿載木蘭舟	금 항아리에 가득 담긴 목란주2)일세
披尋丹字雲根底	붉은 구름 근저를 헤쳐 찾아내고
指點仙峰海水頭	선봉을 가리키며 바닷물 머리를 점찍는데
詩酒卽今吾輩樂	시와 술은 곧 오늘 우리들의 즐거움
笙簫何處永郞遊	저와 퉁소는 어느 곳 영랑의 놀이인가
登臨頓失人間意	올라오니 갑자기 인간의 뜻 잃어버리고
欲下仙亭且少留	내려가 신선의 정자에서 또한 조금 머물려 하네

주
1) **삼일포**(三日浦): 강원도 고성군에 있는 호수. 신라 때 네 화랑이 아름다운 경치에 매료되어 사흘을 머물렀던 데서 유래된 명칭. 관동팔경의 하나.
2) **목란주**(木蘭舟): 심양강 상류의 목란천에 백목련 나무가 많았는데 노반(魯般)이 처음으로 이 나무로 배를 만들었던 일에서 전함.

93. 두 번째 시[其二]

地不神仙界	땅이 신선의 경계가 아니기에
吾寧筇屨廻	나는 편안하게 지팡이와 짚신으로 돌아가네
雙雙白鳥近	쌍쌍이 백조는 가까이 날고
六六靑峰來	육육1)의 푸른 봉은 다가오는데
笙歌幾時至	생황2) 소리를 몇 번이나 들었는가
桂花隨意開	계수나무 꽃은 뜻에 따라 피네
從前浮世念	종전에 가지고 있던 뜬세상 생각

消滅若塵灰　　　　　먼지와 재처럼 사라지네

94. 대호정에서 배를 띄우다[帶湖亭泛舟]

山海方春晚　　　　산과 바다에 바야흐로 봄은 저물어가는데
扁舟載酒行　　　　조각배에 술을 싣고 가니
烟霞衣袖得　　　　연기와 노을은 소매 끝에서 얻어지고
日月檻簾生　　　　해와 달은 난간과 주렴에서 나오네
松夾鳴沙淨　　　　소나무를 끼고 깨끗한 모래 울고
雲連碧海平　　　　구름은 푸른 바다에 이어져 평평한데
主人風味勝　　　　주인의 풍미가 좋아
魚菜惣深情　　　　물고기와 나물이 모두 깊은 정이 있네

95. 두 번째 시[其二]

山海春光一樣清　　　산과 바다의 봄빛 한결같이 맑고
主人盃酒慰羈情　　　주인의 술 나그네의 정을 위로하는데
蘇仙舊迹依然在　　　소선1)의 옛 자취 그대로 있으니
有友看花未必幷　　　꽃을 보며 벗을 아우를 필요는 없네
(湖岸有赤壁 호숫가에 적벽이 있다)

96. 동쪽 들로 나가다[出東郊]

■ 신묘년 봄에 짓다. 이 글은 마땅히 신씨 어른의 만사 위로 들어가야 한다[辛卯春
當入愼丈挽上]

愁絶東歸路	시름 끊어진 동쪽으로 돌아가는 길은
迢迢始此郊	멀고 먼 이 들에서 시작되네
沙明方(二字落)	모래는 밝아 바야흐로(두 글자 빠지다)
花重不勝梢	가지는 꽃이 무거워서 이기지 못하네
聽鳥皆新語	들리는 새소리는 다 새로운 말이고
酬詩有舊交	시의 수작에는 오랜 친구 있네
悠悠塵裡事	아득한 속세의 일
今日暫能抛	오늘 잠시 버려두네

97. 두 번째 시[其二]

山花春爛熳	산꽃에 봄이 난만한데
昨日雨過郊	어제는 비가 들을 지났네
潤物生畦色	만물이 윤택해져 밭두둑 색이 살아나고
藏鸎長柳梢	긴 버들가지 끝에 꾀꼬리 숨어 있네
(九字落)交	(아홉 글자 빠지다) 사귀노니
可恨淵霞子	한스럽구나! 연하자1)여!
佳期(二字落)抛	아름다운 기약을(두 글자 빠지다) 버렸네

주 1) **연하자**(淵霞子): 신선의 이름.

98. 이미백을 이별하여 일본으로 보내다[別李美伯日本之行]

■ 신묘년 오월

忠信兼能慣誦詩	충성스럽고 믿음직하며 겸하여 시 외우기도 익숙하니
異邦啣命豈容辭	다른 나라로 가는 명을 받드는데 어찌 사양함을 용납하리
水神波戰登舟日	물의 신은 파도를 거두어 배 타는 날 잡아주고
島虜心寒拭玉時	섬 오랑캐는 마음이 서늘해 구슬땀 씻었다네
錦石栽花追異事	비단석에 꽃을 심으며 다른 일 추억하니
仙槎犯斗有奇期	선사1) 북두를 범하여 기이한 기약 있으리
縣前滄海通南極	고을 앞이 바다라서 남극성과 통하고
別淚添教使節隨	이별하는 눈물이 더하여 사절을 따라가도록 가르치네

주 1) 선사(仙槎): 바닷가에 떠 있는 배를 비유적으로 이르는 말.

99. 둘째 형님께서 길에서 보내온 시에 우러러 화답하여 올리다
[仰和仲君路中寄示韻却上]

一家三倅莫云奇	한집안에 세 군수 기이하다고 이를 일 아닌데
杳杳東南各背馳	멀고 먼 동과 남으로 각각 배치1)하네
同被期違爽軒夜	상헌2)에서 함께 자자던 약속을 어겼고
分枝恨結樂溪湄	가지를 나눈 한은 낙계의 물가에 맺혔는데

雲深複峽無窮路	구름 깊은 복잡한 골짜기 무궁한 길에
春晚長沙幾許悲	늦은 봄 장사3)로 몇 번이나 슬픔을 허락했을까
有散自來還有聚	흩어지면 자연히 돌아와 모일 기약이 있으니
要看西日不陰時	요컨대 서쪽 해가 지지 아니할 때 보시길

주 1) **배치**(背馳): 방향을 각각 달리하여 달려감.
　　2) **상헌**(爽軒): 편안한 집.
　　3) **장사**(長沙): 중국 호남성에 있는 현. 귀양지로 유명하였음. 전하여 귀양.

100. 만사[挽]

天教節義萃公門	하늘이 절의1)를 가르쳐 공의 문중에 모았는데
厚報胡無及子孫	두터운 갚음이 어찌 자손들에게 미치지 아니할까
官做魚符嗟塞命	어부2) 벼슬을 지냈는데 명이 짧아 슬프구나
病加緋玉始優恩	병이 더하자 비옥3)으로 비로소 은혜가 넉넉했네
悲凉萬事開新壙	슬프고 처량한 만사가 새로운 무덤을 열고
寂寞三春度舊園	적막한 삼춘에 옛 동산을 지나는데
明發南行違相紼	내일 떠나 남쪽으로 가면 서로 상여 줄을 끌지 못하니
題留哀輓却聲吞	슬픈 만사 머물러두고 문득 소리를 삼키네

주 1) **절의**(節義): 절개와 의리.
　　2) **어부**(魚符): 당나라 때 주부(州府) 장관을 교체할 때 신표로 보이는 부신(符信).
　　3) **비옥**(緋玉): 관원들이 차는 붉은 옥.

101. 동쪽으로 돌아오며 도봉을 지나다가 두 절구를 얻다[東歸歷道峰得二絕]

■ 이때도 신묘년 봄이었다[此詩亦當在辛卯春]

不爲桃花與水聲	복사꽃과 물소리는 있지 아니하지만
每尋茲洞便神淸	이 마을을 찾을 때마다 즉시 정신이 맑아지네
嘐嘐兩老胸中事	두 늙은이의 가슴속 일 교교1)한데
千古樓頭霽月明	천고 누각 머리에 갠 달이 비추네

주 1) 교교(嘐嘐): 뜻이 크고 큰소리치는 모양.

102. 두 번째 시[其二]

谷鳥聲中積雨晴	골짜기 새소리 속에 오랜 비 개고
湍流出洞泛花輕	세차게 흐르는 물 골짜기에 꽃이 가볍게 떠 가는구나
詞章自有玄洲韵	글은 『현주집』1)에 나온 운으로 절로 지어 지고
迭唱何嫌燭屢更	주고받으며 부르는데 어찌 촛불 돋우기를 귀 찮아할까

주 1) 『현주집(玄洲集)』: 조선 인조 때 문신 조찬한(趙纘韓)의 시문집. 아들 조비(趙備)가 유문(遺文)을 정리하고 신천익(愼天翊)이 교열했으며, 이경석(李景奭)의 서문이 있음.

103. 장안사 스님 치웅이 찾아와 그 시에 차운하다[長安寺僧致雄來 訪仍次其韻]

依依笑別諸天雨	하늘에 비 내릴 제 의의하게 웃으며 이별했더니
幾日郡齋仙夢悠	군재1)에 신선 꿈이 유유한 지 며칠인가
不有襟期相照處	가슴에 깊이 품은 회포가 서로 비추는 곳 없었다면
山人肯訪李韓州	산사람이 기꺼이 이한주를 찾았을까

주 1) 군재(郡齋): 군수가 일하는 집무실.

104. 두 번째 시[其二]

雨裏相逢澗水頭	빗속 도랑 물가에서 서로 만나
還如携上歊惺樓	서로 끌고 헐성루로 올라가니
懇懇細說山中事	겸손하고 정중하게 산속 일 설명하고
萬瀑烟霞口角流	만폭동에서 연하를 이야기하네

105. 부치다[寄]

琴堂(二字落)三秋晚	금당의(두 글자 빠지다) 삼추는 늦어지고
東洛親知一字無	서울 동쪽으로 간 친지는 한 글자 소식 없네
靜裏眞工觀水得	고요 속에 참다운 공부는 물을 보며 얻고

閒來淸夢與雲俱	한가로운 때 오는 맑은 꿈은 구름과 함께하는데
苦吟戒在文公錄	『문공록』1)에 있는 계율을 괴롭게 읊고
久病人疑子夏癯	사람들은 오랜 병을 자하의 병인가 의심하네
莫把功名來聒耳	내 편한 귀를 공명2)으로 긁지 마라
吾今濩落似莊瓠	나는 지금 확락3)하여 쓸모가 없기가 장자호4) 같네

주

1) 『**문공록**(文公錄)』: 주자가 기록한 책.
2) **공명**(功名): 공을 세워 자기의 이름을 널리 드러냄.
3) **확락**(濩落): 텅 비어 있는 모양.
4) **장자호**(莊子瓠): 쓸모없음. 장자가 위왕(魏王)이 준 씨를 심었더니 열린 호로박이 너무 커서 표주박으로 쓸 수 없어 깨뜨려버렸다는 고사에서 전함.

106. 신계형(태동)이 찾아와서[辛季亨(泰東)來訪]

浮生本自等萍流	부생이란 본래 스스로 부평초처럼 흐르는데
誰道逢迎忽此州	누가 갑자기 이 고을에서 만나고 맞이함을 말했던가
燈裏眼靑同小酌	등불 속의 푸른 눈은 작은 잔과 같고
嶺頭雲白得淸秋	잿마루의 흰 구름은 맑은 가을이라네
名山催子新詩去	명산에서 그대에게 좋은 시 짓기 재촉하고
客枕湏吾故意留	나그네가 쓸 베개를 만들어 나를 머물게 하니
三夏沈痾渾似失	삼하에 걸린 병 씻은 듯 나아
笑談款款不能休	느긋하게 우스운 이야기하며 웃음이 끊이지 않네

107. 시중대에서 『서경집』1)에 차운하다[侍中臺次西坰詩韻]

茫茫滄海水	망망한 창해의 물이요
鬱鬱杉松林	빽빽한 삼나무와 소나무 숲이라
日晚多秋意	해 저무니 가을다운 멋 많고
雲遲會客心	이 더딘 것은 나그네 마음 앎이라
尋臺便遠眺	대를 찾아 문득 멀리 바라보고
邀月入平臨	달맞이하러 평평한 곳으로 들어가는데
酒重詩方好	술이 많으니 시가 바야흐로 좋고
從他夕浪侵	앞 사람 따라 가노라니 저녁이 넘실대며 들어오네

주 1)『서경집(西坰集)』: 조선 선조 때 문신 유근(柳根)의 문집.

108. 『월사집』1)에 차운하다[次月沙韻]

十洲三島水如天	십주2)와 삼도3)는 물이 하늘 같은데
意欲飄飄羽化仙	뜻은 펄펄 날아 날개 달린 신선이 되고자 하네
明月正圓妙高頂	밝은 달은 묘고4)의 정상에서 둥글고
丹霞自足葛洪川	붉은 노을은 스스로 갈홍천에 만족하니
上頭喜有騷人詠	윗머리에 기쁘게 시인들의 읊음이 있고
醉倒慚非太守賢	취하여 거꾸러지니 태수의 체면이 아닐세
回首金剛遺恨在	머리 돌려 금강산 바라보니 한이 남고
歸時須借壯遊篇	돌아갈 때 모름지기 「장유」편5)을 빌리려네

주 1)『월사집(月沙集)』: 조선 선조 때 문신 이정구(李廷龜)의 시문집.

    3) **삼도**(三島): 신선이 사는 바닷속의 섬. 봉래(蓬萊), 영주(瀛州), 방장(方丈).

    4) **묘고**(妙高): 불교에서 말하는 수미산(須彌山).

    5) 「**장유**(壯遊)」편: 장지(壯志)를 품고 먼 곳으로 떠나 여러 곳을 기행하면서 지은
      글.

109. 또 『동국여지승람』1)에 차운하다[又次勝覽韻]

銀海前頭兩箇賓	은빛 바다 앞에 두 나그네 있어
憑虛可化六塵身	허공에 의지해 육진2)의 몸이 바뀔 수 있을까
今宵均有中秋月	오늘 밤 중추의 달이 고루 있는데
辦得玆遊亦幾人	이런 놀이를 판득3)할 사람 몇이나 있을까

> 1) 『**동국여지승람**(東國興地勝覽)』: 조선 성종 때 팔도지리지(八道地理志)에 우리나라
>   문사들의 시문을 첨가하여 편찬한 관찬(官撰) 지리서.
> 2) **육진**(六塵): 불교에서 말하는 눈, 귀, 코, 혀, 몸, 뜻에 쌓인 먼지.
> 3) **판득**(辦得): 이리저리 변통하여 얻음.

110. 시축에 오른 여러분이 이별할 때 지어준 시에 차운하여 문득 보내다[次軸中諸公贐別韻却贈]

遊仙行色不能挽	노니는 신선 행색은 만류할 수 없네
昨雨新晴皆骨峰	개골산1) 봉우리에 어제 오던 비가 갰네
佳節月明元化洞	아름다운 절기에 달은 원화동에 밝았고
千年雲老佛臺松	천년의 구름에 불대의 소나무가 늙었는데
詩情爛熳盈脩帒	난만한 시정을 전대 속에 담아두고
霞氣淋漓在一筇	흥건한 노을 기운 지팡이에 남아 있네

堪笑區區埋簿牒　　　　구구하게 부첩2)에 남기니 감소3)하고
棠花沙路負相從　　　　해당화 모랫길에 같이 가자던 기약을 어겼네

1) **개골산**(皆骨山): 겨울의 금강산.
2) **부첩**(簿牒): 관아의 장부와 문서.
3) **감소**(堪笑): 주책없이 자꾸 웃음.

111. 신계형이 부쳐온 시에서 운을 보고 문득 차운하다[次辛季亨寄示韻却]

梅軒寂寂愁淹留　　　　매헌각이 적적하여 시름 속에 오래 머무는데
羨子悠悠隨海鷗　　　　그대 유유히 바다 갈매기 따르니 부럽네
今夜定觀三浦月　　　　오늘 밤에 삼포에서 달을 보기로 하였고
明朝催上鑑湖舟　　　　내일 아침에는 감호에 배 타기 재촉하리
倘非仙境因緣在　　　　아직도 선경으로 갈 인연이 없으니
那有蓬山汗漫游　　　　어찌 봉산1)에서 한만한 놀이를 할까
望望行塵追未得　　　　바라보고 바라보며 먼지 속을 쫓아가도 얻지
　　　　　　　　　　　못하니
一封詩句慰吾不　　　　한 봉의 시구로 나를 위로하지 않겠는가

1) **봉산**(蓬山): 바다 가운데 신선이 살고 있다는 삼신산 중 하나인 봉래산(蓬萊山).

112. 신계형의 행헌1)에 바치다[奉呈辛季亨行軒]

再到金欄不見君　　　　다시 금란2)에 왔으나 그대 보지 못하고
遊仙消息杳難聞　　　　신선 놀이 소식이 아득하여 듣기 어려운데

更傳移向毗盧去　　다시 옮겨서 비로봉 향해 갔다 하니
漠漠千峰但有雲　　막막한 천봉에 다만 구름뿐이네

1) **행헌**(行軒): 지방의 수령 등이 공무로 장기 출타했을 때 임시로 집무하는 관청.
2) **금란**(金幱): 금강산의 다른 이름.

113. 홍사능이 북막1)으로 부임할 때 금강산으로부터 총석정2)에
　　　서 만나기를 기약하고, 드디어 배를 타고 시중대로 와서 하
　　　루의 즐김이 극에 달했다. 동쪽으로 온 뒤 제일 좋은 일이었
　　　다. 이별에 임해 초서를 달려서 보내주다[洪士能將赴北幕自金剛

期會於叢石 遂泛舟至侍中臺極一日之娛 東來以後第一勝事也 臨別走草以贐]

殊域奇逢又勝區　　특별한 곳에서 기이하게 만나니 또 좋은 곳
　　　　　　　　　　되고
棠沙立馬急相呼　　해당화 핀 모래사장에 말 세우고 급히 서로
　　　　　　　　　　부르네
登舟滿面香城氣　　배에 오르니 향성의 기운이 얼굴에 가득한데
解橐聯篇日浦珠　　주머니에 풀어 지은 시는 삼일포의 구슬일세
皂盖雙亭排異石　　검은 덮개 쌍정에는 기이한 돌 배치됐고
華筵十里散名湖　　꽃자리 십 리에는 이름난 호수 곳곳에 흩어
　　　　　　　　　　져 있네
茲游關外應稀少　　관 밖 놀이는 마땅히 드물고 적은데
秉燭今宵可罄壺　　오늘 밤 촛불 켜고 항아리 모두 비우세

1) **북막**(北幕): 북쪽 국경 수비를 위하여 설치한 수비대의 군막.
2) **총석정**(叢石亭): 강원도 통천군에 있는 정자. 관동팔경의 하나.

114. 신묘년 가을 서울에 이르니 홍혜백[1]이 찾아와 밤에 이야기 하다가 인하여 시를 지어서 이별한 회포를 펴다[辛卯秋到京洪 惠伯來訪夜話 仍與賦詩以敍]

■ 별회(別懷)

洛社秋光晚	낙사에 가을빛 저무는데
黃花正好看	노란 꽃은 바로 보기 좋고
相逢皆故舊	서로 만나면 다 친구 되니
到處有盃盤	이르는 곳마다 술상이 있네
月出隣鷄動	달이 뜨니 이웃 닭이 움직이고
霜淸旅雁寒	서리 맑으니 나그네 기러기 추워하네
明朝東海去	내일 아침 동해로 갈 것인데
那得此宵歡	어찌 이 밤의 즐거움 얻을 수 있을까

주 1) 혜백(惠伯): 조선 중기 문신 홍계적(洪啓迪, 1680~1722)의 자. 본관은 남양. 호는 수허재(守虛齋). 시호는 의간(毅簡, 뒤에 忠簡으로 개시).

115. 점사[1]에서 차임 손안세와 이별하며 주는 시(두 수)[店舍次任孫 安世贈別韵(二首)]

下馬寥寥村屋深	말 내리니 고요한 촌집 깊이 있는데
却驚佳句趁相尋	문득 아름다운 글귀에 놀라 서로 찾아보네
雍容筆翰開愁眼	옹용[2]한 글씨는 근심스러운 눈을 뜨게 하고
惆悵京城隔暮林	저문 숲에 막힌 서울 한탄하며 슬퍼하네
口腹自憐違宿計	구복[3]으로 절로 옛날 계획 어긴 것이 가련하니

海山猶可化吾琴	바다와 산에서 오히려 내 거문고 가히 연주할 수 있네
候君春到聯筇屐	그대 기다려 봄이 되거든 지팡이와 신 나란히 하여
一笑名區盪客襟	명승지를 찾아 나그네 회포 나누고 한번 웃어보세

주
1) 점사(占舍): 객점(客店). 오고 가는 길손에게 편의를 제공하는 집.
2) 옹용(雍容): 온화한 용모.
3) 구복(口腹): 입과 배. 전하여 먹고사는 일.

116. 두 번째 시[其二]

峽峀如攢路轉深	산속 길이 뚫은 것같이 점점 깊어지는데
崎嶇終日費孤尋	꼬불꼬불 하루 종일 허비하며 외로이 찾았네
天寒雁鶩號中野	하늘이 추우니 기러기와 오리는 들판에서 큰 소리 내어 울고
日晩烏鴉向上林	날 저무니 까마귀 상림으로 향하는데
事業都歸千首詠	사업은 모두 천 수의 읊음으로 돌아가고
行裝只有一張琴	행장은 다만 한 대 거문고뿐이네
回頭京國親朋遠	머리 돌리니 서울과 친척과 벗은 먼데
誰復提携豁我襟	누가 다시 끌어내 흉금을 열어줄까

117. 돌아오는 길에 화강에 이르러 밤에 두시에 차운하다[歸路至

花江夜次杜韵]

■ 화강은 김화의 별칭이다[花江金化別稱]

愛子官蕭灑	그대의 벼슬 소쇄1)함을 사랑하니
茅亭近翠微	모정에 취미가 가깝구려
護留黃菊友	노란 국화는 벗을 머물러 보호하고
吟攬白雲飛	읊으며 보니 백운이 날아가네
雨喜催詩句	비가 기쁘니 시구를 재촉하고
池聯照客衣	못이 이어져 나그네 옷에 비치는데
竟宵言款款	밤이 다하도록 느긋하게 대화하니
襟抱兩無違	두 사람의 금포가 다르지 않네

주 1) 소쇄(蕭灑): 맑고 깨끗한 모양.

118. 아이들과 함께 현아1)의 남쪽 박산에 올라 월출을 구경하다가 운을 부르다[與兒輩登縣衙南朴山翫月出呼韵]

雪海峥嶸几屐寒	눈 내리는 바다 춥고 험해 신발이 차갑고
蒼雲擎出大氷盤	푸른 구름은 큰 빙판에 떠오르니
一團眼界玲瓏色	일단의 안계2)는 영롱한 빛인데
斂向靈臺仔細看	영대를 향해 자세히 보고자 하네

주 1) 현아(懸衙): 현의 관청.
2) 안계(眼界): 눈으로 바라볼 수 있는 범위.

119. 아이들과 더불어 밤에 현 서쪽의 화장사에서 놀다가 스님 희운이 지은 시에 차운하다[與兒輩夜遊縣西華藏寺次僧希運韵]

公餘漫興在尋幽	공사를 보다가 잠시 짬을 내 만흥으로 그윽한 곳 찾아
馬首從隨山下流	말머리 따라 산 아래로 흘러가니
石窟千秋仙跡掃	석굴은 천추 동안 신선의 자취 쓸었고
寥寥只有白雲留	고요하여 다만 흰 구름만 머물렀네

120. 또 앞에 썼던 운을 쓰다[又用前韻]

杉松影裏寺樓幽	삼나무와 소나무 그림자 속 사루는 그윽하고
樓外雙來白玉流	누 밖에는 백옥1) 한 쌍이 와서 흐르는데
便欲解符仍入定	문득 인끈2)을 풀고 선정3)에 들어가고자 하여
懸燈獨與老僧留	등불 달아놓고 홀로 늙은 스님과 머무네

주
1) **백옥**(白玉): 냇물의 맑음을 비유하여 씀.
2) **인끈**: 도장 손잡이에 꿴 끈.
3) **선정**(禪定): 한마음으로 사물을 생각하여 마음이 하나의 경지에 정지하고 흐트러짐이 없음.

121. 또 『동집』에 차운하다[又次東集韻]

寺在高山易曙天	높은 산에 절이 있어 날이 새기 쉬운데
雪牕朝日淨心田	눈 쌓인 창가의 아침 해 마음을 씻어주고

巖巒映翠瓊瑤裏	바위산 푸르게 비추어 구슬 속 같으니
禽鳥隨喧竹樹邊	새들은 따라다니며 대나무 가에서 지저귀네
抛却公衙朱墨事	공아의 주묵1) 일 문득 던져버리고
演論禪案白牛篇	선안2)에서 「백우」편3)을 강연하고 논하려는데
陶翁本欲留蓮社	도옹4)도 본래 연사에 머무르려 하였으나
步下仙樓意黯然	선루를 걸어 내려갔으니 정취가 암연5)하네

주
1) **주묵**(朱墨): 붉은 먹과 검은 먹으로 장부의 지출과 수입을 적음.
2) **선안**(禪案): 공안(公案), 고측(古則). 불교에서 참선 중 생각하도록 하는 화두.
3) 「**백우**(白牛)」 **편**: 불교 『법화경』에 백우를 설명한 편명.
4) **도옹**(陶翁): 퇴계 이황의 호. 주리론적 이기이원론(理氣二元論)을 주장한 영남학파
   종장(宗匠).
5) **암연**(黯然): 슬프고 침울함.

122. 또 희운이 지은 시에 차운하다[又次希運韵]

空山月白鶴仙樓	빈산 학선루에 뜬 달 밝은데
跨鶴仙人何處游	학을 탄 신선은 어느 곳에 노니는가
悄倚闌干凝佇久	쓸쓸히 난간에 의지하고 우두커니 오래 섰는데
夜深橫笛莫教休	깊은 밤 들려오는 저 소리 그치지 마라

123. 배를 타고 공진에 와서 총석정을 향하다[泛舟致公津向叢石]

■ 임진년(1712)

三春梅閣淺深愁	삼춘 동안 매각에서 얕고 깊은 시름 있어

是日滄溟長短謳	이날 바다에서 길고 짧은 시 읊네
詩與盃樽同爛熳	시와 술은 함께 난만하니
氣將山嶽欲飛浮	기운은 장차 산악같이 떠서 날고자 하고
魚龍浩蕩三洲水	물고기와 용은 삼주의 물에서 호탕하게 노니는데
帆楫平安兩邑舟	돛과 노는 평안하게 두 고을에 이어지네
寄語沙邊歸去鶴	모래사장에서 돌아가는 학에게 묻노니
可能載我上丹丘	나를 싣고 단구로 올라갈 수 있겠느냐

124. 시중호에서 간재의 시에 차운하다[侍中湖次簡齋韵]

海雲勃勃飛初盡	해운이 생겨나 처음 날자마자 다하는데
舟子招招來苦遲	뱃사공은 부르고 불러도 더디 이르니, 괴롭구나
湖裏烟霞移鏡水	호수 속에 연하는 경수1)로 옮겨가고
月中笙鶴候安期	달 가운데 저와 학은 안기생을 기다리네
名臺傳久侍中號	유명한 대는 오래도록 시중대의 호를 전했고
好鳥飛多隱者陂	어여쁜 새는 은자의 언덕에 많이 나는데
喜得休文能古調	기쁘게 심휴문2)의 글 얻으니 고조3)에 맞고
終昏細和謫仙詩	어둡도록 자세하게 적선의 시에 화답하네

주 1) **경수**(鏡水): 거울같이 맑은 물. 경포대.

2) **심휴문**(沈休文): 심약(沈約)의 자. 중국 남조 시대의 학자(441~513). 음운학의 거두로 사성(四聲)을 처음으로 연구하고, 시의 팔병설(八病說)을 제창함. 저서로는 『진서』, 『송서』, 『제기(齊紀)』, 『사성운보(四聲韻譜)』 등이 있음.

3) **고조**(古調): 예스러운 가락.

125. 심시백의 금강산 시에 화답하다[和沈時伯金剛韵]

說道金剛領略來	금강 영내에 이르니 기쁘구나
錦囊詩句爲相開	금낭에 담은 시구는 서로를 위하여 여는 것
淸雄噴薄龍淵瀑	맑고 웅대한 용연포[1] 물을 넓게 내뿜으니
光景玲瓏玉鏡臺	광경이 영롱한 옥경대로구나
躑躅春歸君欺弄	철쭉은 봄이 돌아가자 그대를 속이고
簿書愁切我頹摧	문서로 인한 시름이 그치자 몸이 무너져 내리는데
通宵苦詠終難和	밤 지새워 괴로이 읊으나 끝내 화답하기 어려워
不信陰何在撥灰	믿지 못하고 어디서 가만히 재만 헤치고 있는가

주 1) **용연포**(龍淵): 강원도 고성군 외금강 구룡동 골짜기에 있는 폭포.

126. 매죽헌에서 당시에 차운하다[梅竹軒次唐韵]

琴軒淸睡起	금헌[1]에서 맑은 잠 깨니
仙洞彩霞流	신선의 골짜기에 채색 노을 흐르는구나
好鳥亦堪聽	어여쁜 새소리 또한 듣기 좋은데
披花上小樓	꽃을 꺾어 작은 누각으로 오르네

주 1) **금헌**(琴軒): 맑고 깨끗한 집.

127. 관서정에서 당시에 차운하다[觀鋤亭次唐韻]

■ 정자는 관아의 동헌 오른쪽에 있다. 멀리 보면 들 빛이 봄과 같으므로 처음
   정자 이름을 지을 때 관서라고 하였다[亭在衙東軒右 麓遠見野色 是春始作亭
   名曰觀鋤]

花塢今初築	꽃 언덕은 오늘 처음 쌓았고
茅簷昨已成	띠로 인 처마는 지난날 이미 이루었는데
爲官無事業	벼슬살이하면서 하는 사업 없으니
佳句是經營	좋은 글귀 짓는 것이 내가 하는 일이네

128. 두 번째 시[其二]

花色晚愈妍	꽃 빛은 저물수록 더욱 곱고
鶯聲清未絕	맑은 꾀꼬리 소리 끊이지 않는데
君寧好句無	그대는 어찌하여 좋은 글귀 없는가
我有新醪別	나에게 새롭고 특별한 술 있나니

129. 세 번째 시[其三]

吏隱管花事	이은하며 꽃 가꾸는 일 맡아서 하는데
藥畦留晚春	약초 심은 뜰에는 늦은 봄이 남아 있네
此中添一勝	이 가운데 한 가지 좋은 일이 더 있으니

三日伴詩人　　　　　사흘 동안 시인들과 짝하는 일이세

130. 네 번째 시[其四]

滿眼名山水　　　　　눈에 가득한 것은 이름 있는 산과 물인데
誰云峽邑貧　　　　　누가 산골짜기 고을이라 가난하다 말하는가
丹砂諧宿計　　　　　옛 계획대로 단사1)를 얻었으니
笑謝洛陽人　　　　　웃으며 서울 사람들과 이별하려 하네

 1) 단사(丹砂): 진사(辰砂). 덩어리 모양으로 점판암, 혈암, 석회암 속에서 나오는
　　수은의 원료로 붉은색임. 이 글에서는 신선이 되려고 먹는 약재라는 뜻.

131. 심사후가 지은 시에 차운하다[次沈士厚韵]

中間消息各風烟　　　중간 소식은 각각 바람과 연기처럼 지나가고
邂逅仙區亦好緣　　　신선의 마을에서 다시 만나니 또한 좋은 인
　　　　　　　　　　연인 것을
三島詩篇乘謾興　　　삼도의 시편은 만흥1)을 타는 것인데
通州絲竹載歸船　　　통주2)의 음악을 배에 싣고 돌아오네
雄心自倚靑天外　　　웅심3)은 절로 푸른 하늘 밖에 의지하고
逸氣高歌白日前　　　일기4)는 밝은 해 앞에서 높이 노래 부르는데
惆悵花江期腕晚　　　슬프구나! 화강의 기약이 늦어지니
朝朝吟望欲穿眸　　　아침마다 읊조리며 바라보느라 눈이 빠지려
　　　　　　　　　　하네

주　1) 만흥(謾興): 저절로 일어나는 흥.

2) **통주**(通州): 강원도 통천군.
3) **웅심**(雄心): 웅지(雄志).
4) **일기**(逸氣): 뛰어난 기상.

132. 심사후를 보내다[送沈士厚]

可奈明朝作別何	어찌 내일 아침 작별할 수 있을까
爲君今夜引青娥	그대 위하여 오늘 밤 젊은 계집을 끌어들였네
尊前解落離人淚	술 항아리 앞에 풀려 떨어지는 것은 이별의 눈물이요
咽咽三更杜宇歌	삼경에 인인1)하게 두견새 소리 들리네

주 　1) **인인**(咽咽): 빠른 북소리처럼 울어대는 새소리.

133. 일원이 보낸 시에 차운하다[次一源寄示韵]

行旌忽忽似飄烟	깃발은 홀홀1)히 연기에 나부끼듯 가고
風雨蕭蕭隔洞天	비바람은 쓸쓸하게 마을을 막았는데
稍喜海門來驛使	역사2)가 해문으로 찾아오니 조금은 즐거우니
開詩一笑白鷗前	시를 펴 보며 흰 갈매기 앞에서 한번 웃네

주 　1) **홀홀**(忽忽): 행동이 매우 가벼운 모양.
　　2) **역사**(驛使): 역참에 속하여 조정의 명을 전달하는 구실아치.

134. 두 번째 시: 사후에게 부치다[其二 屬士厚]

芳草湖邊分路愁	방초 호숫가에 길 나뉘어 시름되고
野花蕭瑟似淸秋	들꽃 소슬하니 맑은 가을 같네
通州一夜游仙夢	통주의 하룻밤은 신선놀이 꿈
隨送長安山映樓	장안의 산영루로 따라 보내네

135. 고성으로 향하다가 재 밖의 길에서 '천(川)' 자를 얻다[向高城嶺 外道中得川字]

■ 심사후가 따라갔다[沈士厚從焉]

並馬穿過霧裏川	말과 나란히 안개 속의 내를 뚫고 들어가니
日光翻照海雲邊	햇빛이 뒤집혀 바다 구름 주변을 비추고
通州官路緣山出	통주로 가는 관로는 산에 이어져 나오는데
樹抄微微見夕烟	나무 끝에 미미하게 저녁연기 보이네

136. 두 번째 시[其二]

銀竹森森簇馬前	소나기 주룩주룩 말 앞을 가로막으니
披簑度盡幾淸川	도롱이 입고 몇 번이나 맑은 내 건넜던가
病懷頓失名山興	병든 생각 명산의 흥 때문에 모두 사라져
一半吟詩一半眠	반은 시를 읊고 반은 잠을 자네

137. 쇄령 동굴 입구를 지나며[過鎖嶺洞口]

粲爛水中石	찬란한 물 가운데 돌이요
短翠沙邊樹	낮고 푸른 모래 변의 나무라
去年三月暮	지난해 삼월 저문 날에
金剛從此去	금강산에 이 길을 따라갔네
佳哉鎖嶺洞	아름답구나! 쇄령동이여!
實爲金剛肩	실로 금강산의 어깨로구나
窈窕靈淵積	정숙하고 아름다운 신령스러운 기운 못에 쌓이고
峭發黛石懸	가파른 비탈에 검푸른 돌 달려 있네
奇花堆瓊瑤	기이한 꽃 아름다운 구슬 같고
名色不可數	명색은 헤아릴 수가 없는데
擷之滿懷袖	꽃을 따니 소매 속 가득하고
餘馥猶在口	남은 향기 아직도 입 안에 남았네

(昨年採此中花釀酒携來故云 지난해 이 꽃을 꺾어 술을 빚어 가져왔으므로 말한 것이다)

別來今幾月	이별한 지 지금 몇 달째인가
魂夢常其間	혼과 꿈이 항상 그 사이에 있었고
仙浦有期忙	선포1)에 바쁜 기약 있어
躊躇聊遠看	주저하며 애오라지 멀리 보는데
與我俱無恙	나와 더불어 모두 병 없이
將期累往還	장차 여러 번 왔다 갈 것을 약속하네

주 1) **선포**(仙浦): 해금강 가에 있는 포구 이름.

138. 옹천[1]에 올라가 멀리 바라보다가 안축[2]의 여섯 운에 차운하다[登瓮遷眺望次安軸六韻]

突兀空中百丈崖	공중에 우뚝 솟은 백 길 언덕
一條線路易人迷	한 줄기로 이어진 길에서 사람을 미혹시키네
海隨筇屐舂層石	바다에 지팡이와 신발은 돌층계 따라 방아 찧고
鳥護衣裾到上梯	새를 보호하려 옷을 잡고 사다리 오르는데
霞液濕身澄俗骨	하액[3]에 몸 젖으니 속된 뼈 맑아지고
棠沙步馬耀霜蹄	해당화 핀 모래사장에 말 달리니 상제[4]의 빛이 나네
眼前此水何當淺	눈앞의 이 물은 어찌 이다지 얕으며
鰲背諸山幸未隮	자라 등 같은 여러 산은 어찌 오르지 못하는가
雲鶴怳疑逢羨廣	구름 속의 학은 황홀하여 선광[5]을 만났는가 의심하는데
漢皇那免惑燕齊[6]	한황은 어찌하여 연, 제의 신선을 찾아가지 않았던가
褰裳欲借還丹法	치마 걷고 환단법을 빌리고자
塡補頭宮第一泥	두궁[7]의 제일가는 진흙으로 메웠네

1) **옹천**(瓮遷): 경기도 인천시 옹진.
2) **안축**(安軸): 고려 말기 학자(1287~1348). 자는 당지(當之). 호는 근재(謹齋).
3) **하액**(霞液): 유하주(流霞酒). 신선이 마신다는 술.
4) **상제**(霜蹄): 명마의 이름. 말발굽의 털이 서릿발처럼 희어 붙인 이름.
5) **선광**(羨廣): 길고 넓은 모양.
6) **한황나면혹연제**(漢皇那免惑燕齊): 한 무제가 신선을 찾아 무산까지 가서 서왕모를 만나 연과 제 사이에 신선이 산다는 말을 듣고도 찾아가지 않은 고사에서 전한 내용.

139. 해산정에서 해 뜨는 것을 보다[海山亭觀日出]

晨整衣裳催上樓	새벽에 의상을 정돈하고 재촉해 누각에 오르니
凉凉海色動雙眸	서늘한 바다 빛에 두 눈동자 움직이네
五雲扶出黃金盖	오색구름이 황금 덮개를 뚫고
百寶藏嚴赤玉虯	온갖 보배로 장엄1)한 적옥의 규룡 나오는데
未始湧時何樣象	솟아나지 않을 때는 어떤 모양일까
最先看處卽玆州	가장 먼저 보이는 곳은 곧 이 고을일세
攬之欲獻吾君側	잡아다가 우리 임금 곁에 바치고자 함은
爲是光無不燭幽	이 빛으로 인해 그윽하게 비치지 않음이 없기 때문이네

 1) **장엄**(藏嚴): 불교에서 아름답게 국토를 꾸미고 훌륭한 공덕으로 몸을 장식하며 향, 꽃 등을 공양하는 일. 시에서는 아름답고 좋은 것으로 꾸미는 것을 말함.

140. 해금강에서[海金剛]

箇箇波中玉雪岡	개개의 물결 속에 백옥 같은 눈 언덕
不虛名得海金剛	해금강1)이 헛된 이름 아닌데
渾然元氣眞難敵	혼연한 원기는 참으로 대적하기 어렵고
巧妙還應勝衆香	교묘함은 또한 중향국2)보다 낫네

 1) **해금강**(海金剛): 강원도 고성군 현내면에 있는 경승지.
2) **중향국**(衆香國): 불교 유마경의 향적불품(香積佛品)에 설한 향적여래(香積如來)의 정토.

141. 자호 형과 일원이 와서 시중호에서 놀다[子浩兄與一源來遊侍中湖]

晴日棠沙皀盖前	갠 날 해당화 피는 백사장은 조개1) 앞에 있고
山雲細細和村烟	산 구름 하늘하늘 마을 연기와 섞였네
松間馬立看湖水	소나무 사이에 말 세우고 호수를 바라보니
島外鴻飛得海天	섬 밖에 기러기 날아 바다와 하늘을 얻었는데
詩酒已敎留好客	시와 술 이미 좋은 나그네 머물게 하니
笙簫何必要眞仙	저와 퉁소는 어찌 진선에게만 필요할까
携來快作淋漓醉	이끌고 와서 즐겁게 마셔 흠뻑 취하니
萬頃波頭第一巓	만경2) 물결 끝에 제일 높은 봉우리 있네

주
1) **조개**(皀盖): 조선 시대에 갑과 급제자에게 특별히 주던 수레를 장식하는 검은빛의 휘장.
2) **만경**(萬頃): 백만 이랑. 지면이나 수면이 아주 넓음을 이르는 말.

142. 두 번째 시[其二]

老吏隨沙鳥	늙은 아전은 백사장 새 따르고
身心自不忙	몸과 마음은 절로 바쁘지 않은데
晴霞三島小	노을 걷히니 세 개의 섬 작아 보이고
低日數帆長	해 기우니 몇 개 돛이 길구나
濟勝行便捷	두루 빠르게 제승해도
尋仙事渺茫	신선을 찾는 일은 아득하기만 한데
誰能呼彩鳳	누가 능히 채색 봉황을 불러
駕我一高翔	나를 태우고 한번 높이 날까

143. 정건이 지은 시에 차운해 재미 삼아 짓다[次鄭鍵韻戱題]

紫騎嘶風馱妓來	자줏빛 말 바람 일으키며 기생 태워 오고
笙歌婉孌上湖臺	생황과 노랫소리 어여뻐 호대에 올랐는데
黃簾寥寂詩尊興	노란 주렴 쓸쓸해 시와 술 항아리 흥 일어나니
苦被巫山暮雨猜	저문 비가 시기해 무산을 가렸네

144. 사문¹⁾ 정건이 근무하는 행헌으로 차운하여 보내다[次呈鄭斯文鍵行軒]

奕世通家好	대를 이어가며 친하게 사귀어 왔는데
他鄉尊酒開	타향에서 술자리를 열었네
海山成獨去	바다와 산은 홀로 가는 뜻 이루고
風雨誤重來	바람과 비는 그릇되게 거듭 오는데
悵望金欄樹	슬프게 단풍 물든 나무를 바라보고
徘徊竹閣苔	죽각의 이끼에서 배회하네
別懷兼咄惜	이별하는 회포 겸하여 애석하고 안타까운데
虛老廣文才	글에 해박하나 헛되이 늙어가네

주 1) 사문(斯文): 유학자를 높여 이르는 말.

145. 순상¹⁾ 김치룡²⁾에게 화답하여 보내다[和呈巡相金致龍]

候拜常規簡	문후³⁾하고 뵙기가 항상 간략했는데

逢迎舊抱開	만나고 맞이하여 옛 회포를 열었네
尊前靑海立	술 항아리 앞에 푸른 바다 서 있고
樓角白鷗來	누각 머리에는 흰 갈매기가 오는데
境勝催屐蠟	경계 좋아 밀납 미투리 재촉하고
公閑任印苔	공사 한가하여 맡은 도장에 이끼 끼었네
轅門詩令急	원문에 시령이 급하니
奈乏入叉才	어찌 찌르고 들어가는 재주를 다할까

주 1) **순상**(巡相): 순찰사. 조선 시대 도의 군무를 감찰하는 관리.
2) **김치룡**(金致龍): 조선 중기 문신(1654~1724). 본관은 언양(彦陽). 많은 선정을 베풂.
3) **문후**(問候): 안부를 물음.

146. 또 앞의 운을 쓰다[又用前韻]

寂寂通州夜	적적한 통주의 밤
淸愁苦不開	맑은 시름 괴로워 열리지 않네
夢隨殘角起	꿈은 쇠잔한 피리 소리에 일어나고
月與好詩來	달은 좋은 시를 가지고 오는데
酒熟黃花節	술 익는 황화의 절기
秋明錦石苔	밝은 가을 무늬 돌의 이끼
南樓饒賞詠	남쪽 누각에서 감상하며 읊는 것이 넉넉하니
酬報愧駑才	수작에 보답하는 둔한 노재1) 부끄럽네

주 1) **노재**(駑才): 자신의 재능과 지략(智略)을 낮추어 이르는 말.

147. 순상이 시를 지으라고 명령하여 초서로 달리다[巡相出令

賦詩走草]

玉節翩翩遵海潯	옥과 같은 아름다운 절기 휠휠 바닷가를 따라가는데
駐車隨處蔽棠陰	수레 머무는 곳 따라 해당화 그늘을 가렸네
窮閭化遍陽春脚	궁한 마을에 두루 따뜻한 봄이 드니
仙境遊賞夙歲心	선경을 노닐며 구경함은 어릴 적 마음이고
月出旌旗涵水色	달이 나오니 깃발은 물빛에 젖고
秋清鼓角雜龍吟	가을 맑으니 고각1)은 용 울음소리와 섞이네
桓公已問參軍馬	환공2)이 군마3)에 관하여 물으시니
席上題詩且不禁	자리에서 시를 짓지 않을 수 없네

주 1) **고각**(鼓角): 북과 뿔 등 고대 행사 때 사용하는 악기.
2) **환공**(桓公): 제(齊)나라 제후. 관중(管仲), 포숙아(鮑叔牙) 등 인재를 등용하여 패자(覇者)가 됨.
3) **군마**(軍馬): 병력.

148. 순상과 함께 총석정에 올라 임석천이 지은 시에 차운하다

[與巡相登叢石次林石川韻]

山海着吾輩	산과 바다에 우리가 도착하니
乾坤有此樓	하늘과 땅 사이에 이 누각 있는데
仙人乘鶴去	신선들은 학을 타고 가버리고
瓊柱與雲留	구슬 기둥은 구름 속에 남아 있네
歌曲松翁畵	노래는 송옹1)의 그림이요
詩篇石老鎪	시편은 석로2)의 조각일세

魚龍還戲劇	물고기와 용이 서로를 희롱 삼아 노는데
遣雨阻奇游	비를 보내 놀던 둘을 떼어놓네

1) **송옹**(松翁): 소나무의 존칭.
2) **석로**(石老): 돌을 다듬어 물건을 만드는 늙은이.

149. 금성군수 홍여오(중복)과 김사범(기석) 두 사람이 와서 시중대에서 놀며 당률을 차운하다[金城倅洪汝五(重福)金士範(箕錫)來 作侍中臺游次唐律韵]

二子來游不負期	두 사람이 놀러 온다는 약속 저버리지 않으니
重陽佳節又玆時	중양가절 바로 이때일세
淋漓縣閣黃花酒	현각에 많은 것은 국화주이고
爛熳奚囊白雪詩	혜낭1)에는 백설시 난만한데
作客未曾成好會	객 되어 일찍이 좋은 모임 이루지 못하였으니
逢君今始倒深巵	그대 만나 오늘 처음으로 깊이 취하려 하네
名湖秋色供吾輩	이름난 호수는 가을빛을 우리에게 제공하니
分付傔人秣馬遲	하인들에게 말을 천천히 달리라 분부하네

1) **해낭**(奚囊): 명승지를 찾아다니며 읊은 시나 문장 따위의 초고를 넣는 주머니.

150. 삼척의 영장1)을 울릉도로 보내며 시축에 있는 시에 차운하다[次三陟營將蔚陵島送別軸中韵]

黑風吹海立	흑풍이 불어오니 바다가 서고
談笑坐危舟	웃고 이야기하며 위태로운 배에 앉았는데

勒石爲銅柱　　　　돌을 새겨 동주2)를 만들고

逋蠻不復憂　　　　오랑캐 잡았으니 다시 시름하지 않겠네

> **주**
> 1) **영장**(營將): 조선 시대 각 진영의 정3품 으뜸 벼슬.
> 2) **동주**(銅柱): 구리로 만든 기둥.

151. 김경명이 금강산에서 와서 안변1) 사봉에서 놀기를 요구하므로 『동집』의 시운을 따라 짓다[金敬明自金剛來要作安邊沙峰之游 次東集韵]

■ 경명의 조카 언겸도 따라왔다[敬明之姪彦謙亦從之]

呼出滄溟日　　　　바다에 해를 불러내어

携來劒嶺雲　　　　검령의 구름 끌고 오니

玲瓏銀色界　　　　영롱한 은빛의 세계요

婀娜羽仙羣　　　　아리따운 우선2)의 무리일세

停轡窺幽境　　　　고삐 멈추고 그윽한 경계 엿보니

披花揀異芬　　　　꽃이 덮고 있어 다른 향기 있음을 가리는데

沙峰知漸近　　　　사봉에 점점 가까워짐을 아니

興已發三分　　　　흥이 이미 조금 나네

> **주**
> 1) **안변**(安邊): 함경도 남부에 있는 고을.
> 2) **우선**(羽仙): 학. 날개 달린 신선.

152. 두 번째 시[其二]

耆舊傳言元帥臺　　　노인들이 원수대1)에 관해 전하기를

列松還藉聖恩培	늘어서 있는 소나무 또한 성은으로 심은 것이라네
魚龍尙識威聲壯	물고기와 용은 아직도 위광과 명성의 웅장함을 알고
溟渤同符器量恢	바다와 같이 기량이 넓다고 하는데
樹老浦城仙鶴去	나무 늙은 포성에서 신선의 학 가버리고
秋深沙嶼彩雲堆	가을 깊은 모래톱에는 채색 구름 뭉쳐 있네
忍聞豆滿迎胡詔	두만강에서 오랑캐의 조서2) 맞이함을 차마 듣겠는가
倍使微臣作淚腮	미신3)의 볼에 눈물이 두 배나 흐르게 하네

주
1) **원수대**(元帥臺): 군의 우두머리인 원수가 올라가서 지휘하던 곳.
2) **조서**(詔書): 임금이 내리는 지시서.
3) **미신**(微臣): 신하가 자신을 낮추어 말함.

153. 임진년(1712) 가을에 다섯째 형님과 원과 평이 해산1)에서 놀기를 약속하고 나와 총석정에서 기다리다[壬辰秋五兄與源平約遊海山出 叢石亭待之]

豈知違誤正陽寺	어찌 정양사의 놀이를 그르칠 줄 알았을까
復此孤登叢石亭	다시 외롭게 총석정에 올랐네
千載寂寥橋下信	오랫동안 고요하던 다리 아래 소식으로
三山愁絶海中靑	삼산 큰 시름 끊어지니 해중이 푸르네

주 1) **해산**(海山): 해주(海州). 황해도 남서쪽에 위치한 고을 이름.

154. 다섯째 형님과 원평, 정원백 선, 장응두가 통천으로 왔으므로 가서 모여 장생이 지은 시에 차운하다[五兄與源平及鄭元伯敾 張應斗來到通川 仍往會次張生韻]

他鄕詩壘爲相開	타향에서 시루를 서로 위하여 여니
翰墨淋漓雜酒盃	글씨가 임리하게 술잔과 섞이는구나
揮洒金剛淸淑氣	금강의 맑은 숙기1)를 붓을 휘둘러 쓰고
海雲撑月柳邊來	바다 구름이 달을 지탱하며 버들 가로 왔네

주 1) **숙기**(淑氣): 자연의 맑은 기운.

155. 일원이 지은 시에 차운하다[次一源韻]

通州暮日開靑眼	통주의 저문 날에 푸른 눈 뜨니
彩纜前宵解鑑湖	채람1)이 지난밤에 감호에서 풀렸다네
着得三蘇山海裏	삼소를 찾아 산과 바다 다녔는데
流傳堪作百城圖	흘러 전하는 백 개 성에 그림을 지을 수 있을까

주 1) **채람**(彩纜): 채색 닻 줄. 귀한 손님이 타는 배.

156. 총석정에서 『이의산집』1)에 차운하다[叢石亭次李義山韻]

挾腋冷冷列禦風	팔을 끼어 스며드는 찬바람 막고
居然列坐喚仙東	어느새 줄지어 앉아 신선을 동쪽으로 불렀네
永郞消息逢誰問	영랑의 소식은 누구를 만나 물을까

閬苑笙簫有路通	낭원의 저와 퉁소는 통하는 길이 있는데
匝地山容千丈碧	땅을 돌아가는 산의 모습이 천 길이나 푸르고
抱天霞色一襟紅	하늘을 감싸 안은 노을이 한 옷깃을 붉히고
依然讌禊移玆境	의연하게 연화계 잔치 모임을 이곳으로 옮겨
忘却覊蹤轉短蓬	얽매인 자취 잊고 작은 배를 타네

주 1) 이의산집(李義山集): 당나라 시인 이상은(李商隱)의 시집.

157. 다섯째 형님이 지은 시에 차운하다[次五兄韻]

瓊瑤束束插青空	구슬 다발 묶어 푸른 하늘에 꽂아두니
面面奇形訝許同	면면이 기이한 형체 아허1)와 같네
精氣分來楓岳骨	정기를 나누어 풍악의 뼈 만들고
波濤激撼水仙宮	파도를 거두어 수선궁 지었는데
自然神鬼磨礱迹	자연의 신과 귀가 갈아 만든 자취는
豈是般倕剞削功	이 어찌 반수2)가 깎고 다듬은 공 아니겠는가
化工此理誰商確	조화공의 이 이치 누가 헤아려
倘遇丹丘綠髮翁	머리 푸른 노인을 단구에서 만날 수 있을까

주 1) 아허(訝許): 아자(訝字)와 허자(許字)가 비슷하나 서로 다른 글자라는 뜻.
2) 반수(般倕): 황제 때 솜씨가 교묘했던 공인(功人). 조각가.

158. 팔월 보름날 밤 시중호에서 배를 타다가 이의산이 지은 시에 차운하다[八月十五夜泛侍中湖次李義山韻]

| 肩輿徐下海棠洲 | 가마에 매어 서서히 해당주로 내려오니 |

十里秋湖穩穩流	십 리 가을 호수 평안하게 흐르네
紅粉迎爲搖櫓曲	붉게 분칠한 여자가 노 젓는 노래로 맞이하고
帷茵排作泛虛樓	휘장과 깔개 둘러 빈 누각 떠 있는 듯하고
海中明月多今夜	바다 가운데 밝은 달 오늘 밤에 많고
洛下新詩集一舟	낙하에 새로운 시 한 배에 모였구려
更有良朋能畵我	다시 좋은 벗 있어 나를 그려내니
妙高登翫讓玆遊	묘하고 높은 데 올라가 구경하며 이 놀이 사양하네

159. 운을 부르다[呼韻]

冉冉山頭秋日昏	산머리 가을날 염염 어두운데
月來諸客起相喧	달 뜨니 여러 사람 일어나 서로 떠들고
招呼綵楫移仙島	채색 배 불러 신선의 섬으로 옮기니
碾出金盤掛海門	금반을 갈아내어 바다 문에 걸었네
商舶盡依多樹岸	장삿배는 모두 나무 절벽에 의지하고
漁燈時出抱雲村	고기 잡는 등불 때로 구름 깊은 마을에서 나오는데
滿天幼眇關東曲	하늘 가득 미숙하지만 묘한 관동의 노래 있으니
瀲艶名臺酒一樽	물이 넘실대는 유명한 누대에서 술 한잔하네

160. 또 일원이 지은 시에 차운하다[又次一源韻]

拶去鳴沙路	짓누르고 가니 모랫길 울고
携來客並輿	끌고 온 나그네 모두 가마를 타고
洞庭湏待月	동정호에서 모름지기 달을 기다리는데
濠濮且觀魚	호복에서 또한 물고기를 보네
秋氣山山得	가을 기운은 산마다 나오고
棠花岸岸如	해당화는 언덕마다 같은데
村深鷄犬出	마을 깊어 닭과 개 짖는 소리 나니
頗似避秦初	자못 진나라 초의 난리를 피한 것과 같네

161. 또 일원이 지은 시에 차운하다[又次一源韻]

爲官敢說峽州微	관리되어 감히 협주가 작다고 말할까
今爾玆行我輩稀	지금 너의 이번 길은 우리에게는 드문 일인데
佳句京曹招少弟	아름다운 시구는 서울에서 젊은 아우를 부르고
便輿山海奉嚴闈	문득 편안한 수레로 산과 바다 다니며 어머니를 봉양하네
呼仙且得千年訣	신선을 불러 또한 천년 비결 얻고
飛鳥聯翩五色衣	신이 잇달아 나풀거리며 날듯 오색 옷도 나풀대는데
月裏琴歌歡興足	달 속에 거문고 노래 기쁜 흥이 만족하니

沙洲鷗鷺亦光輝　　　모래사장에 갈매기와 백로는 또한 빛이 나네

162. 매죽헌에서 운을 부르다[梅竹軒呼韻]

北望經年眼　　　　북쪽을 바라보는 해묵은 눈은
逢迎四日青　　　　만나고 맞이하느라 나흘 동안 푸르렀는데
聯筇皆勝景　　　　막대 이어서 가는 곳 다 좋은 경치이니
秣馬更離亭　　　　말 먹이고 다시 정자에서 떠나가네
秋起詩難贈　　　　가을 일어나자 시 보내기 어렵고
風凉酒易醒　　　　바람 서늘하니 술이 쉽게 깨는데
執裾還不語　　　　소매 잡고 또한 말하지 못하니
山氣忽冥冥　　　　산기운이 갑자기 어두워지네

163. 심사후의 운을 써서 일원과 증별1)하다[用沈士厚贈別一源]

西來一紙捉人還　　서쪽에서 온 한 장 편지 사람 돌아오길 재촉
　　　　　　　　　하니
溟海遊程却未寬　　망망한 바다에 노니는 여정 문득 넉넉하지
　　　　　　　　　못하구나
試上湫池回去馬　　시험 삼아 추지령에 올라
且應佳句苦吟安　　아름다운 구절에 응해 시 짓는 괴로움이라

주　　1) **증별**(贈別): 시나 노래 따위를 주고 헤어짐.

164. 다섯째 형님이 보낸 시에 차운하여 문득 드리다[次五哥兄寄詩韵却呈]

兀然如有失	홀로 외롭고 우뚝하니 잃음이 있는 것 같고
漠漠衆峰青	고요하고 쓸쓸한 뭇 봉우리 푸르기만 하구나
昨日同舟興	어제 함께 배 타던 흥
今宵何處亭	오늘 밤 어느 정자에 있는가
清詩歸馬得	맑은 시는 말을 타고 돌아가며 짓고
虛閣獨眠醒	빈집에서 홀로 잠들었다 깨었는데
展讀兼忻悵	편지 읽다가 기쁨과 슬픔이 겸하니
楸山更杳冥	추산1)이 다시 아득하고 어둡네

주   1) **추산**(楸山): 조상의 무덤이 있는 산.

165. 일원이 보낸 시에 차운하다[次一源寄示韵]

來詩恰得別時情	흡족하게 이별할 때의 정을 보내온 시에서 얻었고
蕭瑟秋愁紙上生	소슬한 가을 시름 종이 위에 생겨나는데
想像鞍頭相惜語	말머리에서 상상해보니 서로 말을 아꼈고
十洲圓月滿船明	십주의 둥근 달이 배 가득 밝아 있네

166. 자평이 보낸 시에 차운하다[次子平寄示韻]

去去行旌不可留	가고 가고 가는 깃발 멈출 수 없고

蕭蕭落木萬山秋　　나뭇잎 쓸쓸히 떨어지는 만산의 가을이라
紅塵固有繁華興　　홍진에 진실로 번화한 흥 있어
此酒那忘縣北樓　　이 술로 어찌 현북 누각을 잊을 수 있을까

167. 장정문이 보낸 시에 차운하다[次張鼎文所示韵]

新知從古樂　　예부터 즐기던 사람 새로 알게 되니
雙眼爲君靑　　두 눈은 그대 위해 푸르렀는데
浮海無機客　　바다에 떠도는 기회 잃은 나그네
尋仙幾勝亭　　신선을 찾아 몇 번이나 좋은 정자로 갔었나
作詩皆可誦　　지은 시는 다 외울 수 있지만
揮翰不曾醒　　쓴 글은 일찍이 깨우치지 못했는데
別去官齋閉　　따로 사니 관재는 닫혀 있고
寒燈夜雨冥　　차가운 등불에 밤비가 어둡네

168. 다섯째 형님과 일원과 자평을 보내면서 슬퍼하며 짓다[別五 兄與源平悵然有作]

歡意常難盡　　기쁜 뜻은 항상 다하기 어렵고
離杯未易酣　　이별하는 술잔 쉽게 취하지 않는데
肩輿纔柳外　　가마 타고 겨우 버들 밖까지 가니
嘶馬忽橋南　　우는 말은 갑자기 다리 남쪽에 있네
久倚西亭樹　　오래도록 서쪽 정자나무에 기대어

空懷細席談　　　세석에서의 대화를 공허하게 생각하네
最嫌文峙嶺　　　문치령을 가장 꺼려
送去只靑嵐　　　보내고 나니 다만 푸른 아지랑이뿐이네

169. 이참봉(동로)에 대한 만사를 쓰다[李參奉(東魯)挽]

骯髒平生志　　　꿋꿋한 평생의 뜻을
年衰豈肯低　　　나이 들었다고 어찌 즐거이 낮추랴
田園閑事業　　　전원의 사업 한가로워
梅鶴好亭臺　　　매와 학은 누대에 머물기 좋아하네
黃甲名終舛　　　황갑의 이름은 끝내 어그러지고
朱門跡不來　　　주문의 자취는 오지 않는데
冷官還屢躓　　　냉관1)에서 또한 여러 번 넘어졌으나
誰復識高才　　　누가 또 높은 재주를 알아줄까

(公所居有梅鶴亭 이 공이 사는 곳에 매학정이 있다)

주　1) 냉관(冷官): 지위가 낮아 보잘것없는 벼슬.

170. 두 번째 시[其二]

憶昔五陵日　　　생각해보니 옛 오릉의 날
逢迎此丈人　　　이 어른을 맞이하여
忘年論世誼　　　나이를 잊고 세의1)를 논하였는데
善謔見天眞　　　우스갯소리 잘하여 천진을 나타내었네

勝敗窓前局	이기고 지는 것은 창 앞의 바둑판
經過橘裏春	지나간 일은 굴 속의 봄인데
悲哉續續鳥	슬프다! 속속조2)여!
依舊弄溪濱	의구3)히 개울가에서 재롱 피우네

　이 공이 현재에 있을 때 나 또한 목릉을 지키고 있었다. 공이 항상
나에게 바둑을 두자고 했으나 뒤에 내가 여러 날 바둑을 두지 못하니,
공이 속속 하는 새소리를 듣고 시를 지어 계속 바둑을 두자는 뜻을 보
였다. 내가 차운해 속속 속속 푸름 밑에서 운다고 했는데 울음소리가
서재의 장막에서 가까웠으므로 다정하게 응하였다. 내가 배우기를 부
지런히 할 때 수담4)으로 새소리를 흉내 내니 공이 보고 웃었다.

李公在顯齋 余亦守穆陵 公每要余對棋 後余多日不着 公聽鳥音續
續者 作詩以示續着之意 余次之曰 續續續續緣底鳴 鳴近書帷故多
情 應要吾學勤時習 寧爲手談作此聲 公覽而笑之

　1) 세의(世誼): 대대로 사귀어 내려온 정.
　2) 속속조(續續鳥): '속속' 소리로 우는 새.
　3) 의구(依舊): 변함없음.
　4) 수담(手談): 바둑 두는 일.

171. 세 번째 시[其三]

杳杳善州土	아득한 선주1)의 흙이여
深埋老鶴姿	늙은 학의 모습을 깊이 묻었구나
月評知行義	월과를 평가할 때 행한 의리를 알았고

年壽驗仁慈	나이는 어짊과 사랑을 증험²⁾했네
文記高軒賞	글의 기록은 높은 이의 칭찬을 받았고
心摧舊篋詩	옛 상자의 시에 의기 꺾였는데
回頭南郭宅	남곽의 집으로 머리 돌리니
晴雪照殘碁	갠 눈이 남은 바둑알을 비추네

주   1) **선주**(善州): 오늘날의 경상북도 선산.
     2) **증험**(證驗): 증거로 삼을 만한 경험.

찾아보기

794

796

한울아카데미 1701

牧隱研究會研究叢書 8
국역 한주집 제1권

ⓒ 한주집국역본간행위원회, 2014

지은이 | 이집
옮긴이 | 권오호
펴낸이 | 김종수
펴낸곳 | 도서출판 한울

초판 1쇄 인쇄 | 2014년 7월 21일
초판 1쇄 발행 | 2014년 8월 4일

주소 | 413-756 경기도 파주시 파주출판도시 광인사길 153 한울시소빌딩 3층
전화 | 031-955-0655
팩스 | 031-955-0656
홈페이지 | www.hanulbooks.co.kr
등록번호 | 제406-2003-000051호

Printed in Korea.
ISBN 978-89-460-5701-2 94810
      978-89-460-4881-2 94810(전2권)

* 책값은 겉표지에 표시되어 있습니다.